STUDIA INSTITUTI ANTHROPOS

HENRI MAURIER
Philosophie de l'Afrique noire

STUDIA INSTITUTI ANTHROPOS

Vol. 27

Henri Maurier

Philosophie de l'Afrique noire

Deuxième édition revue et corrigée

ANTHROPOS-INSTITUT e. V.
ST. AUGUSTIN
1985

© 1985 Anthropos-Institut, D—5205 St. Augustin 1
Satz: P. Wanko, Bonn
Druck: Graphischer Betrieb Lütz, Alfter
ISBN 3—921389—25—9

Table des matières

Avertissement

De tous les côtés, l'Afrique dénonce les ingérences étrangères. Après avoir acquis le droit à l'initiative, en recouvrant son indépendance, l'Afrique tient à l'exercice de ce droit. Elle entend donc se définir elle-même, par elle-même, et non en fonction des étrangers et sous leur pression. De là cette requête d'authenticité, violemment proclamée parce qu'elle doit secouer un joug. De là ces ‹dialogues› avec les Occidentaux pour dénoncer la crise de civilisation qui s'abat sur le monde moderne et la prétention de l'Occident à faire la leçon aux autres. L'Afrique revendique donc son droit à la parole et l'exerce avec force.

Mais quand on parle on est au moins deux, quand on revendique son authenticité, c'est face à un autre. L'Occident (pour ne parler que de lui) est donc là, partenaire subi ou indésirable, partenaire inévitable. En face de l'Afrique qui se dit, il y a l'Occident qui continue à avoir son idée sur l'Afrique. Chaque participant au dialogue a ses représentations sur ses partenaires. Il est préférable de ne pas voiler ce fait. Représentations vraies ou fausses, avantageuses ou désobligeantes, mais représentations. Voici donc, après beaucoup d'autres, un livre dans lequel un non-africain dit ce qu'il pense de l'Afrique.

Il importe d'expliquer brièvement et clairement au lecteur, ce que j'ai voulu dire. Dans ce dialogue Afrique — Occident, l'accusation de l'Occident tient la place primordiale; à juste titre, tant l'impérialisme occidental a été et est encore dévorant. Mais l'Afrique n'est pas un vide; au moment où elle est victime de l'agression, elle n'est pas rien. Elle *est*, avec sa splendeur et sa fragilité — cette fragilité qui lui vaut précisément d'être victime. C'est pourquoi, sans oublier un mot des reproches que l'Afrique fait à l'homme blanc, ce livre s'est efforcé de rejoindre d'abord l'Afrique traditionnelle, d'hier et d'aujourd'hui (car l'Afrique traditionnelle existe encore). Mais il le fait d'une manière critique, refusant un certain langage trop commode des Occidentaux par quoi ils ont légitimé ou légitiment leur domination, refusant aussi la parole trop idyllique que l'Afrique parfois prononce sur elle-même. Le présent travail né d'une longue méditation, de contacts africains, surtout voltaïques, de la rumination des sciences humaines, n'est pourtant qu'un essai tâtonnant. Encouragé par quelques amis, mis en garde par d'autres, l'auteur n'est pas absolument sûr de lui-même. Il ne prétend point s'ériger en juge d'autrui mais seulement apporter sa petite pierre à un édifice qui devrait devenir la compréhension mutuelle des peuples et leur reconnaissance réciproque. Il ne prétend pas... mais c'est peut-être faire trop facilement litière de préjugés, lesquels ont beau être niés, n'en restent pas moins actifs, quoiqu'on en ait. En tout cas, le but conscient de ce travail est de comprendre et d'aider d'autres compatriotes à comprendre, en toute indépendance. Aussi bien n'ai-je pas voulu de l'étiquette ‹Philosophie africaine›, mais ‹Philosophie de l'Afrique›, nuance par laquelle je me pose comme un étranger, placé au dehors et qui essaie de comprendre le langage humain, la leçon humaine qui sourd d'un vieux continent. Sans doute est-ce une attitude bien occidentale d'engager un discours philosophique pour comprendre l'autre; solution de facilité peut-être, puisque c'est une attitude de retrait;

solution dangereuse puisque je risque d'enlacer l'autre dans ces catégories qui le figent. Ce discours théorique ne remplacera pas la parole vitale dite d'homme à homme.

De toutes façons, le présent travail est un risque; il se voudrait dialogue; il sera peut-être perçu comme un combat polémique. Les Africains en récuseront peut-être et la méthode et les résultats parce qu'ils vivent les choses de l'intérieur; et les spécialistes occidentaux en trouveront peut-être la matière légère et la démarche simplificatrice. Qu'importe! j'accepte ce risque, pensant finalement que si la piste ici ouverte s'avère impraticable, cela même aura été un résultat positif: d'autres sauront qu'il faut procéder autrement.

Le genre de philosophie ici présente, relève du rationalisme. Ce peut être étonnant sous la plume d'un ecclésiastique. Je crois tout simplement que la religion n'est pas forcément obscurantisme. S'il faut défendre cet a priori rationaliste, je dirais qu'un occidental peut difficilement faire abstraction de la critique des religions, et que la route vers la modernité, sur laquelle l'Afrique est engagée irréversiblement, exige que l'on se situe le plus loin possible dans la critique et la rationalité.

Ce livre contient beaucoup de citations. C'est une façon d'être en dialogue, ou en compagnie. Ces citations présentent, selon les cas, des points de contact ou des points de divergence avec ce que je pense. Que les personnes citées veuillent bien trouver ici l'expression de mon respect.

Bruxelles 1975

H. Maurier
des Missionnaires d'Afrique (Pères Blancs)

Avertissement pour la seconde édition

Cette seconde édition corrige les nombreuses lacunes de présentation de la précédente et comprend quelques remaniements de détails. Nous n'avons pas cru devoir transformer l'ensemble du texte ni mettre à jour la bibliographie. Toutefois, signalons que le chapitre VI s'achève sur des perspectives différentes, échos des recherches ultérieures de l'auteur.

L'édition précédente a été accueillie avec bienveillance par la plupart des lecteurs attentifs. Epuisé, le livre continuait à être demandé; l'Institut Anthropos a donc assumé cette réédition, en partie avec l'aide de la Société des Missionnaires d'Afrique.

Ce livre promettait et promet toujours une suite. Celle-ci existe bien sous forme de brouillon, mais le temps a manqué pour une mise au point satisfaisante. Quelques indications bibliographiques, concernant cette suite possible, sont données à la fin du chapitre VI.

Paris 1984

0 Introduction: Problématique de la philosophie africaine

Il est bien difficile de faire le point (en 1975) des contributions africaines en matière de philosophie. Tout au plus peut-on dire que la production philosophique de l'Afrique noire passe à une deuxième phase de son histoire. Après l'affirmation, le doute ou plutôt l'interrogation.

Le propos de cette introduction n'est pas de brosser une histoire de la philosophie négro-africaine à ce jour[1] mais de poser la problématique inhérente à une telle philosophie. Les premiers travaux, œuvres de courageux pionniers, font justement maintenant l'objet d'une importante critique: sont-ils vraiment philosophiques? sont-ils vraiment africains? Autrement dit, une philosophie africaine, qu'est-ce que cela peut vouloir dire?

0.1 L'exigence philosophique

La philosophie constitue, à nos yeux, une discipline stricte et rigoureuse, ayant sa technique propre et une longue histoire. Née en Grèce, développée en Occident, elle est un outil à prendre tel quel, comme l'outil scientifique ou mathématique. Nous ne rêvons donc pas d'une voie africaine de la philosophie, nous entendons

---

1 En prenant les choses par les sommets, et sans vouloir être complet, on peut dire que le premier courant de philosophie africaine commence avec P. Tempels. Sa *philosophie bantoue* se poursuit avec les œuvres de Kagame (1956), de Makarakiza (1959), de Lufuluabo (1962 et 1964) et de Mulago (1965). Ces ecclésiastiques formés à la philosophie scolastique aristotélico-thomiste cherchent à se distancer de cette première formation reçue. La contestation du clergé africain à propos de la forme occidentale du catholicisme importé en Afrique se manifeste au grand jour en 1957 dans *Des prêtres noirs s'interrogent* et *Personnalité africaine et catholicisme* (1963). A côté de ces ecclésiastiques, il faut citer le mouvement de la ‹négritude›, dont ils ne sont pas indépendants: la revue *Présence Africaine* (depuis 1947); le Premier Congrès des Ecrivains et Artistes Noirs (Edition Présence Africaine 1947); l'œuvre de L.S. Senghor, rassemblée dans *Liberté 1* (1964) et *2* (1971), commencée en 1937. Des cahiers sont offerts au grand public: *Aspects de la culture noire* (1958), *Regards sur l'Afrique* 1962 et J. Jahn (1961). Ces œuvres s'inscrivent sur un fond de recherche anthropologique s'attachant à l'étude de la pensée symbolique et mythologique des sociétés africaines. Citons: M. Griaule, G. Dieterlen, D. Zahan, J. Roumeguère-Eberhardt, M. Vetö, L.V. Thomas, B. Holas. Du côté anglophone, nous avons *African Worlds* (Forde 1954) et *African Systems of Thought* (Fortes et Dieterlen 1965); l'œuvre de E.E. Evans-Pritchard, de V.W. Turner, de M. Fortes, etc. Des congrès et colloques permettent la confrontation des idéologies: *Colloque sur les religions* (1962), *Les religions africaines comme source de valeurs de civilisation* (1972), *L'Afrique noire et l'Europe face à face* (1971). Les thèses philosophiques se multiplient (qu'il est en général très difficile de se procurer) comme J.C. Bahoken (1967), B.J. Fouda (1967), J. Magobeko Kamana (1972), B. Kossou (1971). Citons encore H. Memel-Fotê (1970) et J. Mbiti.
Le second courant, courant critique celui-là, s'inaugure à notre connaissance avec F. Crahay (1965). Ses principaux représentants sont F.E. Boulaga, P.J. Hountondji, M. Towa, J. Fabian, A. N'Daw, V. Mudimbe. Le symposium d'Alger (*La culture africaine* 1969) pose le problème politique de la philosophie.

appliquer au donné africain la technique philosophique occidentale[2]. Nous pensons qu'une philosophie proprement et strictement africaine peut et doit être proprement et strictement philosophique: une philosophie doit être réflexive, rationnelle, critique et systématique.

0.1.1 L'exigence réflexive

1. Comme toute philosophie, la philosophie de l'Afrique doit partir d'un donné premier, la vie africaine concrètement vécue, pour remonter aux principes ou fondements ultimes qui la constituent.

Le donné de base est immensément riche et diversifié. Le philosophe ne peut rien négliger a priori. Il y a d'abord l'observation directe de la vie courante, l'immersion en milieu africain, la pratique des coutumes religieuses et morales, la participation aux travaux et aux divertissements. Puis il y a toute la sagesse accumulée dans la tradition orale, proverbes, mythes et contes, rituels, noms, interdits, toutes les manifestations de la parole, la pensée enclose dans les arts plastiques ou chorégraphiques. Enfin le philosophe doit utiliser les connaissances accumulées par l'ethnologie, la sociologie ou l'anthropologie culturelle moderne, ainsi que l'histoire. Ces sciences constituent des descriptions approfondies des structures et du fonctionnement des sociétés africaines; si la recherche philosophique ne se situe pas au même niveau que ces sciences positives, elle n'en est pas indépendante.

Mais qui dit réflexion philosophique, dit rupture, distanciation; et distanciation maximale. Finie la belle et naïve unanimité de l'immédiateté: la philosophie est érodante et subversive, thérapeutique et antagonique. Comprendre c'est comprendre autrement. «L'intelligence, dit un proverbe du Burundi, c'est (un feu) qu'on va chercher ailleurs» ou «l'intelligence vient de chez les voisins» (Rodegem 1961: 244 n° 2320; 1983: n° 877). Il s'agit donc de penser le chez soi en sortant de chez soi, en se mettant à un autre niveau, en parlant un autre langage, pour faire apparaître un sens qui concerne et oblige présentement. La réflexion philosophique est une mise en question de l'homme, à un niveau qui s'efforce à l'universel. L'entreprise de la philosophie africaine vise à extraire du concret africain, d'une manière d'être homme, d'une réalisation particulière de l'humanité, les traits fondamentaux et universels touchant l'homme; traits qui se manifestent sans doute partout, mais avec une intensité particulière sur ce continent. Réflexion qui expose et critique; car l'homme ne peut jamais être compris comme une chose fermée en soi et sur soi; l'homme est toujours au-delà de ses déterminations; il ne peut se reposer en ce en quoi il se pose.

---

2 Nous laissons de côté les philosophies non-occidentales, hindoues, chinoises, arabes etc. Occidental, nous abordons l'Afrique en occidental et non avec les habitudes intellectuelles d'Extrême-Orient. Il ne s'agit là ni de mépris ni de négligence, mais d'un propos délibéré de rigueur: il convient de savoir en effet ce que l'on veut et peut faire. Aussi bien, chaque fois que nous emploierons le mot ‹philosophie› dans cet ouvrage, s'agira-t-il du sens strict du terme. Pour désigner le donné africain, ou la ‹philosophie› spontanée africaine, nous emploierons un terme plus vague tel que ‹pensée›, ‹conception›.

2. Cette exigence réflexive de la philosophie se réalise-t-elle dans l'Afrique d'aujourd'hui?

Les sociétés traditionnelles ont déjà réfléchi sur la signification qu'elles entendent donner à la vie humaine. Il existe une *sagesse* que le vieillard, le conseil des anciens ou le maître des initiés cultivent pour la vie de la communauté; il existe une connaissance ‹lourde› ou ‹lointaine› (parce que se perdant dans la nuit des temps) et souvent ésotérique[3]. Nous pensons cependant que ces sagesses ne constituent pas à proprement parler, une ou des philosophies, au sens précis que nous donnons à ce mot. Justement parce que la réflexion s'y exerce sans véritable rupture. Les sociétés africaines édifièrent des civilisations de style unanimiste où il n'est pas question de prendre du recul pour critiquer, mais de s'intégrer dans une totalité pour survivre[4]. L'ésotérisme, ou le secret du savoir, est nécessaire pour sauvegarder un système de contrôle qui se veut sans défaillance. La philosophie est autre chose: elle est essentiellement remise en cause et discussion au grand jour, du moins quand elle a la liberté de s'exercer et qu'elle ne tombe pas elle-même dans l'hermétisme, ou l'idéologie.

Le choc des cultures est favorable à la rupture philosophique. Bien que le continent africain n'ait jamais été le continent fermé que l'on a prétendu, il n'a sans doute pas été aussi perméable aux influences extérieures que d'autres. Pratiquement, c'est l'impérialisme colonial de l'Occident qui a obligé l'Africain, *volens nolens*, à prendre du recul par rapport à sa propre tradition[5].

Ce n'est pas que l'oralité soit moins propice à la réflexion que l'écriture. Celle-ci permet davantage la réflexion d'une conscience individuelle sur elle-même; celle-là est une réflexion en commun. Mais l'écriture permet une meilleure conservation de la réflexion avancée; c'est pourquoi, même si l'Afrique a produit de hautes personnalités philosophiques, nous n'en savons rien faute de documents; tandis que les œuvres philosophiques de la Grèce antique, de l'Inde et de la Chine nous sont parvenues[6].

En dehors des sagesses traditionnelles, diverses tentatives de réflexion sur le donné africain existent déjà. Mais nous ne pensons pas qu'elles atteignent le niveau philosophique proprement dit.

---

3 Thomas et al. (1969: 73); cf. ce texte de L.S. Senghor (1961: 65): «Maître des initiés, / J'ai besoin, je le sais, de ton savoir, / Pour percer le chiffre des choses, / Prendre connaissance de mes fonctions de père et de lamarque [chef], / Mesurer exactement le champ de mes charges, / Répartir la moisson sans oublier un ouvrier ni un orphelin.»
4 On a dit, non sans raison, que les sociétés africaines traditionnelles étaient des sociétés à rébellion, non à révolution (M. Gluckman cité par G. Balandier 1967: 174).
5 N'oublions pas que l'Afrique a subi aussi l'impérialisme arabo-islamique. Des universités florissantes existèrent à propos desquelles il serait intéressant de se demander si elles favorisèrent une prise de conscience négro-africaine face à l'islam arabe et berbère (voir Ch. A. Diop 1960: 131 s.; S.M. Cissoko 1969).
6 Il n'est pas exclu que des trouvailles puissent être faites. Il existe en effet une littérature originale en écriture arabe, plus ou moins ancienne, restée manuscrite et privée (cf. A.I. Sow 1966: introduction). D'autre part s'il est vrai, comme le dit P. Masson-Oursel (1969: 7) «que l'histoire de la pensée ne commence qu'avec l'histoire des langues», l'Afrique est mal placée: nous ne savons pas grand-chose des langues africaines de l'antiquité.

Nous avons d'abord le mouvement de la *négritude*. Elaboré dans les milieux intellectuels noirs de Paris vers 1933—1935[7], le concept de négritude entend désigner «l'ensemble des valeurs... de civilisation du monde noir» (L.S. Senghor 1971: 6 s.) face aux négations colonialistes. La négritude est donc une prise de conscience, un véritable *cogito* africain (N'Daw 1966: 41); c'est en même temps une revendication et un chant de guerre[8]. Nous pensons que cette entreprise n'est pas proprement philosophique parce qu'elle est plus une affirmation de soi qu'une critique rationnelle et systématique de soi. Mais la négritude nous paraît être une condition *sine qua non* de la philosophie africaine, laquelle ne saurait exister si elle ne naît pas d'une prise de conscience de la spécificité africaine.

Nous en dirons autant des mouvements et recherches que l'on peut grouper sous le terme ‹socialismes africains› (Thomas 1966). Préoccupés de ne se laisser annexer ni par le marxisme ni par le libéralisme, plusieurs chefs d'état et économistes africains ont tenté de découvrir dans la tradition africaine et ses valeurs permanentes une voie spécifique de développement ni capitaliste ni communiste. Cette recherche suppose une prise de conscience profonde des réalités humaines africaines. A ce titre elle intéresse le philosophe; mais on ne saurait dire qu'elle constitue véritablement une philosophie; le point de vue économique et politique, pour important qu'il soit, y tient une place prépondérante au détriment de la recherche des fondements ultimes. Elle affirme plus qu'elle ne critique les valeurs traditionnelles. Mais elle est précieuse comme volonté de libération de l'homme, et empêche le philosophe de se replier dans une commode tour d'ivoire, climatisée et stérile.

La *littérature* négro-africaine moderne, et le *cinéma*, reprennent volontiers les thèmes de la négritude et des socialismes africains. Il s'y exerce une violente protestation contre l'impérialisme culturel de l'Occident. Le malaise de l'Africain modernisé face à l'Africain traditionnel y est abondamment décrit (cf. par exemple Ch.H. Kane). L'Afrique traditionnelle s'y trouve souvent louée, regrettée, pleurée, mais aussi critiquée[9]; surtout s'y exerce la volonté de se ‹recréer pour survivre›,

---

7   A. Gérard (1964: 15 s.); cf. L.S. Senghor (1971); Colloque sur la Négritude (1972).
8   «C'est d'abord une négation, je l'ai dit, et plus spécialement l'affirmation d'une négation. C'est le moment nécessaire d'un mouvement historique: le refus de s'assimiler, de se perdre dans l'autre. Mais parce que ce mouvement est historique, il est du même coup dialectique. Le refus de l'autre, c'est l'affirmation de soi» (L.S. Senghor).
9   Par exemple la pièce de théatre de Guy Menga, *l'Oracle*: «Pièce 'engagée' donc, où se trouvent mis en cause aussi bien le système du mariage en Afrique traditionnelle que les roueries et la malhonnêteté des sorciers, et du dur combat des jeunes pour atteindre à la dignité humaine» (Compte-rendu en *Présence Africaine* 70.1969: 193). Avertissons le lecteur que nous n'avons pas fait un dépouillement systématique de la littérature négro-africaine moderne (poésie, roman, théâtre), du point de vue philosophique. Ni du cinéma ni des arts plastiques africains.

de se ressourcer pour se libérer, d'apporter un message à l'humanité[10]. Tout ceci constitue des éléments de réflexion très importants pour le philosophe, sans être pour autant une philosophie réellement élaborée et systématisée.

3. Ici se dresse une objection. Si nous prétendons que la sagesse africaine n'est pas proprement une philosophie, parce qu'elle ne satisfait pas à l'exigence réflexive, c'est peut-être que nous voulons soumettre le donné africain à une technique qui lui est profondément étrangère. Ne se plaît-on pas, d'une façon quasi unanime, à reconnaître que l'homme africain est l'homme de la communion, de l'intégration à la nature[11]? La distanciation que demande la philosophie n'est-elle pas trahison? Que devient la sagesse traditionnelle si la tradition est remise en cause, si le sage, le vieillard, le gardien du vrai sont suspectés[12]? Et de quel droit déranger le peuple dans la tranquille possession de ses valeurs?

En fait la sagesse africaine, tout en défendant l'ordre établi, n'ignore pas un certain scepticisme[13]. De plus l'impact de l'Occident, les nécessités du modernisme exigent que l'Afrique s'interroge profondément sur elle-même. L'Afrique ne peut se contenter d'un fidéisme irrationnel et défendre son credo sur la simple foi de traditions sans passer par le feu de la critique rationnelle et systématisée[14]. L'outil réflexif, s'il a commencé à s'exercer en Occident, n'est pas en soi occidental; la réflexion philosophique est apte à réfléchir toute réalisation de l'esprit humain. Certes, le langage philosophique n'aura pas la même saveur que les œuvres artistiques africaines, ou la participation vécue aux rites. La philosophie africaine inaugure un âge réflexif de l'Afrique. Et si l'Afrique s'y opposait, cela voudrait dire qu'il lui serait meilleur d'ouvrir des parcs d'initiation que des chaires de philosophie dans ses universités.

Il y a cependant à déplorer que le philosophe, par son jargon, et sa position séparée, prétende détenir un savoir qui le mettrait au-dessus du peuple, il doit au contraire participer en pleine égalité aux travaux et recherches communs (Jolivet 1970: 79).

10 Quelques citations: «Reprenons le style de vie traditionnel et évitons l'importation des valeurs de pacotille» (A. N'Daw 1968: 6). «Il existe pour chaque peuple un patrimoine hérité, un complexe de valeurs qui apparaît dans les attitudes concrètes en face de la vie et aussi dans les institutions traditionnelles. En analysant les représentations de base d'un peuple, c'est-à-dire les images, les symboles à l'aide desquels il exprime le rapport de l'homme au monde, à lui-même et à Dieu, on peut mettre en évidence le fond culturel de ce peuple, y découvrir un ensemble cohérent, une vérité de la figure culturelle constituée» (N'Daw 1968: 7). Voir encore Alioune Diop, au *Colloque sur les religions* (1962: 16 et 17).
11 «On l'a souvent dit, non sans raison, le Nègre est l'homme de la nature», dit L.S. Senghor (1962: 3); lequel oppose la «raison-œil du Blanc européen, à la raison-étreinte du Négro-africain» (1962: 8).
12 «La philosophie nous éveille à ce que l'existence du monde et la nôtre est problématique en soi, à tel point que nous soyons à jamais guéris de chercher, comme disait Bergson, une solution dans le cahier du maître» (M. Merleau-Ponty 1953).
13 Par exemple sur la mort. Témoin ce proverbe: «La mort, c'est comme la lune, nul n'a vu son autre face.»
14 Le théologien musulman du XIᵉ siècle al-Ghazali a ce mot toujours actuel: «Il n'y a pas d'espoir de retourner à une foi traditionnelle quand elle a été abandonnée; car la condition essentielle de l'adhésion à une foi traditionnelle c'est d'ignorer son traditionalisme.»

0.1.2 L'exigence rationnelle

1. L'intention philosophique ne peut se détacher des exemples de Socrate, Montaigne ou Descartes. Maïeutique, scepticisme, doute méthodique, par une ambition d'examen perpétuel, se proposent la grande purification de la conscience humaine. «Que sais-je?» La philosophie est école du soupçon, réductrice des illusions, établissement du règne de la raison. Qu'est-ce que cela implique pour une philosophie africaine?

Le donné africain se présente d'ordinaire au philosophe comme profondément grevé par la pensée mythique, magique, dite primitive. Que penser de ces cosmogonies[15], de ces mythes, de ces croyances et pratiques magiques? que faire de la sorcellerie et de la divination? que faire de ces théories populaires sur la force, ou de ces substances fluidiques, subtiles, aromales, pseudo-physiologiques[16]? Quel sens donner à toutes ces entités invisibles groupées sous le terme ‹animisme›?

Ce n'est pas que le mythique soit indigne des bienséances philosophiques! La philosophie pose comme hypothèse fondamentale que tout le réel est rationnel et que ce qui paraît insignifiant ou absurde n'est que «ruse du sens, une manière pour le sens de venir au jour» (M. Foucault). La rationalité c'est d'abord l'explication du sens implicite. Mais quel sens convient-il de tirer du mythe et des symboles? C'est le problème herméneutique que nous examinerons plus loin.

La rationalité c'est encore le refus de tout ce qui est manifestement en contradiction avec ce que l'intelligence humaine a découvert de plus valable par la méthode scientifique. Il ne saurait y avoir une vérité africaine, une biologie, une astronomie, qui s'opposerait à une vérité française ou allemande. La vérité scientifique est universelle. La critique qu'elle instaure des certitudes du sens commun ne peut être évacuée. Il importera donc de déterminer à quel niveau telle proposition traditionnelle peut être vraie.

Le projet philosophique se heurte à la croyance religieuse. Celle-ci adhère à des vérités qu'elle pose comme absolues; or la philosophie prétend s'interroger sur ces vérités et le chemin qui y mène; elle montre que les religions s'édifient à partir de certaines options sur l'homme qu'elles déploient suivant leur logique propre; elle reconnaît donc les articulations de la pensée religieuse mais en les suspendant

---

15 Un exemple pris au hasard: mythe, qui serait commun aux sociétés sahariennes et soudanaises, de la création du monde à partir de la petite graine *digitaria exilis (fonio,* éleusine), qui se compose de 7 éléments. Cette petite graine fut le ciel clos et statique. L'élément central, matrice du monde, comprenant une trinité (2 parties jumelles d'eau reliées par un élément central de terre célestielle), est aussi appelé serpent. Le grand chasseur tranche la tête du serpent (prélude à toutes les circoncisions) et la queue (prélude à toutes les excisions); le monde fait explosion et bascule de la droite vers la gauche en se renversant; ainsi se fit notre monde? (cf. aussi les représentations bété: B. Holas 1968c). Quelle philosophie rationnelle peut-on extraire de ce magma mythique et monstrueux?

16 Par exemple, chez les Dogons, les notions de *nyama,* de graines claviculaires, de localisations intra et extra-corporelles des huit âmes, etc.

à une option, elle les relativise. Ce faisant elle rend l'homme religieux à la liberté[17].

Il fut un temps où la Raison philosophique se croyait unique et absolue. Il y a certes quelque chose dans la raison qui est universel, comme son besoin de cohérence interne, son refus de la contradiction. Mais l'exigence rationnelle du philosophe n'est jamais qu'un effort vers plus de rationalité; celle-ci suppose qu'il se rende conscient de ses présupposés et de ses horizons de pensée. La philosophie africaine ne s'intéresse pas, croyons-nous, aux mêmes choses que la philosophie occidentale; il n'y a pas à demander à l'une ce qui n'intéresse que l'autre. Mais l'une et l'autre peuvent et doivent être rationnelles. Ainsi notre raison est située, relative, limitée.

D'ordinaire, on opposait à une rationalité unique une mentalité magique et archaïque ou primitive, elle aussi unique. De l'Australie aux Incas, la pensée primitive constituait un *mare magnum* sans diversité. Il est vraisemblable que les mécanismes de la pensée primitive soient en effet partout les mêmes, comme sont les mêmes les mécanismes de la pensée rationnelle. Mais ce qui est dit par l'une et l'autre n'est pas forcément la même chose partout. L'homme se réalise et se pense de différentes manières dans le temps et l'espace. Ainsi il n'est pas sûr que les mythologies grecque et africaine aient le même sens. La philosophie doit reconnaître cette diversité; le comparatisme enrichira sa vision de l'homme et la raison deviendra pluraliste.

Mais il y a plus, la rationalité exige que l'on remette en cause sérieusement le concept même de ‹mentalité primitive›. Il se pourrait bien en effet que le primitivisme ne traduise que l'incapacité de certains occidentaux à sortir de leur ethnocentrisme. Nous pensons aussi que les explications par la magie sont des explications magiques, c'est-à-dire n'expliquent rien, en expliquant n'importe quoi[18]. Il n'est sans doute pas possible d'évacuer totalement toute trace de pensée magique, mais l'exigence rationnelle demande au moins que l'on fasse l'effort de saisir rationnellement, dans une forme de pensée adéquate, ce qui paraîtrait autrement inassimilable.

La rationalité enfin, c'est l'expression conceptuelle. Le sens doit être recueilli dans le concept universel taillé sur mesure. Le concept doit décoller du mythe et du rite tout en récapitulant le sens. Mais cette conceptualisation doit naître du donné même et non être imposée du dehors; autrement la philosophie africaine ne serait qu'un éclectisme bâtard.

17 Cf. la réflexion de Ch.A. Diop: «Le bienfait incontestable de la colonisation est le rationalisme laïc qui nous permet d'envisager les choses en dehors des catégories religieuses, quelles qu'elles soient, et de nous libérer ainsi intellectuellement» (cité par V. Mudimbe 1968: 67; cf. M. Towa 1970: 62, 63,68).
18 Appliquons ici à la magie ce que Lévi-Strauss dit de l'affectivité: «... ce qui est rebelle à l'explication n'est pas propre, de ce fait, à servir d'explication. Une donnée n'est pas première, parce qu'elle est incompréhensible: ce caractère indique seulement que l'explication, si elle existe, doit être cherchée sur un autre plan. Sinon, on se contentera d'attacher au problème une autre étiquette, en croyant l'avoir résolu» (1962a: 100).

Ces explications suffiront à montrer, croyons-nous, que l'exigence rationnelle, bien loin de vouloir dissoudre le donné africain ou lui imposer un carcan intolérable, se propose au contraire de le sauver au maximum et de le rendre acceptable parce que critiqué.

2. L'exigence rationnelle est-elle respectée dans les productions africaines de philosophie? Il semble que la plupart manquent d'esprit critique. Parfois elles versent dans le dithyrambe, parfois dans la logomachie. La plupart du temps elles se contentent d'enrégistrer les positions traditionnelles[19], ce qui a au moins le mérite de livrer des données à qui veut aller plus loin. Mais l'exaltation inconditionnelle et non-critique des idées courantes n'a jamais fait une philosophie.

0.1.3 L'exigence critique épistémologique

L'exigence rationnelle débouche dans l'exigence épistémologique.

1. Il est impossible aujourd'hui qu'une philosophie (ou une science) ne s'interroge pas sur la valeur de la connaissance. La philosophie sait qu'elle sait (ou ne sait pas) et elle le sait pourquoi et comment. Deux niveaux épistémologiques sont à distinguer: d'abord quelle est la valeur de la connaissance traditionnelle, sur quoi fonde-t-elle ses affirmations, pourquoi s'exprime-t-elle symboliquement[20], comment son discours est-il réglé par sa propre dialectique autant et plus que par l'expérience, quel jeu subtil pratique-t-elle entre la compréhension et la croyance[21]? Le second niveau, qui nous retiendra plus longuement, c'est de savoir qu'elle est la valeur ou le statut de la démarche d'une philosophie comme celle que nous tentons ici.

2. Il faut bien avouer que l'exigence épistémologique n'apparaît guère dans la plupart des études philosophiques africaines parues à ce jour.

P. Tempels a bien un chapitre, le troisième, intitulé ‹La sagesse et la critériologie des Bantous›; il y affirme la croyance des Bantu en leur système, que «la puissance du savoir est, comme l'être lui-même, essentiellement dépendance de la sagesse des aînés» (p.50), que «la philosophie bantoue se fonde sur l'évidence interne et externe» (p.52), que les déductions tirées par les Bantu à l'intérieur même

---

19 Un exemple: «Une idée est fondamentale à la conception de la connaissance, c'est que la connaissance est appréhension du commencement des choses, qu'en somme elle est essentiellement métaphysique. Ainsi, les vrais connaisseurs soit ceux qui ont le plus grand âge et qui sont plus proches de l'origine des choses, soit ceux qui participent de plus près à la force absolue et génératrice» (H. Memel-Fotê en *Colloque sur les religions* 1962: 44).

20 «La tâche du philosophe n'est pas de dénoncer les illusions mais plutôt de les justifier en faisant apparaître du moins le fondement qui les rend possibles, la structure ontologique à partir de laquelle elles se développent» (Henry 1965: 159).

21 Comme dit P. Ricœur (1960: 326-327): «... il faut comprendre pour croire, mais il faut croire pour comprendre», et citant Bultmann: «... toute compréhension, comme toute interprétation est... continuellement orientée par la manière de poser la question et par ce qu'elle vise. Elle n'est donc jamais sans présupposé, c'est-à-dire qu'elle est toujours dirigée par une précompréhension de la chose au sujet de laquelle elle interroge le texte. Ce n'est qu'à partir de cette précompréhension qu'elle peut en général interroger et interpréter.»

de leur système des forces, sont logiques et ‹critiques› (pp.61-62); mais il ne s'interroge pas sur sa propre démarche, ni sur le fondement ultime de la théorie bantu, sur quel choix initial elle repose, sur ce qui la rend possible et valide.

A. Kagame paraît surtout se livrer à une enquête linguistique, une vision du monde à travers la langue.

> Il prend appui sur un système de concepts très généraux qu'il emprunte à Aristote, entre autres sur le groupe des catégories de l'Etre; il recherche ensuite les correspondants approximatifs de ces concepts dans certaines catégories du kinyarwanda, préalablement érigées par des travaux de grammairiens, en catégories grammaticales (Crahay 1965: 67).

Il est bien évident que cette démarche pose des problèmes épistémologiques.

3. A notre avis, il est nécessaire de s'interroger d'abord sur le rapport entre la philosophie et *les sciences anthropologiques*.

La philosophie africaine utilise pour se constituer les données des sciences anthropologiques. Que peut-elle dire de plus que ces sciences? peut-elle, par une intuition à tire d'ailes, les dominer, les court-circuiter pour mettre le doigt sur un fondement anthropologique qui expliquerait le tout? Que peut-elle dire qui ne puisse et doive être vérifié par l'observation empirique, comme les autres sciences[22]? Ou bien la philosophie va-t-elle attaquer ces sciences pour les juger[23]? Qu'a donc de spécial le projet philosophique?

Distinguons celui-ci d'abord de la recherche unificatrice de J. Maquet (1962 et 1967). Devant l'immense variété des sociétés africaines, il est légitime de dégager des types de civilisations: telles sont les civilisations de l'arc, des clairières, des greniers, de la lance, des cités, des industries. Le niveau d'unification supérieur consiste à «appréhender ce qui est commun aux différentes civilisations africaines» (Maquet 1967: 15) pour dégager la signification du concept d'africanité. Entreprise légitime dès lors que le donné n'est pas un chaos, il est toujours loisible à l'homme de science d'opérer des classements, de dégager une structuration interne et de saisir un tout signifiant. Les critères retenus pour faire ce classement − car le problème réside dans leur choix −, sont ceux d'un sociologue: il y a d'abord le niveau technique, déterminé par les conditions objectives du milieu naturel physique et biologique; puis le niveau des institutions sociales, politiques et économiques, enfin le niveau des représentations mentales, art, religion, conception du monde. Un certain déterminisme au moins négatif joue entre ces niveaux, en ce sens que le niveau inférieur interdit certaines possibilités au niveau supé-

---

22   Le philosophe doit méditer les réflexions pertinentes de J. Piaget (1968).
23   Par exemple en dénonçant l'horizon occidental, les présupposés et problématiques importés par les anthropologues dans leurs observations, leurs hypothèses explicatives, leur conceptualisation. Le philosophe doit critiquer aussi certains rapprochements indus épistémologiquement: par exemple quand B. Holas (1968c: 355 note 73) rapproche la cosmogonie bété des sciences modernes.

rieur[24]. Cette tentative unificatrice situe au moins le problème philosophique parmi les superstructures de la société; elle rappelle opportunément au philosophe que sa spéculation n'est pas indépendante des conditions matérielles du milieu, bien qu'elle n'en soit pas le reflet pur et simple; elle renforce le sentiment de l'unité africaine prétendant couvrir l'ensemble du continent. Par inductions successives, J. MAQUET universalise pour aboutir à des types puis à un concept ‹l'Africanité›. Le philosophe fait-il autre chose? Il semble que non, mais il ne le fait pas avec les mêmes critères. Pour le sociologue ce sont des traits sociaux qui unifient parce que partout répandus; la perspective est plutôt quantitative et positiviste. Le philosophe unifie par la recherche des fondements ultimes qu'il s'efforce de découvrir à travers les modes d'existence des Africains.

Le sociologue cherche à comprendre comment fonctionne une société, les mécanismes des conflits et de l'intégration. Mais une telle question reste ouverte pour le philosophe: à quoi tend cette machinerie? N'a-t-elle pour but que son fonctionnement? Que cherche l'homme vivant en société? Est-il le jouet de ces structures? Nous pensons au contraire que l'homme donne le *sens* à la société, qu'il vit selon certains choix à l'intérieur de conditionnements qui lui viennent de l'histoire, du milieu, du tempérament, qu'il s'invente un genre de vie ayant pour lui un sens profond. C'est ce que nous voulons dire par ‹fondements ultimes›.

Cette approche philosophique est dépendante des sciences humaines. Et puisque l'Afrique a surtout été étudiée par l'ethnologue, le sociologue ou l'anthropologue, la philosophie qui en sortira sera forcément marquée par cette source. Une approche psychologique ou psycho-sociologique de l'Afrique donnerait sans doute autre chose. Le philosophe doit être conscient de cette dépendance et de cet infléchissement.

Ajoutons encore ceci. Les sciences humaines visent l'objectivité; l'anthropologie culturelle doit porter sur des lieux et des temps précis: par exemple, la structure, les faits et gestes, la mentalité de la chefferie mossi au XVIIIᵉ siècle, ne peuvent se déduire de quelque fondement ultime ou présupposé idéologique, mais de l'analyse des documents. La philosophie fait nécessairement quelque chose d'autre: elle ne se contente pas de savoir ce qui est ou a été, mais aussi elle veut savoir ce qui convient aujourd'hui et demain. La philosophie ne vogue pas dans l'empyrée, mais accompagne les hommes concrets dans leur combat réel contre les aliénations réelles. La philosophie est toujours engagée. Le philosophe est un homme d'aujourd'hui qui parle aux hommes d'aujourd'hui et les interroge. Il ne fait

---

24 «Les enchaînements que nous avons esquissés montrent au moins que les contenus de l'africanité ne sont pas des faits opaques puisqu'ils sont en continuité avec les réalités technico-économiques. Ainsi la basse rentabilité de l'agriculture forestière ne permet que des faibles concentrations humaines; celles-ci sont normalement constituées, après deux ou trois générations, de familles apparentées; de là l'importance de l'ascendance pour situer un individu, ce qui se reflète dans la conception de la vitalité venant de l'ancêtre; ce qui fonde l'autorité du patriarche et se traduit par le rituel du culte des ancêtres; lesquels sont représentés par des statues évoquant la fécondité du lignage» (J. Maquet 1967: 110).

donc pas œuvre pure d'historien: la façon dont les Sérer ou les Bamiléké interprétaient leur existence, il y a deux ou trois siècles, est intéressante, mais les hommes d'aujourd'hui ne sauraient s'en contenter. Chaque époque doit procéder à une réinterprétation, à une relecture de la tradition précédente, à une recherche du sens qui convient aujourd'hui. Déterrer une philosophie n'est pas suffisant, une philosophie doit être créatrice pour aujourd'hui. Mais cela ne peut se faire n'importe comment.

Il faut respecter les faits, les sciences, l'histoire et ne pas se permettre sur le passé des contresens qui le rendraient absurde ou idyllique. La philosophie doit donc critiquer ses présupposés, en tout cas en être conscient et ne pas prétendre à l'objectivité parfaite. Il est visible que tel philosophe africain est dirigé, en sous-main, par des soucis d'apologétique religieuse, tel autre par des préoccupations coloniales, un troisième par la revendication de l'honneur africain. Que le philosophe soit conscient de ses coordonnées!

La philosophie est mélange d'objectivité et d'utopie. Cette utopie même ne doit pas sortir à l'aveuglette du cerveau illuminé d'un individu, mais de l'écoute des aspirations du peuple. Les raisons de vivre et d'être que le philosophe élucide, se doivent d'être réalistes et non se perdre dans la fantaisie du mythe.

Finalement parce que le philosophe recueille une tradition, scrupuleusement et avec fidélité, parce qu'il est engagé dans le présent, et veut construire du réel une représentation d'ensemble où chacun trouve quelque chose de sa destinée, le philosophe africain, tout en parlant aux Africains, peut s'adresser d'une manière vraiment universelle à tout homme qui est préoccupé de l'homme.

4. La philosophie africaine ne peut se passer de la méthode *structurale*, parce qu'elle a affaire fréquemment aux mythes, contes, symboles et rituels. Impossible de comprendre rites, croyances, coutumes ou institutions sans les mettre en perspective. Les ancêtres ne prennent leur véritable dimension qu'en opposition aux ‹esprits› de la brousse. L'ensemble imaginaire lié au sorcier constitue un paradigme opposable à un autre ensemble. Autrement dit, un symbole, un rite, un mythème, un concept n'a pas de sens en soi, indépendamment des autres. Il s'agit donc bien de structures à saisir, lesquelles seules sont porteuses de sens. Il s'ensuit que certaines conceptions que l'on voudrait situer au centre de la réflexion philosophique africaine, comme la force, ou le *Nyama*, ne peuvent avoir aucune portée explicative, précisément parce que ce sont, comme le *mana* polynésien des notions fluidiques, sans articulation aucune, uniformisant tout dans une sorte de brouillard indistinct.

Mais la méthode structurale ne donne que des règles d'un langage; elle ne donne pas, en tant que telle, le sens. C'est à la philosophie de le surprendre dans les structures révélées. Les mythes peuvent bien se déployer partout selon des règles identiques; il ne s'en suit pas que leur contenu profond soit partout le même. En cherchant à expliciter les fondements premiers de l'expérience africaine, le philosophe livre un ‹background› qui ne sera pas indifférent à la lecture des mythes et des rites.

En procédant par oppositions structurales le philosophe doit se garder de substantifier les termes opposés, de les durcir en oppositions ontologiques. Il manifeste au contraire une réalité dialectique où les deux termes s'appellent en s'opposant, ainsi le sorcier décorporalisé appelle l'homme ordinaire bien situé corporellement, ainsi le comportement criminel nocturne du premier s'oppose au comportement normal du second[25].

5. La philosophie africaine trouve sur son passage la *phénoménologie* des symboles telle qu'elle est pratiquée par M. ELIADE et G. van der LEEUW. Faut-il se contenter de retrouver en Afrique les grandes significations humaines que l'on rencontre partout et toujours sur la planète? C'est toujours la même chose, pourrait-on dire! Et certes, il est vrai qu'à un certain niveau d'observation, c'est toujours la même chose! Mais est-ce qu'une analyse plus fine ne ferait pas apparaître des différences? Les messages livrés par les symboles ne dépendent-ils pas en définitive d'un ‹fonds› de pensée plus large, que précisément la philosophie mettrait au jour? N'est-ce pas là d'ailleurs être fidèle à l'intention profonde de la phénoménologie pour qui la vie spirituelle se définit «par le sens qui l'anime sans se définir comme connaissance d'être, comme une expérience de valeurs ou comme une attitude de l'homme à l'égard de son existence» (Lévinas 1967: 18)? Nous pourrions peut-être ainsi manifester combien l'animisme africain est différent, par exemple, de l'animisme grec et latin.

6. L'interrogation épistémologique culmine finalement dans le problème *herméneutique* (P. Ricœur 1965 et 1969).

La question: quel sens faut-il reconnaître à la tradition africaine? suppose évidemment que cette tradition peut avoir surabondance de sens et qu'il faut choisir. Le critère du choix est ici déterminant.

Les sciences anthropologiques visant à l'objectivité ont à reconstruire, si faire se peut, ce qui fut effectivement vécu ici et là. L'attitude philosophique n'est pas la même. La tradition est relue compte-tenu du vouloir vivre actuel des Africains d'aujourd'hui. L'herméneutique est récollection, restauration du sens, en même

---

25   Ce texte de C. Lévi-Strauss nous remettra dans l'esprit ce qu'est la méthode structurale: «Comprendre le sens d'un terme, c'est toujours le permuter dans tous ses contextes. Dans le cas de la littérature orale, ces contextes sont, d'abord, fournis par l'ensemble des variantes, c'est-à-dire par le système des compatibilités et des incompatibilités qui caractérise l'ensemble permutable. Que, dans la même fonction, l'aigle apparaisse de jour, et le hibou, de nuit, permettra déjà de définir le premier comme un hibou diurne et le second comme un aigle nocturne, ce qui signifie que l'opposition pertinente est celle du jour et de la nuit. Si la littérature orale envisagée est de type ethnographique, il existera d'autres contextes, fournis par le rituel, les croyances religieuses, les superstitions, et aussi par les connaissances positives. On s'apercevra alors, que l'aigle et le hibou s'opposent ensemble au corbeau, comme les prédateurs à un charognard, tandis qu'ils s'opposent entre eux sous le rapport du jour et de la nuit, et le canard, à tous les trois, sous le rapport d'une nouvelle opposition entre le couple: ciel—terre et ciel—eau. On définira ainsi progressivement un 'univers du conte', analysable en paires d'oppositions diversement combinées au sein de chaque personnage, lequel, loin de constituer une entité, est, à la manière du phonème, tel que le conçoit Roman Jakobson, un 'faisceau d'éléments différentiels'» (cité par M. Detienne 1967: 78 note 156).

temps que démasquage, démystification; problème pas seulement d'intelligence spéculative mais d'existence: il s'agit de traduire une certaine qualité d'existence (traditionnelle), dans une nouvelle qualité d'existence (moderne). Problème d'actualisation et d'appropriation. La conscience herméneutique empêche de figer l'Afrique dans une essence intemporelle et absolue; elle est en même temps compréhension du passé et de l'ailleurs, et transposition dans l'actuel et l'ici. Entreprise risquée, jamais achevée, jamais satisfaisante, par quoi le philosophe se trouve aussi embarqué dans la grande exigence de libération qui meut l'Afrique.

Plus concrètement il est possible de définir comme suit les grandes lignes herméneutiques de notre projet philosophique:

– L'exigence de modernité (rationalité, scientificité, libération politico-sociale) commande forcément le niveau critique auquel le donné traditionnel doit être conduit.
– L'exigence rationnelle autant que l'exigence existentielle oblige à considérer le donné traditionnel dans ce qu'il a de plus quotidien, de plus prosaïque, de plus socialement fondamental et habituel. Autrement dit, il nous semble impossible de commencer une réflexion philosophique africaine par les mythes cosmogoniques ou les spéculations d'un *Ogotemmêli*; ce serait vouloir expliquer *obscurum per obscurius*. Il faut commencer par le plus aisément observable, reconnaissant que si les superstructures intellectuelles ne sont pas réductibles aux infrastructures, elles n'en sont pas non plus indépendantes[26]. L'exigence structurale demande que la démarche soit globalisante, procédant par ensembles d'oppositions; et jugeant qu'aucun détail n'est insignifiant. Sans oublier que le prosaïque quotidien est en liaison réciproque avec les spéculations mythiques.
– Ensuite (et nous y reviendrons) le philosophe doit être aussi parfaitement que possible conscient de ses coordonnées intellectuelles, politiques et religieuses.
– On dit que la tâche du philosophe consiste à expliciter ce qui est implicite. Nous n'aimons pas trop cette expression, bien que nous l'employions à l'occasion. Il ne faudrait pas la comprendre en effet comme si l'Africain n'avait pas déjà en clair tout ce qu'il lui faut pour vivre son existence d'homme. Le philosophe n'a pas à boucher les prétendus vides d'une expérience. Dire, comme cela arrive souvent, «les gens n'ont pas d'idées claires sur l'au-delà, ou sur la nature de l'âme, ou sur Dieu», c'est vouloir substituer des idées venant d'ailleurs à une expérience déjà constituée et suffisante. Si l'Afrique n'a pas d'idées sur tel ou tel sujet, c'est sans doute que ce domaine ne lui est pas pertinent; il n'y a pas à vouloir la compléter sur ce point.

---

26   Nous constatons que trop d'exposés de prétentions philosophiques veulent partir de phénomènes aussi obscurs que la sorcellerie, l'animisme, les métamorphoses, les ‹âmes›, le ‹retour› de l'ancêtre dans un nouveau-né, la «communion» totémique, voire de la croyance en Dieu. Ne serait-ce pas en vertu de vieilles habitudes occidentales pour qui la philosophie disserte sur l'impalpable, le méta-physique... voire le sexe des anges?

0.1.4 L'exigence systématique

La rationalité culmine dans le système. Nous entendons par là un ensemble de vérités constituant un tout organique, cohérent, reposant en définitive sur une vérité première qui comporte son évidence propre. Une philosophie africaine doit ainsi s'épanouir en une doctrine unifiée.

On pensera peut-être: «nous n'en sommes pas encore là!» Ne faut-il pas s'en tenir à des études partielles, à des sondages, à l'exploration de quelques ‹clairières›? Certes c'est un immense travail, dangereux dans la mesure où l'esprit de système peut l'emporter sur le souci des faits. Pourtant on aurait tort de penser que la synthèse jaillira un beau matin d'une masse de réflexions hétéroclites. Une synthèse ne se bâtit pas après coup; elle est déjà présente et active dans la première intuition de base. De plus la synthèse doit naître de l'intérieur même du donné africain.

Autre objection: une synthèse n'est-elle pas prématurée dans l'état actuel de notre connaissance de l'Afrique? N'allez-vous pas court-circuiter les recherches anthropologiques de détail? On pourrait répondre que la philosophie occidentale n'a pas attendu pour se constituer tous les progrès modernes de la physique, de la biologie et de la psychologie. La réflexion philosophique part de l'expérience existentielle et non pas, purement et simplement des conquêtes scientifiques; certes, celles-ci finissent par constituer une expérience qui peut remettre en cause ce qu'une expérience plus frustre avait cru enrégistrer. De toutes façons la science fait partie du donné actuel sur lequel le philosophe réfléchit. Nous pensons donc qu'il est possible de constituer une philosophie africaine organisée à partir d'une expérience africaine, analysée aussi finement que possible, mais qui n'a pas à attendre les ultimes perfectionnements de l'anthropologie, ce qui nous renverrait à l'eschatologie... A charge pour le philosophe, de critiquer sa réflexion à la lumière des découvertes à venir, et de les intégrer, s'il se peut, à sa synthèse. Et si d'aventure, un système philosophique se trouve condamné, le travail n'aura pas été inutile, puisqu'il aura permis au moins de dégager la piste.

En exposant ainsi les exigences minimales d'une philosophie digne de ce nom, nous ne nous sommes pas taillé une tâche facile! Mais l'Afrique n'a pas besoin d'une philosophie au rabais... Nous refusons donc d'appeler philosophie, l'expérience ou la sagesse populaires non rationnellement ou réflexivement critiquées. Nous refusons «un concept dilaté de la philosophie» comme le fait aussi M. Towa (1970: 26), refusant d'appeler philosophe n'importe quelle manifestation culturelle africaine.

Il suit que la philosophie de l'Afrique est entièrement à créer comme le dit P.J. Hountondji quand il fait remarquer pertinemment que

les philosophes africains se sont, pour la plupart, méconnus eux-mêmes. Ils ont cru *reproduire* des philosophèmes préexistants là même où ils les *produisaient*. Ils ont cru *raconter* alors qu'en fait ils créaient. Modestie louable, sans doute, mais aussi trahison: l'effacement du philosophe devant son propre discours était inséparable d'une projection qui lui faisait attribuer arbitrairement à son peuple ses propres choix théoriques, ses options idéologiques (1970: 127-128, souligné par l'auteur).

Il n'y a pas de sources philosophiques en Afrique, déjà existantes; les initiateurs dont parle A. KAGAME sont mythiques. En toute vérité et rigueur il s'agit de créer une philosophie selon les exigences spécifiques de la philosophie proprement dite − ce que nous venons d'exposer − et selon les exigences propres de l'Afrique.

0.2 L'exigence africaine

Nous ne rêvons pas d'une voie africaine de la philosophie[27]. La technique proposée ici est occidentale; elle nous paraît apte à n'importe quel contenu pourvu que l'on soit attentif à développer les implications rationnelles du donné africain selon les exigences intérieures de ce donné même. Disons, familièrement, que le fourneau est partout le même, mais que le plat cuisiné est une spécialité régionale. Mais cela ne va pas sans quelques difficultés: l'outil philosophique n'est pas neutre, et le donné africain encore moins! Il y a plusieurs pièges à éviter.

0.2.1 L'indépendance africaine et la domination culturelle

L'exigence africaine de libération s'entend aussi au niveau philosophique. Une philosophie authentiquement africaine demande donc de n'être pas asservie aux problématiques étrangères. Or chacun peut constater, en inspectant les travaux existants à ce jour, qu'ils sont pour la plupart colonisés par une thématique occidentale.

En lisant *La Philosophie Bantoue* de P. TEMPELS, nous reconnaissons fort bien son horizon philosophique; c'est l'horizon aristotélicien ou plutôt scolastique, précisons même, la scolastique qui a fleuri dans les séminaires et universités ecclésiastiques, catholiques romains. Nous reconnaissons aisément la physionomie de cette philosophie rien qu'à la succession des chapitres: ontologie, sagesse et critériologie, psychologie, éthique. Même orientation de base chez A. KAGAME, même décalque. Les missionnaires d'ailleurs procédaient souvent ainsi en vertu d'un ethnocentrisme bien explicable, témoin le P. COLLE, *Notion de l'âme désin-*

---

27 Comme, par exemple, H.P. Junod (1968) qui pense que le langage et le vocabulaire occidental est impropre à traduire la pensée africaine; il faudrait selon lui, non pas un style de pensée scientifique, mais ‹imaginal›, car l'homme bantu est intuitif et s'oppose «à l'automatisme des ordinateurs». Nous pensons que c'est là confondre l'évocation poétique de la pensée africaine avec sa structuration philosophique rationalisée, et que c'est vouloir figer l'Africain dans l'incapacité du rationnel.

carnée chez les Bashi (cité par V. Mulago 1965)[28].

Tantôt la pensée africaine est présentée comme dualiste, tantôt comme moniste[29]. Parfois c'est LEIBNIZ qui annexe le Ntuisme[30]. On a parlé du platonisme des Dogon (J. Cazeneuve 1966: 63); sans compter les marxisants qui installent l'Afrique dans leur orthodoxie. Reconnaissons qu'il s'agit là, le plus souvent de notations fugitives, et non d'une systématisation rigoureuse. Mais cela même est dangereux puisque l'on esquive le véritable problème d'une thématique véritablement africaine.

Telle sera notre première tâche: déterminer sous quelle forme de pensée il convient d'aborder l'expérience africaine. C'est une question de respect de l'autre, afin de ne pas violenter une expérience qui a sa consistance et sa suffisance propres. C'est une question d'honnêteté: le philosophe est toujours situé, par son origine, sa formation; son regard n'est jamais neutre, il importe donc qu'il s'explique clairement sur ses coordonnées, et qu'il prenne ses distances vis-à-vis des préjugés

28 Nos Bashi disent que l'homme est composé d'une substance tangible et visible, le corps matériel, et d'un élément invisible, substance éthérée, forme adéquate du corps auquel il est uni et qu'il anime pendant la vie, et dont il se détache à la mort pour continuer dans l'au-delà — omu kuzimu — sa vie errante parmi les âmes désincarnées (citation du P. Colle faite par Mulago)... On peut donc affirmer, avec l'auteur cité (commente V. Mulago), que les Bashi, les Banyarwanda et les Barundi sont, non seulement philosophes spiritualistes, puisqu'ils reconnaissent dans l'homme un esprit distinct de la matière, un principe suprasensible, libre, responsable et immortel, mais encore philosophes spiritualistes «de la bonne école, puisqu'ils conçoivent implicitement, dans les êtres, dans l'homme surtout, l'existence de la matière et de la forme. Car au fond, le *muzimu*, pour eux, n'est autre chose que la forme qui a informé ce qui est devenu cadavre. Le *muzimu* pourrait donc être appelé, en langage scolastique, *forme substantielle du corps*» (Mulago 1965: 150, souligné par l'auteur). Voilà des aveux tout à fait clairs. Avons-nous réellement cerné la conception bantu de l'être humain par cette référence à l'hylémorphisme d'Aristote? Rien ne dit *a priori* que la problématique d'Aristote est celle des Bantu; rien ne dit, non plus, qu'elle ne l'est pas. Encore faut-il se poser le problème.
29 M. Vetö (1962) parle de dualisme; J.C. Bahoken de monisme ontologique, parce que l'homme est le premier-né de Dieu: «Notons que l'esprit bantu concilie aisément le Un et les Uns, c'est-à-dire l'unité et la multiplicité parce qu'il admet que l'Un est au-dessus de toute chose et en toutes choses» (1967: 49). A. Wininga, à propos de la «réincarnation ou retour des ancêtres dans un nouveau-né», déduit: «En tenant compte d'autres points de vue qu'il serait long d'analyser ici, mais sur lesquels nous reviendrons, l'on pourrait montrer facilement que chez les Mossi, l'Etre est affirmé comme originairement UN» (1969: 35). Mais est-ce vraiment la problématique de l'UN qui intéresse l'Afrique? L.V. Thomas pense au contraire que l'Afrique se plaît dans la multiplicité.
30 «Impénétrable à son semblable, car 'nul ne peut mettre le bras à l'intérieur de son compagnon alors même qu'il partage sa couche', défini lui aussi par l'accroissement de la force interne, par une relation intime d'action et de passion, le MUNTU évoque pour nous la monade Leibnizienne. Sans fenêtre sur le dehors, il est placé à son rang vital dans la réalité universelle et organique» (M. Got in *Aspects de la culture noire* 1958: 78). Comparer avec L.S. Senghor (1962: 3): «Le Négro-africain est un être aux sens ouverts, perméables à toutes les sollicitations, aux ondes mêmes de la Nature, sans écrans — je ne dis pas sans relais ni transformateurs — entre le sujet et l'objet.» A. Césaire dit qu'il est «poreux à tous les souffles du monde».

individualistes[31], substantialistes, atomistes et gnoséologiques[32] propres aux habitudes occidentales. Nous nous garderons toutefois de l'illusion d'un discours
universel, comme si le belvédère d'où nous inspectons le paysage était une position
absolue.

Cependant il serait tout aussi déraisonnable de feindre d'ignorer les problématiques occidentales que de les adopter naïvement. C'est pourquoi nous pensons
que la philosophie africaine doit aussi procéder par comparaison avec d'autres
philosophies. Des problématiques différentes sont susceptibles de s'aiguilloner les
unes les autres. L'indépendance africaine ne signifie pas autarcie ou isolement.

0.2.2 Le piège de l'ethnophilosophie

L'indépendance est politique. P.J. HOUNTONDJI (1970: 120-140) reproche à la philosophie existante, comme d'autres le font à la *négritude*, d'être un bavardage qui
fait le jeu de l'impérialisme; cette entreprise de spécification est en réalité une entreprise de gélification ou de pétrification: il s'agit de fixer l'Africain dans une certaine idée de lui-même face à l'autre (c'est-à-dire l'Occidental, ci-devant colonisateur), qui ne demande pas mieux! Il importe que l'esclave soit différent du maître.
La philosophie africaine ne serait qu'une *ethnophilosophie*, élaborée avant tout
pour la satisfaction et la sécurité du public occidental.

L'ethnophilosophie consiste à projeter dans l'absolu de la métaphysique une
‹âme› noire collective essentielle. La faute commise contre l'homme est double.
D'un côté en essentialisant des valeurs ou un genre de vie particulier, on rive
l'homme dans une réalisation de lui-même, on nie ses possibilités de dépassement,
on le pétrifie. D'un autre, en spécifiant une âme noire, on réduit l'Africain à n'être
qu'une détermination de l'homme en soi, lequel ne se trouve réalisé que dans
l'Homme occidental. On aurait ainsi un *homo africanus* sous-espèce d'un *homo
sapiens*. Position confortable pour l'occidental mais racisme implicite.

Le piège de l'ethnophilosophie n'est pas si facile à déjouer! P.J. HOUNTONDJI
cite lui-même, en exergue, un mot d'A. CÉSAIRE[33]: «Il y a deux manières de se
perdre: par ségrégation murée dans le particulier ou par dilution dans l'universel.»
Si l'on nie une spécificité africaine, chinoise ou brésilienne, ou bien tout est ra-
mené à une ‹nature humaine›, vague à force de généralité, ou bien ces manières
d'être homme sont renvoyées au nom d'une humanité supérieure dans le cloaque
du primitivisme et de la sauvagerie. A moins que, comme le fait F. DIAWARA
(1972)[34], on ne rende la pièce à l'Européen en décrétant que le monde blanc n'est

31   L. Dumont dénonce l'ancrage métaphysique de l'anthropologie moderne, pour qui l'individualisme est fondamental; malgré toutes les subtilités qu'il développe, l'anthropologue «n'est pas
sorti de la conception de l'homme de sa propre société» (1968: XIV).
32   Par ‹gnoséologique› nous entendons le primat donné aux problèmes de la connaissance,
sur les problèmes de praxis sociale et vitale.
33   Lettre à Maurice Thorez (1956).
34   *Le manifeste de l'homme primitif* est un cri d'exaspération contre la prédominance de
l'homme blanc. Ce n'est ni une œuvre de science, ni une réflexion philosophique valable.

qu'une humanité fœtale et que le summum de la civilisation est celle des Pygmées et des Papous. Et si l'on accentue la spécificité, on retombe aisément dans le racisme et l'évolutionnisme qui établit des échelles de valeur.

Pour sortir de ces difficultés, il faut d'abord purger la philosophie de tout ethnocentrisme. En prenant conscience de ses coordonnées, le philosophe s'avisera qu'il ne doit pas prendre comme étalon de l'humain telle ou telle réalisation de l'homme; que la problématique philosophique née en Occident n'est pas seule possible ni la norme absolue. Que l'homme est entièrement homme dans chacune de ses réalisations historiques, sans qu'aucune puisse prétendre à épuiser ses possibilités. Ainsi chaque spécification historique de l'humain est ramenée à l'égalité.

Mais cette égalité est faite de choix divers, de réussites et d'échecs qui se mélangent en un dosage qui n'est jamais définitif. D'où une règle importante pour éviter le piège de l'ethnophilosophie. Celle-ci s'établit d'ordinaire à partir de l'exaltation des *valeurs* d'une civilisation. On oublie que ces valeurs sont des abstractions; que ce qui existe c'est le tissu des relations sociales qui font la vie et des significations qui leur sont données; ce tissu comporte un ensemble de valeurs et de contre-valeurs; c'est donc manquer d'esprit critique que de retenir les unes et de taire les autres; c'est manquer de clairvoyance: les valeurs traditionnelles étaient tributaires d'un certain état socio-économique; quand celui-ci change, il ne faut pas espérer que les valeurs resteront inentamées; de plus l'exaltation des valeurs antiques oublie de faire la critique des oppressions qu'elles camouflaient; enfin, comme certains y insistent maintenant, ces valeurs sont déconsidérées par le fait même qu'elles furent incapables de préserver l'Afrique de l'envahissement esclavagiste et colonial. Parler valeurs c'est introduire des critères de jugement dont il importe de déterminer la source. Une philosophie africaine ne peut donc être un inventaire des valeurs traditionnelles. Elle doit être la mise au clair des fondements d'un genre de vie authentiquement humain; elle doit faire apparaître des options fondamentales et par là remettre chaque homme, chaque peuple devant sa liberté.

0.2.3 L'insinuation raciste

Le racisme est un des procédés qu'une population dominatrice utilise pour minoriser une autre population en se justifiant. Prendre garde à ces procédés, c'est en même temps lever certaines hypothèques qui risquent de grever l'entreprise philosophique[35].

La minorisation raciste consiste à lier certaines caractéristiques de l'exploité à sa constitution biologique, autrement dit, à la *nature*, à l'immobile inchangeable. Le racisé se trouve ainsi enfermé dans un statut définitif, sécurité pour le dominateur. Le racisé peut relever le gant en brandissant contre le dominateur le trait dont celui-ci voulait l'accabler. Ainsi de la négritude ou du slogan ‹black is beautiful›. Protestation qui n'est pas sans panache mais qui continue à situer le débat sur le terrain choisi par l'adversaire, le biologique.

---

35 Nous utilisons les analyses de Ç. Guillaumin (1972).

La référence biologique peut, si on n'y prend garde, gangréner le discours phi-losophique. On peut la discerner dans des nombreux thèmes: l'union ou la solida-rité familiale fondée sur la communauté de sang, l'ordre de la primogéniture; la femme définie par sa fécondité maternelle; le thème de l'émotion nègre et du rythme-roi par quoi l'homme africain se fondrait dans la nature, en symbiose avec les cycles cosmiques. Un discours philosophique centré sur la maternité féconde, c'est une réduction du sujet humain à sa fonction biologique et la tentation de confiner la femme dans son rôle de servante de l'ordre social par la fonction qu'elle exerce. La femme est sujet, non fonction.

La racisation n'est pas forcément de bout en bout péjorative et méprisante. Elle peut s'accommoder de louer le minorisé pourvu que cela ne menace pas l'hégémo-nie du dominateur. Ainsi accorde-t-on généreusement à l'Afrique, l'émotion et le rythme, en gardant pour soi la raison calculatrice. Il faut refuser cette division du travail! De même ces plaidoyers pour la spontanéité, la communion, la fusion dans la nature dont les Africains auraient le bonheur d'être pourvus: paradis exo-tiques pour occidentaux surmenés! La recherche philosophique a d'autres exi-gences.

Enfin la racisation comporte un double mouvement: le dominateur accapare pour lui-même la généralité humaine (il est l'Homme, absolument, sans détermi-nation, la norme ordinairement tue derrière un ‹il va sans dire, il va de soi›) en même temps il retient à son avantage une extrême personnalisation: chacun a son originalité. Inversement le dominé est condamné au particulier, il n'est que ceci ou cela (l'émotion nègre) en même temps que chaque personne est noyée dans la brume du stéréotype. La parade philosophique à ce double mouvement doit aller de pair avec un mouvement de généralisation et de personnalisation. Ce qui nous introduit au problème suivant.

0.2.4 L'unité philosophique de l'Afrique?

Quand on parle de Négritude, d'‹African personality›, d'âme noire, ou d'Africa-nité, on pose une généralisation nécessaire: un type de réalisation de l'humain qui se differencie d'autres types également humains; mouvement d'unification qui consacre l'unité de l'Afrique noire. Mais a-t-on le droit de poser une telle unité, et sur quelle base? En tant que réflexive, la philosophie part du donné africain; ce donné est-il un ou divers? L'expérience vitale africaine, derrière la variété des détails, peut-elle être ramassée dans l'unité? Il est clair que si le donné s'avérait vraiment différent, il devrait y avoir plusieurs philosophies sur le continent; il ne faut pas se placer coûte que coûte à un tel niveau de généralité que tout s'unifierait forcément en une sorte de quintessence. Bien que les avis soient partagés[36], nous tablons sur une certaine unité du donné culturel africain, d'où nous concluerons à la possibilité d'une philosophie unitaire africaine[37]. Et si d'aventure un secteur vraiment spécial se manifestait nécessitant une démarche philosophique *sui generis*, il serait toujours loisible d'y faire droit[38].

Mais à ce mouvement de généralisation doit faire pendant un mouvement de personnalisation: chaque nation, chaque ethnie ayant ses connotations particulières, chaque personne individuelle ayant son nom original[39]. Un *Ogotemmêli* (M.Griaule 1948a) est une personnalité dogon qui a sa façon à elle de réagir et à sa culture dogon, et aux questions de GRIAULE; il n'est pas plus nécessaire que cet homme soit le miroir exact de l'univers dogon, qu'il n'est nécessaire à DESCARTES ou à LÉVI-STRAUSS d'être les représentants parfaits des Français de leur temps.

Le problème ici discuté renvoie évidemment à une certaine conception de la philosophie africaine comme ‹récollection› du sens d'une expérience vitale traditionnelle, transposition d'un vécu dans un langage rationnellement critiqué; le souci primordial du philosophe est ici l'objectivité de son interprétation forcément située (cf. le problème herméneutique déjà soulevé). Si le donnè africain est

---

36   Luc de Heusch parle de «prodigieuse diversité culturelle» de l'univers bantu, malgré sa relative homogénéité linguistique, ce qui rend «dérisoire toute synthèse actuelle des religions africaines» (1971: 190). La revue *Tamtam* (N.S.3.1969: 43) parle de «retrouver par de là l'Afrique à tribus religieuses (tribu animiste, tribu catholique, tribu musulmane, tribu protestante, etc.) l'Afrique multiformément unitaire.»
J. Maquet (1967) tout en insistant sur les diversités, veut surtout manifester les similarités et cite dans le même sens: M. Delafosse, Leo Frobenius, Ch. Anta Diop, J. Jahn, M.J. Herskovits, P. Bohannan. Il explique cette unité par le fait que d'intenses échanges culturels ont eu lieu entre peuples se déplaçant en circuit fermé, sur un continent d'abord difficile, relativement isolé des autres. En somme on pourrait appliquer à l'Afrique, *mutatis mutandis*, le concept d'*Arkhé société* d'Edgar Morin (1973: 167) désignant une matrice propre à toutes les sociétés préhistoriques sapientales, fond sur lequel va se déployer «l'extraordinaire diversification des races, des ethnies, des cultures, des langues, des mythes, des dieux» (168).
L.V. Thomas, B. Luneau et J. Doneux, parlent des religions africaines, au pluriel, mais supposent un principe d'unité (1969: 72). R. Bastide (1962: 33) parle d'un «minimum culturel africain»; la question se pose en Afrique comme elle se pose en Occident: «Il y a bien une unité culturelle occidentale, et pourtant trois cultures au moins différentes, une culture latine, une culture anglo-saxonne, une culture slave». Cf. dans la revue *Diogène* (71.1970) les articles ‹Originalité de l'Occident› .
37   Qu'on nous entende bien. Quand nous parlons d'une philosophie unitaire nous ne prétendons pas au discours unique, absolu, seul valable dont nous aurions par je ne sais quelle magie la révélation et le monopole! Nous voulons dire que l'Afrique noire peut être considérée comme un tout, parce que présentant partout le même type fondamental d'expérience humaine.
38   Aussi bien, dans le présent travail, nous interdisions-nous toute référence aux cultures des Pygmées et Bushmen, et, pour d'autres raisons aux cultures malgaches et éthiopiennes.
39   «Il est fort possible que les membres d'une même société se représentent la cosmologie de manières très diverses. Vansina nous parle de trois penseurs très indépendants qu'il rencontra chez les Bushong et pour lesquels il se prit d'affection. Ils se plaisaient à lui exposer leur philosophie personnelle. L'un d'eux, un vieillard, en était venu à penser que la réalité n'existe pas, que toutes les expériences ne sont qu'une illusion éphémère. Le second avait élaboré une métaphysique de type numérologique; et le dernier, un système cosmologique tellement compliqué qu'il était seul a le comprendre» (M. Douglas 1971: 105).

fondamentalement le même partout, il s'en suit que l'on peut prendre les faits, n'importe où, sur le continent, les faits les plus typiques, les plus clairs, les plus circonstanciés. Mais cette sélection n'est-elle pas déjà cercle vicieux? qu'est-ce qui est typique? ce qui s'accorde le mieux avec l'hypothèse choisie? Mais quel moyen de faire autrement, pourvu que l'on ait l'œil sur les faits insolites, les objections[40]? L'anthropologie pratique aussi la méthode des *faits typiques*, ou des *temps forts* d'une culture, ou des *phénomènes belvédères* (R. Bastide 1965: 1; 1967: 31). Logiquement l'induction ne consiste pas à faire une énumération complète – d'ailleurs impossible – des cas concrets pour procéder ensuite à une généralisation. Il s'agit plutôt de la saisie d'une essence ou loi universelle dans un ou plusieurs cas particuliers bien choisis. «L'universel, dit HAMELIN, à propos d'ARISTOTE n'est pas seulement ce qui se dit de tous, c'est encore et surtout le nécessaire»[41]. En philosophie africaine nous sommes plus près du point de vue épistémologique de la compréhension historique, qui suppose aussi le choix des faits typiques, que de l'explication scientifique. Le fait typique sera donc pour nous à la fois le fait qui s'offre plus facilement à l'observateur, parce que mieux décrit, du haut duquel on voit plus de choses, et qui joue le rôle, dans les sociétés humaines, de la régularité qui fait comprendre dans les sciences naturelles.

0.2.5 La philosophie africaine par et pour les Africains

«Il n'y a rien au monde de moins brévetable que la philosophie, rien qui puisse moins s'approprier... le philosophe est le contraire du propriétaire» (G. Marcel 1940: 96). C'était peut-être vrai quand le philosophe pensait tenir un langage absolu! mais qu'en est-il après ce que nous avons dit de l'herméneutique en philosophie?

Posons donc la question en toute franchise: un non-africain peut-il avoir la prétention d'élaborer une philosophie africaine, peut-il parler aux Africains, au nom de l'Afrique?

Nous avons médité les proverbes: «Celui qui veut du miel, a le courage d'affronter les abeilles», disent les Wolof; et les Bété: «L'étranger a de gros yeux, mais ne voit rien», «le coq étranger ne chante pas». «L'œil ne voit que ce qu'il sait.» Sagesse cruelle, mais réaliste!

---

40   Ce qui détermine, entre autres, le choix d'un fait typique, c'est la manière plus ou moins détaillé dont il a été observé et rapporté. Toutes les sociétés africaines, et chaque détail à l'intérieur d'une société, ne sont pas, loin de là, également bien connues.
41   P. Foulquié et R. Saint-Jean (1969: 357 n° 5); Durkheim dit: «On objectera qu'une seule religion, quelle que puisse être son aire d'extension, constitue une base étroite pour une telle induction. Nous ne songeons pas à méconnaître ce qu'une vérification étendue peut ajouter d'autorité à une théorie. Mais il n'est pas moins vrai que, quand une loi a été prouvée par une expérience bien faite, cette preuve est valable universellement» (1960: 593).

Notre projet peut être qualifié, nous le savons, de paternaliste; voire d'impérialiste; on peut l'accuser de manquer de discrétion, de violer la pudeur africaine.
Je sais la boutade des Dogon: «Les Blancs pensent trop» (cf. Parin et al. 1967).
Et pourquoi décrivez-vous un genre de vie, ce sens de l'existence que vous ne vou-
driez pas vivre vous-mêmes?

Et pourtant, tout bien pesé, nous persévérons dans notre propos. Pour plusieurs raisons.

D'abord on ne peut pas dire que le chantier soit encombré par la masse des
ouvriers. L'œuvre littéraire des Africains est plus importante que leur contribution
philosophique. Il y a quelques pionniers surtout ecclésiastiques; les chercheurs
laïcs deviennent plus nombreux; il reste de la place pour qui veut oser.

Mais un étranger peut-il comprendre un étranger?

Ne sommes-nous pas entre hommes? Faudrait-il croire qu'il n'y a rien de plus
incompréhensible pour un homme que l'expérience d'un autre homme? Faut-il répéter dans les siècles des siècles: «Comment peut-on être persan»? Il n'y a pas plus
d'impossibilité ou d'inconvenance qu'un non-africain parle de philosophie africaine, qu'un Africain disserte sur HEGEL ou MARX. Il y eut certes le temps du co-
lonialisme et du mépris; celui du paternalisme puis du désengagement; celui de
la coopération à sens unique; ne peut-il pas y avoir celui de l'écoute réciproque
et de l'enrichissement mutuel?

Mais il importe de savoir évidemment ce qu'un étranger a le droit de faire. Il
ne saurait s'immiscer en rien dans l'indépendance du continent. La revue *Présence
Africaine* a eu pour objectif de «définir l'originalité africaine et hâter son insertion dans le monde moderne» (S. Erica 1968: 304), mais il s'agit avant tout «de
la recréation de l'Afrique par elle-même, et pour elle-même d'abord»[42]. Le philosophe étranger ne peut prétendre ni parler au nom de l'Afrique, ni lui imposer
quoi que ce soit; tout au plus peut-il être, et encore à ses risques et périls, qu'une
sorte de miroir ou d'interlocuteur. C'est pourquoi nous n'avons pas voulu pour
cet ouvrage de l'étiquette ‹philosophie africaine› mais philosophie de l'Afrique.
Distinction subtile sans doute, mais réelle. L'adjectif laisse entendre en effet que
ce sont les artisans de la philosophie eux-mêmes qui sont africains. Philosophie
africaine signifie donc philosophie faite par des Africains, portant d'ailleurs aussi
bien sur un donné africain que non-africain. De même la philosophie française
ou allemande comprend toute la recherche philosophique menée par les ressortis-
sants de la culture française ou allemande, recherche qui peut aussi bien être une
réflexion originale instaurant une école nouvelle, que la reprise approfondie d'un
philosophe antérieur national ou étranger. En disant, au contraire, philosophie de

---

42 *Présence Africaine* 70.1969: 5. D'où la protestation: «Notre libération politique, notre développement économique, notre place sur la scène du monde, notre prestige culturel: tout passe
par le dialogue avec l'Occident. Il écoute, comprend, sympathise, accueille et aime. Ou il déteste
et combat. D'une manière ou d'une autre, exister dans le monde actuel, c'est dans une large mesure exister pour l'Occident, au mieux c'est se situer en fonction de l'Occident. Là est précisément le danger» (p.4).

l'Afrique, nous voulons nous poser comme étranger, placé en dehors, et qui essaie de comprendre ce qu'il voit, sous sa seule responsabilité, en indiquant clairement ses options et ses coordonnées. De toutes façons, l'étranger qui prétend s'intéresser à la philosophie de l'Afrique ne peut ni exiger ni recevoir un mandat pour penser au nom et à la place des Africains. Il n'engage que lui-même, investissant sa liberté dans la recherche de l'humain où qu'il soit. Si ce qu'il voit et expose est utile aux autochtones, à eux d'en prendre acte s'ils le veulent. Inversement si l'Africain s'exprime philosophiquement tant sur sa propre expérience vitale que sur une autre, sa pensée tombe dans le domaine publique et se trouve par le fait même soumise à la critique extérieure. L'égalité dans l'affrontement des cultures est à ce prix[43].

Mais pour autant qu'une philosophie est prospective et constructive d'un avenir, il n'appartient pas à un étranger de s'en mêler, chacun étant libre chez soi de s'autodéterminer comme il l'entend.

0.2.6 Unité ou pluralité de la philosophie

Il reste un dernier problème: quelle est la place d'une philosophie africaine, chinoise, malgache, arabe etc. dans le concert de la tradition philosophique? Faut-il parler de philosophies – au pluriel, ou d'une unité de la philosophie?

Il est difficile d'éluder ce problème. Le projet philosophique ne vise-t-il pas à l'absolu, l'ultime, l'universel, l'un? Y a-t-il *une* vérité de l'homme, et une seule, *une* métaphysique, ou des vérités contradictoires, à tout le moins des vérités partielles?

Bien qu'il y ait des nostalgiques du ‹bon vieux temps› où la pensée occidentale se croyait *la* pensée tout court; bien qu'il soit très commode pour chaque culture et chaque société de se croire *le monde*, ou *l'homme*, en rejetant les autres dans la barbarie; bien qu'il y ait des gens qui préfèrent le dogmatisme à la liberté et aux aléas de la recherche... il faut avouer que ces positions sont intenables. D'abord parce que, au lieu des ignorances d'antan, il y a découverte approfondie des autres; ensuite parce que les populations naguère colonisées et sans paroles, peuvent maintenant s'exprimer dans l'indépendance. La rencontre des cultures *devrait* produire le pluralisme et le respect mutuel; le structuralisme relativise les langages puisqu'ils ne peuvent avoir de sens qu'en perspective synchronique et diachronique. Et pourtant c'est un fait, tous les langages ne s'affirment pas avec la même force: certains sont tellement puissants qu'ils forcent les autres au silence ou à la honte. Il faut donc lutter pour la liberté et l'égalité des différentes pensées.

Une première raison: La vérité n'est pas un objet trouvé et possédé une fois pour toutes, mais recherchée et découverte dans des conditionnements économiques, socio-historiques changeants. Quel philosophe croirait, à l'heure actuelle, qu'il peut tenir un discours absolu à la HEGEL? Chacun doit être conscient du

---

43 On pourrait se référer à la critique de l'orientalisme occidental, par Anouar Abdel-Malek (1972: 79 s.).

point d'où il parle. D'où une nouvelle conception de l'homme, universelle aussi, mais autrement que l'ancienne, et fondée sur la lutte libératrice des hommes: l'homme ne peut jamais s'identifier à ce qu'il est, il est toujours au delà de ses réalisations, toujours tenté par un autre projet (au moins en imagination). L'homme parfait, coïncidant pleinement avec lui-même, est un point oméga!

Deuxième raison: En chacune de ses réalisations historiques, l'homme ne manque pas l'humanité. Les civilisations, les cultures sont des options; l'homme y vit en homme, cherchant une solution aux problèmes de sa vie, réussissant mieux ceci que cela, chaque solution adoptée apportant d'ailleurs un nouveau contingent de problèmes. Ainsi les philosophies concrètement réalisées sont multiples. La philosophie comme unité est à un autre niveau, par exemple selon J.Y. Jolif comme «ressaisie des structures fondamentales qui donnent sa forme originale à toute expérience humaine» (1967: 12).

La diversité des philosophies ne saurait s'exprimer dans du ‹plus homme› ou du ‹moins homme›, mais dans ‹l'homme autrement›, ‹l'homme de différentes manières›. Mais, et c'est là que nous retrouvons encore l'unité de la philosophie, ces différentes réalisations de l'homme ne sauraient être incompréhensibles les unes aux autres; non seulement parce qu'il y a un fond commun, matrice unique de l'*homo sapiens*, mais parce que chacun peut percevoir, s'il se dépouille des préjugés du racisme et accorde à l'autre la liberté de ses options, une façon authentique d'être homme.

0.3 *Présentation*

Le travail présenté ici ne prétend à aucun caractère définitif. Il n'est qu'une recherche précaire et tâtonnante. Partant d'une hypothèse, l'auteur se propose de la pousser dans ses conséquences aussi loin que possible.

La démarche suivie ici, chapitre après chapitre, a un caractère circulaire, en spirale; la réflexion tourne en rond en avançant; cette façon de faire veut honorer l'exigence de globalité précédemment définie.

Le premier volume ici présenté est une *analytique*. Après avoir saisi la forme de pensée africaine, forme ‹a priori› conditionnant l'expérience vitale donnée en Afrique, nous verrons comment cette forme se déploie en catégories fondamentales; immobilisées pour être mieux saisies, ces catégories seront ensuite restituées à leur dynamisme; nous poursuivrons par une symbolique étudiant le langage, les symboles et les rites. Nous terminerons par un regard sur l'enracinement économique de l'expérience africaine.

La deuxième partie devrait être logiquement une *synthétique* c'est-à-dire une reprise sur les grands moments de l'existence, des catégories analysées dans le présent volume. Ainsi pensons-nous aborder successivement l'expérience de l'être-homme et de l'être-femme, de la mort et de l'ancêtre, de la maladie et du mal, du sorcier qui tue, de la personne dans sa constitution intime; des rapports de

l'homme avec le monde non-humain des esprits et la transcendance. Partie ouverte, car nous ne pourrons considérer que quelques temps forts de l'expérience
africaine. Cette portion de notre travail devrait manifester la fécondité de l'analytique proposée, ou du moins la nuancer; manifester comment la forme de pensée
africaine s'est adaptée à la solution des divers problèmes de l'existence. Elle en manifestera aussi les apories.

Notre démarche se veut strictement philosophique comme nous l'avons expliqué ci-dessus. Si nous citons souvent les témoignages des Africains et des africanistes, ce n'est pas que nous accordons à l'argument d'autorité une prépondérance
indue; nous réfléchissons sur un donné, et ce donné nous est fourni par l'expérience de ceux qui connaissent bien l'Afrique, la nôtre s'abritant derrière la leur.
Nous supposons que le lecteur aborde cet ouvrage avec de solides connaissances
sur l'Afrique. Nous réduirons la description des faits au strict minimum, autrement il y faudrait des volumes[44]!

---

44 La graphie des noms propres africains, particulièrement des noms ethniques, offre quelque
difficulté. Dans les citations nous respecterons la graphie des auteurs cités; de même pour les
mots empruntés aux langues africaines, nous respecterons la graphie des informateurs (tout en
simplifiant la phonétique, en certains cas). Dans notre propre texte, nous nous inspirons généralement de Murdock (1959), tout en respectant certains usages francophones: Sérer, Mossi,
Kongo, Bantu. Les noms ethniques seront laissés invariables: les Luba, la philosophie bantu.

1 La forme de pensée africaine

La première tâche du philosophe appliqué à réfléchir sur le donné africain, est de déterminer quelle forme de pensée il convient d'adopter pour ne pas trahir ce donné. Il s'agit d'un choix à faire, mais non arbitrairement. Il faut tenir compte et des nécessités internes aux réalités africaines et du mouvement général des idées dans l'actualité. Entreprise purgative, puisqu'elle met en cause un ordre intellectuel généralement accepté sans discussion; entreprise constructive puisqu'elle doit saisir en une première intuition ce qu'il y a de spécifique dans la pensée africaine et qui engage tout le processus de la réflexion ultérieure.

1.1 Qu'est-ce qu'une forme de pensée?[1]

Un énoncé philosophique, ne peut pas se comprendre isolément, par la simple inspection de ce qu'il dit; il reçoit aussi sa signification des autres énoncés qui l'équilibrent, l'épaulent, le complètent, le nuancent. Chaque thème est lié à un cycle d'autres thèmes qui s'influencent réciproquement. Une philosophie est un univers. Et c'est pourquoi sa démarche doit être globale. Mais derrière ces énoncés, ces thèmes et leur organisation se tient un *horizon* de pensée, peu ou pas aperçu pour lui-même, mais qui leur donne leur signification principielle. De même tout objet que je regarde sur ma table, cet arbre ou ce bâtiment, cet oiseau qui vole, aperçus par la fenêtre, sont situés sur un fond d'horizon, objectif et subjectif, qui leur donne leur valeur particulière. Cet horizon de pensée nous l'appellerons la *forme de pensée*. Forme, au sens aristotélicien du terme, elle s'oppose à une matière, c'est-à-dire à la variété des notions, thèmes et énoncés philosophiques. Cette forme est vraiment un principe de pensée; c'est-à-dire lui donne son unité intime, sa totalité, son originalité, son allure propre. Si bien que comprendre une pensée, c'est la surprendre jusqu'en son principe informulé mais unifiant. Principe vraiment formel, qui n'est pas ce qui est directement pensé, mais *ce sous l'éclairage de quoi* tout le reste est appréhendé. Lumière qui fait voir, sans être vue. Isolée, cette forme est vide; dans la pratique de la pensée, elle est intimement unie aux énoncés qu'elle informe.

La forme de pensée a quelque chose des formes *a priori* de KANT, tout en s'en distinguant. Elle est structurante des fonctions cognitives et affectives, liée à l'expérience vitale d'une civilisation donnée, choisie par elle, pourrait-on dire, sans que l'on sache quand et comment. La forme de pensée est sans doute différente selon les cultures, du moins nous le conjecturons et posons par principe que la forme de pensée africaine est spécifique.

---

1 Nous nous sommes inspiré d'abord des recherches de J.B. Metz, puis de E. Lévinas. Mais ces auteurs ne parlent pas de l'Afrique. Au lieu de ‹forme de pensée› on peut dire: humus, soussol, soubassement, archéologie de la pensée, schèmes dominateurs, régime d'attention, perspectives...

Comme dans la ‹Psychologie de la forme› (*Gestaltpsychologie*), la forme de pensée consiste dans une structure et l'interdépendance des divers éléments de l'expérience vitale, lesquels ne se présentent donc jamais d'une manière atomisée ou inorganisée.

Toute théorie, toute philosophie se développe donc sur une forme de pensée qui n'est pas souvent aperçue par celui même qui en fait usage. Cependant la démarche réfléchissante de l'esprit rend possible et même nécessaire la découverte et la formulation de cette intention principielle. La rationalité du propos philosophique exige que l'on prenne une claire conscience de ce qui autrement ne serait qu'un préjugé. Sans cela, on prendrait pour absolues des thématiques qui relèvent au fond du relatif.

D'où vient la forme de pensée? procède-t-elle d'une activité décisoire de l'esprit? Il semble au contraire qu'elle soit inhérente à la société, à la culture d'un chacun; c'est un pli reçu de l'éducation, quelque chose qui va de soi et qu'il est difficile d'évacuer. Mais il n'est pas exclu que des personnalités, prenant conscience de ce conditionnement, s'efforcent, avec grand-peine, de s'en séparer; de toutes façons il est sans doute impossible pour un individu de changer le langage et le mode de sentir de toute une civilisation.

La première démarche du philosophe africain est donc de prendre clairement conscience de la forme de pensée inhérente à l'expérience vitale africaine; c'est le donné qui doit l'imposer, la réflexion rationnelle se chargeant de la formuler par opposition à d'autres formes de pensée connues.

1.2 Détermination de la forme de pensée africaine

1. Nous pensons que c'est l'*anthropocentrisme* qui caractérise la forme de pensée africaine. C'est l'homme qui est au centre de la vision et de l'expérience, et non le cosmos, les objets, l'Etre, l'Un ou le devenir. Non que l'homme soit isolé ou isolable du cosmos, des êtres vivants ou des choses; mais tout est pour l'homme, tout est symbole et signe pour l'homme, tout est compris à la lumière et à la mesure de l'homme; le cosmos est à l'image de l'homme et non l'inverse. L'animisme est un anthropocentrisme, un anthropomorphisme. La religion même est non une contemplation ou recherche des choses divines, mais une manière pour l'homme de s'assurer sa vie et de se comprendre[2].

2 Quelques témoignages à ce sujet: D. Zahan (1969: 174): «A tous les niveaux, la position centrale de l'homme se trouve ainsi affirmée. Cet anthropocentrisme de la pensée religieuse des Dogon constitue d'ailleurs la meilleure caution de sa cohérence et de son unité.» A. Kagame (1969: 10): «Je vais énoncer une hérésie caractérisée, en aboutissant dans ma conclusion à une religion dont Dieu n'est pas le centre. Telle est cependant la religion des Bantu... Dieu joue un rôle déterminant dans cette religion. Mais les Bantu ont estimé que le Créateur lui-même avait installé l'homme au centre de la religion.» Le même auteur dit (1969: 8-9): La fin dernière du muntu n'est pas Dieu, mais l'obtention des trois biens essentiels à l'homme, ceux de la fortune, de la personne (santé, honneurs, longévité), et de la progéniture. Les catégories du Ntuisme sont constituées à partir de l'homme: l'homme est l'être qui agit par intelligence, les autres se définissent

Cette détermination ne va pas sans un coup de pouce donné à la réalité, sans un choix conscient. Certaines affirmations vont dans le sens d'un cosmocentrisme[3]. Certaines expressions font penser à un stoïcisme africain, mais nous ne croyons pas que l'homme africain se perde dans le grand tout ni n'abdique sa liberté et sa faculté d'intervention, pour ne vouloir que coïncider avec l'ordre du monde[4]. De plus, en interprétant le donné africain dans un sens nettement anthropocentrique, nous nous plaçons mieux dans le courant de la philosophie moderne caractérisée par la réflexion sur l'homme et la signification de son existence. Nous nous situons mieux aussi dans le courant politique africain actuel qui veut partout la promotion de l'homme.

2. Mais il y a bien des façons de comprendre l'homme et l'anthropocentrisme. Nous devons donc préciser.

Alors que l'anthropocentrisme occidental est de configuration individualiste, l'anthropocentrisme africain est *communautaire*. Etre isolé c'est déjà mourir. La solidarité des personnes entre elles, l'emprise du groupe sur l'individu sont telles qu'on a pu dire que «l'individu n'est qu'un être contingent, une apparence inessentielle»[5] – ce qui semble très exagéré. Disons que la personne est toujours con-

par rapport à lui. D'où le dicton «les êtres-sans-intelligence sont la propriété des hommes». A. Ngindu (1969: 101): «On peut... caractériser la religion négro-africaine comme une religion fondamentalement *anthropocentrique*. Toute expression, toute démarche religieuse a pour visée essentielle la *condition humaine*.» E. Mujynya (1969a: 76): «La morale ntu est 'anthropocentrique'.» B. Holas (1968c: 29): «La philosophie religieuse bété est ... remarquable à la fois par son anthropocentrisme et son dynamisme.» Cet auteur insiste, comme beaucoup d'autres, sur la globalité de la vision humaine bété, mais l'homme en est fièrement le centre (cf. 331-332). F.N. Agblemagnon, cité en *Colloque sur les religions* (1962: 59): «En Afrique noire, c'est l'homme qui est l'absolu: l'homme apparaît comme la *valeur* fondamentale, comme la valeur première, celle autour de laquelle... gravitent tous les problèmes.»

3   Les citations suivantes semblent s'orienter vers le cosmocentrisme. J. Ki-Zerbo (1968: 16): «La philosophie africaine est familière des visions et explications globales de l'univers. Ce sont des systèmes grandioses où tout a sa place depuis le vulgaire insecte jusqu'au démiurge forgeron du cosmos.» A. N'Daw (1966: 38): «On ne trouve pas le besoin de domination du monde, (mais) un sentiment d'alliance de l'homme et de la terre, une sorte de communion avec la nature et un sentiment d'équilibre et d'harmonie, maintenu avec vigilance grâce à un ensemble de techniques et de rites compensateurs.» A la page 39, cet auteur parle de la civilisation africaine comme de la «civilisation de l'accord de l'homme avec l'ordre universel et l'ordre social».

4   On doit se méfier des rapprochements trop faciles. A propos du proverbe bambara qui met l'homme au premier plan avec tant de netteté: «Connais le cheval, connais l'eau, connais l'arbre, mais connaître soi-même vaut mieux que toutes ces choses-là», Niamana Kora Fomba (1966: 266) fait le rapprochement avec la maxime grecque ‹Connais-toi toi-même›, et dit: «Ainsi se rejoignent les idées des penseurs de la Grèce antique et de l'Afrique noire à travers l'espace et le temps. Elles nous apportent la nouvelle preuve que les grandes idées de l'humanité ne sont pas l'apanage d'un seul peuple ni d'une seule race.» Certes! Mais il ne s'ensuit pas que, replacées dans leur forme de pensée respective, les deux sentences aient la même signification. Nous pensons que la maxime grecque relève au fond d'une pensée de type cosmocentrique, où l'homme est référé à la nature, à l'Etre, à l'Idée, tandis que le contexte africain nous paraît beaucoup plus préoccupé de l'existence humaine ici-bas. D'ailleurs si on n'y prenait garde, on pourrait très bien interpréter la maxime bambara dans le sens du subjectivisme occidental moderne.

5   L.V. Thomas (1961a: 49). — Même idée chez A. Kagame (1969: 10): «Cet homme cependant n'est pas Un tel, constitué en individu concret: c'est plutôt la *perpétuation du genre humain*. L'individu n'est pas essentiel.»

sidérée dans ses relations aux autres. Au lieu que l'individu soit conçu comme auto-suffisant, face aux autres et s'opposant à eux il apparaît au contraire, en Afrique, comme éminemment *relationnel*[6]; non pas un être-en-soi, mais un être-avec; ou plutôt, il est un être-en-soi comme n'importe qui, mais (et c'est là que joue la forme de pensée) ce qui l'intéresse c'est qu'il est un être-avec.

3. La forme de pensée n'étant pas une création *ex nihilo*, il est normal de s'interroger sur son origine possible.

Il est banal depuis FREUD, d'insister sur l'importance des expériences infantiles. Le petit enfant est fixé sur deux objets, la mère qui le porte, le nourrit et le choie, et le propre corps source de plaisirs. Or on sait combien est étroit le rapport bébé-maman en Afrique[7]. La sécurité du bébé est un être-avec-sa-mère, un corps-à-corps; l'enfant est en parfaite communion avec la mère, et lorsque la mère se distancie un peu, il y a les frères et les sœurs, le corps-à-corps continue avec d'autres. Il est difficile de croire que cela n'est pour rien dans l'expérience vitale africaine, et dans la constitution de sa forme de pensée.

On peut penser aussi que les besoins de la vie en Afrique obligent à un resserrement des liens communautaires. L'homme isolé ne peut guère survivre, pas plus en savane qu'en forêt.

---

6 Quelques témoignages. H. Gravrand (1962: 90): «... la définition de la notion de personnalité africaine, doit comporter deux éléments: un 'moi' et un 'moi communionnel', un 'moi en communion'. Un 'moi'... en contact vivant, avec le cosmos, avec le monde invisible, avec le groupe.» O. Bimwenyi (1968: 83): «Le muntu... est un être de relations», «Pour les Bantu cet homme est essentiellement *membre*»; il est un *nœud* de relations» (88, 93). J. Ki-Zerbo (1962: 139): L'un des éléments de base de la personnalité africaine, c'est l'esprit collectiviste. L'individualisme est aux antipodes de la mentalité nègre traditionnelle.» A. Mabona (1962: 147): «Tout individu est libre... Mais cette liberté cède invariablement le pas aux intérêts du groupe. A ce niveau, aucun désordre n'est toléré.» P. Tempels (1949: 73-74): «Pour les Bantous, l'homme n'apparaît jamais comme un individu isolé, comme une substance indépendante... L'individu est nécessairement un individu clanique.» V. Mulago (1965: 113): «Le Muntu est un homme qui n'existe qu'en communauté et pour la communauté.» Cf. E. Mveng (1964: 76): «L'homme africain... apparaît donc toujours *comme une foule*. Impossible de séparer en lui la dimension individuelle de la dimension sociale.» G. Balandier (1967: 77) cite l'exemple des Fang du Gabon «chez qui la liquidation physique menaçait quiconque remettait en cause la solidarité clanique et la tendance égalitaire, en satisfaisant son ambition et ses intérêts particuliers.» J. Kenyatta (1967: 201): «La clé de voûte de cette civilisation est le système tribal, qui repose lui-même sur le groupe familial et les degrés d'âge dans lesquels sont intégrés les hommes, les femmes et les enfants qui composent la société gikuyu. Il n'y a pas d'individu isolé: il est avant tout le parent et le concitoyen d'un grand nombre de personnes; la conscience qu'il peut avoir de son 'unicité' lui apparaît comme un fait secondaire... Nous pouvons résumer en disant que si pour l'Européen, l'individualisme est un idéal de vie, pour l'Africain l'idéal est d'établir des rapports justes entre les individus.» J.C. Bahoken (1967: 114-116): Le muntu est comme la cellule de l'organisme. B. Davidson (1971: 49, 62): Les proverbes qui disent la solidarité abondent: «Un seul doigt ne peut suffire à mettre les grains de maïs cuits dans la bouche» (Thonga). «Le mil séparé de l'épi n'accepte pas d'être mis en gerbe» (Toucouleur). Nous verrons plus loin qu'il y a bien des façons et des degrés d'être ensemble: les Ibo paraissent plus individualistes que les Yoruba (cf. B. Davidson 1971: 87).

7 M.C. et E. Ortigues (1966: 139-140); P. Erny (1968a); M.Th. Knapen (1970: 77-80, 103-110, 143 s.).

Ainsi sans prétendre que ces faits engendrent nécessairement le communauta-risme africain, nous pouvons penser au moins qu'il y a conditionnement réci-proque[8]. Dans un tel milieu, il n'est pas étrange de rencontrer une forme de pen-sée fortement marquée par le relationnel.

1.3 Comment la forme de pensée africaine se distingue d'autres formes de pensée

L'anthropocentrisme relationnel de la forme de pensée africaine, exige du philoso-phe une transformation totale de ses habitudes occidentales. Procédons à ce nettoyage[9].

1.3.1 Le cosmocentrisme antique

La forme de pensée grecque antique est cosmocentrique. L'homme est dépossédé de soi au profit de l'Etre, de l'Un, de la Nature, de l'Idée, du Cosmos; il est rap-porté à quelque chose d'autre que lui-même. L'homme est convié à contempler l'Idée, le Bien; à force de purification, il s'élève au-dessus du multiple, du devenir, vers l'hypercéleste. Certes, *matériellement*, au niveau des énoncés, la philosophie grecque parle beaucoup de l'homme. PROTAGORAS et les sophistes pensent que l'homme est la mesure de toutes choses, mais justement une telle idée provoque la contestation. SOCRATE rappelle le «connais-toi toi-même»; et nous retrouvons dans les concepts la marque des réalités humaines: la matière est mère, matrice, passivité, réceptacle comme la féminité; le démiurge est tisserand, artisan; le cos-mos est harmonie vivante... Mais *formellement* la philosophie grecque considère l'homme par rapport au Tout cosmique en qui il trouve la mesure, la sécurité, la conformation. La liberté, n'étant pas une propriété du cosmos, n'est plus qu'une simple propriété psychologique dont on se servira pour se plier à l'ordre cosmique et vouloir ce que veut le Destin ou la Nécessité. La connaissance intellectuelle est la grande voie purificatrice par quoi l'homme se délivre et rejoint l'ordre transcen-dant. L'Idée, l'Archétype, l'Essence sont le point de référence; l'homme empirique n'est qu'une réalisation plus ou moins dégradée, modulée, imparfaite de l'Idée; son existence concrète est une chute.

Avec ARISTOTE, l'être est conçu sur le modèle de la chose; la théorie de l'acte et de la puissance sont des modèles s'appliquant d'abord aux choses; on les adapte ensuite à l'homme. La connaissance a pour but d'abstraire des natures universel-les. La substance, support inaltérable, inaccessible, statique, objet, qui a sa

---

8 On peut toujours se demander si c'est l'économique ou les formes d'institutions sociales qui provoquent la constitution de telle forme de pensée, ou si c'est la forme de pensée qui est pre-mière et conditionne les réactions sociales et économiques (cf. J.P. Vernant et l'explication du fameux «miracle grec»).
9 Les critiques de Nietzsche, Heidegger, Lévinas nous ont habitués à ne plus admettre comme un «il va de soi» indépassable les perspectives de la philosophie classique.

consistance propre, sa suffisance, son être-à-soi, distincte et séparée des autres, a pour image-guide la chose solide, qui résiste, la pierre ou le bois.

Avec l'atomisme de Démocrite et de Lucrèce, nous sommes évidemment en plein cosmocentrisme. Quant à l'idéal épicurien et stoïcien de l'*ataraxie*, c'est toujours la soumission à un ordre extérieur à l'homme. Qui accepte l'ordre cosmique, a la tranquillité et rivalise de bonheur avec Zeus.

La forme de pensée africaine nous transporte dans un climat différent. C'est plutôt le cosmos qui est rapporté à l'homme, d'où le risque d'un anthropomorphisme naïf. Si c'est la communion, la relation entre hommes qui compte, la pensée africaine développera une praxis plutôt qu'une théorie, car une communion se vit, se développe, se défend, se diversifie plutôt qu'elle ne se contemple de l'extérieur. La solidité de la relation ne dépend plus d'un ordre abstrait, universel, mais de l'acceptation volontaire et concertée de la tradition. La personne n'est plus une substance en soi, délimitée et incommunicable, mais un être-avec qui se veut comme tel ou s'y refuse. Nous ne sommes plus devant un ordre statique et universel, une nécessité aveugle, mais dans le mouvement des générations qui se succèdent et doivent renouveler les pactes d'alliances, les relations communautaires; sans quoi l'être isolé et labile, se déliterait et s'anéantirait. La pensée antique invitait l'homme à dépasser les apparences pour une transcendance, pensée ascendante; en Afrique, tout phénomène peut devenir signe pour l'homme et l'invite à renforcer la communion, pensée descendante; pour le Grec, le salut est de sortir de la condition humaine; pour l'Africain, le salut c'est de n'être jamais privé de la communion avec les autres[10].

1.3.2 L'anthropocentrisme individualiste moderne

Il paraît évident que depuis Descartes au moins, la pensée européenne est anthropocentrique[11]. La philosophie est une mise en question de l'homme par l'homme, en même temps que l'homme est pour l'homme une évidence irrécusable et première. Parlant de la philosophie française, J. Wahl (1962: 141-142) écrit qu'elle est «dans ses principaux représentants, une philosophie de la pensée et de la conscience... L'idée de liberté et l'idée de personne sont au centre... A cette idée de la liberté peut s'en rattacher une autre: celle de la contingence»[12]. L'his-

---

10 Nous avons reproché à certains essais philosophiques africains d'emprunter leur problématique à cette philosophie grecque, surtout aristotélicienne (reprise de la scolastique). Ainsi P. Tempels édifie d'abord une ontologie bantu de l'être en tant qu'être; l'homme n'est plus qu'un cas particulier, objet de la psychologie (1949: 65, 66, 68). V. Mulago applique aux réalités bantu, les schémas aristotéliciens des quatre causes, de l'hylémorphisme, des catégories (1965: 149, 150, 152).

11 J.B. Metz fait remonter cet anthropocentrisme à St. Thomas d'Aquin et même au Christianisme qui fut d'abord, paradoxalement et non sans distorsion, pensé dans la forme cosmocentrique des Grecs.

12 D'après les historiens, Guillaume d'Occam fondait sa philosophie-théologie sur la négation préalable de toute relation entre les êtres, à titre de postulat. On ne peut être plus éloigné de la forme de pensée africaine.

toire de la philosophie européenne, certes, est toute en nuances, mais vue au niveau de la forme de pensée, elle nous paraît toujours fortement teintée d'individualisme même quand les philosophes redécouvrent la société, la relation aux autres, l'être-dans-le-monde. Le social, le communautaire, chez nous, est toujours
post-individualiste. En Afrique il est *ante*-individualiste. Mais entrons dans quelques détails pour mieux percevoir les thématiques.

Le cogito de DESCARTES est la «doctrine mère» (M. Henry 1965: 59). Le doute
méthodique est une décision personnelle, que chaque individu peut répéter. Enfermé dans son poêle, DESCARTES, fait comme si son corps, les autres, le monde
n'existaient plus. L'ego est identifié à la pensée; la philosophie se concentre sur la
perception immédiate du sujet pensant. La pensée pure, substantielle est détachée
de tout support; l'entendement est purifié de toute présupposition, dessaisi du
passé; le corps, l'émotion, l'histoire sont exorcisés. «Ainsi commence une méditation conduite en régime d'intériorité absolue, où le sujet suspend la connaissance
au profit de la conscience pour parvenir à la claire conscience de soi» (C. Bruaire
1968: 87). Réflexion sur soi inévitablement solipsiste. Bien sûr le corps propre, le
monde seront retrouvés grâce à la médiation de Dieu qui nous assure que nos sens
et nos idées claires et distinctes ne peuvent nous tromper. La méthode des idées
claires et distinctes aboutit à la conception des natures simples: de l'âme-pensée,
du corps-étendue, du mouvement. La physique se réduit à la géométrie. «Je distingue autant que je puis chaque chose.» Le dualisme ne sera pas surmonté; la vie
est une mécanique, le monde des esprits fonde un spiritualisme complet. Dès lors,
le chemin est bien tracé, voie royale pour les uns, route semée d'embûches pour
les autres[13]. En tout cas rien de plus éloigné de la mentalité africaine; le cogito
personnel n'est nullement la base, mais la vie en communion; l'isolement est synonyme de mort, bien loin de permettre la saisie pleine et entière de soi; c'est le problème de la vie à vivre qui est primordial en Afrique, non celui de la conscience.
Le vieil adage ‹primum vivere, deinde philosophari› peut se comprendre dans la
pensée occidentale, comme ceci: l'activité philosophique est une activité de surcroît qui vient ensuite parce que la vie est assurée et qu'on peut faire abstraction
de cet humble point de départ; en Afrique il n'y a pas de *deinde*, la réflexion est
concentrée sur la vie même. Nous nous garderons bien, en conséquence, de demander à la pensée africaine ce qu'elle n'a pas à nous donner, parce que c'est en
dehors de ses horizons.

La forme de pensée occidentale développe une certaine conception de la *subjectivité* qu'il nous faut analyser quelque peu. Après DESCARTES, l'existence comme

---

13 M. Nédoncelle: «Comment aborder l'ordre personnel? Le chemin classique est celui d'un
cogito solitaire. Ni Socrate, ni Descartes n'ont sans doute considéré le moi comme un atome parfaitement isolé et il serait déplorable de leur attribuer un tel contresens. Toutefois, à chaque instant, la réflexion qui s'est nourrie de leur doctrine est exposée à oublier que les esprits ne sont
pas séparables: la fortune même du mot de monadologie suffirait à le montrer» (1963: 27). «Tous
les personnalismes ont été jusqu'à présent des monadologies» (1942: 8).

conscience est toute différente de l'existence comme chose. Le sujet se caractérise comme conscience de soi, par l'aptitude à porter des jugements de valeur et à se libérer. L'idéal de la subjectivité c'est sentiment de soi, présence à soi, possession de soi, se recevoir de soi-même, s'édifier soi-même: «L'homme réel est celui qui se crée lui-même qui opère la création de soi par soi» (J. Wahl 1962: 121). La subjectivité est spontanéité, immanence absolue; ce qui existe en dehors peut être dit transcendant; la chose-objet ne peut ni sortir de soi ni se connaître soi-même, ni être présente à soi. Même si le sujet est obligé de reconnaître qu'il est à distance de soi-même, que la conscience n'est pas vide, que le corps aussi est ‹subjectif›, le point de départ où tout se joue est toujours le sujet comme distinct, comme centre primordial, comme substance solide, intériorité, incommunicabilité, principe de détermination. La subjectivité occidentale est sur la pente du solipsisme et de l'idéalisme. La liberté de l'individu et ses droits sont biens sacrés. Etre libre, pour SARTRE, c'est se refaire et se recréer sans cesse, c'est décider de son existence, c'est n'être pas voué. Le sujet est volonté, capable de dépasser le donné et de se créer du neuf; et l'exercice de la volonté appelle l'éthique, qui se comprend alors du point de vue de l'individu. L'autonomie caractérise le sujet. Or la mentalité africaine est bien différente. La personne aussi occupe une place prépondérante, mais pas du tout de la même façon; la personne aussi cherche son développement, mais dans une autre direction. Alors que la personne en Occident, s'oppose et se distingue, visant l'originalité, l'autonomie, l'initiative; la personne en Afrique s'édifie par et dans les relations aux autres (F.N. Agblemagnon 1958: 24-25).

Certes, il nous faut maintenant insister sur le fait que la philosophie contemporaine est largement contestataire vis-à-vis de l'individualisme classique. L'insuffisance du *cogito* éclate; il faut s'interroger comme étant, non comme cogitant; l'existence est d'abord un être-au-monde, un être-avec-autrui; le solipsisme est intenable; comme le dit M. SCHELER, le fait fondamental de l'existence humaine n'est ni l'individu comme tel, ni la société comme telle, mais l'homme existant avec d'autres hommes. La philosophie du *cogito* est incapable de rendre compte du corps et des phénomènes les plus simples de la vie, tel le sommeil[14]. L'intellectualisme classique répugne à la pensée symbolique, redécouverte aujourd'hui (G. Gusdorf 1953; G. Durand 1964 et 1969). La pensée moderne avec MARX, NIETZSCHE, FREUD, est une école du soupçon (P. Ricœur 1965: 40), la conscience immédiate est fausse, ou au moins est incapable de saisir la vérité entière sur le moi; l'inconscience dissout l'homme; le *cogito*, si lumineux, devient opaque. NIETZSCHE reproche à SOCRATE d'avoir développé la connaissance contre la vie, et il veut changer les rapports de l'homme à l'univers. La liberté n'est plus liée au dictamen de la conscience qui se croit libre alors qu'elle est esclave, conditionnée de part en part. Le structuralisme montre le sujet pensant et parlant, traversé par des structures qu'il ignore; ce n'est plus ‹je pense› mais ‹ça parle en moi›.

---

14 Cf. les critiques de M. Henry et C. Bruaire.

Et pourtant peut-on dire que la forme de pensée individualiste est dépassée? Il ne le semble pas. Quand on est sensibilisé à la forme de pensée africaine, il est évident que nombre d'affirmations modernes sont largement imprégnées de parfum individualiste. Des expressions comme ‹l'homme-être-jeté-dans-le-monde› ou ‹jeté-dans-l'histoire›, ou ‹l'être-marqué-pour-la-mort›, ne sont pas du tout neutres, elles manifestent un ressentiment, une angoisse, une conscience malheureuse et nostalgique: l'homme est jeté dans une situation contre son gré, en somme, et en dépit d'un autre idéal; l'individu se possédant dans sa claire conscience, est tombé de haut. La personne se voit obligée de composer avec les autres; la socialisation, l'anonymat de la massification sont sinon un carcan, du moins une menace[15]; on espère s'en servir comme d'un tremplin pour atteindre un nouveau palier de personnalisation. De toutes façons, le communautarisme occidental moderne est nécessairement pour nous, une découverte seconde, précédée et marquée par l'option individualiste antérieure. Comme le dit le proverbe bantu: «Ce qui fait la force du crocodile c'est l'eau qui le porte», or la pensée occidentale est portée par le fleuve de l'individualisme.

Dans la pensée politique et sociologique, l'imprégnation individualiste est manifeste. HOBBES, ROUSSEAU, HEGEL partent du présupposé individuel pour forcer l'individu à devenir social. Le contrat social fait dépendre la société de l'accord lucide et arbitraire de volontés séparées, pures. La société, la nation sont comme l'individu élémentaire. L'humanité est censée être présente en chaque homme et chacun est alors libre et égal aux autres. «La démocratie brise la chaîne et met chaque anneau à part» dit A. de TOCQUEVILLE (cité par L. Dumont 1966: 13, 32). On sait l'individualisme de la Déclaration des Droits de l'Homme. Face à cette dispersion, HEGEL et COMTE veulent être des philosophes de la société et de la synthèse (J. Wahl 1962: 95-96); à LACHELIER qui exalte le Dieu de l'individu pensant et solitaire, DURKHEIM oppose la société déifiée. La sociologie est la contrepartie de la philosophie individualiste, sa correction. Mais on sait combien cette science a de la peine à perdre son ancrage métaphysique (Dumont 1966: 17; 1968: XIV).

Nous trouvons maintenant dans la philosophie occidentale un courant d'idées qui nous sera extrêmement précieux[16]. L'interpersonnel, l'intersubjectif cherche à secouer la poussière de l'individualisme traditionnel. L'individu n'est plus enfermé en lui-même, il est co-présence, essentiellement ouvert à autrui et au monde; les êtres dans leur singularité sont liés par de mystérieux rapports; la communication devient le fait humain fondamental; tout désir est toujours désir de l'autre; tous nos rapports au monde ont une constitution intersubjective. L'on s'efforce même de retrouver autrui dans le *cogito* (car toute pensée, toute parole suppose un inter-

15   Cf. M. Dufrenne qui insiste sur l'ambiguïté fondamentale de la condition humaine: la subjectivité toujours inaliénable et en même temps toujours compromise.
16   Voir l'œuvre de G. Marcel, M. Buber, M. Nédoncelle, R. Mehl, E. Amado Lévy-Valensi, C.R. Rogers, M. Pagès, M. Oraison, G. Wackenheim, J. Stoetzel.

locuteur au moins potentiel et le ‹je› ne se pose qu'en s'opposant aux autres) (J. Rolland de Renéville 1968: 49). Autrui n'est pas seulement celui que l'on imite, un témoin ou un appel, un objet de sympathie ou d'altruisme, celui dont on a besoin car on ne peut vivre sans estime, sans recevoir une éducation, une approbation; l'autre n'est plus une limite ou une menace, mais une source. Dans la recherche d'une métaphysique de la personne, il faut critiquer la définition de BOÈCE qui faisait de l'incommunicabilité la caractéristique de la personne c'est plutôt la réciprocité qui la définit; la communion des consciences est le fait primitif; la solitude absolue du moi est destructrice. La présence et la fidélité, le ‹chez›, la distinction entre l'être et l'avoir, le dialogue (ses difficultés et ses conditions), l'amour, l'engagement sont maintenant l'objet de l'attention des philosophes; dénonciation aussi de la fausse relation, qui réduit l'autre à un pur objet, du regard qui néantise, et des ‹ersatz› de la communication; l'on distingue soigneusement les niveaux de la relation: masse, communauté, communion, Bref, «au commencement est la Relation» dit M. BUBER (1959: 25)[17].

Et pourtant cette philosophie communautariste est *post-individualiste*. La forme de pensée est toujours là. Disons d'abord que la personne ne perd jamais rien dans la relation à autrui, de ce qu'elle a gagné sous l'autre régime; dans la relation, elle se trouve confortée, épanouie, accomplie. Mais surtout cette co-présence est la plupart du temps saisie comme précaire; la rencontre est un événement; elle se fait surtout sur le mode binaire, la dyade; l'amour conjugal, l'amitié en sont les prototypes. Les instants de la rencontre sont riches et inépuisables, mais rares; vite il y a retombée du *je* et du *tu* dans le *cela* ou le *on*. La rencontre se fait au niveau de la conscience, il s'agit de se re-connaître, alliance des esprits, qui passera ensuite aux actes; l'habitude, d'ailleurs, l'émousse. De plus, la connaissance d'autrui se révèle extrêmement limitée; chacun garde son secret, la communication est difficile. Ainsi la co-présence est plutôt une aventure rare, une délicate réussite, guettée par toutes sortes de dangers. La socialité est un maléfice pour l'intersubjectivité; la socialisation renforce la solitude; ma liberté a vite fait de limiter celle d'autrui qui menace la mienne. La personne doit se conquérir «sur l'empâtement de l'espèce», la nature est hostile ou indifférente, la possession de l'autre est une tentation permanente. Le *on* investit de toute part. Et si la personne ne veut pas de cet enlisement, il lui faut faire front: «le propre de la personne, c'est d'affronter», dit G. MARCEL (1940: 169). Illusions, pièges, étouffement, telle est la vie collective, ou sa menace, pour la personne.

Or ces analyses ne conviennent point à l'expérience africaine. Une forme de pensée fondamentalement relationnelle se conquiert un autre empire. En Afrique il y a aussi des pièges pour les personnes, mais pas les mêmes; la co-présence est moins affaire de conscience que de vie, mais elle n'a rien d'automatique car elle mobilise toutes les ressources de la personne; la rencontre personnelle n'est pas

---

17 L'histoire de la philosophie montre d'ailleurs que ces thèmes sont loin d'être uniquement contemporains; mais la sensibilité actuelle les exhume et leur donne une nouvelle vigueur.

qu'un sommet fugitif, privilégié, mais assailli, elle est plutôt le pain quotidien; la personne n'affronte pas, elle consent; la nature, la société, est son humus non sa prison. Manifestement nous ne sommes pas sur la même longueur d'ondes.

1.3.3 L'objectivisme

L'a b c de la philosophie occidentale est que dans l'activité cognitive, le sujet s'oppose à l'objet, s'en distancie et le considère, en s'efforçant d'écarter les données subjectives de l'imagination, de l'affectivité, du symbolisme. On connaît la distinction faite par L.S. SENGHOR (1962: 8) entre la raison-œil occidentale et la raison-étreinte africaine. La raison occidentale se veut froide, se refuse à l'immédiat, cultive le doute; mais c'est pour mieux arracher aux choses leurs secrets; la raison prend du recul pour mieux dominer, réduire, mettre à son service, elle ne connaît aucune limite à ses ambitions, aucun objet n'est tabou pour elle, et aussi loin qu'elle voit, elle y va voir.

La connaissance africaine se déploie dans un autre climat. Dans le climat relationnel anthropocentrique, tout ce qui arrive peut être un signe que quelqu'un fait à quelqu'un. Il a été dit que la science occidentale a progressé le jour où elle s'est demandé non plus *pourquoi* les corps tombent, mais *comment* ils tombent; une anecdote africaine raconte que des écoliers sceptiques sur l'explication microbienne de la malaria, demandaient au maître: «Mais pourquoi ce moustique m'a-t-il piqué?»; ce qui intéresse beaucoup l'Africain, c'est *qui* manipule les objets, *qui* a envoyé ce serpent qui m'a mordu? La pensée européenne est réductrice: les phénomènes naturels sont réduits à la quantité, la vie à la physico-chimie, le psychisme au comportement (béhaviorisme) ou aux tensions inconscientes (FREUD), la vie sociale est réduite à ses composantes économiques et matérielles (MARX). Réduction féconde quoique meurtrissante; réduction qui unifie l'univers, au détriment de la diversité. La pensée africaine procède aussi à des réductions, mais à celles qui intéressent son relationnisme, elle privilégie le symbolisme et le rite et elle donne le pas au concret et au vécu. Le rationalisme occidental efface le vécu et le particulier pour formaliser, généraliser, atteindre la loi universelle; le rationalisme africain veut respecter la diversité et la particularité des sujets lesquels restent les maîtres de la relation. L'ordre des idées et des lois, n'est pas l'ordre des personnes. BERGSON a dit que notre logique était une logique des solides, adaptée aux schèmes de l'action et au maniement des objets dans un espace euclidien; un bon mot ivoirien dit «sans le calendrier et la montre du Blanc, nous ne serions pas mortels»[18], ce qui signifie le primat du temps vécu à loisir sur les divisions

18 M. Bekombo (1966: 60). — Même expérience en V. Guerry (1970): «J'ai réalisé concrètement ce hiatus entre nos deux cultures, un matin où nous devions aller cueillir le coton. Mon voisin m'avait demandé la veille de venir l'aider et j'étais là, à la porte de sa maison, quand l'un de ses cousins arrive pour lui rendre visite. On s'asseoit, on bavarde longtemps, longtemps. Mon ami est calme et détendu, il est tout entier à son hôte: le temps est à tout le monde, il est communautaire. Quant à moi, je trépigne» (116) ... «Toi, le Blanc, tu es toujours en train de compter... ton cœur n'est pas tranquille'... Quant à moi [le Blanc], je prévois sans cesse, je compte tout minutieusement, je pense, je réfléchis et ainsi mon travail est efficace: pas de fatigue inutile, pas de perte de temps; mais je suis toujours tendu, et par là moins heureux et moins ouvert aux autres, moins affable: 'Ton visage est amer'» (117).

mathématiques, abstraites et institutionnelles du temps, ou le primat du vécu dans lequel on coïncide avec soi et les autres, sur la distanciation qu'introduisent l'étranger et les cadrans à lire.

Dans le domaine religieux et mystique, nous voyons l'Africain épris de communion plus que de contemplation; le dieu se manifeste dans le sujet qu'il a élu et qui entre en transes sous sa motion, et par là il délivre un message aux spectateurs; le mystique africain vit la communication spirituelle mais ne se livre pas à l'introspection comme son homologue européen[19].

La philosophie moderne est bien consciente des excès de son objectivisme[20]. On insiste maintenant sur la communication entre les sujets, sur l'être en situation. Mais les habitudes objectivistes ne sont pas reniées pour autant: la science et la technique s'y opposent; et l'on a pu écrire: «Jamais la littérature – et toutes les formes d'art aussi bien – n'ont été plus réflexives qu'aujourd'hui, plus soucieuses de s'interroger elles-mêmes»[21].

1.3.4 Autres formes de pensée non-occidentales

Pour être complet, il faudrait distinguer la forme de pensée africaine d'autres formes de pensée non-occidentales. Faute de compétence, nous ne ferons que quelques allusions (Masson-Oursel 1969; Zaehner 1965).

Sur le continent asiatique se sont développés, en Inde notamment, de puissants mouvements de réflexion philosophique. Hindouisme, Bouddhisme. Il semble que l'horizon de ces philosophies comprend un fort sentiment du monde présent comme illusoire, comme devant être dépassé, il s'agit de dépasser la division et la multiplicité, de supprimer ou d'absorber le Moi; la dimension subjective paraît privilégiée: par le chemin de l'immanence pure, l'âme, le soi tendent à découvrir, un état absolu et s'y absorber. L'Orient a cherché à approfondir la dimension intérieure de l'homme, agissant sur le corps et le biologique par l'intérieur; par voie psychique, plutôt que du dehors comme la science occidentale. Notations laconiques, et sans doute discutables, surtout sous leur aspect général. Il convient en

19 L.V. Thomas et al. (1969: 118). — Remarquons l'importance du corps dans cette communication spirituelle: J. Monfouga-Nicolas (1972); N. Le Guérinel (1971). Nous pensons que la fameuse ‹fusion› ou ‹participation› entre les personnes, ou entre les personnes et le cosmos, est à situer au niveau de la corporalité (rythme, danse, langage, proximité orale) et non au niveau ontologique, où les êtres perdraient leur consistance propre. Quand le poète africain dit: «Je veux me confondre et fondre dans le caillou vulgaire du sentier broussard, dans l'eau sale de la mare en saison-des-pluies, dans l'herbe jaune qui porte le feu latent», ou bien il ne dit rien, ou bien il exprime seulement son déracinement douloureux: «Ah! se libérer de l'emprunt» (A.Y. Diallo 1969: 110).
20 E. Amado Lévy-Valensi: «En chaque homme sommeille un 'sujet' dont la vocation est de communiquer avec le monde, avec autrui, de coïncider avec ses propres sources. Un seul contact authentique peut lui restituer tous les autres. Peut-être la malédiction de l'Occident a-t-elle consisté en options partielles, cloisonnantes, narcissiques. On a hypostasié un certain langage qui nous ouvrait un certain aspect du monde. On a perdu le contact avec autrui, et fait du génie lui-même une expérience solitaire» (1967: 153).
21 M. Dufrenne (1968: 71). — Notons la multiplication actuelle d'expériences artistiques, voire religieuses, beaucoup plus spontanées, chaotiques, avec transes communes.

tout cas de se méfier de rapprochements et d'oppositions trop faciles. Il faut d'abord ausculter longuement chaque pensée pour elle-même, en se situant à l'intérieur de son horizon propre; ce n'est qu'ensuite que l'on pourra faire de véritables comparaisons.

Faisons la même remarque à propos des sociétés archaïques. On a coutume de les prendre comme une espèce définie et unique, s'opposant à l'espèce occidentale. On insiste donc sur la parenté des sociétés archaïques[22], alors qu'il faudrait d'abord les considérer en elles-mêmes, chacune pour elle-même. Il est certain qu'une multitude de traits se retrouvent partout, on dirait qu'un même langage les anime, mais le message est-il forcément le même? Ne faudrait-il pas se demander si en changeant de sociétés, on ne change pas (du moins dans certains cas) d'horizons de pensée[23].

1.4 Contacts entre formes de pensée

Quelles que soient la spécificité d'une forme de pensée et la difficulté d'en changer, nous constatons cependant des influences, des contacts. Ainsi le continent africain se trouve affronté à l'individualisme européen et à son objectivisme scientifique et technique[24]. D'où l'impression d'ambiguïté de la situation présente aux yeux de beaucoup.

Constatons d'abord, que malgré les vertus et les bienfaits proclamés de la solidarité et du communautarisme traditionnels, l'individualisme entame largement la société africaine. Citons la promotion personnelle que donnent l'école et les études modernes, les places et les nouveaux métiers; l'économie monétaire, le travail salarié; l'argent personnellement gagné doit-il être partagé au bénéfice de la famille étendue, des compatriotes du même village? — la vie citadine, l'habitat moderne s'accommode mal des règles de la vie clanique et villageoise; la recherche de liberté individuelle, de l'émancipation de la tutelle des vieillards par l'émigra-

22   L.V. Thomas (1962: 59): «Il existe, de fait, une ressemblance étonnante entre toutes les formes d'animisme actuellement inventoriées par les sociologues et par les historiens des religions: seule l'importance accordée aux principes constitutifs n'est pas la même.» C. Lévi-Strauss (1958: 400): «Le domaine de l'anthropologie, dit-on volontiers... consiste dans les sociétés *non* civilisées, *sans* écritures, *pré* ou *non* mécaniques. Mais tous ces qualificatifs dissimulent une réalité positive: ces sociétés sont fondées sur des relations personnelles, sur des rapports concrets entre individus, à un degré plus important que les autres.» Cf. J. Cazeneuve (1967: 65-66): «Notre psychologie pose l'individu comme une substance, en fait un objet en dehors de ses actes et de ses apparences, tandis que le primitif qui se 'réalise' (dans le sens précis du mot) et se donne un être en se reliant au groupe comme à la nature, a l'inspiration inverse... Il s'affirme en s'intégrant à tous les niveaux de son univers et non pas en se faisant substance.»
23   Nous pouvons trouver là une objection à notre parti-pris de vouloir unifier l'Afrique noire au niveau de sa philosophie (cf. chap. préc.).
24   On devrait aussi se demander si dans les régions fortement et depuis longtemps musulmanisées, quelque chose de la forme de pensée propre à l'Islam et au monde arabe n'est pas passé dans l'Afrique noire.

tion des jeunes; les codes civils modernes qui tendent à une libération des personnes, des femmes notamment[25]. Que l'on songe à cette réflexion d'un maître d'école appartenant à une société où la solidarité est particulièrement forte: «Il n'y a pas longtemps que le Sénoufo sait qu'il existe.» Il y a les inégalités croissantes, l'exploitation qui en découle, qui sapent les vieilles solidarités et accentuent les rancœurs. Et les formes modernes de la vie politique contribuent à ruiner les formes traditionnelles de l'autorité.

Bien entendu, l'esprit de solidarité n'est pas détruit pour autant; il sait très bien inventer des formes nouvelles d'entraide et de nouveaux groupements, dans les villes notamment. Les autorités anciennes savent s'y retrouver. Bref, il n'y a pas disparition de l'ancienne forme de pensée mais contact avec une autre.

Quelle que soit la complexité des faits au plan de l'analyse sociologique, nous croyons qu'ils ont une portée philosophique impressionnante. Ils montrent que l'homme n'est pas un être déterminé *ad unum*, que telle réalisation de l'homme, réussie dans une société n'épuise pas les possibilités humaines. De même que l'homme occidental fait l'expérience de la nécessité de sortir de son individualisme, de même l'homme africain fait l'expérience inverse de l'individu-pour-soi. Qu'il réagisse à cette nouveauté avec angoisse, horreur, mauvaise conscience, ou délices et gourmandise, il s'agit toujours d'un contact entre formes de pensée.

Comment évoluera ce contact? y aura-t-il repliement sur soi, endurcissement de part et d'autre, osmose ou enrichissement mutuel? Certaines expériences socialistes voudraient bien empêcher que l'individualisme capitaliste ne s'instaure en Afrique; elles optent pour l'élargissement et la modernisation du communautarisme familial ou villageois. Certains pensent que les formes autoritaires d'embrigadement par les partis stimuleront les volontés particulières et les lieront fortement pour une tâche commune et égalitaire. D'autres pensent que ces embrigadements sont onéreux et peu efficaces, que le développement passe par la libération de l'initiative individuelle, que l'inégalité doit stimuler la compétition.

Quelle est la place du philosophe dans ce problème? Il n'a pas à se substituer au politique qui doit prendre des options et organiser des actions concrètes (surtout si le philosophe est étranger). Mais il peut par ses analyses éclairer au moins ces options et ces actions. Si la philosophie est la défense et la promotion de l'homme, elle sera nécessairement engagée, au moins au niveau de l'opinion. C'est pourquoi nous avons déjà dit et répétons que la philosophie africaine ne peut pas être une simple analyse compréhensive de l'Afrique traditionnelle et passée, mais qu'elle est aussi la prise en charge, au plan de la réflexion du temps présent et de ses problèmes. De ce point de vue, nous devons conclure que l'horizon de pensée, que nous avons cherché à préciser, est bien loin d'être un horizon serein et clair; il est bien plutôt chargé d'orages... orages qui amènent aussi les pluies bienfaisantes.

25 Voir Stanislas Melone (1972).

1.5 Dénomination de la forme de pensée africaine

Récapitulons notre position, en choisissant une dénomination convenable pour traduire cet horizon de pensée dans lequel nous voulons nous tenir. Nous parlerons désormais de la forme de pensée *Je—Avec*. Expliquons-nous.

Nous disons *Je* et non pas *être*, parce que nous voulons nous situer dans une perspective personnaliste, anthropocentrique. Nous disons *Je* plutôt que *Moi*, parce que, il nous semble que le *Je* est moins réflexif, et nous voulons rappeler par là, que la pensée africaine est moins polarisée par les problèmes de réflexion, de connaissance, de conscience, que par l'acte de vivre, le projet vital. *Je* implique une option: nous donnons le pas à la subjectivité sur la collectivité. Ce n'est pas une concession à l'individualisme, mais réalisme: la philosophie actuelle ne peut faire abstraction du sujet, le sujet est irréductible, c'est en lui que l'humanité finalement s'accomplit et toute société vit en définitive par lui, pour lui, en lui; le sujet est une évidence irrécusable et première en Afrique, comme ailleurs[26].

La préposition *avec* veut montrer le caractère essentiellement relationnel du sujet. Nous n'avons pas précisé: avec autrui ou avec le monde, pour ne rien exclure et garder à la relation son ouverture, son perpétuel mouvement. *Avec* indiquera aussi que la forme de pensée africaine ne privilégie pas l'objectivité, l'opposition sujet-objet. Ce n'est pas ‹je-face-à›, ou ‹je-affronté-à›; mais un sujet qui cherche l'alliance, la liaison, l'union, le corps à corps.

1.6 Réflexion épistémologique

Prenant un peu de recul, interrogeons-nous sur le chemin parcouru.

La détermination d'une forme de pensée ne comporte aucune conceptualisation précise. Nous n'avons fait que mettre à part l'eau-mère dans laquelle les concepts cristalliseront.

Cette détermination est le fruit, nous l'avons dit, et d'un choix du philosophe, et du respect du donné. C'est l'expérience vitale qui commande; mais le philosophe ne saurait y reconnaître une forme de pensée spécifique, que s'il se refuse à d'autres formes de pensée; de plus, en faisant passer cette forme du plan vécu au plan réfléchi, il opère des abstractions, donne des coups de pouce, privilégie ceci plutôt que cela. L'expérience vitale africaine comprend sûrement la forme de pensée Je—Avec, mais sans doute aussi ne s'y réduit-elle pas; plus les analyses se feront précises, mieux sans doute parviendra-t-on à cerner et à distinguer cette forme de pensée.

Ce faisant, nous pensons que notre entreprise apporte sa contribution à ce qu'on appelle maintenant l'archéologie du savoir:

---

26 N'oublions pas l'importance des noms personnels en Afrique.

Il y a un langage qui surplombe chaque type de culture. Ou, si l'on préfère, un ensemble de catégories historiques, inconnues de ceux qui les utilisent, et d'autant plus essentielles qu'elles restent inconscientes, déterminant l'ouverture − ou la fermeture − des connaissances d'une époque[27].

Nous cherchons à savoir dans quelles conditions le discours africain est tenu vrai par l'Africain, alors que ce même discours paraît vide ou faussé pour des gens placés en d'autres coordonnées. Mais nous ne pensons pas que, ce faisant, l'Africain est le jouet d'un conditionnement inconscient et inhumain. La recherche de la forme de pensée, revient donc à creuser sous les institutions, les comportements, les concepts, pour découvrir cette vérité ou cette intuition principielle par laquelle l'homme d'Afrique vit son humanité.

La forme de pensée constitue un *champ* (comme un champ gravitationnel ou magnétique), dans lequel les objets particuliers vont prendre certaines configurations, vont se répartir selon certaines lignes de forces. C'est ce que nous allons étudier dans le chapitre suivant.

---

27 J. Lacroix (1968: 7; expliquant la pensée de M. Foucault).

2 Les catégories

2.0 *Aperçu préliminaire*

L'expérience africaine se déploie sous un horizon de pensée que nous avons appelé ‹Je−Avec›. Cherchons maintenant à déterminer comment cet anthropocentrisme relationnel va structurer cette expérience. Autrement dit, comment le *sujet Je*, situé dans le *monde*, va-t-il se comporter avec les autres? Il ne s'agit pas de décrire les comportements concrets dans leur diversité ou leurs types, mais d'en définir la structure fondamentale et universelle. Il nous paraît ainsi nécessaire de distinguer six catégories dont voici une vue d'ensemble préliminaire pour éclairer notre démarche.

1. La personne humaine est essentiellement relationnelle. Elle est faite par et pour l'échange, en dehors de quoi elle tend au néant. Plus un *Je* est en situation d'échanges réciproques avec d'autres, plus il est personne, plus son existence est solide, plus son être est épanoui. D'où notre première catégorie: *Relation*.

2. *Je* est un sujet qui par son intelligence et sa volonté, dirige ces échanges, y consent ou s'y oppose. Seconde catégorie: *Subjectivité*.

3. Pour obtenir des relations fermes, stables, sûres, *Je* ne se laisse pas guider par sa fantaisie, mais par les coutumes qui s'imposent à lui, auxquelles il consent ou se refuse. Ce qui nous donne une troisième catégorie: *Tradition*.

4. *Je−en−relation*, présente toujours un corps. Sans le corps (ou son substitut) il n'y a pas d'échange possible. Nous appellerons cette quatrième catégorie: *Corporalité*.

5. Ces relations-échanges, conformes à une tradition, ne sont pas vécues passivement ou automatiquement; elles sont recherchées, maintenues, modifiées, contestées; elles sont l'objet d'une constante *Manipulation*. Cinquième catégorie.

6. Enfin nous constaterons que cette manipulation, ces relations, ces traditions, ce vouloir subjectif se heurte à quelque chose qui est en dehors de l'homme, sorte de destin, de fatalité, de nécessité, d'adversaire. Nous nous trouvons ainsi devant une sixième et dernière catégorie: L'*Irréductible* ou l'*En−dehors*.

Nous allons étudier séparément chacune de ces catégories. Il importe de commencer, cependant, par quelques généralités.

Ces catégories sont à comprendre uniquement sous la forme de pensée Je-Avec. C'est le sujet que nous avons pris comme centre de référence, et c'est la relation qui est la marque essentielle de l'expérience du sujet; son activité, sa vie intérieure sont polarisées par la relation; la tradition, rationnellement, en est la régulatrice; le corps est tissé, façonné par et pour les relations, c'est le lieu, le moyen des relations; un être sans corps échappe aux relations humaines; la manipulation ne consiste pas à produire des objets techniques, mais à faciliter, empêcher, modeler, multiplier les relations; enfin l'irréductible est perçu comme tel parce qu'il est posé comme une limite aux relations, à l'univers humain relationnel.

Ces catégories ne constituent pas six choses à additionner. Il n'y a que la personne qui existe dans son monde, comme corporelle, traditionnelle, intelligente et libre, active pour les relations. Le corps n'est vu et vécu que comme celui d'une personne douée de subjectivité, échangeant traditionnellement et manipulant la réalité. La tradition ne se comprend que par rapport à des personnes corporelles, douées de conscience, capables de s'adapter par manipulation, pour réaliser les relations les plus fructueuses. Il s'agit bien d'une seule expérience globale, une, d'une manière d'exister formant un tout.

Mais pourquoi le terme de *catégories*?

Ici le terme n'a pas le sens aristotélicien de genres suprêmes ou de premières divisions de l'être. Certes nos catégories peuvent être considérées comme des possibilités de classement de faits ou d'idées. Au lieu de loger les faits innombrables de l'expérience africaine dans les cadres ordinaires de la religion, de l'économie, de la politique, de la famille, de l'art etc. nous les logeons dans d'autres tiroirs. Mais il ne s'agit pas ici seulement d'un classement.

Pour nous, le terme catégorie a un sens qui le rapproche du kantisme. Nos catégories sont une analyse des présupposés généraux des expériences vitales africaines; elles indiquent les conditions de possibilité ou de réalisation du Je–Avec; elles indiquent une certaine logique intrinsèque à cette expérience; elles sont des concepts formels permettant l'ordonnance et la systématisation rationnelle de cette expérience. Elles ont quelque chose d'*a priori*, en ce sens que ce n'est pas l'individu qui les invente ou les choisit explicitement; il les trouve devant lui, en lui, dans la culture qu'il assimile et qui le porte, et ce n'est pas parce qu'il consent à cette culture qu'on peut dire qu'il choisit ce formalisme. Ces catégories constituent donc une sorte de dispositif, de ‹mécanique›, de configuration qui s'impose au sujet et fonctionne en lui; un sous-sol dont le sujet n'entreprend pas spontanément l'analyse, qui reste inconscient comme formalisme; mais c'est un humus qui le nourrit.

Ces catégories ne sont pas déduites purement et simplement et *a priori*, du Je–Avec; elles sont tirées de l'expérience et manifestent une logique intrinsèque qui rend possible un type d'existence Je–Avec, sans qu'on puisse démontrer, croyons-nous, que tout Je–Avec doive nécessairement entrer dans ces catégories ou les engendrer[1]. Elles sont logiquement et réellement nécessaires à l'existence africaine, non à toute existence, ni même à toute existence solidaire. Ce qui ne veut pas dire que l'existence africaine serait constituée ‹d'éléments› inexistants ailleurs: il faut reconnaître au contraire que les catégories ici soulevées se retrouvent partout comme tissu humain: les échanges, les relations, la subjectivité, le reçu des

---

1 D'autres formes d'existence peuvent se réclamer du Je–Avec, cf. les analyses de M. Buber, M. Nédoncelle, ou celles des psychanalystes. La solidarité post-individuelle, que nous redécouvrons en Occident est une espèce d'existence Je–Avec, bien différente de l'africaine.

traditions, la co-présence corporalisée, l'activité et le ‹monde› ou la ‹nature› sur lesquels tranche le secteur humanisé. Mais nous pensons que l'expérience humaine africaine privilégie ces thèmes alors que l'expérience européenne (pour ne parler que d'elle) en vit sans s'y intéresser ou en prétendant les dépasser.

En déterminant ces catégories, nous ne constituons pas une sorte de sujet transcendantal, un Sujet africain en soi, une sorte d'âme ou d'entité métaphysique. Nous sommes plutôt sur un terrain phénoménologique. L'existence africaine analysée dans son apparaître, nous met en présence d'un certain type d'exister que nous pouvons comparer à d'autres et qui enrichit en conséquence nos conceptions de l'existant.

Ces catégories sont formelles. En tant que telles elles ne nous fournissent qu'un contenu intellectuel réduit. Nous voyons qu'il y a des relations, mais nous ne pouvons pas prévoir quelles relations la personne concrète va tenter. C'est dans un autre volume que nous aborderons cette question. Les exemples concrets qui seront cités n'auront pour but que d'éclairer le sens de ces catégories.

Nous opposons catégories et concepts comme l'instrument de production s'oppose à l'objet produit; ces catégories nous permettront ultérieurement de construire des concepts, ou d'expliquer des concepts authentiquement africains[2].

2.1 Première catégorie: la Relation

La personne se constitue, s'épanouit, ne vit vraiment que par et dans des relations. Cette thèse s'oppose à d'autres conceptions que nous devons discuter.

2.1.1 Critique de la notion bantu de force

C'est TEMPELS dans sa ‹Philosophie Bantoue› qui a accrédité cette thèse que, pour les Bantu, «l'être *est* force» «l'être est la chose qui est force», «la force est inséparablement liée à l'être et c'est pourquoi ces deux notions demeurent liées dans leur définition de l'être» (pp.35-36). «Les Bantous voient dans l'homme (*muntu*) *la* force vivante; la force ou l'être possède la vie vraie, pleine et élevée» (p.66). Depuis lors cette thèse est largement répétée à travers le continent[3]. Nous

2 On peut comparer nos catégories avec celles de l'expérience bambara, explicitée par G. Dieterlen (1951: 12); ou avec «le schéma relationnel des forces dans la conception n'ambéiste», de J.C. Bahoken (1967: 100); ou encore avec les schémas diola explicités par L.V. Thomas (1960: 74-75; dans Fortes et Dieterlen 1965: 379-380).
3 Par exemple H. Memel-Fotê in *Colloque sur les religions* (1962: 36-37); L.V. Thomas (1965: 52); G. Kajiga (1968: 14-15); M. Vetö (1962: 552). J.C. Bahoken (1967) dit: «Les hommes possèdent le *muntu* ou encore le *ngalo* (duala), force que donne *Nyambe* (Dieu). Chaque homme ou *muntu* reçoit en naissant une force vitale qui est le pouvoir de conditionner par exemple un instrument pour maîtriser et prendre d'autres êtres vivants» (p.52); «L'objet religieux est chargé d'une sorte de fluide... Ce fluide est la force ou *ngalo* qui souvent nous affecte, elle n'est pas une force mécanique, mais spirituelle» (p.54); «La force que *Nyambe* communique aux hommes est le *muntu*... Plusieurs tribus bantu pensent qu'il y a des personnes qui ont plus ou moins de *muntu*, mais surtout celles dont le *muntu* est puissant. La notion de *muntu*: dynamis, est principale dans la pensée bantu. *Nyambe* est dans une sphère imprégnée de force» (pp.11, 12).
— Pour la critique générale des idées de P. Tempels, voir F.E. Boulaga (1968) et aussi J. Fabian (1970).

ne pouvons l'accepter pour plusieurs raisons.

La philosophie devant s'appliquer à élaborer des concepts pleinement rationnels, il ne semble pas que le concept de force soit de cette qualité. Il est impossible de déterminer la nature exacte de cette force, qui apparaît tantôt métaphysique, tantôt comme puissance musculaire, tantôt spirituelle (?), tantôt fluide magique. On baigne dans l'équivoque. Rapprocher ces forces de l'énergie de la matière dont parle la physique moderne n'a pas plus de signification que de rapprocher la théorie moderne atomique des spéculations d'EPICURE ou de LUCRÈCE. Une telle notion nous rappelle les qualités occultes d'antan.

On objectera: mais les Bantu parlent ainsi; ils s'éprouvent comme force; le monde est pour eux un univers de forces. Certes, il faut bien prendre garde à ce que pensent les gens dont on prétend élaborer la philosophie. Mais le sens commun doit être critiqué, et en même temps récupéré.

Pour nous la force n'est pas un principe, mais un résultat. Remarquons que le Ntuisme ne parle jamais de forces nues, de forces en soi, séparées, mais toujours de forces conjointes, en conjonction, en faisceau; les êtres-forces constituent un univers, un tissu, un ensemble de relations. Et que sont ces forces sans cesse soumises au ‹renforçage› ou au ‹déforçage›, sinon des êtres qui, en eux-mêmes, sont fort peu forts, qui ont besoin d'être reliés, qui sont en quête de relations selon certaines règles? L.V. THOMAS dit que ces forces sont ‹nourries et nourrissantes›; autrement dit, elles sont en relation d'échanges réciproques, elles donnent et reçoivent. Un être placé hors du circuit des relations, tend vers le néant, loin d'être une force capable de se tenir par soi.

Nous pensons donc que ce concept de l'être-force n'est pas principiel pour la philosophie africaine. Nous sommes renvoyés à la relation. Nous admettons de parler de la force comme du résultat de la relation. La personne reliée aux autres se sent puissante, heureuse, euphorique, reconnue, située; elle acquiert sécurité, consistance, certitude, beauté et vérité[4]. Pour nous le concept de force est purement psychologique, c'est l'expérience, l'état d'âme de la personne bien et convenablement reliée, selon les normes de sa tradition. Ainsi nous pouvons purger ce concept de toutes les résonnances magico-occultes qu'on y a mises[5].

---

4 Pour les Bambara, la solitude est laideur; un jeu d'enfant pour apprendre à compter dit: «Un, la personne n'est pas belle étant seule» (cf. D. Zahan 1963: 16).

5 V. Mulago (1965) critique ainsi la notion de force: «Pour les Bantu de Bushi, du Rwanda et du Burundi, la force... n'épuise pas les catégories du *ntu* ou être créé, elle n'est pas l'être, le *ntu* tout court, mais de l'être. Etant un 'accident', qualifiant et modifiant la 'substance' la force trouve sa place dans la catégorie *kuntu*, catégorie manière-d'être... Cette simple remarque prouve que nous nions le fond, le substrat de l'ouvrage du P. Tempels» (p.157). L'argumentation ne nous paraît pas convainquante. L'appel aux catégories aristotéliciennes introduit une thématique non-bantu; ensuite les catégories grammaticales de la langue bantu n'ont pas nécessairement de contenu ontologique. A ce compte-là on ne pourrait pas dire non plus dans notre langage que la personne est relation puisque la relation est un accident. Ou encore l'existence devrait être substance puisque grammaticalement c'est un substantif! Par contre V. Mulago insiste sur le caractère communautaire de la personne, sa thèse étant centrée sur la notion d'union vitale.

2.1.2 Critique de la notion dogon de *nyama*

Prenons une description bien précise[6]:

> La personnalité immatérielle des hommes, des animaux, des végétaux, de certaines choses, se compose selon les Dogon, de trois parties distinctes par leur essence et leurs propriétés: ce sont le *kikinu say*, le *kikinu bunone*, et le *nyama* (p.74).

Nous laisserons pour le moment les deux premiers éléments, pour ne retenir que le troisième.

> Le *nyama*, principe répandu dans le sang de l'homme, est la force vitale qui se transmet de père en fils, de génération en génération. Elle fait que l'être est vivant, qu'il a mouvement et parole. Le *nyama* d'un individu est soumis à l'autorité de son *kikinu say* (âme savante, intelligente et volontaire, la pensée consciente de l'homme); il est l'exécuteur de la volonté de l'homme, de sa pensée, et il le fait aveuglément.

> D'une façon générale, «le *nyama* est une énergie en instance, impersonnelle, inconsciente, répartie dans tous les animaux, végétaux, dans les êtres surnaturels, dans les choses de la nature, et qui tend à faire persévérer dans son être le support auquel elle est affectée temporairement (être mortel) ou éternellement (être immortel)» (citation de M. Griaule 1938: 160-164).

> Les principales caractéristiques du *nyama*, force et essence, pouvoir physique et spirituel à la fois, expliquent le rôle de première importance qu'il joue dans la vie de l'homme; ce principe est, en effet: a) divisible et transmissible, b) susceptible de variations quantitatives et qualitatives, c) sensible à toute impureté dont il s'imprègne et qu'il communique immédiatement à son support, d) dangereux dès qu'il est libéré de son support habituel.

> Composition du *nyama*: Le *nyama* d'un individu, au début de son existence, est composé d'une somme de parcelles de *nyama* divers qui, par la suite, s'amalgament pour former la personnalité.

> En premier lieu, l'être humain est doté du *nyama* de son père reçu au moment de la procréation et qui, entre la conception et les premiers mouvements du fœtus, serait le seul à l'animer. Cette force s'augmente de celle d'un mort de la parenté dont l'âme, au cours de la grossesse, touche le ventre de la femme; le défunt devient ainsi le *nani* (ancêtre) de l'enfant qui va naître. D'autre part, les premiers jours d'un nouveau-né sont marqués par les rites importants de dations des noms qui le font participer aux *nyama* du Binou de son clan (*Binou*, ancêtre immortel des temps mythiques), puis à celui de l'ensemble des ancêtres directs (*wagem*) de sa famille (*togu*).

> Plus tard, si l'enfant mâle assiste à un Sigui (grande fête soixantenaire), sa personnalité s'accroît d'une parcelle du *nyama* du Grand Masque, c'est-à-dire de celle de l'ancêtre mythique qui, le premier, a subi la mort. De ce fait, quel que soit son âge, il est intégré à l'*awa* (ensemble des hommes habilités à porter le masque).

> Etant donné la composition de son *nyama*, un individu est une émanation de la société actuelle par son père; de la société récente par son *nani*; de la société histo-

---

6 G. Dieterlen (1941: 74 ss.). — Description ancienne acceptée par G. Calame-Griaule (1965: 35). Le concept de *nyama* se trouve aussi chez les Bambara.

rique par ses ancêtres; de la société mythique par son Binou et, s'il a assisté au Si-
gui, par le Grand Masque.

En effet, il participe au *nyama* de chacune des puissances surnaturelles: Binou,
Grand Masque, Ancêtres, autour desquelles se sont constitués les groupes: clan,
awa, familles, qui leur rendent un culte. De ce fait, son *nyama* est un état de communication non seulement avec celui de ces puissances, mais aussi avec celui de
chacun des membres des groupes qui participent, comme lui, de la même essence.
Dès sa petite enfance, l'individu est ainsi intégré dans le monde social dont il fera
partie sa vie durant (p.75s.).

Ce texte comprend à la fois la théorie dogon du *nyama* et sa critique, ou plutôt
sa formulation rationnelle. D'un côté on peut dire que le *nyama* est n'importe
quoi, jouissant des propriétés les plus hétéroclites, concept protée, une véritable
magie! De l'autre côté, l'auteur le dit très bien elle-même, le *nyama* n'est pas autre
chose que les relations (déterminées par la tradition dogon) que l'individu entretient avec d'autres personnes, relations qui couvrent tout le champ de la société
actuelle, passée et mythique. On peut faire au concept de *nyama* les mêmes critiques faites au concept bantu de force, ou au concept polynésien de *mana*[7].

Cette notion «n'est pas de l'ordre du réel, mais de l'ordre de la pensée». C'est
une relation substantifiée, une copule[8].

2.1.3 Critique de quelques autres notions voisines

En d'autres sociétés africaines, nous trouvons des notions qui relèvent des mêmes
critiques que celles de force ou de *nyama*. Par exemple, le pouvoir politique est
souvent conçu ou représenté comme une qualité mystique, substance fluidique,
mystérieuse, liée à un support matériel, objet de détention, de capture, de
détournement[9]. En fait point n'est besoin d'admettre une telle ‹chose›, nous
pouvons l'interpréter plus rationnellement en termes de relations: le vrai prince

---

7 C. Lévi-Strauss, Introduction à l'œuvre de M. Mauss (Mauss 1960: XXXVII-L). Cf. aussi
P. Mercier (1966: 196-197).
8 On peut se demander s'il est heureux d'amplifier une notion, telle celle du *nyama*, quand
on veut exposer sans critique proprement philosophique, une théorie populaire. Ainsi D. Zahan
(1963) explique la théorie bambara du *nyama* en utilisant des métaphores hydrauliques et pneu-
matiques des plus contestables: «Le *nyama* est un principe qui justifie les relations entre les
êtres, grâce auxquelles lui-même se répand, d'une façon plus ou moins uniforme, dans la création. Or, celui qui se coupe des autres, qui se singularise, ressemble à un vase sans système communiquant. Son *nyama* devient démesuré par rapport à celui qui ‹communique›» (p.147); et
«Que fait le griot, en récitant l'éloge de quelqu'un? il ‹augmente› celui-ci, il le ‹gonfle› en l'exposant à l'‹éclatement›. Toujours mû par l'instinct de défense, ce dernier va donner des présents,
afin de limiter sa ‹dilatation› et empêcher la ‹crevaison›» (p.134). Nous nageons en pleine magie
irrationnelle, au moins en pleine métaphore. On doit rendre justice et service à la pensée
bambara en la situant à un autre niveau.
9 Cf. G. Balandier (1967) chez les Tiv, la notion de *swem* et de *tsav*; chez les Nyoro de l'Ou-
ganda, la notion de *mahano* (pp.120-121); chez les Alur, la notion de *ker* (p.122). Chez les Mossi
la notion de *naam*: cf. P. Ilboudo (1969: 12). Chez les Mende de Sierra Leone, la notion de *hale*:
K. Little in Forde (1954: 114, 127, 128, etc.).

est celui qui est relié aux ancêtres, et à ses sujets, liaison qui se manifestera par des fruits réels d'ordre, de paix, de fertilité, de prospérité[10].

Inversement, quand une relation s'établit entre personnes en lutte, et produit des fruits dangereux, la pensée populaire y voit une ‹force› mystique. Ainsi les sorciers, mangeurs d'âmes, sont-ils tenus comme porteurs d'une substance maléfique; les meurtriers sont poursuivis par un fluide émanant de leur victime[11]. Ou bien encore une alliance entre deux personnes sera garantie par une sorte de force, qu'un rite accomplira, qui exigera fidélité et sera source de sanction en cas de violation[12].

Ainsi trouvons-nous une tendance généralisée à substantifier la relation entre les personnes: le transindividuel est chosifié en une réalité subtile, fluidique, aromale, hyperphysique, transphysiologique, qui peut flotter entre les individus ou résider dans leur sang ou ailleurs (les clavicules chez les Dogon)[13]. Du point de vue d'une philosophie rationnelle, nous ne pouvons admettre ces pseudo-concepts; mais la question se pose de trouver une explication à ce besoin de ‹physicer› la relation.

On pourrait objecter: il y a dans la nature bien des réalités mystérieuses qui dépassent nos concepts rationnellement élaborés. Certes, il y a infiniment plus au ciel et sur la terre que dans toute philosophie; mais ce n'est pas une raison pour édifier une philosophie à partir de ces ‹choses› fluentes, sans consistance, et pour le moins problématiques. La philosophie est nécessairement une entreprise réductrice et démystifiante. Et s'il se trouve que l'on puisse prouver l'existence de telles choses, il sera toujours loisible de modifier la philosophie. En attendant, il nous suffit de réduire ces entités à des relations entre les personnes[14], relations qui

10 V. Mulago (1965: 131) expliquant comment on devient chef, cite d'abord la théorie des forces de Tempels: «On devient chef de clan... par un accroissement interne de la force vitale, élevant le *muntu* du patriarche à l'échelon d'intermédiaire et de canal des forces, entre les ancêtres d'une part, et la descendance avec son patrimoine d'autre part.» Et il commente: «Toutes les énergies vitales, tous les courants du sang de ses ancêtres, toute la vie déposée en eux par Dieu pour qu'ils la perpétuent et la fassent fructifier, ont fait irruption sur ce mortel et ont tellement renforcé son être, son *ntu*, qu'il est devenu comme la synthèse des ancêtres et l'expression vivante de l'Etre suprême et de munificence divine» (p.132). Démystifions cette conception de royauté divine: nous trouvons seulement ceci; le chef légitime c'est celui qui est (se croit, se fait rituellement) en relation avec ses ancêtres et ses sujets. D'ailleurs le roi «redevient un simple mortel quand les ancêtres représentés par leurs descendants − le peuple − et ne tenant compte que des intérêts et du bien-être de ceux-ci, lui retirent leur confiance» (p.132), autrement dit, quand la relation privilégiée cesse.

11 Cf. le *tsav* dont on a parlé note 9. C. Pairault (1964: 162): «Le meurtre d'un homme libère... chez la victime une force déterminée *màkà*, qui risque de nuire au meurtrier et à ses proches... dans la postérité du responsable, on entend se protéger de cette force en imposant le nom de celle-ci, à un enfant qui vient de naître.» Rien n'oblige à considérer ce *màkà* comme un principe structurel du vivant. Le *màkà* est libéré aussi par certains animaux.

12 Cf. les explications de J.C. Bahoken (1967: 85-92) sur le *male*, terme qui signifie à la fois: objet rituel, rite, préceptes, alliance, justice et fidélité, force liante quasi divine.

13 M. Buber (1959: 19) compare la relation Je−Tu au *mana*.

14 Pour ce qui est des relations avec les animaux, les esprits, etc. nous ne pouvons en parler maintenant. L'optique du Je−Avec commande une approche anthropocentrique. Nous ne pouvons commencer par le plus fantastique, mais par le plus évidemment humain. C'est à partir de là, en fin de parcours que nous pourrons aborder l'animisme.

n'ont rien de mystérieux, qui se suffisent à elles-mêmes, et que chacun est à même d'éprouver.

2.1.4 L'isolement

Si donc la personne ne se trouve réellement vivante et épanouie que dans la relation, sans la relation, la personne tend vers l'anéantissement. «L'homme... sans parents est la proie des vautours» (Rodegem 1961: 220 nº 2067; 1983: nº 2122). L'isolement tue la personne. Par elle-même, à elle seule, la personne humaine est éprouvée comme labile, bien loin d'être une substance ayant consistance en soi. C'est, croyons nous, l'intuition fondamentale sur laquelle est basée l'expérience vitale africaine.

Seuls, les êtres humains sont risqués, peu solides; ensemble, par échange, en relation, ils se fortifient les uns les autres. Partout en Afrique, on sait filer, tisser, tresser, faire la vannerie[15]; un brin isolé n'a pas de force, il vole au vent, il est inutile; lié à d'autres (selon certaines règles) il acquiert consistance, force et utilité. On ne dira pas que chaque individu égale zéro, est néant: car leur somme ou leur tissage ne cesserait pas d'être nul; mais personne ne peut vivre l'existence, ne peut grandir, s'épanouir, être utile dans l'isolement.

Quand nous parlons d'isolement, ou de solitude, il s'agit bien d'absence ou de refus de relations avec les autres. Il ne s'agit pas de ces moments de solitude qui sont concentration, silence, réflexion, recueillement de l'être; recommandés en Afrique (Zahan 1963: 149), ces moments ne sont nullement repliement narcissique. La solitude qui tue l'être est insularité, retranchement, exclusion, volonté de se séparer, refus des autres, individualisme égoïste, sorcellerie.

Ce n'est donc pas à proprement parler, la mort qui est le mal suprême en Afrique. Ou plutôt il y a deux sortes de mort. La mort ‹ordinaire›, si l'on peut dire, est facilement surmontée: «les morts ne sont pas morts», dit le poète Birago Diop, parce qu'ils continuent à être reliés aux vivants, à leurs descendants et ascendants[16]; si les ancêtres sont censés intervenir dans la vie des vivants, c'est parce qu'ils ne veulent pas être oubliés d'eux[17]; et si mourir sans descendance est la grande désolation, c'est précisément qu'il n'y aura plus personne pour entretenir la relation[18]. La mort totale, irrémédiable, la seule vraie mort, c'est celle qui

---

15 L'habitat aussi, en certaines régions, peut fournir une bonne image: «... un seul pilier ne fait pas une maison» (Rodegem 1961: 132 nº 1139; 1983: nº 2091).
16 J.S. Mbiti (1970: 28 s.) bâtit sa théorie sur la conception de deux temporalités: *sasa* et *zamani*, soit le temps actuel, ou *micro-time* avec son présent dynamique, son passé empirique et son futur immédiat, et le ‹grand-temps› (*macro-time*), qui est aussi le temps des ancêtres, l'océan ou le cimetière où est absorbé le temps actuel, le temps du mythe qui donne sens et sécurité au temps actuel.
17 Exemple chez les Luba du Kasaï in A. Ngindu (1969: 105-106).
18 A. Ngindu (1969: 87-88); E. Mujynya (1969b: 33-34); les Bambara disent: «Les enfants sont le remède de la mort». J. Kenyatta (1967: 30): «L'extinction d'un groupe familial interdit aux esprits ancestraux de visiter la terre car personne ne peut communiquer avec eux; par contre, lorsqu'un homme a plusieurs femmes et de nombreux enfants, la paix est dans son cœur: il sait qu'après sa mort, il n'errera pas dans le désert et ne perdra pas le contact avec la terre, où quelqu'un sera toujours lié à lui.» Au Burundi on dit aussi: «Tu meurs comme un isolé», et l'endroit où un homme vit seul est un ‹lieu de mort› et un lieu de sorcier.

aboutit à la suppression de toutes les relations avec les vivants sur la terre.

C'est pourquoi le fait d'être maudit par sa famille équivaut à une condamnation à mort. A la mort physique d'abord, car l'individu isolé peut difficilement survivre; en tout cas psychiquement, il est étrangement diminué, (toute personne a besoin de la communication pour être, et pas de n'importe quelle communication); et à la mort métaphysique, au néant, car il n'aura personne pour s'occuper de lui et maintenir la communion[19].

2.1.5 Le réseau des relations

L'anthropologie a beaucoup étudié les types divers de relations, dans la société africaine traditionnelle et moderne. Toute société, certes, est un tissu de relations. Mais en Afrique, elles apparaissent sans doute plus vivement qu'ailleurs à tel point qu'on a pu dire que l'individu est complètement noyé dans la communauté. Nous étudierons ailleurs, en détail certaines relations privilégiées. Contentons-nous ici d'une énumération rapide.

La vie familiale est évidemment faite de relations entre les générations qui se succèdent et entre alliés; la fraternité de sang, la relation de paternité-filiation, la relation aîné-cadet, sont unversellement respectées et fournissent des points de référence à de nombreuses autres relations non-familiales. Il y a aussi les alliances par l'échange du sang; les relations de classes d'âge, des personnes ayant participé à la même promotion initiatique, ou qui appartiennent à la même société secrète; relations très importantes à telle enseigne que chez les Kikuyu, par exemple, un individu chassé de sa classe d'âge est aussi chassé de sa famille.

La vie économique est faite de solidarité. L'individu est rarement, et en peu de choses, entièrement autonome économiquement; le travail agricole se fait la plupart du temps en commun. Les sociétés de jeunes gens ont pour but, entre autres, d'offrir à ceux qui le veulent une aide communautaire de travail.

La vie politique est faite de relations: relations de mariage (donation et réception d'épouses), relations de parenté, relations de clientèle, relations de castes, relations de sociétés diverses. Certes toutes les sociétés africaines ne présentent pas le même degré de concentration du pouvoir, d'interdépendance politique. Ici l'individu est très dépendant, pris dans une hiérarchie serrée; là il est plus libre de ses mouvements. Mais nulle part il n'y a individualisme proprement dit, l'individu tentant sa chance séparément, en vertu du chacun pour soi.

La vie au village resserre toutes ces relations[20]. La vie en ville, les courants

---

19 La malédiction est d'ailleurs assortie de l'imprécation: «Tu n'auras pas d'enfants.» La menace de stérilité est une menace de mort absolue.

20 Un joli compliment luba dit: «Saison sèche aux cent voies, mon cher» (P. Mufuta 1969: 135 v.121); «Une autre façon de dire 'homme de relations'. A la saison sèche, de la mi-mai à la mi-août approximativement, l'herbe sèche et tous les sentiers sillonnant la brousse apparaissent, en particulier, après un feu de brousse... Ces sentiers figurent les bonnes relations sociales et l'homme qui les entretient est comme la saison sèche» (p.164). Le nombre cent exprime la multitude et la variété.

modernes d'immigration, n'aboutissent pas à l'atomisation des individus. Partout se créent des formes nouvelles d'associations, d'entraide; la relation est toujours désirée, vivante et vivifiante. Et s'il y a une chose ressentie comme invivable par l'Africain, c'est bien l'anonymat et la solitude éprouvée par ceux qui sont obligés de vivre en Europe[21].

Toute religion est relation; l'étymologie le dit. En Afrique, on aime multiplier les relations de mutuel service avec la divinité, les esprits, les ancêtres. Le sacrifice est expressément une relation de contact pour entretenir l'échange, recevoir protection, faire vivre une alliance. Et comme nous l'avons vu dans l'exemple dogon, l'individu est lié à tout ce qui l'a précédé: ancêtres mythiques, ancêtres historiques, ancêtres proches, parents immédiats, sans compter les êtres mythiques ou réels qu'on ne peut appeler ancêtres.

Dans ces conditions, la vie africaine peut bien se définir comme une harmonie. L'harmonie est faite de relations réussies.

2.1.6 La Relation comme catégorie

Définissons le terme relation, dans l'emploi que nous en faisons. Il ne s'agit pas d'un acte de pensée saisissant en même temps deux objets différents par suite de quelques liens qu'ils ont entre eux, comme une relation de ressemblance ou de contiguïté. Il s'agit d'une communication consciente ou habituelle entre des personnes, d'un acte vital où l'on échange, il s'agit de ‹relations humaines› [22]. Ce n'est donc pas un être de raison abstrait, mais une expérience vitale, s'accomplissant dans des actes intérieurs et extérieurs constatables et analysables.

Nous devons surtout faire remarquer que ces relations n'ont pas lieu entre des êtres déjà constitués en eux-mêmes, se suffisant, entités isolées, et complètes en soi, de telle sorte qu'il leur adviendrait par surcroît des relations plus ou moins enrichissantes ou indésirables. Ici la relation constitue la personne, qui ne s'édifie, ne se promeut, ne vit que par et dans ces relations.

Nous pouvons adopter la définition suivante: La *Relation*, comme catégorie fondamentale de la philosophie africaine, est un *rapport vital et actif entre des personnes*. Le terme *vital* veut souligner qu'en dehors de la relation, la personne tend vers l'inexistence; le terme *actif* rappelle que la relation n'est pas simplement pensée, objet d'une abstraction, mais agie, sans cesse reprise dans les actes concrets, bien tangibles[23].

21   Les romanciers et poètes africains se plaisent à magnifier la société traditionnelle en exposant avec complaisance la douceur de vivre ensemble. Inversement celui qui veut montrer la dislocation de cette société, insiste sur la solitude des personnes, l'incompréhension mutuelle: cf. Th. Melone (1969: 120); S.O. Anozie (1970: passim, notamment 43, 137, 168).
22   «Relation: dans le milieu humain: liaison ou communication avec d'autres personnes (relations d'amitié, d'affaires, relations politiques)» (P. Foulquié et R. Saint-Jean 1969: 627 qui cite le mot de Saint-Exupéry: «Il n'est qu'un luxe véritable, et c'est celui des relations humaines»). Sauf qu'en Afrique les relations ne sont pas un luxe. On n'oubliera pas non plus la précieuse signification du mot relation en français, à la fois liaison et récit. La relation africaine est inséparable de la parole.
23   La notion philosophique de relation que nous exprimons ici ne dit pas exactement la même chose que le concept anthropologique ‹relations de parenté, relations à plaisanteries etc.›. L'anthropologie cherche à abstraire des types de relations et à montrer comment elles s'agencent dans une structure qui définit telle société concrète; ces relations et structures peuvent être inconscientes. A notre point de vue, la relation est imprégnée de subjectivité; elle est concrète et psychologiquement très riche. Sommes-nous alors dans le psychologisme? Non, car notre concept de relation comporte une option métaphysique: la relation est constituante de la personne humaine, qui sans elle, isolée, tombe dans le néant.

2.2　Deuxième catégorie: la Subjectivité

Les relations sont établies, recherchées, vécues par les personnes. Quelle est la réalité de la personne? c'est ce que nous allons étudier dans cette seconde catégorie. Certains se demanderont s'il y a même une réalité de l'individu dans les sociétés africaines. On répète en effet trop facilement que «la seule réalité valable est le groupe, l'individu n'étant qu'une apparence, et une transition» (Thomas 1961a: 84). On se contente trop souvent du schéma approximatif selon lequel, dans les sociétés archaïques, l'individu est noyé dans sa société et n'a qu'une conscience très vague de la pression sociale qu'il subit.

Nous pensons qu'il faut parler autrement. Les proverbes répètent à qui mieux mieux, d'un bout à l'autre du continent, cette importance de l'égo[24]. Que l'Africain soit essentiellement un être de relation, il ne suit pas qu'il subit la relation comme un être inerte et passif. P. TEMPELS (1949: 71) dit bien:

> Le Noir ne peut être solitaire; il ne suffit pas de traduire cela en disant qu'il est un être social non, il *se sent* et *se sait* une force vitale en rapport actuel et permanent avec d'autres forces... il *se connaît* comme une force vitale actuellement influencée et influençante[25].

24 «Quand le feu allume ta barbe et celle de ton père, tu éteins d'abord la tienne» (Bambara). «Si tu vois la barbe de ton frère prendre feu, arrose d'abord la tienne» (Hausa); «Le danseur... fait bien attention à son genou» (à ses intérêts personnels, tout en suivant le rythme de l'ensemble); «Quand tu montres quelqu'un du doigt, dirige les quatre autres vers toi»; «Qui commande à cent personnes, doit couper cent bâtons différents» (à chacun son caractère); «Si les hommes étaient des semences, beaucoup seraient du résidu»; «L'enfant d'autrui ne devient jamais le nôtre» (Bambara, cf. G. Mabendy 1959: 113 ss.); «L'homme peut se tromper sur sa part de nourriture, il ne doit pas se tromper sur sa part de parole» (Malinké); «La pensée de l'homme est son royaume» (Thonga); «On ne peut vivre la vie d'un autre»; «Nul ne peut mettre le bras à l'intérieur de son compagnon, même s'il partage sa couche» (Bantu); «Personne ne se soucie de celui qui ne se préoccupe pas de lui-même» (Rundi; Rodegem 1961: 203 n⁰ 1877, 1983: n⁰ 4286). «Personne ne crie dans la tête d'un autre homme» (Rundi; n⁰ 1865, n⁰ 1320); «Le petit roi de chaque homme, c'est sa conscience» (Rundi; n⁰ 1588, n⁰ 1281); «Dans le ventre (la conscience) c'est loin» (Rundi; n⁰ 1654, n⁰ 4306); «Les affaires de Bakuta sont à Bakuta» (nom propre) (Nkundo); «L'idée n'est à donner à personne, c'est celui qui a la sienne qui doit l'exprimer» (Nkundo).
25 Nous soulignons, sans approuver l'usage du terme ‹force›. Cf. D. Paulme (1954: 122): «Il va de soi que cette identification de l'individu avec son groupe n'a jamais exclu la présence d'un facteur personnel: chaque membre du lignage se voit nettement situé non seulement par rapport à ses 'pères' et à ses 'fils' mais aussi par rapport à ses frères et sœurs, aînés d'une part, cadets de l'autre; et par rapport à ses alliés... L'individu, dans ses relations avec l'extérieur, a tendance à incarner son groupe, il y en assume les droits, le prestige, le rayonnement qui soutiendront au besoin ses intérêts personnels. A l'intérieur, le sentiment de la situation nécessairement unique qu'il occupe lui est à chaque instant remis en mémoire: il doit se défendre contre l'autorité des anciens, les exigences des alliés, les prétentions des cadets. Les plus forts ignorent les attaques, les autres chercheront une protection dans le recours aux ancêtres; qu'une plainte reste sans écho, ils useront des armes du faible, magie et sorcellerie.» E. Mveng (1964: 38): «La société africaine, dit-on, porte l'individu. Elle ne l'absorbe pas. Et même, elle ne le porte – traditionnellement – que dans la mesure où elle peut être portée par l'individu. Oui, la société d'autrefois n'acceptait que des hommes *libres* et *forts*, d'une liberté positive, qui est acceptation totale du poids de la vie réelle, non d'un rêve illusoire ou d'un caprice de jeunesse». Cf. A. Kalenga (1971: 248-252).

Non seulement il y a dans la vie de l'individu une subtile dialectique de collectivisme et d'individualisme, de liberté et d'emprise communautaire[26], mais précisément en tant qu'il est membre d'une communauté, qu'il entretient des relations de tous ordres, l'individu a une subjectivité inaliénable et toujours en éveil. D'ailleurs comment envisager le moindre groupe qui ne se formerait pas sur la base de relations entre personnes individuelles: «Toute relation véritable, dans le monde, repose sur l'individuation» (Buber 1959: 74).

Comment la personne vit-elle ces relations sans lesquelles elle n'est rien? Ainsi se manifestera la catégorie *Subjectivité*. Qui dit subjectivité, dit connaissance, conscience de soi, volonté, liberté, affectivité, responsabilité, intériorité. Nous allons nous appliquer à saisir globalement cette subjectivité au niveau des relations vécues.

2.2.1 La personne a besoin de sécurité

Constituée par des relations, la personne dépend donc d'autrui comme autrui dépend d'elle-même. Par le fait même, la relation n'est jamais stable ni certaine; plus elle dépend du bon vouloir libre des autres, plus elle est précaire, plus la personne se sent dans l'angoisse. Comment faire dépendre la vie profonde de la personne, de ce qui est capricieux, arbitraire, sujet à révision, ou oubli? Il faut donc chercher quelque chose de fixe, de ferme, de moins contestable; nous verrons que cette norme stable est fournie par la *Tradition*.

Il faut bien se rendre compte des options métaphysiques ici sous-jacentes. D'abord le besoin de sécurité. Et cette sécurité ne peut venir de la personne elle-même, puisque, par hypothèse, la personne seule est sans consistance, labile. En elle-même, la personne ne trouve pas de quoi s'assurer.

Ce qui ne signifie pas que le principe d'identité ne s'applique pas en Afrique. Il s'y applique comme partout: tout être est ce qu'il est, et chaque personne n'est qu'elle-même. Mais au lieu de poser une identité ‹triomphaliste›, pleinement assurée dans son être, la personne africaine se saisit comme faiblesse. Il lui faut l'union aux autres pour devenir pleinement elle-même. Et selon une certaine règle collective.

Or du point de vue de la subjectivité, cette règle objective ne résoud pas tout le problème. Car chaque personne reliée doit encore consentir à la règle de la relation. Chacun peut accepter et refuser. Chacun certes est formé, depuis son enfance, à accepter et à éprouver son bonheur dans cette acceptation. Mais les conflits existent aussi! Chacun peut s'éprouver envieux ou haineux; chacun peut voir

---

26 L.V. Thomas (1968: 549): «Toute la vie du Diola est partagée entre l'attachement et le détachement, puisque tantôt il s'isole dans sa case pour prendre ses repas, ou contempler ses richesses; tantôt il participe aux fêtes collectives, s'abandonne à l'ivresse exaltante de la danse et parvient fréquemment à la dépossession de soi»; du même (1964: 98): «remarquable compromis entre l'individualisme et le collectivisme».

dans son partenaire un adversaire virtuel[27]. On peut se rassurer en affirmant: «Au cœur d'un frère, ne pousse jamais de mauvaise herbe» (Holas 1968c: 24); mais où trouver le vrai frère? et dans certaines sociétés, on ne conçoit de sorcier qu'à l'intérieur de sa propre famille.

Comment faire donc pour assujétir les subjectivités potentiellement rebelles, à la norme de la Tradition? comment cultiver la bienveillance d'autrui, comment s'exercer à la bienveillance? C'est l'important problème de l'éducation et de la morale. Examinons quelques comportements qui éclairciront notre position.

2.2.2 Trouver et garder son rang[28]

La tradition établit une hiérarchie sociale. Il s'agit donc pour la personne de se situer, de trouver sa place et de s'y tenir; la personnalité s'édifie par les relations que chaque rang social procure à celui qui s'y tient. Chacun s'efforce d'être reconnu et de reconnaître les autres à la place qui lui revient: ainsi se constituent le respect, l'honneur, la paix. Lorsque le cadet respecte son aîné qui fait ce qu'il doit à l'égard de ce dernier, lorsque mari et femme, chefs et roturiers s'entendent, lorsque les hommes de caste (griots, forgerons, etc.) remplissent leurs tâches, alors chacun a la paix: «La paix seulement, pas de trouble» (selon la salutation courante). La honte consiste à ne pas savoir se tenir à sa place; sortir de sa réserve devant un supérieur, donne la honte[29].

Honorer quelqu'un:

> «... c'est surtout lui rendre justice en lui accordant ce qui lui revient de droit de par sa seule qualité d'*homme* matériellement et moralement. La *justice* est ainsi placée au centre même de l'éthique négro-africaine. C'est elle qui établit – ou rétablit – la *Paix* si chère au cœur du Négro-Africain, cette ordination équilibrée, qui fait l'unité de la personne, de la communauté, de la société» (Senghor 1964: 278).

Ne pas se tenir à sa place apporte donc la perturbation. D'où l'angoisse de celui qui se voit refuser sa place dans le groupe, ou qui occupe une place marginale (orphelin, bâtard, esclave, prisonnier, renié ou maudit). Insulte grave que d'oublier le nom de quelqu'un, de ne pas répondre à sa salutation, d'oublier une visite coutumière. La personne doit donc être en éveil pour réaliser les relations qui sont de son rang; elle doit faire preuve d'attention, de mémoire, de discernement, de finesse psychologique; elle doit connaître les règles du milieu.

---

27   R. Jaulin (1967: 219, 234); chez les Sara, les mariés sont potentiellement sorciers l'un pour l'autre.

28   Outre les auteurs nommément cités, nous utilisons les notes de A. Guillaumin, et J. Cauvin.

29   M.C. et E. Ortigues (1966: 144): «Un étudiant dakarois d'une famille de cultivateurs, nous contait comment il se faisait reprendre par son entourage lorsqu'aux périodes de vacances, il jouait avec ses jeunes frères: tu vas faire cela, c'est honteux, lui disait-on. Ce qui est honteux c'est de ne pas se tenir à sa place, et d'inviter du même coup les cadets à sortir de la leur.» Une jeune fille de 19 ans: «Je ne parle pas avec ma tante (elle désignait ainsi sa sœur aînée, par respect), j'ai trop honte avec elle; avec mon tuteur, j'ai trop honte aussi, je ne parle pas» (p.50); cf. la notion zerma de *hawi* ou confusion respectueuse in Fatoumata-Agnès Diarra (1971: 52) et l'attitude peul de honte-évitement in M. Dupire (1970: 189, 212 etc.).

Se tenir à sa place interdit la possibilité d'affronter ou de dépasser un supérieur. Un fils ne peut rivaliser avec son père, ni un cadet avec son aîné. Souvent les hommes voient d'un mauvais œil que leur femme soit aussi instruite qu'eux. Un inférieur ne peut pas faire des remarques à un supérieur[30].

Entre égaux, ou gens du même' rang, le dépassement n'est pas mieux toléré. Trop bien réussir en affaires, avoir trop de prestige aboutit à s'isoler, c'est une démesure qui suscite l'envie et l'accusation de sorcellerie (Balandier 1967: 77-78; Holas 1961: 48). Un écolier avoue: «On a honte quand on ne sait pas sa leçon alors que les autres la savent; et on a honte de la savoir quand ils ne la savent pas!» Se distinguer, c'est s'isoler, se couper des relations normales, c'est l'angoisse de la solitude. D'où un idéal d'égalitarisme et de juste milieu[31]. Celui qui tend à se faire valoir, à dépasser les autres de quelque manière, met le groupe en péril[32].

Certes il y a des formes traditionnelles de la compétition: combats entre jeunes gens, le meilleur piocheur, les riches qui donnent de grandes fêtes[33]. Mais cela même n'est pas sans danger; on pense aisément que la réussite s'accompagne de manœuvres magiques comme si l'homme laissé à ses ressources propres était incapable d'exceller (cf. p. ex. dans le sport, I. Kala-Lobe 1962: 40-41).

2.2.3 L'envie haineuse

«Il n'y a pas de plus grand malheur que la haine»[34]. L'envie atteint facilement celui qui vous a fait un tort, «Nous autres, Bakongo, sommes très envieux» (Van Wing 1959: 143): toute aversion, haine, envie, jalousie, médisance, voire la louange exagérée ou l'éloge mensonger, sont sévèrement désapprouvés en principe par les Noirs. A celui qui fait montre d'envie ou de haine, on adressera le reproche: «Veux-tu me tuer? as-tu le *buloji* (sorcellerie) dans le cœur?» (Tempels 1949: 84). On comprend alors pourquoi les prières africaines demandent si souvent d'être préservé des menées des envieux; ou encore comment le sujet manifeste sa justice

---

30 Ainsi un fonctionnaire indélicat mais âgé refuse que son supérieur hiérarchique, plus jeune, lui fasse des remontrances. La hiérarchie de l'âge prime la hiérarchie professionnelle (moderne).
31 Formules types chez les jeunes: «Ne pas faire le malin, ne pas faire quelque chose avant les autres, n'être inférieur à personne, ni supérieur, toujours au milieu; se sentir au même niveau que les autres; être plutôt celui qui fait tout avec intelligence, que celui qui est trop fort et déplaît aux autres...»
32 Cf. M. Billen et al. (1967: 373); N. Le Guérinel et B. Delbard (1966: 77): «Le groupe africain n'est pas remis en question, il est d'emblée sécurisant, structure d'accueil, le travail du groupe consiste à en préserver la cohésion.»
33 Cf. les cérémonies dites *enand* chez les Banen du Cameroun (P.L. Mahend-Betind 1966: 43) décidées et organisées par un individu qui veut se manifester comme personne importante. La fête *essaka* chez les Mbundu cf. plus loin dans chapitre troisième. Sur les compétitions entre jeunes et aînés, voir le récit de Nazi Boni (1962: 111); dans B. Holas (1968c: 162) la légende de Zakolo à la recherche d'un nom pour qu'on le «connaisse».
34 F.M. Rodegem (1961: 193 n° 1764; 1983: n° 3005); ou encore «Ce n'est pas qu'on manque de place dans le pays, mais ce sont les cœurs qui sont étroits» (n° 2032; n° 2399). «Dire bonjour n'enlève pas les sentiments mauvais de l'âme» (n° 1658; n° 3052).

en confessant: je n'ai pas d'envie ni de haine[35].

La jalousie se manifeste par des propos violents, des insultes; rentrée, car l'agressivité ne peut s'exprimer souvent que de façon détournée, elle couve au cœur et n'en produit pas moins ses effets désastreux. La plupart du temps un accident, une maladie, un échec, une mort sont attribués à une volonté mauvaise. Le mal a presque toujours une cause malveillante, et de préférence, dans la famille de la victime[36], dans l'entourage immédiat.

2.2.4 Le rétablissement de la paix

Ainsi les relations indispensables à la sécurité d'un chacun ne sont jamais automatiquement assurées. Il faut que les uns et les autres, de conserve, y mettent beaucoup de bonne volonté[37].

Quand le mal est fait, il y a toujours possibilité de réparation. Il suffit de rétablir les relations normales. Un attentat contre l'ordre hiérarchique se répare par la reconnaissance de cet ordre; un rituel dont la signification et l'efficacité sont obvies, sanctionne et exprime ce rétablissement de la paix[38]. Sans cette paix, cette volonté de réconciliation, cet effort pour l'indulgence et le pardon, la vie ne serait pas viable. Surtout les grandes concentrations de personnes exigent des rites de paix: funérailles, marchés, fêtes; les querelles sont prohibées, les dettes reconnues, les conflits potentiels détournés ou ritualisés.

La salutation «la paix seulement» prend alors tout son sens[39].

2.2.5 Les interdits ‹sous peine de mort›

D'une manière générale en Afrique, l'appartenance à un groupe (famille, classe d'âge, sociétés secrètes, alliances) est sanctionnée par des interdits. Défense de faire ceci ou cela, de révéler tel secret, de rompre tel pacte, de manger tel aliment, sinon c'est la mort (ou à tout le moins, la maladie, la stérilité, l'exclusion du groupe, toutes choses qui mettent sérieusement en danger la vie de l'individu).

35 Exemple: la prière yaka: «Nous, là où nous habitons, nous n'ensorcelons pas, nous ne tuons pas l'enfant d'autrui... Nous ne portons pas envie pour le manger ni pour la boisson. L'inimitié aussi, nous n'en voulons pas. Vois, pour quel motif le Dieu Tout-Puissant nous voue-t-Il une inimitié pour rien?» (*Dieu, idoles et sorcellerie dans la région Kwango-Bas-Kwilu* 1968: 59).
36 E. Mujynya (1969a: 57); G. Buakasa (1968: 187); M.C. et E. Ortigues (1966: passim); R. Jaulin (1967: 233): «Les vieillards, personnages faibles, se défendent à coup d'anathèmes». On connaît des parents qui donnent à leurs enfants écoliers des amulettes pour se protéger contre les camarades, adversaires potentiels.
37 D'où l'héroïcité de cette prière dinka: «Même si je voyais un homme me haïr, je l'aimerais, O Dieu, père, aide-moi...» (A. di Nola 1958: 42).
38 Exemples: la cérémonie *esa*, in J.C. Bahoken (1967: 69, 83); L. Ngongo sur le rite *tsoo*; voir aussi L.V. Thomas et al. (1969: 328).
39 L.S. Senghor (1964: 260). La salutation mossi *lafi bé*, y a-t-il la paix?; *lafi*, santé, paix, tranquillité, ordre. Chez les Yoruba, *alafia*, cf. J.O. Awolalu (1970: 21); H. Memel-Fotê (1965: 15 s.).

Toute rupture d'une norme signifie rapprocher la mort[40].

On comprend aisément la logique de cette attitude. Il n'est pas nécessaire de supposer je ne sais quelle efficacité magique à ces interdits; une explication rationnelle obvie est possible dans la logique du Je — Avec. Outre, que l'on peut toujours opportunément provoquer la mort d'un indésirable (par le poison, ou autre disparition mise au compte d'un personnage mystérieux), il faut surtout réfléchir au fait que la relation (selon le modèle sanctionné par la Tradition) étant constitutive de la personne, toute rupture de la relation aboutit à destituer la personne de ce qui fait sa possibilité d'existence. L'interdit signifie participer à telle relation; rompre l'interdit, c'est rompre la relation et donc s'acheminer vers la néantisation.

Mais comme on peut toujours rétablir une relation quand on l'a rompue, la violation de l'interdit peut toujours être exorcisée par quelque rite dont le sens profond sera la reconnaissance des relations[41].

Tout ceci manifeste à l'évidence que l'individu ne doit pas, ne peut pas, mener sa barque comme il l'entend. Il est au sein du groupe et en doit suivre la règle de bonne grâce[42].

2.2.6 Les deux pôles de la bonne et de la mauvaise volonté

Il existe un cas extrême où la personne peut compter avec certitude sur la bonne volonté de l'autre, pour l'établissement des relations: ce sont les ancêtres. A l'extrême opposé, il y a certitude du refus absolu de la relation vitale dans le cas du sorcier[43].

40 P. Mercier (1968: 492 ter, n° 123): la formule «c'est vous qui avez rapproché la mort» est souvent employée et exprime le danger contenu dans toute rupture d'une norme. «Pour les Somba les règles sociales comme les croyances apparaissent dans leur ensemble comme destinées à tenir la mort à distance» (498 n° 264). B. Davidson définit l'interdit comme «théorie de maîtrise sociale« (1971: 106); *Les religions africaines comme source...* (1972: 33). — Nous étudierons plus loin la symbolique des interdits. Disons seulement que la personne qui participe à un interdit se positionne dans un groupe face aux autres groupes. Par exemple la femme sénégalaise enceinte qui ne doit pas marcher pieds nus et laisser des traces sur le sable, ni entrer en contact avec l'étranger, ni manger des crabes ou des œufs. De plus ces interdits ont un contenu imaginaire vraisemblablement pluri-sémantique, déterminé par la culture et aussi par la psychologie propre des personnes, par lequel la femme enceinte se vit comme femme enceinte.
41 Exemple: D. Paulme (1954: 93-94). L'infraction d'un interdit provoquant courbature, fièvre, enflure du ventre, pour guérir, le coupable doit confesser publiquement sa transgression et promettre un sacrifice. Le doyen du lignage, dans un rite purificatoire, devant la tombe des ancêtres, prie: «Ancêtres, un tel a mangé le totem sans le savoir, pardonnez-lui.»
42 J. Kenyatta (1967: 93): «L'égocentriste ou l'égoïste n'a pas de place dans la communauté gikuyu; on l'ignore. Bien plus on considère avec méfiance l'individualiste et on l'affuble d'un sobriquet *mwebongia* (celui qui ne vit que pour lui et a toutes les chances de mourir). Il peut craindre de manquer d'aide lorsqu'il en aura besoin; l'opinion publique pèse lourdement sur lui et lui fait sentir quel crime il commet envers la société. Des sanctions religieuses peuvent être prises contre lui, car la religion gikuyu est toujours du côté de la solidarité.»
43 Nous employons toujours le mot *sorcier, sorcellerie*, dans le sens restreint de celui qui entreprend des manœuvres (magiques ou non) pour faire du mal aux autres, d'une manière injuste, c'est le sorcier ‹mangeur d'âmes› . Par là le sorcier s'oppose au *devin*, au *guérisseur*, ou même au supérieur qui protège et urge son autorité légitime. Nous ne retenons pas la distinction anglaise entre *sorcerer* (celui qui utilise des procédés naturels, comme les poisons, pour nuire aux autres) et *witch* (qui dans le même but, utilise des procédés transnaturels, *en diable*, comme on dit en Côte d'Ivoire).

On ne peut normalement supposer chez les ancêtres une mauvaise volonté haineuse. Si des malheurs arrivent qui leur sont attribués, on ne peut leur reprocher de la jalousie, on croit seulement qu'ils veulent corriger les vivants, soit parce que ceux-ci les oublient (donc rompent la relation), soit parce qu'ils ne suivent pas exactement la Tradition (donc relâchent ce qui fait la cohésion du groupe). Les ancêtres sont intéressés au plus haut fait à la persistance des générations issues d'eux et à leur fécondité, ils ne peuvent sérieusement vouloir du mal à leur famille puisqu'ils aboutiraient à les tuer et donc à s'enlever toute possibilité d'être reliés à des vivants. Ils s'abîmeraient dans la mort totale[44].

Les ancêtres seront donc les mainteneurs pointilleux du système des relations qu'ils ont fondé et pratiqué. Dans ces conditions il est logique que celui qui a rompu un interdit, soit réconcilié par le truchement des ancêtres.

A l'autre extrémité il y a les sorciers. Ils ont une volonté néfaste, pernicieuse, destructrice. Ils veulent ‹manger› la vie des autres, absorber leur force, prendre ce qu'ils ont. Maladies, échecs, accidents, décès leur sont souvent attribués[45].

Rationnellement, la sorcellerie est avant tout la mauvaise intention, la jalousie, le refus des relations normales avec autrui. Le sorcier est l'individualiste-type[46]. Il fait sa vie comme il l'entend, aux dépens des autres. Nous retrouvons toujours le même postulat métaphysique: la personne seule ne peut que s'abîmer dans le néant; la vie réussie, la prospérité, le bonheur ne peuvent venir que de l'existence-avec—les—autres. Vouloir la vie, la force, la prospérité, tout seul, en tuant les autres, en reniant les relations normales, c'est vraiment inverser l'ordre sur lequel la société est établie[47]. Aussi bien la pensée africaine croit-elle, qu'en définitive,

---

44 E. Mujynya; A. Ngindu. Précisons qu'il ne s'agit que des ancêtres proprement dits, c'est-à-dire des défunts qui ont procréé, ont vécu longtemps dans leur famille pour son plus grand bien. Au contraire, ceux qui sont morts jeunes, accidentellement, sous le coup de la malveillance, sont des défunts hostiles, qu'il faut conjurer pour les empêcher de nuire. De même les membres de la famille avec qui l'on était brouillé et qui sont morts avant que la paix ne soit rétablie; c'est pourquoi au moment des funérailles, on s'efforce de faire la paix, de réparer les torts, de désigner à la vengeance du mort celui qui a voulu lui nuire. Parfois les ancêtres ou défunts normaux sont jugés trop exigeants: «si vous demandez trop, comment ferons-nous pour vivre? et alors qui s'occupera de vous» ou «est-il juste que des gens comme vous, au lieu de demander poliment à manger, veniez sans cesse à nous avec des maladies?» (L.V. Thomas et al. 1969: 152).

45 P. Tempels (1949: 71); M.C. et E. Ortigues (1966: passim). La sorcellerie est désignée dans le milieu dakarois sous le nom de maraboutage: «tout le monde est marabouté ou en instance de maraboutage» (253). Tout ce qui est beau, apprécié, est objet de jalousie; les premiers soupçonnés de marabouter les autres sont les rivaux; on pense que pour protéger quelqu'un, il faut en attaquer d'autres: marabouté = attaqué. La crainte du sorcier s'exprime souvent dans les prières (cf. L.V. Thomas et al. 1969: 28, 39, 65, 120, 333; R. Jaulin 1967: 229; J. Kenyatta 1967: 196). Notons au passage l'imaginaire qui fait du sorcier un ‹mangeur› . Les Banen appellent les égoïstes «bouches mangeuses» (cf. P. Mahend-Betind 1966: 53). Manger signifie bien la jouissance solitaire et individuelle.

46 «Ce sont les sorciers guérisseurs, qui vivent et mangent en solitaires» (J. Kenyatta 1967: 126). «Je vis seul comme un sorcier» dit un dicton gikuyu; et dans le langage gikuyu, «la notion d'individualisme est liée à la magie noire» (200, 201). «La sorcellerie traduit l'angoisse qu'éprouve l'individu à l'égard de sa propre individualité et de celle des autres» (M.C. et E. Ortigues 1966: 236).

47 Et si un individu réussit, à lui seul, à dépasser les autres, c'est précisément qu'il n'est pas seul, il jouit de pouvoirs extraordinaires.

le sorcier ne peut pas réellement réussir, il est normalement stérile, irrémédiablement seul. Il n'y a pas besoin de croire que le sorcier est doué de pouvoirs mystérieux, occultes, magiques; il suffit de comprendre qu'il met la société sens dessus-dessous, qu'il en détruit les fondements, par sa volonté mauvaise.

Or personne n'est à l'abri de l'accusation de sorcellerie. Le sorcier peut être l'ami, le camarade, le voisin, le frère, l'épouse, la mère même (la vieille femme souvent), bref ce sont logiquement les relations les plus proches, les plus nécessaires, qui peuvent être sapées par cette volonté individualiste pernicieuse. L'action des sorciers se manifeste surtout par l'abondance des malheurs; périodiquement en certaines régions plus éprouvées, on part en guerre contre les sorciers; on procède aux ordalies; toute personne qui tente de s'y soustraire est suspecte par le fait même. Les personnes désignées sont châtiées, exilées, parfois mises à mort. C'est donc bien le mal épouvantable.

Heureusement on peut se protéger des sorciers par des pratiques diverses. On peut aussi sortir de la sorcellerie, avouer ses mauvaises convoitises, obtenir purification, pardon et rétablir paix et sécurité[48]. Mais comme l'avouait quelqu'un: quand on a une fois goûté la chair humaine (en diable, c'est-à-dire comme sorcier) on ne peut plus s'en passer, c'est comme de l'alcool (cf. *Les religions africaines traditionnelles* 1965: 77).

La croyance aux sorciers est le symptôme des tensions et de l'anxiété dans la vie sociale. Le déséquilibre dans les relations coutumières, la perte des traditions, la poussée des individus qui entendent percer à tout prix dans la vie économique et politique moderne, provoquent une recrudescence de cette croyance, puisque c'est la remise en cause des relations sécurisantes traditionnelles.

2.2.7 Traits généraux de la subjectivité africaine

Considérons les deux versants de la personne: l'un tourné vers l'extériorité, l'autre vers l'intériorité.

La subjectivité africaine apparaît comme largement tournée vers l'extérieur, vers le groupe, les autres; le besoin des relations sans cesse renouvelées. C'est un ‹moi de groupe› (cf. Parin et al. 1967). L'Africain aime la compagnie, multiplie les contacts[49]. Il quête les protections et avance ‹sous couvert de...›, il accepte le paternalisme[50]. Puisque les relations sont réglées par la Tradition, la personne est

---

48 C'est la tâche première que s'assignent d'ordinaire les prophètes africains; cf. J. Rouch (1963: 129-202); H. Memel-Fotê (1967); B. Holas (1965); D. Paulme (1962: 12, 14, 18).
49 On peut facilement remarquer l'abondance et la précision des salutations; comment chaque personne en particulier est saluée dans un groupe; l'abondance des visites et contre-visites; l'aimable cohue des marchés et des fêtes; les réunions des veillées; les travaux en commun...
50 Le groupe, l'association, la famille constituent le système de protection le plus courant. Il y en a d'autres; tel ce paroissien qui affrontant l'état civil, demande un papier en précisant: «C'est le curé qui a dit qu'il fallait me donner ce papier.» Sur le paternalisme cf. J. Ruytinx (1960: 50).

peu inventive, elle s'en tient à une solidarité obligatoire[51]. Comme on ne peut jamais être absolument sûr des dispositions d'autrui, on avance avec précaution,
pour tâter le terrain; la confiance n'est gagnée qu'à la longue et on ne livre que
ce qu'il faut (M.C. et E. Ortigues 1966: 28).

Il importe d'insister sur les valeurs incluses dans ce tableau: intelligence aiguë
des relations sociales, finesse psychologique, connaissance approfondie des questions de parenté et autres réseaux de relations, sens développé des nuances du langage, multiplicité et densité des rapports personnels avec autrui, extrême discrétion. Il serait ridicule de prétendre que les personnes étouffent dans un tel climat;
au contraire, pour qui joue le jeu, «la communauté est un milieu d'élection pour
la joie de l'âme» [52].

Sur son versant intérieur, on peut dire que la subjectivité africaine est portée
à développer une importante sentimentalité. La personne qui doit compter sur les
relations, ressent fortement les variations de celles-ci, est sensible à l'attachement
ou, à l'inverse, à l'insécurité, à l'angoisse d'abandon. Les relations avec autrui interdisant l'expression libre du ressentiment, de l'agressivité, il faut tout renfermer
en soi, être maître de ses sentiments, faire preuve de patience et de tolérance. La
solitude et l'agir seul font peur, inquiètent[53].

Le roman africain moderne montre souvent le héros en mal d'individualité
dans une collectivité dont il n'est plus membre à part entière. L'introspection du
sujet se fait alors plus fréquente (cf. S.O. Anozie 1970). La personne traditionnelle
paraît plus chargée de tensions affectives que d'analyses réflexives. Dans la relation, où en principe, chacun est responsable de son côté, il semble que c'est plutôt
‹l'autre› qui est mauvais[54]; et comme le refus de la relation paraît tellement

51 «Nous autres congolais, passons toujours par la justice», réflexion citée par J. Ruytinx
(1960: 44).
52 J.C. Bahoken (1967: 115). Sur la psychologie malinké, voir D. Cissé (1970: 161, 163, 228).
53 Ainsi le Bété qui raconte la légende de Zakolo souligne: «Le premier jour où l'on doit agir
seul hors de tout membre de la société l'on sent de sérieuses inquiétudes dans l'âme» (B. Holas
1968c: 172; cf. les difficultés de Marie Lalou dans ses débuts de prophétesse: D. Paulme 1962:
9). Ce qui rassure l'entourage ce sont les bons résultats de l'initiative entreprise. «Celui qui
échoue est méprisé par tout le monde» (F.M. Rodegem 1961: 390 n° 3861; 1983: n° 4106). —
V. Guerry (1970: 33): «L'Occidental est bien outillé pour protéger et développer sa vie personnelle: le respect de la liberté individuelle est si fort dans nos sociétés que chacun peut se livrer,
dévoiler ses sentiments profonds, sans risquer de tout perdre. Le Baoulé, lui, est obligé à l'intran-
sigeance sur sa vie intime, s'il ne veut pas devenir un objet public. La communauté des biens
extérieurs est si forte qu'il sent le besoin de réserver un monde intérieur, fermé, muré à tous,
impénétrable. 'Notre intérieur est comme la forêt, dit un proverbe, personne ne sait ce qui s'y
passe'. Un flot de paroles, des sourires, un brassage de vie, un coude à coude continuel; mais
le fond de l'âme est scellé.»
54 Problèmes d'écoliers: Les difficultés objectives sont souvent transformées en problèmes sub-
jectifs et interpersonnels. Ce n'est pas l'élève qui manque de moyens, ou la maîtrise de telle discipline scolaire qui demande tel effort, c'est le professeur qui est 'mauvais', qui 'ne nous aime pas',
ou un rival qui m'en veut; de même la mauvaise note indique moins la valeur objective du devoir
que les dispositions du maître vis-à-vis de l'élève, et plus le zéro est gros... Dans le milieu non-
scolaire, les appréciations objectives et motivées d'un spécialiste, seront perçues par un supérieur
comme des attaques personnelles. Le problème n'est pas de savoir si le supérieur a raison ou
tort, le problème est de rester bien avec lui. Il ne faut jamais rompre la relation.

monstrueux, on pensera encore que l'autre est l'objet des vexations d'un mauvais esprit, d'un sort, d'un sorcier, d'une substance sorcière qui l'habite sans qu'il le sache, on pense aussi que l'autre est manipulable, par les pratiques magiques. Autant de traits qui montrent que le sentiment de responsabilité n'est pas tellement vif. Ou plutôt la responsabilité est partagée, diluée, ce qui dispense l'individu de se porter lui-même tout seul[55].

Ces traits généraux sont des tendances qui se comprennent aisément sous l'horizon Je – Avec. Il reste évidemment une grande variété dans les individualités. De plus, certaines sociétés africaines développent plus ou moins l'indépendance ou l'esprit d'entreprise des individus, tandis que d'autres les restreignent au maximum[56].

2.2.8 La Subjectivité comme catégorie

La subjectivité africaine apparaît donc comme fortement dépendante de la relation. Les deux catégories Relation et Subjectivité sont par conséquent en fonction l'une de l'autre; et nous verrons ensuite qu'elles imprègnent les autres catégories. Toutes les réalités africaines sont fortement marquées, croyons-nous, par ces deux catégories fondamentales. Formulons la définition suivante.

La Subjectivité, comme seconde catégorie de la philosophie africaine, désigne la *prépondérance épanouissante et sécurisante donnée aux relations, selon les normes de la tradition, par la personne.* Par *prépondérance* on veut indiquer la part d'activité, de recherche, de responsabilité qu'a la personne (qui, en soi, pourrait

---

55 Un fait authentique: Un matin en arrivant au collège, le directeur trouve à sa porte, bien en évidence, une tête de pigeon fraîchement arrachée. Il ne manifeste ni étonnement, ni émotion, mais fait une enquête discrète. Un enfant livré à ses tantes et grand-mère, son père fonctionnaire étant muté au loin, laissait fortement à désirer dans sa conduite et son travail. Avertissements et pièces à conviction avaient été envoyées au père de l'enfant, qui avait alerté toute la famille. Oncles, amis, griots, marabout avaient été rassemblés par le délégué du père dans la concession. Le garçon avait été sermonné et le marabout, moyennant 5 000 FR., était entré en action: prières prolongées jour et nuit, liquide magique versé sur la tête d'un pigeon, et tête arrachée portée par l'enfant (sans se faire voir sous peine de mort), à la porte du directeur. Par la suite, ce dernier n'aurait que de bons sentiments pour l'enfant. Le remède s'est montré efficace; l'enfant soutenu par tout le groupe s'est tenu tranquille jusqu'à la fin et a poursuivi ses études sans incidents. On voit ici l'interprétation, bien occidentale, du directeur qui démystifie la situation: il ne croit pas en la valeur de la magie, mais donne une explication rationnelle. L'enfant soutenu par la famille, réconforté et épanoui, puisque tout le monde a été mobilisé pour lui, peut désormais travailler sans problème, il n'est plus l'isolé. On voit aussi l'interprétation africaine de l'insuccès: l'enfant a sa responsabilité (on le sermonne), mais on pense aussi à agir sur le directeur; l'action magique dramatise le tout, tant du côté de l'enfant (ne pas se faire voir sous peine de mort), que du côté du directeur (qui devrait être impressionné).

56 S.O. Anozie (1970: 28 ss.) parle de la société Ibo comme donnant beaucoup d'importance à l'accomplissement individuel. J. Binet (1968) montre chez les Fang, une société autrefois très solidaire bouleversée par la rivalité des ambitions personnelles et l'esprit d'indépendance. G. Balandier (1967: 101) parle de la société Ganda comme plus ouverte à l'aventure individuelle. L'individu bamiléké a beaucoup de latitude (J. Hurault 1962: 127). La société mossi paraît laisser à l'individu moins de place.

faire autrement[57]; nous sommes là en face de l'option fondamentale et structurante de la civilisation africaine); *épanouissante* et *sécurisante*, les deux mots veulent indiquer l'effet positif, euphorique et affectif, de ces relations vécues; négativement, l'échec dans la vie relationnelle a un effet désastreux et angoissant; les relations sont mises en rapport avec la tradition, car c'est cette norme qui enlève aux relations le caractère trop précaire qui serait le leur si elles étaient le fruit de la pure initiative personnelle; enfin il s'agit de relations tissées par la réalité sociale.

Le lecteur sera sensible sans doute à une ambiguïté du mot ‹relation› . En soi, il y a des relations positives et des relations négatives, suivant qu'elles sont acceptées ou refusées par la personne. En soi, la haine est autant une relation interpersonnelle que l'amitié. Nous prenons toujours la catégorie Relation dans son sens positif; ce que la norme traditionnelle exige ce sont des relations édifiantes pour les individus et le groupe, et non des relations désastreuses. C'est donc la catégorie Subjectivité qui précise le signe positif ou négatif de la relation, car ce sont les personnes qui doivent accepter la relation (et la positivité demandée par la règle se trouve alors remplie) ou qui peuvent la refuser.

2.3 Troisième catégorie: la Tradition

Le sujet conscient et libre, en tant qu'il est capable de vie autonome constitue une menace pour la solidité des relations – qui – font – être. Le moyen d'assujétir les subjectivités et d'empêcher qu'elles ne refluent vers un individualisme libertaire et anarchique, c'est la Tradition. Cette catégorie est une pièce maîtresse de l'anthropologie africaine, à tel point que les sociétés africaines nous apparaissent comme sociétés traditionnelles. Mais que signifie, dans une philosophie rationnelle, ce terme de tradition?

2.3.1 La tradition est essentiellement et uniquement l'affaire des vivants

Bien que la tradition soit couramment rapportée aux ancêtres, la raison philosophique doit dire qu'il n'en est rien. Tout se passe en fait entre les vivants.

Du point de vue de l'individu qui naît et grandit, la tradition c'est ce qu'il trouve déjà là[58], c'est-à-dire ce que sa société a institué, ce que les aînés sont déjà

---

57   Nous ne pouvons pas ici multiplier les comparaisons entre les formes de subjectivité d'une civilisation à l'autre (cf. J. Stoetzel 1963: 147 s. qui brosse un portrait de la personnalité dogon, japonaise, canaque).

58   Chez les Mossi, coutume, tradition se dit: *doghem mikri*, c'est-à-dire naître et s'apercevoir (qu'on fait ainsi). Formule rituelle somba: «(C'est) depuis (le temps des) ancêtres que cela est, nous (avons) trouvé cela ainsi et cela continue» (A. Kourouma 1954: 83). Chez les Banen: «Ce que je fais m'a été donné par un autre depuis le fond des âges. Je ne l'ai pas accaparé ni volé, par conséquent il a le même pouvoir que celui qui me l'a donné»; «J'agis au nom de la tribu qui a institué le rite et en mon nom personnel» (P.L. Mahend-Betind 1966: 65, 73; D. Cissé 1970: 158).

et lui apprennent; c'est ce que l'éducation m'inculque et que j'intériorise. Sans les vivants qui la transmettent la tradition est inassimilable par l'isolé.

Mais au niveau des personnes – déjà là, la tradition est *actualité*. Elle est sans doute une mémoire, mais une mémoire pour le présent; une certaine façon de regarder le présent et le futur immédiat (qui n'est qu'un présent élargi). La raison de ceci est que seuls agissent et pensent les vivants, dans leur présent, et pour le présent. Ce qui veut dire qu'on ne saurait assimiler la tradition à l'immobilisme absolu, ou à une répétition automatique et rigide du passé.

La tradition est fondamentalement le *consensus* actuel des vivants d'un groupe donné. Ce n'est pas l'ancienneté qui fait la tradition, mais l'unanimité; ce n'est pas l'attestation par une personne compétente et bien renseignée, en tant que telle qui fait la tradition, mais en tant qu'elle est habilitée par la société actuelle comme porteuse de la tradition[59]. Un fait historique qui serait découvert dans quelque archive ou par quelque fouille archéologique, mais qui n'est pas portée par la mémoire des gens, et n'est pas reçu par eux, n'entre pas dans la tradition. Ainsi la tradition est immanente à la volonté de vivre – ensemble d'une population. Refuser la tradition c'est entrer en dissidence. Faire l'individu égoïste et séparé, c'est refuser la tradition. La tradition est intérieure au jeu relationnel; elle n'est pas un élément extérieur rapporté pour les besoins de la cause.

Partant, la tradition est sans cesse *manipulée*, pour être adaptée au présent et aux cas particuliers. L'Afrique connaît largement le conseil des anciens et la palabre[60]; les oracles ou divinations veulent tenir compte du destin d'un chacun, comme le Fa dahoméen; on sait aussi combien les traditions sont des ‹variations sur un thème›, combien elles se nuancent d'une chefferie à l'autre, d'un village à l'autre, d'une famille à l'autre, même au sein d'un ensemble culturel identique[61]. La vie concrète exige forcément remaniements et adaptations. La tradition est souplesse, parce qu'elle est uniquement au pouvoir des vivants.

---

59 J. Vansina (1961). Le contrôle des traditions est d'autant plus efficace qu'il s'agit de traditions importantes, dans une idéologie donnée. Il existe des fonctions héréditaires de traditionalistes. «Pour les Kuba, la vérité historique est ce qui est accepté par la majorité comme crédible» (p.88). M. d'Hertefelt et A. Coupez (1964: 7): «La vie d'un *umwiru* dépendait de la fidélité de sa mémoire. Le ritualiste qui ne savait plus exactement déclamer le passage ou la 'voie' dont il devait assurer la transmission était condamné à mort par noyade, à moins qu'il pût présenter un membre plus qualifié de son groupe de parenté. Ces examens avaient lieu en présence de ritualistes qui connaissaient aussi les passages faisant l'objet de la déclamation.»

60 A. Sohier (1949: 54): «Dans la parenté et dans le clan, l'autorité n'est pas confiée à l'ancien dans son intérêt propre, mais dans l'intérêt du groupe, dans un esprit tutélaire à l'égard de ceux qui lui doivent obéissance»; le conseil des familles contrôle les pouvoirs du chef et réprime ses éventuels abus de pouvoir. Exemple: «Un vieux chef de lignage a refusé d'aller à la tombe de ses aïeux pour faire les offrandes exigées par sa famille lors de la mort et de la maladie de plusieurs membres du lignage. A la fin, on l'a expulsé du lignage, il était même contraint de quitter le village pour vivre dans la brousse, où il est mort» (J.F. Thiel in *Mort, funérailles, deuil et culte des ancêtres* 1969: 101).

61 Notons aussi que dans le village africain, le quartier, la famille, tout se sait; personne ne peut longtemps faire autrement que le groupe.

La tradition a ses propres techniques de conservation et d'interprétation, ses corps de spécialistes. La hiérarchie qui fait des vieillards les interprètes autorisés de la tradition est une tradition, ce n'est pas une instance différente. Et ils y ont intérêt. Certes, les hiérarchies sont idéalement instaurées pour le bien de la communauté; les interprétations de la tradition sont donc censées aller dans ce sens. En fait les personnes les plus haut placées dans la hiérarchie sont aussi celles qui ont le plus de relations à protéger et à maintenir; elles sont les plus intéressées à ce qu'un certain ordre traditionnel se conserve. Mais il peut y avoir contestation, et un chef de famille peut être déposé pour malversations, c'est donc bien que la tradition est faite d'un consensus sans cesse mis au point.

2.3.2 La tradition et les ancêtres

Pourtant les vivants n'ont pas conscience d'être créateurs de la tradition. Elle est rapportée aux ancêtres et derrière eux, à Dieu[62]. Celui qui rompt les coutumes s'expose à la vindicte ancestrale puisqu'il détruit la société issue d'eux. La légitimation d'un pouvoir et d'un rituel se fait généalogiquement[63]. Que signifie ce recours aux ancêtres? C'est une manière de parler dont la société africaine a besoin.

La tradition est un transmis accepté, manipulé; elle est réception et dépassement; et comme le demande un chant zerma-songhai: «Que le pouvoir initial soit encore meilleur dans la bouche du Mage actuel qu'il ne le fût dans la bouche des anciens»[64]. Une société ne se maintient pas comme un caillou inerte, elle est travail sur elle-même, réajustement perpétuel, dépassement; par exemple, l'effet d'accumulation de prestige dont profite une famille noble n'est obtenu que par la lutte contre la routine, les adversaires, compétiteurs ou contestataires, le laisser-aller

---

62 J. Vansina (1961: 89): «Pour les Kuba chaque objet, chaque institution, chaque coutume actuellement en existence a été 'inventée' à un certain moment et est resté inchangée depuis le moment de son invention jusqu'à nos jours. Il existe donc un lien causal direct entre chaque fait actuel et un fait du passé, mais ce lien causal n'est pas conçu comme une évolution. Il s'ajoute à cela qu'on admet que toutes les institutions de base de la culture remontent à une période mythique et ont été créées par le démiurge Woot dans leur forme actuelle.» R. Maistriaux (1964: 73) donne des témoignages de femmes vivant en ville: «La coutume ne pourra jamais changer; elle a été instaurée et pratiquée par nos ancêtres», et celles qui ne suivent pas la coutume en éprouvent un sentiment de culpabilité.

63 J. Vansina (1961: 33): Chez les Bushong «aucun roi ne peut succéder au trône, s'il ne peut donner une description générale de l'histoire Kuba... Une notable féminine, la mbaan, ne peut être nommee, si elle ne parvient pas à énumérer les noms de ses prédécesseurs dans la fonction.» Ce qui suppose qu'un contrôle par le peuple et d'autres spécialistes est possible. Le chef familial mossi succède à ses prédécesseurs en entrant en possession du tiibo lequel est fait, par exemple, de l'écheveau des cordes des animaux sacrifiés de génération en génération, aux mânes des défunts.

64 Boubou Hama (1968: 41-42): «Ce n'est pas de ma bouche, c'est de la bouche des anciens, c'est de la bouche de X, X l'a donné à Z, etc. et c'est Z qui en a enlevé pour me le donner. Que le mien soit meilleur que le leur.» Ce pouvoir initial «se transmet sous la forme d'une formule magique matérialisée chez les Soninké par une chaîne (sissiri en Zerma et sesseri en Songhai de Tèra) et chez les Tchierko (sorciers mangeurs de doubles) par un œuf à la coquille molle et gélatineuse».

des inférieurs qui tend à en faire le moins possible. Cette dialectique du reçu et du créé en s'exprimant comme autorité des ancêtres, privilégie le reçu en camouflant le créé.

En effet, si le consensus actuel était mis à nu et démystifiée la relation au passé, la vie relationnelle redeviendrait une invention sans cesse présentifiée des individus; elle retomberait dans l'anarchie, ce qui est fait pouvant sans cesse être défait. L'horizon du Je–Avec, exige que le consensus soit porté par des facteurs objectifs et durables: le sang, les mêmes institutions, le même destin historique, les ancêtres communs. La tradition est déjà un exercice du Je–Avec, une manière d'être et de penser ensemble. Par la référence au passé, en affirmant l'idéal de «perpétuer la communion avec les esprits ancestraux»[65], les personnes en relation ne sont pas en situation de miroir, se regardant les unes les autres, elles se situent par rapport à un tiers qui est précisément l'Ancêtre ou la Tradition.

Finalement on peut se demander si au lieu de tradition on ne devrait pas dire *traditionalisation*, terme actif par lequel on reconnaîtrait mieux la part d'activité et d'idéologie inhérente au système relationnel. Il s'agit moins d'une fidélité au passé que d'une acceptation de l'innovation sous le couvert de la fidélité au passé, et sous la pression de ceux qui y ont intérêt. Cet effort se remarque d'autant plus qu'il s'agit de résister à une nouveauté étrangère, par exemple à l'invasion de la modernité, à l'agression coloniale, à l'entreprise missionnaire. Mais même indépendamment de cette résistance, la tradition n'est jamais inertie, elle n'est pas un paquet clos que les générations successives se transmettent sans l'ouvrir.

2.3.3 Le critère du traditionnel est ce qui réussit

La société africaine fait l'apologie de la tradition, elle «enseigne que les devoirs définis par elle sont bons» (Bahoken 1967: 114), c'est-à-dire bénéfiques pour tous et chacun: ils visent la cohésion sociale, nécessaire à la sécurité, à l'ordre, à la force du groupe. L'innovation est contestée parce que dangereuse, insécurisante, source possible de malheurs, inexpérimentée. Autrefois, comme chacun sait, quand tout le monde obéissait à la coutume, tout allait beaucoup mieux[66]. Une nouveauté ne sera acceptée que quand elle aura fait ses preuves: c'est-à-dire quand elle aura procuré plus de bien-être, de vie, de fécondité, de santé, de richesses, pourvu qu'elle ne remette pas en cause l'organisation fondamentale de la société. Cette dernière condition indique que la nouveauté ne s'introduit en somme que sous

---

65 Dédicace du livre de J. Kenyatta.
66 P. Mercier (1966: 240 s.). — «Au temps de nos ancêtres, un homme ne pouvait mourir jeune; on ne se haïssait pas comme maintenant et on ne recourait pas tant aux sorciers», dit une femme interrogée par R. Maistriaux (1964: 109), et J. Kenyatta (1967: 170): «Les chutes de pluies sont actuellement moins abondantes qu'autrefois... Les Gikuyu ne sont plus ce qu'ils étaient.»

le couvert de l'infinitésimal: une petite pierre de l'édifice a changé, mais l'édifice même paraît intact[67].

La conformité à la tradition est le bonheur. Mais là se trouve aussi l'aporie du système. Sans doute faut-il penser que effectivement, la plupart du temps, la tradition a raison. Si elle avait tort, il n'y aurait pas de sociétés ‹traditionnelles› , elles seraient toutes défuntes. Mais il y a un reste. Car le bonheur ne peut pas sortir purement et simplement des relations vécues droitement selon la tradition.

2.3.4 La tradition et la personnalité

L'homme moderne porté à la contestation, l'individualiste qui fait de la liberté de penser une condition sine qua non de la valeur humaine[68], trouveront que la tradition africaine ne peut qu'étouffer la personne. En fait il n'en est rien, si du moins, on veut bien se placer à l'intérieur de la forme de pensée Je–Avec.

La tradition est un stimulant pour l'activité intellectuelle et volitive. Elle suppose l'exercice de la mémoire; la littérature orale avec ses proverbes, ses contes, ses récits, est immense; l'art de la palabre, l'importance de la parole, la finesse du discernement pour résoudre les cas, citer à propos les références *ad hoc*, supposent une longue formation, et parfois une initiation difficile. Toute entrée dans une société est un apprentissage de la tradition, et l'acquisition d'un riche héritage. La garde de la tradition suppose maîtrise de soi, sens du bien commun, art de vivre ensemble; éthiquement elle est une fidélité profonde aux autres et à soi-même. Intégrée à la personnalité comme habitude, elle devient vertu et qualifie la personne comme bonne; au contraire, le sujet toujours tenté d'agir en dehors des traditions, est un mauvais sujet, un vicieux.

---

67 Ainsi la tendance qu'ont les jeunes à s'émanciper de la tutelle des Anciens pour trouver du travail, gagner de l'argent, voir la ville et y jouir de plus de liberté, bien que décriée par beaucoup, est en fait largement ‹traditionalisée› en ce sens que la plupart des jeunes le font et désirent le faire, que ce voyage à l'étranger devient synonyme de virilité et source de prestige, tendant à remplacer les initiations d'antan, qu'on part avec d'autres camarades, qu'on retrouve là-bas des connaissances, et que finalement les Anciens s'y retrouvent en recevant des cadeaux et du moment que les jeunes reviennent auprès d'eux chercher des épouses. Cf. R. Deniel (1967: 166): «Ce que les (migrants) demandent au pays qui les accueille provisoirement, c'est moins de leur apprendre des 'techniques' aptes, éventuellement, à bouleverser, à changer le sens de leur vie au village, que de leur fournir les ressources *économiques* qui leur permettront, dans un cadre demeuré foncièrement traditionnel et familial, d'asseoir leur vie *sociale* sur une base stable et si possible prestigieuse... N'est-ce pas à quoi pense cet important notable de Treichville quand il déclare: 'On aime rentrer au village avec une grosse somme pour commander et être tranquille'.»
68 Le philosophe Alain, par exemple, veut une existence libre, et la vraie liberté est celle du jugement: «Juger, non pas subir, c'est le moment souverain.» Juger, c'est d'abord refuser, redresser sans cesse. A l'origine l'homme est esclave de la Cité. Le progrès civilisateur consiste précisément pour l'homme à se dégager de la vie inconsciente pour accéder à la conscience et à une pensée plus libre. Le corps physique attache l'homme au corps social par toutes les formes de l'instinct, de la tradition et de la crédulité. Mais peu à peu l'homme se libère. Et cette libération est l'œuvre du doute. Douter c'est opposer son individualité propre aux pressions instinctives et collectives.

La personne en Afrique, même dans les milieux non coutumiers, apparaît le plus souvent marquée par cette structure de la tradition. Les personnes pensent moins par elles-mêmes, secouant les idées reçues, qu'elles ne communient ensemble, cherchant avant tout la sécurité. Il y a d'ailleurs, maintenant, bien des substituts de la tradition ancienne: l'idéologie, le parti unique, l'alignement sur l'Etat, seul employeur stable et sécurisant; pour les Eglises, l'alignement sur des modèles étrangers. Bref, nous voyons rarement des personnes penser vraiment ‹à côté›. Traditionnellement la pensée libre, la contestation s'exerce par les proverbes, les mythes ou contes, par l'instauration des cultes nouveaux, par des rituels canalisant les conflits. Mais cela ne remet pas en cause l'ordre établi. Bref, la tradition qui favorise l'ordre et la sécurité, ne favorise pas la puissance inventive et le goût du risque.

2.3.5 Tradition et modernisme

C'est un objet constant de préoccupation pour l'Afrique aujourd'hui: la tradition est-elle l'ennemie du modernisme?[69] Il est difficile d'y voir clair. Certains trouvent que la tradition peut tout digérer; d'autres qu'elle est le frein qui s'oppose le plus fort aux innovations demandées par le développement.

L'habitude de juger du présent en fonction du passé est sûrement un poids. Mais si la tradition est ce que nous avons dit, elle n'est pas intrinsèquement rebelle à la nouveauté. Mais elle a tendance à en prendre ce qui lui convient; elle récupère; elle digère; donc elle ne change pas profondément.

Il y a pourtant eu des changements profonds dans la vie africaine. Outre qu'ils semblent avoir été portés par les aspirations de l'ensemble du peuple, ils sont ordinairement causés par des personnalités extraordinaires. Nous avons dit que l'originalité et la liberté inventive ne sont pas considérées comme normales dans la société africaine. C'est pourquoi l'initiateur d'un nouveau genre de vie est volontiers paré de puissance thaumaturgique. Il n'y a que les grands magiciens qui ont pu réaliser une grande œuvre et une œuvre nouvelle[70].

Comparé à la structure mentale *scientifique*, l'esprit traditionnel est défavorisé. La science, du moins la recherche scientifique, est aventure, saut dans la liberté

---

69 Problème souvent repris: cf. *Tradition et modernisme en Afrique noire* (1965); S.O. Anozie (1970: 231 s.). Beaucoup de monographies ethnologiques s'achèvent sur ce thème, p.ex. F.J. Amon d'Aby (1960); cf. aussi G. Balandier (1970).

70 C. Meillassoux et al. (1967). — La légende de la dispersion des Kusa; le héros ne peut délivrer son peuple esclave d'un tyran que par sa puissance magique. Pour tuer *Garaxe* le roi qui tue, il faut susciter un héros rebelle, solitaire, magicien, individu marginal, et invulnérable aux sanctions du corps social. Mais devenu vainqueur, et voulant à son tour faire le roi, il enfreint l'honneur du clan qui lui résiste par la ruse et la tromperie et finit par s'en débarrasser (cf. aussi Ch. Monteil 1967). Ainsi les fondateurs de dynasties, les rois, au moment de leur intronisation, doivent montrer qu'ils sont au-dessus de la condition commune par des comportements étranges (parfois ritualisés) comme crimes et incestes. Noter aussi le caractère charismatique et magique reconnu à certains leaders africains modernes.

totale, recherche en dehors des routes fréquentées, dépassement du connu. Les connaissances africaines sont l'apanage de personnes discrètes qui ménagent leur puissance derrière le secret.

Bien que tourné vers le passé, l'esprit traditionnel n'est pas pour autant le *sens historique*. Celui-ci s'efforce de respecter l'altérité du passé, en le reconstruisant aussi fidèlement que possible, sans lui prêter de vertu rédemptrice. La tradition, elle, téléscope le temps; elle refuse le déracinement: «La société est un arbre qui pousse et repousse, mais qui ne s'arrache pas.»

Enfin la tradition ne prédispose pas à l'activité *philosophique*, telle que nous l'avons définie. La philosophie naît de l'étonnement, du doute, de la réflexion, elle est de soi un affrontement avec la société; c'est une activité dangereuse et subversive. Il n'est pas étonnant, alors, qu'elle ne se soit pas manifestée en Afrique, comme dans la Grèce antique. La tradition engendre des sociétés non-libérales, unidimensionnelles, dirait H. MARCUSE.

Philosophiquement, la structure mentale traditionnelle infléchit l'activité intellectuelle dans des directions bien différentes de la mentalité individualiste. L'individu occidental est bien obligé de chercher lui aussi une règle qui l'empêche de tomber dans une atomisation anarchique de la pensée; il pense l'universel, les êtres se conforment à une essence, à une nature; les savants cherchent des lois. L'Afrique n'a pas de problèmes des universaux, mais des problèmes de tradition. La question fondamentale n'est pas qu'est-ce que l'homme? Mais comment les ancêtres ont-ils fait? Or la tradition est dialogue entre ceux qui l'interprètent; le raisonnement met en cause l'intersubjectivité pour aboutir au consensus. La pensée abstraite occidentale est au contraire impersonnelle, déductive ou inductive, elle se veut objective et ne tient pas compte des sentiments. La tradition africaine est un fidéisme. La pensée occidentale un rationalisme. Le *Logos* est devenu en Occident un verbe intérieur universel; en Afrique il reste une véritable parole entre personnes. La pensée occidentale élabore des champs conceptuels, dans lesquels des idées abstraites se disposent logiquement; la pensée africaine élabore des champs perceptuels beaucoup plus concrets, faits de personnes qui se rencontrent et doivent s'entendre. La tradition est à la pensée africaine ce que le concept est à l'occidentale.

Ces comparaisons entre deux formes de pensée ne signifient pas contradictions, mais différences. Il ne s'agit pas de deux trains se mouvant en sens inverse sur deux voies parallèles. Il s'agit de tracés de lignes tout différents qui sans doute, ne se recoupent pas. Il semble donc bien difficile à la pensée traditionnelle de se conjuguer avec la pensée scientifique et technique issue du monde occidental.

2.3.6 La Tradition comme catégorie

Nous définirons cette troisième catégorie comme *le consensus des personnes vivant en relation, s'appuyant sur ce qu'ont pensé et vécu leurs prédécesseurs.* Ou encore: *la tradition est la norme des relations droites apportant une existence épanouie.*

2.4 Quatrième catégorie: la Corporalité

La forme de pensée anthropocentrique du Je–Avec exige que les personnes soient considérées concrètement, vivantes, dans le monde. Dès lors s'impose cette évidence: les personnes en relation sont des personnes corporelles. Alors que la philosophie classique occidentale privilégiant les problèmes de la connaissance et de la conscience, néglige le corps ou le considère comme problématique; alors que des modernes parlent de la ‹réciprocité des consciences› pour décrire l'être–en–relation, la pensée africaine très proche de l'expérience immédiate de la pratique de la vie, ne fait jamais abstraction du corps. Et quand le corps n'est plus là (comme pour les défunts), on le remplace par des substituts[71]. En Afrique la corporalité est une dimension inéluctable de toute relation. Analysons d'abord les faits; puis nous en chercherons la signification.

2.4.1 Le corps vrai

Il est manifeste que dans l'acte même de la relation, le corps est toujours là. La relation suppose une présence, une co-présence, donc contact ou rapprochement des corps[72]. Dans l'Afrique de l'oralité, il faut nécessairement se rapprocher pour se parler; la distance, couverte par le tam-tam, n'est pas comparable aux distances couvertes par les échanges épistolaires ou radiophoniques. La visite est nécessaire à la relation; la parole aussi, avec ses salutations, ses gestes et attitudes. Pas de véritables relations sans échanges de cadeaux[73]. On sait l'importance de ces visites et échanges dans les relations matrimoniales, à l'occasion des naissances, d'une maladie, d'un décès; l'hommage à un chef ne se fait pas les mains vides; les bons sentiments sont matérialisés autour d'une cruche de bière; alliances ou contrats

71 Comparer avec M. Leenhardt (1947): on demandait à un Canaque si le christianisme n'avait pas apporté avec lui l'idée d'âme; celui-ci répondit: non pas l'âme, mais le corps. Cette réflexion vaut-elle pour l'Afrique? signifie-t-elle que la personne se trouve mieux délimitée, mieux saisissable, plus opposable, dès lors qu'on lui reconnaît son corps propre? Certes il y a des croyances en Afrique selon lesquelles on peut changer de corps ou lui donner un substitut; cela veut-il dire que le corps est une réalité malléable, peu déterminée, manipulable, aux frontières incertaines? N'y a-t-il pas plutôt unité profonde corps et âme, en ce sens que l'âme peut s'exprimer avec aisance, sans restriction, sans honte, dans son corps?
72 Proverbe zerma: «C'est le pied qui donne l'homme à l'homme; et le pied c'est l'amitié, c'est lui qui va voir les autres.»
73 Par ex., le Mende qui va chez quelqu'un en visite, prend avec lui un cadeau, une noix de kola de salutation (qui peut être un poulet ou autre chose). Ne pas accepter ce don suppose que la personne n'est pas réellement la bienvenue. En retour, l'hôte doit offrir à son invité un cadeau, généralement de plus grande valeur, quand il part; ce qui s'appelle ‹accepter la salutation›. Un proverbe mongo dit: «La parenté (ou l'amitié) ne va qu'avec des choses (des cadeaux)» (G. Hulstaert 1958: 527). Cf. E.E. Evans-Pritchard (1968: 112): L'importance de petits objets manufacturés comme nœud de relations entre personnes, chez les Nuer.

sont définis par l'échange de nourritures et de boissons, «on s'entreboit le sang»[74].

La vie relationnelle ne se comprend pas non plus sans la participation effective à de très nombreux rites. Tout rite est évidemment corporalisé. Mais alors qu'en Occident le rite s'amenuise au profit de la conscience, des intentions, et des discours, alors qu'il tend au spectacle[75], le rite mobilise l'assistance par la danse, le rythme, le chant, l'exubérance des masques, le réalisme des libations et des immolations, la frénésie des possessions. En Afrique le rite est efficace non par quelque magie, mais en tant qu'exercice approprié de la vie relationnelle.

Bien plus, le corps est lui-même constitué de relations, c'est un nœud, un carrefour de relations. Un corps solide et sain est un corps bien relié[76]. C'est vrai physiologiquement: le corps ne peut vivre sans échanges avec le milieu: respirer, boire et manger; sans les pieds sur terre, sans le feu qui réchauffe et cuit les aliments. C'est vrai aussi socialement: la personne isolée ou le célibataire sont mal nourris, qui lui préparera sa nourriture s'il est un garçon? Qui lui donnera des vivres, si c'est une femme? Mais il y a plus, la spéculation soudanaise s'est donné une physiologie mythique dont la signification se trouve dans les relations qui font être. Selon les Dogon et les Bambara, le corps est rempli des influences du monde par la nourriture et les ingrédients (eau, feu, air, terre) dont il est composé[77]. La composition du corps varierait suivant les rôles sociaux: ainsi les Dogon voient dans les clavicules de l'homme huit graines symboliques, qui représentent l'essentiel de la nourriture de ces agriculteurs; ce symbole exprime la ‹consubstantialité› de l'homme et de la graine sans laquelle il ne pourrait pas vivre; or ce contenu claviculaire varie suivant les rôles dans la vie sociale; d'autre part chacune de ces graines est placée sous l'égide des personnalités humaines ou surnaturelles, aïeul, ancêtre protecteur du groupe etc.[78]. Ainsi le corps est conçu comme un nœud de relations, il est défini par les relations qui le font être.

Certaines spéculations vont plus loin encore, qui placent un corps supplémentaire à distance du corps vrai! Les Dogon connaissent le *kutogolo* (littéralement

---

74 Exemples: le rite du *malé* in J.C. Bahoken (1967: 86); le rite de l'alliance du sang in V. Mulago (1965: 76); P. Hazoumé (1937). — En Occident les contrats sont écrits et paraphés. L'écriture permet la distanciation entre les personnes qui doivent s'engager sur leur foi et confiance réciproques (sans compter le recours éventuel aux tribunaux). Pour Socrate, déjà, l'écriture était «une rupture du dialogue entre les vivants, elle vient s'interposer comme un mur entre le Je et le Tu, et consacre la perte du contact de la présence; c'est pourquoi, Socrate, refusant d'avoir recours à un tel artifice, n'a rien écrit, tout contact avec l'autre exigeant pour lui une présence directe» (J. Brun 1961: 3-4).

75 Nous songeons à la messe catholique qui naguère encore se disait en latin devant une assistance largement passive. Pensons aux cérémonies (défilés du 14 juillet), aux processions entre deux rangs de spectateurs.

76 Cf. une prière bwa (L.V. Thomas et al. 1969: 170-173).

77 G. Calame-Griaule (1965: 33-34); D. Zahan (1963: 12, 16).

78 G. Dieterlen (1950: 356 s.). Les pêcheurs bozo ont dans leurs clavicules, logiquement, huit poissons au lieu de graines.

tête-crâne)[79] qui représente la tête d'une personne et que l'infirmité de notre vocabulaire appelle ‹autel›. Sacrifier sur cet objet, c'est sacrifier sur sa propre tête, siège de la pensée et de la volonté, ce qui se fait dans les moments de crise ou quand le titulaire en sent le besoin. Le *kutogolo* d'un garçon est érigé par son père et c'est lui qui y sacrifie une victime lui appartenant. Le fils en mange le foie tandis que le reste est distribué à la famille (sauf à l'épouse, qui ne peut manger ‹la tête de son mari›). Les femmes ont aussi leur *kutogolo* constitué par leur père, dans sa demeure, quand elles quittent la maison paternelle pour rejoindre leur mari. Au décès du titulaire, l'objet est jeté hors du village et ne reçoit plus aucune attention. Que penser d'un tel rite? Je me refuse à croire que les Dogon ne savent pas distinguer le corps et sa limite, confondant le vrai corps et une motte de terre! Ce ne peut donc être qu'un symbole par quoi un individu se relie à son père et au reste de sa famille, grâce à un rituel de communion qui renforce le sentiment de cohésion et d'appartenance familiale. Comparez en occident avec la photo et l'autographe.

Ainsi c'est dans l'être − avec et un être − avec *corporalisé* que la personne s'épanouit vraiment. Cette vitalité est indissolublement psychique et biologique, spirituelle et corporelle. La force vitale c'est la santé, la fécondité, la prospérité, la reconnaissance mutuelle, l'ordre, la paix. Inversement tout manquement aux relations droites est sanctionné dans le corps (maladie, stérilité, folie, mort) (L. Ngongo 1969: 275). Ainsi l'homme est-il affecté intégralement dans et par sa vie relationnelle.

2.4.2 Les corps substituts

L'être personnel est en relation non seulement avec les vivants, mais avec les ancêtres, mythiques ou historiques, avec les défunts récents, et avec toutes sortes de génies ou esprits. Là plus de corps vrai, mais toujours des corps substituts.

Prenons d'abord le cas des *défunts*. Le rituel funéraire exprime que les morts ‹partent› au loin, au village des morts, chez les ancêtres, route longue et semée d'embûches; une partie des rites consistent à éloigner les morts des lieux qu'ils occupaient, des personnes avec qui ils étaient en relation. En fait il s'agit moins d'un éloignement que d'un changement de statut. Par exemple un vieillard, chef de famille, cesse d'être un mari, un père, un responsable distributeur de nourriture, pour devenir un ancêtre; c'est un nouveau type de relations qui s'établit. Aussi bien les défunts restent-ils très proches des vivants. Souvent ils sont enterrés dans la case ou la cour, aux alentours immédiats de la maison où ils ont vécu; de multiples objets les représentent, outre la tombe, leurs armes, outils, ustensils, vêtements, paniers, effigies; on conserve leur crâne, ou leurs ossements dans les reliquaires; on bâtit des autels ou de petites maisons où des offrandes leur sont présentées.

---

79 G. Dieterlen (1941: 77-80); autre autel du corps ou *jabye*, pp.81-82; G. Calame-Griaule (1965: 40-41).

Et posséder ces lieux de relation privilégiés c'est posséder la clé des relations avec les morts, donc les bénédictions qui font vivre, donc le pouvoir[80].

Le mythe dogon de la mort montre les âmes des morts errant sans savoir où se fixer, jusqu'à la découverte de ce qui convenait: le masque, et surtout le *nani*, jeune personne qui rappelle le défunt, le représente parmi les vivants, et est spécialement chargé de son entretien en lui faisant les offrandes convenables (G. Dieterlen 1941: 127). Ainsi le problème de la mort n'est pas tant un problème de la destruction de la personne, qu'un problème de continuation des relations vitales. Comment assurer la relation avec des disparus? Le corps substitut n'empêche pas le défunt d'être dans le pays des morts, mais il permet le contact qui fait vivre. En effet nous voyons toujours ces corps substituts vitalisés par l'aspersion du sang d'une victime: un vrai corps a du sang; par ce rite, ce corps est dédié au disparu, c'est là désormais que les vivants le rejoindront. Le *nani* n'est plus un simple corps figuratif, mais une personne–intermédiaire: «L'institution du *nani* apparaît comme étant gouvernée par le souci des hommes d'échapper à la rupture entre eux et les invisibles, ou entre eux et les morts» (D. Zahan 1969: 157).

2.4.3 Corporalisation des ‹puissances› [81]

Pour désigner les religions d'Afrique noire, on a l'habitude – critiquable – de parler d'animisme et de fétichisme; le premier terme insiste sur le côté *âme*, et le second sur le côté *objet*. Toutes les puissances avec lesquelles l'homme entre en relation, ou qu'il manipule, sont d'une manière ou d'une autre corporalisées: réalité naturelle (pierre, rocher, arbres, sources, fleuves, tourbillons, cavernes) ou objets manufacturés (canari, poteau, forge, construction de terre, masque, statuette, outil). Ce corps localise la puissance, permet la rencontre avec l'homme; ainsi la puissance s'y laisse manipuler, se laisse posséder par quelqu'un. Ces objets sont vitalisés par le sang répandu, nourritures et boissons y sont offertes[82].

Les masques peuvent être considérés comme la corporalisation d'une puissance invisible venant visiter les vivants, qu'il s'agisse d'êtres mythiques, d'ancêtres fondateurs de village, de défunts plus récents. L'homme qui porte le masque disparaît en quelque sorte derrière la personnalité de la puissance ainsi corporalisée[83].

80 Grande variété des coutumes sur ce point. B. Holas (1968a). Les Agni ont les figurines *mma*, la chaise de la royauté (cf. F.J. Amon d'Aby 1960: 24, 67). Les peuples du Gabon conservent les crânes dans les boîtes (cf. A. Raponda-Walker et R. Sillans 1962). Les Dagara représentent les ancêtres par un bois fourchu pour un homme, un bois droit pour une femme (L. Girault 1959: 351 s.). D. Zahan (1969) analyse les représentations dogon.

81 Par ce terme neutre, nous entendons désigner ces êtres invisibles, génies, revenants, divinités, héros, esprits, forces magiques, et même défunts-ancêtres.

82 R. Jaulin (1967: 194); cf. texte de construction d'autel à un génie: «. . . que les hommes et les femmes te rejoignent ici. . .» (L.V. Thomas et al. 1969: 148). B. Davidson (1971: 68) fait remarquer que ce support matériel est peu important comparé aux temples antiques, autels et monuments funéraires grandioses. La vie relationnelle n'a pas le temps de s'investir dans les constructions coûteuses.

83 Nous avons entendu un jeune Mossi chrétien dire des masques: «c'est notre eucharistie». B. Holas (1968c: 120): «le masque, matérialisation des forces transcendantes.»

Souvent les puissances se manifestent par la possession d'une personne, qui entre en transes; par cette présence, les vivants peuvent communiquer avec l'invisible. D'ordinaire cette puissance se voit ensuite incorporée à un objet fixe[84].

Nous avons parlé d'entités qui substantialisent des réalités non-physiques, comme le pouvoir royal. Ces entités sont aussi corporalisées. Ainsi les régalia, objets représentant et contenant la puissance royale, de telle sorte que si le titulaire les perd, il perd aussi sa puissance. Tel est le *Naam-Tiibo* des Mossi (B.B. Somé 1970: 215).

D'une manière générale, tout culte est actualisation de la présence d'une entité invisible dans un objet corporel bien localisé. Dans les perspectives du Je−Avec, ce culte est une relation réciproque entre les hommes et les puissances, relation qui ne peut avoir lieu sans corporalisation. (Nous reviendrons plus loin sur la structure de ces objets-symboles.)

2.4.4 La dé-corporalisation

Si la vie relationnelle exige le corps, la suppression de toute relation exige la disparition totale du corps.

C'est ce qui arrive, par exemple, quand on veut empêcher un mauvais défunt sorcier de nuire, il faut le paralyser en déterrant son cadavre, le brûler et répandre ses cendres. «C'est là le signe opérant de leur influence annihilante. Les Baluba disent alors qu'il a été refoulé... au lieu maudit, la géhenne d'où jamais personne n'est revenu, d'où on n'exerce plus d'influence. Le défunt est alors totalement mort, retranché des vivants»[85]. Si l'annihilation est caractérisée par la suppression de toutes relations avec les vivants, et si toute relation suppose le corps ou un minimum de corporéité, il est logique de procéder à l'anéantissement d'un être par la destruction totale de ses restes.

Ce que nous avons dit des âmes errantes des défunts, âmes dangereuses, parce que non fixées dans un support corporel, revient à la même logique. Le cadavre n'étant plus un objet commodément manipulable, il faut un corps−substitut pour que les relations vivifiantes puissent s'exercer. On notera de même que les prophètes modernes qui veulent lutter contre les sorcelleries et les magiciens qui tuent, exigent que tous les fétiches leur soient livrés; ils s'en débarassent, en les brûlant ou les souillant[86].

---

84 L.V. Thomas et al. (1969: 201): «Lorsqu'ils (les *Pangol*) attirent l'attention sur eux par des prises de possession ou des choses étonnantes, on les fixe par un autel, sur lequel les libations et les sacrifices seront offerts.»
85 P. Tempels (1949: 104). — G. Dieterlen (1941: 248-249): «Les vivants prennent des dispositions pour que le *nyama* des êtres jugés irrémédiablement maléfiques soit rejeté en dehors du circuit que parcourt habituellement le *nyama* des autres êtres. . .»; J. Kenyatta (1967: 198): «Le sorcier doit être entièrement brulé»; R. Pazzi (1968: 255). J. Jahn (1961: 147), citant A. Kagame: «Le sorcier est l'unique *muntu* auquel il n'est pas permis de survivre. On l'assimile aux fauves et on le rejette dans le néant. *Ubusa*, le néant, le 'rien' de la philosophie bantoue est l'"absence de corps solide ou observable'.»
86 Souiller, c'est exclure, rejeter hors de l'humain (cf. M. Douglas 1971).

La dé-corporalisation signifie pour un vivant une situation évidemment anormale et louche. Les affabulations concernant les sorciers sont éloquentes: pour faire le mal, tuer les autres, se livrer par conséquent aux contre-relations, le sorcier est censé quitter son corps, de nuit, voyageant comme un feu, et dévorant les ‹âmes› d'une façon sorcière, ou ‹en diable›, c'est-à-dire non corporellement[87]. Bref, c'est juste l'inverse des relations honnêtes qui doivent se faire, corporellement, de jour, physiquement. On peut donc penser que la corporalité est le signe de la normalité des relations interpersonnelles[88].

2.4.5 La corporalisation défectueuse

Cependant toute corporalisation n'est pas valable. Les personnes normales se manifestent avec un corps normal. Les anomalies corporelles sont donc le signe d'un être difficilement intégrable aux relations normales, dangereux ou ambigu[89].

Mythes et contes font état de corps monstrueux. Pour les Dogon, l'homme primitif était sans articulation, ce n'était pas encore l'homme véritable capable de travail; le fœtus est comme un ‹poisson›, le bébé comme une ‹eau›: ils ne sont pas encore de vraies personnes humaines prêtes pour les relations. Les ogres qui peuplent les forêts sont essentiellement non-hommes, par leur corps tantôt démembré, tantôt à demi-pourri, tantôt gigantesque et mêlé de plantes (G. Hulstaert 1971).

2.4.6 Signification africaine du corps

1. Une première série de faits manifeste l'*importance du corps*. Le corps exprime la relation (co-présence, proximité, salutations, paroles gesticulation); la réussite de la vie relationnelle, son effet, vise la personne toute entière (santé, euphorie, équilibre, richesse, renom, fécondité, reconnaissance par le groupe: autant de choses où la corporalité est engagée profondément); tout échec dans la vie relation-

---

87 Sur l'expression ‹en diable› cf. J. Rouch (1963: 135). Notons que dans le symbolisme de la sorcellerie, les ‹âmes› volées et mises en réserve pour être mangées par les sorciers, sont représentées parfois par de petits animaux: lézards, souris, insectes (sans doute parce qu'il s'agit de petits corps se cachant facilement dans des trous). On retrouve ainsi l'imaginaire de l'absorption.

88 Nous verrons plus loin d'autres formes de dé-corporalisation, comme les métamorphoses, qui ne peuvent alors logiquement s'accomplir que dans l'En−dehors (cf. 6e catégorie).

89 Tels sont les ‹bébés maudits› (cf. F.J. Amon d'Aby 1960: 76): l'enfant muet, l'enfant qui a plus ou moins de cinq doigts aux mains ou orteils, l'enfant qui aurait quelque infirmité ou malformité, l'enfant conçu avant que sa mère ait eu au moins trois cycles après un précédent accouchement, le dixième enfant d'une mère, parfois les jumeaux, parfois l'enfant dont la première dent est supérieure. De tels enfants, réputés malfaisants en tout cas non-humains, sont ou tués, ou objets de rites compensateurs (cf. N. Belmont 1971). Il faudrait parler aussi des ‹substances sorcières› qui sont les marques corporelles d'un véritable sorcier: estomac supplémentaire (imaginaire de l'absorption), un objet dur dans le corps ou un objet mou, tel un œuf sans coque; le sorcier envoie des objets durs dans ses victimes (cf. B. Holas 1968c: 165 photos).

nelle se traduit pratiquement par un malaise physique (maladie, stérilité, angoisse, folie, mort); la vie relationnelle se manifeste par les interdits (lesquels sont toujours corporels), par l'abondance des rites et du symbole.

Une telle importance donnée au corps, empêche de considérer la problématique africaine de la corporalité sous l'angle de la philosophie occidentale[90]. Nous constatons en effet, depuis PLATON, une sorte de désaveu du corps. C'est la connaissance qui est privilégiée, donc l'Idée, l'Un, l'Universel; le corps, objet du monde, est rejeté du côté du contingent, du multiple, du devenir, de l'illusion. L'âme tombe de la contemplation des Idées dans la prison du corps – tombeau. Le salut consiste à dépasser l'illusion du sensible, des apparences corporelles et mouvantes pour retrouver la pure transcendance de l'Idée immuable. Désormais la pensée occidentale va se déployer dans ce dualisme: la matière est toujours plus ou moins prison de l'âme, opaque, écran pour l'esprit; on renvoie le corps à l'animalité, et le concept, l'idée, l'âme à la divinité. Pour ARISTOTE, le corps n'est corps que par la forme substantielle apparentée à l'idée. Il y a un abîme entre la forme, l'essence universelle, et l'être substantiel, matière informée, individu singulier indicible. DESCARTES privilégie le sujet comme conscience et renvoie le corps à l'étendue et à la mécanique. On peut douter du corps, on ne peut douter de l'âme qui pense. L'affirmation de l'unité substantielle du corps, l'invention des esprits animaux ne suppriment pas la disjonction entre les deux natures simples et distinctes que sont l'âme – pensée et le corps – étendue.

Et lorsque la pensée occidentale veut redonner au corps son importance, comme dans le courant empiriste et sensualiste, c'est toujours au niveau du problème de la connaissance. Le corps est manifeste dans la sensation. Mais alors la connaissance intellectuelle qui atteint l'universel et l'immuable peut-elle sortir de ce flux de sensations? Le fossé entre le corps et l'âme est toujours un abîme. Les succès rencontrés par les sciences expérimentales montrent que la véritable conjonction se fait là: quand l'intelligence investit les sens; mais les entreprises purement intellectuelles, comme la métaphysique, sans fondement dans l'expérience sensible, sont vaines. On n'atteint que le phénomène, le noumène est transcendant.

Pendant que les uns développent une philosophie de l'Esprit, les savants, eux, considèrent le corps comme un objet biologique; la biologie fait d'immenses progrès; la réduction physico-chimique accomplit des merveilles. Dans cette foulée, l'esprit n'est plus qu'un épiphénomène, un feu-follet. Bizarre oscillation du pendule qui successivement tend à donner tout à l'esprit, rien au corps, puis tout au corps, rien à l'esprit.

La pensée africaine se déploie dans une forme de pensée différente. Ce qui la préoccupe ce n'est pas le problème de la connaissance, mais le problème de la vie, la pratique de la vie sur terre. En conséquence, la situation de la personne corporalisée ne peut absolument pas s'interpréter comme une chute, une nostalgie du

---

90 Cf. les réflexions sur le corps de M. Henry (1965), C. Bruaire (1968), F. Chirpaz (1963).

spirituel[91]. La vraie vie, la seule dont nous avons l'expérience, est celle d'ici-bas; et c'est celle-ci qu'il faut réussir: réalisme et bonne santé. C'est à cette vie que sont référées les autres: celles des défunts, voire celle des esprits. L'enfant qui est souvent conçu comme un esprit venant de l'en – dehors inhumain, s'humanise précisément dans et par son corps en menant une vie de relations dans une famille déterminée. Une vie sans corps est éminemment suspecte, dangereuse, inhumaine. De plus, une vie où le corps est sain et fécond, est une vie vraie qui n'a pu s'obtenir que par une vie relationnelle normale. Chez PLATON, il y avait une chute dans le corps, en Afrique on pourrait dire qu'il y a plutôt une venue dans le corps, venue normale, souhaitable, euphorisante.

La vie relationnelle n'est donc pas simplement une vie vertueuse, se vivant au niveau de l'intention pure, au tréfonds de la conscience, dans l'intériorité. Elle s'épanouit dans le corps, et elle se prouve par le corps. Nous nous trouvons là devant un postulat fondamental de la pensée africaine: la relation doit aboutir à la réussite vitale. C'est pourquoi on peut dire, le corps vivant et sain est la vérité de l'être – en – relation[92].

Le réalisme africain voit encore autre chose: «Le membre de la tribu, du clan, de la famille sait bien qu'il ne vit pas de sa propre vie, mais de celle de la communauté» (V. Mulago 1965: 119). La vie corporelle de l'individu est saisie comme participée, comme si les corps continuaient à être irrigués par un unique courant vital, par le même sang.

Il importe de bien comprendre. Chaque corps est séparé et séparable. C'est dans le sein maternel que la symbiose est la plus complète; dans l'allaitement au sein et le portage, il y a une continuation, quoique déjà atténuée, de cette symbiose fœtale; avec le sevrage il y a séparation totale. Métaboliquement, chaque corps est indépendant. Si une ‹participation› est affirmée, si l'on parle de ‹courant vital› unissant les consanguins, ce ne peut être qu'une option culturelle, privilégiant certains aspects de l'existence humaine. L'enfant, même sevré, continue pendant longtemps de vivre des fruits du travail de ses parents; le groupe dans la mesure où il pratique un travail communautaire, peut avoir la sensation que la vie corporelle de chaque membre est une interdépendance. L'adulte comprend bien qu'il donne la vie et l'entretient en procréant et en nourissant son petit. Par l'importance donnée à la Tradition, chacun peut comprendre qu'il s'origine dans d'autres hommes, que l'expérience des anciens passe jusqu'à lui par une chaîne con-

---

91   Bien que l'Afrique connaisse aussi le mythe de la préexistence de l'âme, sous forme d'un entretien avec Dieu pour choisir son destin.

92   D'où le drame des options africaines. Car, d'abord le corps meurt, donc la mort est un scandale, que la pensée africaine tend à minimiser par la facilité avec laquelle elle croit rejoindre les défunts; ensuite, le corps est aussi une réalité biologique, physico-chimique, qui a sa consistance propre, indépendante dans une certaine mesure de nos injonctions ou options philosophiques. C'est pourquoi la pensée africaine doit donner une grande place à la manipulation (cf. 5e catégorie) pour que les réalités corporelles et extracorporelles correspondent effectivement à la réussite ou à l'échec des relations. Autrement ce serait la ruine du système, la relation s'avérerait incapable de donner la vie à coup sûr.

tinue. Dans l'éducation, le petit enfant découvre son corps propre dans le corps-à-corps maternel puis dans la séparation; c'est par et dans le corps, dans le contact familial, que la personne humaine s'humanise peu à peu; avant et en dehors de ce contact, elle n'est qu'un ‹esprit› fantasque, désordonné, non-humain. De cette façon, la relation qui joint père et fils n'est pas qu'un sentiment de paternité ou de piété filiale, n'est pas qu'une vertu morale ou une reconnaissance juridique, c'est aussi deux corps en communication, en dérivation, exprimant dans un langage symbolique approprié que l'un dépend de l'autre. Ainsi encore l'engendrement n'est pas perçu comme un acte ponctuel, mais comme un acte continué[93].

Conclusion: le corps manifeste la relation organisée et durable; il porte en lui les traces, le témoignage (physique et symbolique) des corps parentaux. Ce sens du corps n'est explicable que d'un point de vue relationnel.

2. Mais à côté de ces faits qui manifestent l'importance du corps, on serait tenté d'ajouter d'autres faits qui pourraient signifier la *futilité* ou l'*inconsistance* du corps.

En effet, l'Afrique croit communément aux métamorphoses (mythiques ou actuelles), à la possibilité de quitter son corps, de tenter des actions para ou extra-corporelles (sorcellerie, magie); elle pense fournir aux défunts et aux puissances invisibles, un support matériel commode, réalisant leur présence réelle aux vivants et permettant la communication; on croit communément qu'un bébé mort en bas âge renaîtra dans le nouveau-né suivant de telle sorte que si on fait une marque sur le corps du premier, on la retrouvera sur le corps du second.

On pourrait dire sans aller plus loin: tout ceci est mythique. Une philosophie rationnelle n'a qu'à démystifier cet amalgame. Sans doute y a-t-il là beaucoup d'illusions, mais encore faut-il expliquer pourquoi l'illusion existe.

On pourrait encore objecter que nous avons grand tort de mettre dans la même catégorie le corps vrai et ses divers avatars. Certes à première vue il n'est pas évident que ces rapprochements soient fondés. Mais pour nous c'est une question de méthode: d'abord tous les détails sont signifiants à condition de préciser à quel niveau ils le sont; ensuite en matière culturelle, la sémantique d'un *item* ne s'éclaire que dans la mise en structure. La signification du corps ne peut ressortir que de la confrontation avec les corps-substituts, les corps jugés défectueux ou monstrueux et les dé-corporalisations. L'imaginaire est aussi significatif que l'expérience réelle.

Cette inconsistance du corps, quelle est donc sa signification? Elle ne signifie pas, croyons-nous, que l'‹âme› ou quelque principe spirituel est plus important que le corps; ou que le corps est illusoire et dépassable. Elle signifie que la *relation*

---

93 La réflexion occidentale a tendance à minimiser l'acquis, l'habitude, l'institution, parce qu'elle y voit une tentation d'enlisement pour la personne définie comme liberté et conscience, comme projet tendu vers l'avenir. La réflexion africaine considère au contraire l'acquis, l'habitude, l'une-fois-donné, comme une source de vie, lien vivifiant toujours actif, sans lequel le présent ne serait rien.

est mise à mal. Au fond, nous ne devons pas parler d'inconsistance du corps, mais d'inconsistance de la subjectivité. Chaque fois que l'on change de corps, que le corps est dépouillé, c'est que la subjectivité est en déroute, c'est qu'elle est en train de briser les relations normales. Chez les Mossi, quand une personne ne se maîtrise plus, qu'elle est en colère, on dit que ‹son *kinkirga*› est en train de faire des siennes: «laisse son *kinkirga* s'apaiser»; et l'on désigne par là ce génie de la brousse qui s'est incarné dans le sein maternel et est devenu, en se corporalisant, et en s'humanisant, cette personne normalement maîtresse d'elle-même. Cette déroute émotionnelle du corps est manifestation de l'esprit non-humain. La vie relationnelle droite et normale se manifeste dans un corps sain et maîtrisé. De même, si l'on raconte dans des fables, que telle femme était d'abord un génie sorti du marigot qui a pris des apparences humaines, c'est qu'on veut dire que la femme est un être ambigu, peu docile, aux relations peu sûres; «son corps n'est pas un vrai corps», signifie au fond, ses relations avec l'homme ne sont pas solides, on ne peut compter sur elle[94]. Nous devons donc dire que le corps est ce qui leste la subjectivité volage ou rebelle. Dans la vie relationnelle, le corps est toujours considéré avec le sérieux le plus extrême; mais c'est la subjectivité qui ne prend pas toujours la vie relationnelle au sérieux et voudrait bien parfois s'en dispenser[95].

Les philosophes notent que le corps est ce qui sépare, «moi ici, toi là», le corps isole, le corps se clôt sur lui-même (cf. J. Brun 1961: 63, 65). En Afrique il faut plutôt dire qu'il est ce qui unit, ce qui permet la relation droite; tandis que la subjectivité désunit en offrant à la personne la tentation de l'individualisme.

Appliqué aux invisibles, le principe est le même. Tant que les défunts n'ont pas trouvé ce support rituel, il sont censés errer, mécontents et vindicatifs; c'est que les relations normales ont cessé avec la mort et qu'il s'agit maintenant d'instaurer un nouveau type de relation. Les puissances invisibles sont, nous l'expliquerons plus loin, des représentants de l'En–dehors, foncièrement non-humains, donc dangereux, suspects, ambigus, tant qu'ils n'ont pas été maîtrisés en quelque sorte, par un rituel d'alliance qui les lie à un support et réglemente les relations. Nous croyons donc que la pensée africaine est logique jusqu'en ses applications illusoires.

Nous concluons donc en réaffirmant l'importance primordiale du corps dans la vie relationnelle droitement vécue.

3. Il y a, si nos raisonnements sont exacts, un *dualisme* africain, mais qui n'est pas le même que le dualisme grec et occidental. Ce que nous avons dit du corps et de la subjectivité le montre assez[96]. En Afrique comme ailleurs, l'homme sait

94 Evidemment c'est le son de cloche des mâles, non des femmes. La civilisation africaine est à prépondérance masculine.
95 Il y a différentes façons de s'évader des relations normales: par le choc émotionnel, la sorcellerie, les aventures dans l'En–dehors (6e catégorie), la condition suprahumaine des héros magiciens, la possession par les ‹esprits›. En tous ces cas, le corps est considéré comme objet de transformation.
96 La négation du dualisme en Afrique relève de la polémique anti-occidentale. La vérité c'est qu'il ne s'agit pas du même dualisme.

bien que son corps et sa pensée se distinguent. La duplicité est fort bien analysée[97]: mais c'est la subjectivité qui refuse la relation tandis que le corps l'affirme. Le dualisme africain distingue le domaine où se vit normalement l'ordre
relationnel, dans lequel la personne apparaît comme unifiée, subjectivité et corporalité bien intégrées; et le domaine où l'ordre relationnel est bafoué, inexistant, ou
impossible; là le corps ne retrouve plus sa place normale. Disons aussi qu'il ne
convient pas d'employer pour l'Afrique, sans de sérieuses mises au point, le terme
philosophique occidental ‹spirituel›, ‹spiritualisme›, lequel est tout chargé
d'une histoire de la pensée, qui s'origine au platonisme, minimise le corporel, privilégie le gnoséologique, voit dans l'Idée ou l'Un, ou l'Etre, le lieu vers quoi doit
tendre l'homme. Rien de cela se retrouve dans le relationnel africain[98].

4. Il reste un mot à dire sur la fonctionnalité du corps dans la *connaissance*. Les
facultés intellectuelles et sensorielles ne fonctionnent pas en Afrique autrement
qu'ailleurs, cela va sans dire. Mais l'importance du corps donnera sans doute à
la connaissance africaine son caractère éminemment concret, symbolique. Le
corps, c'est-à-dire la personne vivant droitement ses relations, est l'outil ou le pro-
montoire avec lequel (du haut duquel) les symbolismes seront édifiés.

2.4.7 La Corporalité comme catégorie

La catégorie *Corporalité* signifie, au minimum, la présence du corporel dans toute
relation interpersonnelle. Mais le terme ‹présence›, trop neutre, pourrait signifier
seulement un être‑là quelconque; or le corps n'est pas seulement témoin ou expression de la relation, il est aussi le point de départ et le terme de la relation.
C'est dans la personne indissolublement sujet et corps, que la relation fonctionne.
Abstraitement *la corporalité est la relation même, subjectivement droite et conforme à la tradition.* Par ces mots, nous maintenons la catégorie corporalité à l'intérieur des trois précédentes. La définition donnée ne met aucun accent sur la réalité biologique, substantielle du corps. Le corps bien vivant n'est pas autre chose
que la personne en bonne relation; le corps malade est la personne dont les relations sont perturbées.

---

97 Proverbe rundi: «Dire bonjour n'enlève pas les sentiments mauvais de l'âme» (Rodegem
1961: 183 n° 1658; 1983: n° 3052); «La bouche parle autrement que le cœur ne sait les choses»
(1961: 280 n°2700; 1983: n° 2722). Proverbe mongo: «Amitié des yeux, critique du cœur» (G.
Hulstaert 1958: 92 n° 284); «Le cœur est un panier à couvercle» (116 n° 378). Autre proverbe
rundi: «Le rival de l'homme c'est son corps» (Rodegem 1961: 295 n° 2855; 1983: n° 1672), car
le corps qui doit se plier aux relations, ne répond pas aisément aux fantaisies de la subjectivité.
98 Par contre nous avons le droit d'appeler ‹esprits› ces êtres invisibles non-humains, ambigus
(non pas les ancêtres). Leur non-corporalité caractérise précisément leur inhumanité, leur inapti-
tude à la vie relationnelle humaine proprement dite, telle qu'elle est éprouvée entre hommes
normaux.

2.5 Cinquième catégorie: la Manipulation

La personne vit par les relations. Or celles-ci ne sont jamais acquises une fois pour toutes. Il y faut une activité permanente, ce que nous exprimons dans cette catégorie ‹Manipulation›.

Dans la relation il y a des partenaires en présence, au moins deux. De plus la relation n'est pas inventée de toutes pièces, mais se veut conforme à la tradition. Nous allons donc trouver la manipulation au niveau des partenaires (en tant qu'ils sont des subjectivités et corporalisés), et au niveau de la tradition. En elle-même la relation est échange, prestation et contre-prestation, dialogue, services mutuels; elle comporte des actes à poser et d'autres à omettre (interdits); à ce niveau-là aussi, il y a manipulation. Nous appellerons cet ensemble: la manipulation des constituants de la relation. Il faudra considérer aussi que les relations ne sont pas compartimentées et atomisées; elles sont reliées entre elles, d'où un nouvel ensemble: les relations en interdépendance.

2.5.1 La manipulation des constituants de la relation

2.5.1.1 Manipulation au niveau des personnes

Les partenaires dans la relation sont des subjectivités libres. La manipulation consiste, par exemple, à sonder les dispositions du partenaire, pour se le concilier, le gagner, le ‹flatter›; ainsi, dans les démarches de fiançailles; quand l'intéressé sent que son partenaire n'est plus aussi chaud, l'inquiétude le pousse à des démarches comme la consultation d'un devin, la mise en œuvre de pratiques magiques (philtres amoureux, amulettes offensives ou défensives); quand quelqu'un a un mauvais caractère on peut essayer de le réformer[99]. Quand un groupe doit arriver à l'unanimité, il faut une manipulation par la parole-palabre pour que chaque individualité arrive et consente à la décision commune; une personne peut être amenée à confesser ses fautes pour obvier à un danger; entre amis il y a des sondages de dispositions, ce sont les preuves et les épreuves de l'amitié[100]; dans les affaires de justice, dans les conflits, il faut arbitrer, protéger le droit, et sauvegarder les

---

[99] Chez les Yoruba, par exemple, on connaît un rituel pour ‹réformer la tête› (c'est-à-dire le caractère) de quelqu'un qui est mauvais. On utilise des herbes, on les fait tremper et macérer dans l'eau puisée dans une rivière de bon matin; on y verse la poudre *ifa* sur lequel a été inscrit l'oracle relatif à une bonne tête. L'intéressé doit se raser la tête, la laver avec cette eau, confesser ses fautes, exprimer ses résolutions pour une vie meilleure, et le prêtre l'exhorte à observer des interdits moraux particuliers (cf. E.A. Adegbola 1969: 173-174). On remarquera dans ce rituel très expressif, l'importance de la subjectivité et de la corporalité dans le rétablissement des relations normales.

[100] Sur lesquelles reviennent souvent contes et proverbes (cf. Y. Tiendrébéogo 1964: 32, 63, 67; proverbes 28, 55, 56).

nécessaires hiérarchies[101]. Ces manipulations se retrouvent aussi quand la relation rassemble des hommes et des invisibles: il faut aussi sonder les dispositions de ces puissances et s'arranger avec elles; de leur côté, les hommes doivent avouer leurs fautes, leurs besoins, leurs inquiétudes. Dans les phénomènes de possessions, il y a intense manipulation de la personne chevauchée et de l'esprit chevaucheur, car il ne s'agit pas de manifestations chaotiques, mais de rituel bien réglé, comportant une éducation ad hoc et une utilisation de façon déterminée (cf. L.V. Thomas et al. 1969: 145s.).

Les personnes réagissent donc les unes aux autres et s'influencent réciproquement. En tout cas interviennent et la subjectivité et la corporalité. Au niveau de cette dernière, la manipulation apparaît dans l'établissement des corps–substituts, dans les croyances (ou les actes) de dé-corporalisation, dans la constitution de prolongements du corps comme le *kutogolo* dogon, dans les rituels.

2.5.1.2 *Manipulation au niveau de la tradition*

Si la tradition est un consensus des vivants, elle est manipulable. Il est possible de truquer les généalogies et les appartenances lignagères[102]. L'inceste ou certains empêchements matrimoniaux peuvent être tournés[103]. Certains faits ou présages que la tradition estime dangereux peuvent être neutralisés: ainsi, chez les Bété, la naissance d'un dixième enfant est réputée dangereuse, on fait alors un nouveau mariage fictif de la femme qui enfantera non son dixième, mais son premier enfant. La solidarité et l'assistance, la paix et le bon ordre social sont de règle

---

101 Cf. G. Hulstaert (1961: 40 s.): «Contre la décision du patriarche un sujet qui se croit lésé n'a pas de recours théorique, puisqu'il se trouve devant son souverain, qui est en même temps le juge de son groupe. Ici encore l'autocratie était mitigée par la loi, soit par les... ordres de Dieu...; soit par les... lois des ancêtres. Ces lois régissent tous les Mongo ou, dans des cas de détail, tous les groupes d'une même peuplade ou tribu; elles sont donc au-dessus de l'entité politique et de son patriarche... Le sujet peut donc soumettre son cas à des patriarches apparentés. Ces arbitres... ne constituent pas un tribunal mais examinent l'affaire à huis clos. S'ils trouvent que le patriarche est en tort ils le lui expliquent et tâchent d'obtenir qu'il observe la loi et rende justice au sujet, enjoignant à celui-ci de faire acte de soumission à son 'père' et de ne jamais se glorifier d'avoir obtenu gain de cause contre celui qui est l'intermédiaire entre lui et Dieu.»
102 G. Balandier donne des exemples de manipulation du sacré, des parentés (1967: 26, 61, 82, 137, 138). P. Mercier (1968: 147, 181, 275, 333, 354): manipulations lignagères, du droit de propriété, du principe de séniorité. W.E. Mühlmann (1968: 88): «Les terres où les Kikuyu voulaient s'établir étaient du bushland, terrains de chasse des Ndorobo. Pour en faire des terres cultivables, il fallut entre les Kikuyu et les Ndorobo un acte solennel et rituel de communication, d'"adoption réciproque", par lequel les ancêtres Ndorobo furent changés en Kikuyu. Ainsi l'acte juridique d'appropriation du sol est supposé avoir lieu à l'intérieur du groupe, – seule possibilité légitime» (cf. J.C. Froelich 1968: 37, 230).
103 Chez les Mossi, si quelqu'un épouse un *yaghêga* (sang interdit), il faut d'abord des circonstances exceptionnelles, et prendre la précaution de porter un bracelet *kalembâga* (bracelet-mélange) contre ce mélange de sang (cf. R. Pageard 1969: 60). Chez les Mongo, les premiers mois de la grossesse sont dangereux pour la femme et son mari, plus rien ne leur réussit à la chasse ou à la pêche; mais des procédés permettent d'obvier à ces inconvénients (G. Hulstaert 1938: 472).

à l'intérieur de la parenté, mais si les difficultés s'amoncellent, certains chefs de
famille préféreront

> scinder leur groupe, céder leurs droits ancestraux, accéder aux désirs d'indépen-
> dance de leurs puinés, que de laisser se perpétuer la brouille, la mésentente, l'in-
> fraction à certaines règles (surtout l'exogamie). «Si l'entente n'est plus bonne, on
> met la forêt entre les groupes», est l'axiome exprimant cette sagesse[104].

2.5.1.3 Manipulation au niveau des relations

Au niveau de la relation, la nature des services rendus, des prestations et contre-
prestations, est l'objet de manipulation, suivant les besoins et les circonstances.
On sait l'évolution de la compensation matrimoniale, et ses avatars. Le genre de
relations qui tend à s'instaurer entre parents illettrés et enfants scolarisés est typique: les parents comprennent difficilement ces enfants; ceux-ci ne veulent pas être
commandés par des ignorants; on leur laisse donc une grande liberté; mais devenus fonctionnaires ou pourvus d'une bonne place, ces enfants savent qu'ils devront aider leur famille. Ainsi la relation parents-enfants est manipulée, adaptée
à la situation scolaire et moderne. Lorsque le jeune s'expatrie pour gagner de l'argent et trouver plus de liberté, il met en cause l'autorité paternelle; mais quand
il revient auprès de ses chefs de famille pour trouver femme, il reconnaît cette autorité paternelle: ceci permet de passer l'éponge sur cela. Nous avons dit que les
interdits étaient une pratique sociale par laquelle chacun manifeste qu'il appartient à tel groupe, ou catégorie sociale, ou se trouve en telle situation. On peut
tourner un interdit en prenant des précautions qui signifient précisément qu'on
reconnaît l'importance d'un interdit comme signe d'appartenance sociale[105]; et si
d'aventure on en a violé un, et qu'on s'en aperçoit, on peut neutraliser les mauvais
effets qui ne manqueraient pas de se produire, c'est-à-dire qu'on reconnaît son appartenance à tel groupe. Une relation rompue peut être réparée[106].

Dans les développements précédents, nous avons donné des exemples de
manipulation — changement ou adaptation. On y saisit sur le vif l'activité de la
personne. Mais la manipulation ne recouvre pas que ces arrangements, la relation
‹normale› est aussi activité et manipulation. Cela apparaîtra mieux dans ce qui
suit.

---

104 G. Hulstaert (1961: 61). Cf. H. Aguessy (1970): la manipulation des destins par Lêgba.
105 Chez les Mossi, l'impuissance prématurée peut avoir été causée par une faute de la mère;
si celle-ci, s'en aperçoit à temps, des remèdes peuvent être employés efficacement (cf. R. Pageard
1969: 128). On ne peut enterrer un pendu, mais des étrangers peuvent le faire (cf. récit de A.
Achebe in S.O. Anozie 1970: 121-122).
106 Chez les Mossi, «certaines fautes telles qu'enjambement ou morsure pourraient justifier
une suspension des effets du mariage; le *yaghêga* (neveu utérin) peut aisément tout remettre en
ordre» (R. Pageard 1969: 330, cf. 335). Exemples de ‹purification› in L.V. Thomas et al. (1969:
323-324).

2.5.2 Le cycle des relations

Les relations sont ordonnées les unes aux autres. Distinguons des relations instaurantes, des relations instaurées, d'autres qui sont maintenantes et d'autres restituantes. Ainsi l'homme qui veut épouser telle femme (relation à instaurer), doit consentir des démarches complexes (relations instaurantes) pour obtenir de ses ayants droit la femme désirée; puis auront lieu les cérémonies qui font le mariage (relation accomplissante); une fois mariés, ces époux doivent poser des relations particulières conformes à leur nouveau statut et qui doivent durer toute leur vie (relations maintenantes); lorsque des fautes sont commises dans ce système relationnel mari/femme, de nouvelles relations doivent être mises en branle pour corriger le mal (relations restituantes). La vie des époux comprend des temps forts et des temps faibles, des situations critiques ou des situations ordinaires (menstrues de la femme, grossesse, naissance, maladie, deuils, puberté des enfants), les différents cycles de travaux et de fêtes: à ces occasions des relations spéciales devront être accomplies (relations saisonnières); leur bon accomplissement contribue à maintenir la bonne marche du ménage et de la famille, autrement il faut engager des réparations. On voit donc que les relations s'épaulent les unes les autres. Cet ordonnancement des relations est manipulation.

On voit aussi qu'il n'y a pas de temps mort dans la vie relationnelle. Ainsi dans le train-train journalier l'épouse qui puise son eau et fait sa cuisine normalement, accomplit une relation inhérente à son état; de même le mari qui donne à sa femme la ration de grain convenable et mange de bon appétit la nourriture préparée. Les salutations journalières, les marques habituelles de politesse, même s'il n'y a aucun conflit latent, ne sont pas au niveau-zéro de la vie relationnelle; ils sont cette vie même.

Il convient ici de s'arrêter à un problème de terminologie. Nous rangeons sous un terme unique de ‹manipulation› des actes que d'autres classeraient dans les rites. Faut-il distinguer rites, cérémonies, étiquette suivant qu'on fait entrer ou non en ligne de compte des entités magico-religieuses ou mystiques? Faut-il parler de rituel quand se mettent en branle des dispositifs importants, parce qu'il y a crise, ou moment important, ou mal à conjurer, et appeler ‹neutral ritual status› le temps où la personne, sa famille, ses amis, ses voisins jouissent d'un état normal de santé et de paix[107]? Nous pensons qu'il n'y a pas à faire ces distinctions: il n'y a jamais de point-zéro pour les relations, avons-nous dit; et nous n'avons pas à trancher d'avance si la mise dans le circuit d'un ancêtre, d'un esprit ou d'un ‹fétiche›, change une relation profane en relation religieuse ou magique. A notre point de vue, il n'y a que des relations dont les effets positifs sont toujours les mêmes: la vie aussi réussie que possible des personnes.

---

107 Cf. G. Wagner in D. Forde (1954: 48). Voir aussi les discussions de M. Gluckman (1962).

2.5.3 Sens de la manipulation

Nous considérons toujours la relation positivement. En soi, on pourrait parler de bonnes ou de mauvaises relations, de relations droites ou de relations irrégulières ou tordues. En fait, à regarder l'expérience africaine dans sa globalité on voit bien qu'il y a un ‹sens› aux relations posées: c'est la vie réussie. Nous considérons donc la manipulation, c'est-à-dire la position des relations, dans son ‹sens› positif: en vue de la vie, de la paix, comme on dit souvent en Afrique[108].

Ouvrons ici une parenthèse. Le lecteur peut saisir ici la différence que nous faisons entre une philosophie de l'Afrique et une sociologie de l'Afrique. La sociologie enrégistre tous les types de relations, positives ou négatives, les conflits comme les concertations; tout peut être mis sur le même pied, sans appréciation, sans recherche du sens. En fait, la sociologie cherche aussi un sens, par exemple lorsqu'elle cherche à observer comment se réalise l'intégration sociale; dans une telle optique, certains faits, qui vont dans le sens de cette intégration, deviennent positifs, ceux en sens contraire deviennent négatifs. Mais la sociologie peut prendre une autre hypothèse et poser que toute société est nécessairement conflictuelle: le sens des faits sociaux est différent. En philosophie, nous ne pensons pas que ces hypothèses sont également valables; il apparaît dans l'expérience humaine africaine que l'homme cherche un idéal de paix, de vie réussie, et par le moyen des relations droitement vécues. Ainsi apparaît un sens valorisé, privilégié, absolutisé, qui devient le droit et le devoir.

Revenons à la manipulation. Les relations doivent être efficaces, c'est-à-dire conduire à la vie réussie. Il est parfaitement anormal et scandaleux que le malheur s'abatte sur une famille qui n'a rien à se reprocher. La relation, positivement vécue, droite, doit procurer santé, fécondité, longue vie, richesses, succès, considération; le refus et les fautes doivent provoquer du malheur. Quand tout le monde jouit de la santé, quand il n'y a pas d'histoires, on ne pose pas de question; quand un malheur arrive, on pense aussitôt: les relations ont été faussées, quelqu'un s'est dérobé, a eu des mauvaises intentions, a agi en sorcier, a violé un interdit; ce qui peut encore se traduire: les ancêtres interviennent pour rappeler à l'ordre la communauté, ou les puissances invisibles ont eu l'opportunité d'intervenir dans un monde humain mal intégré, ou Dieu, (qui est au-dessus de tout) a ses façons de faire à lui. Dans ce complexe, le devin aidera à trouver la vraie cause. Nous pensons que la manipulation a pour sens de faire en sorte que le bonheur corresponde aux relations droites, et le malheur aux contre-relations. Chacun doit être convaincu par l'expérience que la subjectivité rebelle n'est pas payante[109].

Or il y a dans cette conviction fondamentale, qui revient à dire que la relation est vivifiante tandis que l'absence de relations ou la contre-relation néantisent,

---

108 Il existe aussi une ‹manipulation négative›, des remèdes ou fétiches pour voler, par exemple, sans être pris, prendre la femme d'un autre, etc.
109 Thème favori de nombreux contes et proverbes. Cf. Y. Tiendrébéogo (1964: 119): «Si un enfant suit la parole de son père, rien de mal ne lui arrivera...»

un postulat qui manifeste quelques apories du système africain.

Pour que le bonheur suive toujours les relations droites, il faudrait que la *nature extérieure* (ce que nous appellerons l'En – dehors) soit sensible à la qualité de la vie humaine; que la pluie tombe toujours sur les bons et pas sur les mauvais.

La première constation à faire ici c'est que l'Africain commence par une connaissance approfondie de son milieu naturel: connaissance des sols, du climat, de la faune, de la flore, bref de tout l'environnement. Il développe, au cours d'expériences séculaires, des techniques appropriées, de telle sorte que, quand l'Africain fait correspondre la vie réussie à la vie relationnelle, il ajoute en fait une quantité énorme de connaissances, de techniques qui ne sont pas d'ordre relationnel. Si ce n'est que ces connaissances et techniques se transmettent dans un cadre relationnel; que la tradition se présente comme la conviction que les expériences accumulées par les ancêtres ont fait leur preuve. Quand le paysan africain se livre à la culture du mil ou du manioc, il le fait d'abord en utilisant ces connaissances et techniques; il s'y ajoute un ensemble de règles socio-culturelles qui ressortissent à la définition d'un ordre relationnel; par exemple la femme a telle tâche, l'homme telle autre; les jeunes doivent participer à la culture des champs selon telles modalités de travaux en commun, etc.

Quoiqu'il en soit de l'étendue de ces connaissances et techniques, il n'en reste pas moins vrai que l'Africain pose une connivence entre l'ordre humain et le cosmos: par exemple, c'est parce qu'il y a une alliance entre mes ancêtres et cette terre, que cette terre me sera favorable (à la chasse, dans les cultures) tant que j'obéis aux ancêtres. C'est parce que j'ai rompu un interdit, que le ciel refuse la pluie, etc. Parce qu'il croit à la correspondance entre le monde humain et la nature, l'homme africain traditionnel pense pouvoir et devoir contrôler les forces de la nature, par certaines formes de la vie relationnelle[110]. Il y a là une aporie; la science moderne s'inscrit en faux contre le postulat africain: la nature est insensible aux réalités humaines. L'anthropocentrisme africain est ici mis en échec.

D'autres apories se manifestent encore. La pensée africaine en posant la connivence humanité-cosmos, se condamne à prendre la coïncidence pour la cause, *post hoc ergo propter hoc*. Un tel m'a dit des mauvaises paroles, je suis mordu par un serpent, donc c'est ce mauvais personnage qui a dirigé vers moi ce dangereux reptile. On s'expose ainsi à accuser des innocents ou des personnes marginales. Il est vrai que, dans la société africaine villageoise, où tout le monde connaît tout le monde, il est relativement facile de mettre le doigt sur un fautif véritable. En

---

110 Par exemple, les Lovedu du Transvaal ont quatre moyens de contrôler l'ordre naturel: l'utilisation de certaines médicines; l'appel aux ancêtres qui doivent procurer des biens à leurs descendants qui vivent comme il faut; la reine qui a spécialement pouvoir sur la pluie et donc sur la prospérité du royaume; enfin le *digoma* ou rituel d'initiation des garçons et des filles qui produit la fertilité (J.D. et E.J. Krige in D. Forde 1954: 61 s.). On lira dans le même ouvrage le ‹journal de chasse› rapporté par M. Douglas (1954: 17 s.): comment malgré les consultations des devins, on part à la chasse sans rien prendre.

tout cas l'expérience vient à point confirmer la théorie[111]. Il faut défendre le système contre le scepticisme, car tout s'écroulerait: si la relation n'était plus aussi bénéfique qu'on le dit, alors vive l'individualisme et chacun pour soi![112] Aussi la manipulation aura beau jeu: il est toujours possible de faire disparaître les indésirables[113]; c'est la société qui se défend elle-même et défend son système.

Quoiqu'en disent certains apologistes, la société africaine traditionnelle n'est pas exempte de l'exploitation de l'homme par l'homme. La manipulation qui permet aux mieux situés dans l'échelle relationnelle, de draîner vers eux les services des autres, est aussi un fait. L'ordre relationnel ne profite pas à tous de la même façon. Les sanctions aux infractions, rébellions ou contestations, peuvent être mises au compte de puissances invisibles vengeresses (ancêtres, ‹esprits›); elles n'en sont pas moins parfois de simples règlements de compte, adroitement réalisés, pour le plus grand profit de certains.

Enfin le système renvoie au passé. Certes il y a un certain sens du risque: «Ce n'est pas aussitôt que l'enfant a mangé le plat interdit qu'il tombe malade», disent les Bété (Holas 1968c: 71). Mais quand il se produit quelque chose de désagréable, c'est le passé qu'il faut interroger: qui a posé quelle action incorrecte? De plus, pour que la nature ait plus de chance de correspondre aux désirs humains, il faut la traiter selon les règles traditionnelles. L'innovation est donc dangereuse[114], la prospective peu encouragée.

Le système africain se déroule donc au sein d'une croyance, d'une foi commune: la correspondance entre la vie relationnelle droite et les heureux événements. Le système embrigade tout le monde, il exige la participation de tous, chacun selon sa place, il n'admet pas l'isolé qui voudrait vivre sa vie à sa façon

111   Pas toujours, surtout maintenant! «Une jeune... (fiancée légale) du grand chef Bay a refusé d'être épousée par lui (puisqu'il était déjà très âgé). Le chef a menacé de la frapper de stérilité. La fille n'a pas changé d'avis et a suivi l'homme de son choix. Lorsqu'elle a mis au monde un enfant vigoureux, le chef s'est plaint que les idoles (sic!) étaient devenues impuissantes» (*Dieu, idoles et sorcellerie dans la région Kwango-Bas-Kwilu* 1968: 107).

112   C'est le point d'attaque du modernisme. La vue des Européens qui possèdent tant de choses, sans vivre le système relationnel africain, contribue à poser le problème. La prospérité ne vient pas uniquement par les relations; elle vient aussi par l'argent; et pour avoir l'argent, on est prêt à toutes les contre-relations. D'où la réflexion baoulé: «Les fétiches ne sauvent pas, les Blancs ont un fétiche plus fort que les nôtres: l'Argent» (V. Guerry 1970: 122).

113   Exemple dans H.K. Patokidéou (1970: 156): «Pour lutter contre les rebelles (chrétiens), les traîtres aux traditions, à l'idolâtrie, le sacerdoce traditionnel provoqua des malaises, des maladies, des empoisonnements chez les curieux qui osaient écouter l'évangile chrétien. Les victimes ne pouvant être soignés ni par l'Eglise papale, ni par le fameux dispensaire figuratif de tout le canton, eurent recours à la pharmacopée. Or la pharmacopée est dirigée par les responsables du culte de la nature, et ceux-ci conditionnèrent, comme on devait s'y attendre, la guérison des malades à leur retour à l'idolâtrie.»

114   D'où le thème de certains contes: un animal (boa, chien, coq, etc.) demande à Dieu pourquoi il est fait de telle ou telle façon, il préférerait telle autre condition de vie. Dieu le lui accorde. Mais l'animal est soumis à une épreuve inhérente à ce nouveau genre de vie et revient demander à Dieu son statut antérieur. Il ne faut pas troubler l'ordre (*Dieu, idoles et sorcellerie dans la région Kwango-Bas-Kwilu* 1968: 64).

selon d'autres principes. C'est pourquoi les personnes sont manipulées (par l'éducation, les initiations, la pression sociale) pour entrer, rester et vivre dans le système. Tant qu'on est à l'intérieur de ce système, il n'y a pas grand mal, sauf exceptions; mais quand on prend du recul par rapport à lui, que la critique s'instaure, que la foi diminue, il risque d'y avoir débandade.

Nous avons insisté sur quelques apories. Terminons sur une réflexion positive. Il faut bien que la correspondance postulée entre les bonnes relations et la vie prospère, se manifeste le plus souvent, autrement le système ne fonctionnerait pas. De même il n'y a rien d'extraordinaire à ce que le malheur soit mis en corrélation avec les contre-relations; comme dit la sagesse mongo «les misères de la terre, personne qui ne les éprouve; la détresse du monde, personne qui ne se trouve dans le besoin»; autrement dit le malheur ne chôme pas et la question «pourquoi? qui?» se pose fréquemment; d'autre part, les querelles, les paroles mauvaises, les fautes volontaires ou non contre l'unité du groupe ne sont pas choses rares, étant donnée la faiblesse humaine! Le *post hoc, propter hoc* peut toujours jouer d'une manière ou d'une autre. Il reste à se demander: mais comment les rituels peuvent-ils produire réellement le bonheur? Ne sommes-nous pas en pleine magie?

Nous pensons que non. Envisageons différents niveaux: certaines substances utilisées peuvent avoir des effets médicaux réels; la symbolique rituelle, le fait même de la réunion rituelle peuvent avoir des effets psychosomatiques cathartiques importants; il y a surtout ceci, qui est primordial à notre avis: les rites obligent les intéressés à faire l'union, à s'interroger sur leur désunion[115]. Autrement dit, à l'intérieur de la foi au système, chacun est invité à jouer sérieusement le jeu relationnel. L'union relationnelle, donc la bonne entente, la joie commune, le sentiment de sécurité s'exercent en posant les rites. On aurait donc grand tort de donner aux rites une causalité magique; d'ailleurs qu'est-ce qu'une causalité magique? ni physique, ni psychique, *sui generis*, qu'on invoque commodément quand on ne comprend pas, quand le système des autres paraît irrationnel à notre propre système! Le rituel, la relation n'ont rien d'une magie; ce sont des exercices de vie en commun, c'est la vie en commun elle-même. Là-dessus s'ajoute une croyance: c'est le meilleur moyen pour avoir une vie heureuse et prospère. La philosophie discute le bien-fondé de cette croyance. Le bon sens pourrait dire: après tout, même s'il n'y a pas causalité stricte, la vie relationnelle a sa valeur en soi et pour ce qui est de la vie réussie et prospère, ce n'est pas un moyen pire qu'un autre!

---

115 A. Harwood (1970: 41): La société des Safwa (Tanzanie) fait de l'union son idéologie fondamentale, les rites répètent: «We should be of one heart.» Après une cérémonie de restauration, cette adresse est prononcée au chef et à la communauté: «Now then, go and talk to one another. We have failed with your people. You yourselves talk it over. After you have discussed things together, brew beer. We shall all come to drink it and dance here... Discuss this matter, you people. It is already very late. Don't refuse. Let us finish this matter.»

2.5.4 La Manipulation comme catégorie

D'abord pourquoi ce terme? Manipulation évoque laboratoire, activité manuelle; or beaucoup de manipulations africaines sont effectivement rituelles, manuelles, gestuelles; le devin, le guérisseur manipulent des produits.

Mais aujourd'hui manipulation évoque surtout l'action des hommes sur les hommes. Le mot a un sens péjoratif et polémique. Il laisse entendre que certains processus sociaux manquent de transparence; qu'une minorité habile et lucide mène un troupeau inconscient; qu'elle en tire avantage sans que l'autre s'en rende compte; qu'elle sait même en neutraliser le jugement critique. Certes l'homme, animal social, est soumis naturellement à la pression sociale, au contrôle inconscient; il consent à faire comme les autres. Dans le concept de manipulation on ajoute une note de sournoiserie supplémentaire, et surtout on rompt l'égalité: certains manipulent à leur profit et sciemment, les autres se laissent tondre sans le savoir. La manipulation s'oppose d'autre part à l'exercice brutal de la répression.

Or il y a un peu de tout cela dans la situation africaine. Il y a un ésotérisme, un secret des chefs et des vieillards, des devins et des guérisseurs. Chargés de garder l'ordre social, ils s'arrangent pour que le malheur coïncide avec le refus des relations ordinaires. Plus profondément, il y a sous le système relationnel africain, le présupposé, qui ne doit pas subir de démenti, que la relation fait vivre et la non-relation mourir; et il faut que tout le monde y croit. C'est à cause de cette pointe de crédulité, d'ésotérisme, et parfois d'abus, que nous préférons le terme *manipulation*, à des termes plus neutres tels que activité, praxis...

Qu'est donc la manipulation comme catégorie de la philosophie africaine que nous exposons maintenant? C'est *la position par les personnes intéressées des relations en elles-mêmes et en interdépendance pour obtenir le fruit bénéfique de la vie relationnelle.*

2.6 Sixième catégorie: l'Irréductible ou l'En—dehors

2.6.1 Exploration

Cette dernière catégorie ne voudrait pas être prise pour le casier-dépotoir, où, en fin d'inventaire, vient aboutir tout ce qui cadre mal avec la théorie. Toute philosophie rationnelle et systématique tend au monisme; or la réalité, plus riche que le système, comporte un reste qui fait figure d'irrationnel et devant lequel il faut bien prendre position. La philosophie du Je—Avec n'y échappe pas. La conception selon laquelle la personne est essentiellement relationnelle constitue une option qui sacrifie quelque chose de la réalité. Dans la rationalité du Je—Avec, se glisse partout de l'irrationnel; chacune des catégories précédentes laisse échapper quelque chose qu'il nous faut maintenant recueillir.

La personne est *Relation*; sans elle la personne tend au néant. Sans doute, mais l'être n'est pas que relation, ce n'est pas un zéro ontologique, il a tout de même un minimum de consistance propre qui pourrait s'accroître et se libérer plus ou moins des relations: tentation de l'auto-suffisance. Retenons le fait massif du contact violent du monde africain avec le monde occidental: celui-ci est fondé sur d'autres options lesquelles apportent au Blanc, richesses, puissance, argent. La réussite de la vie qui, naguère, en Afrique, ne pouvait s'atteindre que par et dans l'ordre relationnel, paraît désormais pouvoir être obtenue par d'autres moyens. Le monde du Blanc est quelque chose d'étranger, d'irréductible par rapport au monde relationnel africain: il suscite le rêve, l'angoisse, le désir, la haine et la culpabilité[116].

La catégorie *Subjectivité* montre que la relation exige la participation volontaire et bien intentionnée de la personne intelligente et libre; mais en même temps elle met le doigt sur ce noyau de liberté qui peut toujours se dérober. L'expérience africaine le reconnaît: la personne est traversée par des ‹forces› que l'on peut appeler destin, caractère ou démon.

La *Tradition* principalement tournée vers le passé et vers le dedans de la société, ne peut pas empêcher, surtout maintenant, que l'Africain ne se trouve en présence d'autres ‹traditions›, de l'inadmissible pourtant désirable. L'étranger est accueilli avec joie mais aussi avec crainte. C'est une personne sans défense qui vient bouleverser l'univers quotidien de la communauté d'accueil dont il relativise valeurs et modes de vie, par sa présence même. Il faut donc le neutraliser et le surveiller. L'hospitalité a aussi son ambiguïté (cf. A. Sanon 1972: 284ss.).

La relation droite est *corporalisée*. Une corporalité saine et réussie est le fruit de la relation bien vécue. Ce qui n'empêche pas l'irrémédiable et scandaleuse mort de frapper n'importe qui. Un rêve est une sortie du corps vers d'autres horizons; et l'émotion, l'irruption en moi du non-maîtrisé. Même fixées en des corps d'emprunt les ‹Puissances› restent autres, jamais parfaitement apprivoisées.

La *Manipulation* ne résoud pas complètement l'aporie de la vie relationnelle. La réussite ne vient pas toujours à point nommé. Le devin est obligé de chercher, à pile ou face, les moments favorables à l'action. Ce qui veut dire que, tant du côté des personnes, que hors du monde humain, il y a une ambiguïté irréductible.

Enfin il est logique de considérer qu'*en−dehors* du système relationnel, du monde plus ou moins fermé de la société traditionnelle où jouent les connexions interpersonnelles, réglées par une tradition précise, se trouve un autre monde qui reste insensible à ce système des relations. S'il était totalement perméable à celles-ci, ce ne serait pas un autre monde. Mais si cet En−dehors était absolument autre ou infiniment éloigné, il serait totalement insoupçonné. Cet En−dehors irréductible est donc en fait tout proche, sans cesse référé à l'en−dedans. Nous en ferons notre sixième catégorie.

Une image peut nous servir de guide: la brousse (ou la forêt dense, ou les grandes eaux, ou le désertique). La brousse c'est l'englobant du village, le ‹premier-

---

116 «Les Blancs égarent» nous disait un jour un élève de seconde. Il y a une étude à faire sur l'imaginaire africain concernant les Blancs.

né› . D'où une opposition sémantique, fondamentale en Afrique, entre la brousse
et le village[117]. Or la brousse c'est le repaire des ‹esprits› non-humains; il est
dangereux de s'y aventurer sans précautions, on y risque la dévoration[118]. Il faut
cependant se garder d'identifier En−dehors et brousse; l'en−dehors se retrouve
aussi dans la subjectivité individuelle.

Cette sixième catégorie nous rapproche de l'opposition nature/culture sans
pourtant se confondre avec elle. L'En−dehors que nous envisageons représente
plutôt ce qui est irréductible à l'ordre relationnel proprement dit, donc à une certaine option culturelle. Les autres cultures possibles sont rejetées au-dehors; elles
seront considérées comme de la non-humanité et de la sauvagerie si l'option relationnelle est intransigeante; elles pourront au contraire se révéler désirables si la
confiance dans l'ordre intérieur est ébranlée.

Pour mieux fixer idées et images, nous développerons quelques exemples.

2.6.1.1 Exemple 1: L'enfant nit ku bon (ou personne mauvaise)

On donne ce nom, chez les Wolof du Sénégal, à des enfants au comportement
étrange, du point de vue traditionnel (Zempléni et Rabain 1965: 329s.; L.V. Thomas et al. 1969: 325).

L'étrangeté du comportement de ces personnes vient justement de ce qu'il ne
correspond pas au Je−Avec. L'enfant refuse les échanges, il a tendance à s'isoler,
baisse sa tête trop grosse, ‹son cœur ne veut pas donner› ; extrêmement sensible,
il fait des crises de colère, et réagit violemment à tout ce qu'il interprète comme
hostile à son égard. Parfois ces enfants sont atteints de malformations congénita-
les, ou malades, ils grandissent mal; parfois aussi ils sont beaux, trop beaux, et
réputés connaître beaucoup de choses. Bref, il s'agit de personnes mal insérées
dans le groupe, psychiquement ou physiquement[119], qui ne jouent pas le jeu normal du Je−Avec.

Comment expliquer une telle anomalie, puisqu'on ne peut pas accuser l'enfant
de mauvaise volonté systématique? Le Wolof pense qu'un être non-humain est
venu se fourvoyer chez les hommes; un esprit *rab* s'est incarné ou possède cette
créature, ou bien c'est un ancêtre fantasque. Aussi pense-t-on que cet enfant peut
mourir − c'est-à-dire, retourner chez lui, dans son monde non-humain −, quand

---

117 Parfois une opposition ternaire: village/terres cultivées/brousse non-cultivée.
118 La littérature des contes montre que les ‹aventures› se produisent dans la brousse, donc
moyennant un voyage (une sortie du village); l'imaginaire de l'engloutissement ou de la dévoration y tient une place essentielle: le lièvre risque sans cesse d'être avalé par la hyène, mais c'est
elle, − symbole du non-humain − qui finit par être engloutie.
119 M.C. et E. Ortigues (1966: 32): «Un enfant qui s'isole inquiète son entourage, son isolement
est ressenti comme chargé d'hostilité. Parlant de son neveu de dix-huit ans, qu'il élève, un oncle
dit: 'c'est un enfant pas régulier, taciturne, désintéressé des activités de la société; il méprise les
autres'. Et inversement ce qui est valorisé chez l'enfant est ce qui témoigne de sa bonne insertion
dans le groupe. Les formules les plus courantes sont: il obéit bien; il écoute les conseils; il est
calme; il ne taquine pas ses petits frères; il n'insulte pas; il s'accompagne avec ses camarades;
c'est l'enfant régulier; il ne s'occupe pas des affaires de son voisin.»

il le veut; et de fait on peut pratiquer un rite de renvoi de l'enfant *nit ku bon* dans son monde propre qu'il n'aurait pas dû quitter. On pense aussi que cet enfant, s'il baisse sa tête trop lourde, c'est qu'il a trop de connaissances, qui lui viennent précisément de ce monde-là, connaissances indisponibles pour la société.

Cette interprétation Wolof nous semble correspondre à ce que nous appelons l'En–dehors ou l'Irréductible. Un comportement étrange parmi les humains, signifie un être non-humain; et l'étrangeté – que l'on note bien – est considérée du point de vue du normal relationnel. Que peut apporter aux hommes cette présence incongrue? du bien ou du mal, c'est de l'ambigu. On peut renvoyer l'enfant, on peut chercher à l'acclimater. On peut en être fier et l'appeler ‹personne mauvaise› pour ne pas exciter la jalousie et camoufler la merveille; on peut aussi être perplexe devant cet étranger sur lequel on n'a pas prise.

2.6.1.2 Exemple 2: L'Araignée et le chasseur[120]

L'araignée et le chasseur font la cour à la même jeune fille. Qui l'emportera? Ils se rendent chez ses parents. L'araignée dit au chasseur: «Ami, si dans la maison on parle de fiancé, ce sera toi; si l'on parle d'étranger, ce sera moi.» Le chasseur accepte. Ils arrivent. Selon l'usage ils saluent les parents. Le père et la mère saluent ‹l'étranger›, le font asseoir, lui apportent de l'eau à boire, de l'eau pour se laver, puis un repas. Le ‹fiancé› ne reçoit rien, ni salut, ni siège, ni eau, ni nourriture. Le soir venu, on offre à ‹l'étranger› une case et une natte; ‹l'étranger› peut tenir compagnie à la fille; tandis que le ‹fiancé› reste dehors. La fille préfère ‹l'étranger›. Le lendemain matin, les villageois partent en brousse pour une battue. L'araignée se joint au groupe, tandis que le chasseur saisit l'occasion pour rester et faire la cour à la fille. Il se fait même préparer un plat de nourriture et de sauce, qu'il a juste le temps de cacher sous deux jarres au moment où l'araignée revient de la chasse. Le chasseur lui demande de raconter ses exploits. Elle dit: «J'ai vu une biche, loin de moi comme cette jarre et je l'ai ratee» (et elle montrait la jarre qui cachait le plat de mil). Un peu après: «J'ai vu un lièvre près de moi, comme cette jarre» (et elle montrait celle qui cachait le plat de sauce). Etonné, le chasseur fit remettre le repas à l'araignée. La fille lui redonna sa préférence. Les parents promirent. Ils repartirent tous les deux.

En cours de route, le chasseur se changea en molletières; l'araignée les ramassa et se les mit pour danser; mais pensant que c'était choses dangereuses, elle les jeta. Puis elle aperçut des seins de femme; elle se dit que c'était sa fiancée et les mit dans son sac. Là ils se transformèrent en sexe de femme, qui se mit à manger les petits pois que contenait le sac. Ça faisait un petit bruit. Entendant ces craquements et rencontrant un boiteux, l'araignée lui demanda qui jouait ainsi du balafon. Le boiteux répondit: «Si je te dis là où c'est, tu ne me croiras pas; autrement, c'est dans ton sac.» L'araignée se moqua de lui. Elle interrogea un borgne, et eut la même réponse; elle l'injuria. Arrivant chez elle, elle vida son sac dans une jarre: un vampire

---

120 Conte bobo, traduit et commenté par B.B. Somé (1969: 46). Nous résumons, sacrifiant les finesses littéraires du texte.

en sortit et se posa sur la tête de sa femme. Elle voulut assommer la bête: «Ne bouge pas», dit-elle; mais maladroite elle assomma sa femme, le vampire se posa sur la tête de son enfant; elle assomma son fils. Le vampire se jucha sur sa propre tête; pour s'en débarasser, l'araignée se précipita, tête première, du haut de sa terrasse, mais se brisa le crâne. Le vampire s'enfuit.

L'analyse structurale nous livrera facilement le sens de ce conte, à première vue, rocambolesque. Il y a deux protagonistes: l'araignée ou l'étranger A, et le chasseur C. Et il y a deux situations diamétralement opposées; dans la situation I, A est victorieux de C; dans la situation II, C est vainqueur de A. En I, A fait preuve d'intelligence sociale humaine, agit selon les règles de la politesse et on agit de même à son égard, et cela dans une situation sociale normale: la demande en mariage d'une fille, les salutations faites aux parents pour obtenir la fille, le caractère d'étranger, car seul un non-parent peut obtenir une épouse (exogamie). A représente donc l'homme social normal, intelligent, poli, qui connaît l'ordre relationnel. Le chasseur C, au contraire fait preuve de la plus grande sottise, il est inexistant; il aurait dû savoir que l'étranger serait l'hôte respecté, et que ce soi-disant fiancé inconnu était un leurre; en tant que chasseur, il aurait dû participer à la chasse qui est son domaine, – ce que fait l'araignée qui vit la vie villageoise normale. Or le chasseur, celui qui va dans la brousse sauvage, représente certainement ce qui s'oppose à l'humanité civilisée du village. Ainsi, A, c'est l'intelligence civilisée, relationnelle; C, c'est la bêtise incivile, l'inintelligence broussarde.

Dans la situation II, les positions respectives sont inversées. On quitte le monde villageois, humanisé, normal pour tomber dans le monde de l'extravagance, de l'inhumain. C, chasseur de la brousse, est doué de pouvoirs extraordinaires, notamment de métamorphoses (croyance populaire fréquente). C tend donc à A des pièges exceptionnels: la molletière, ornement de danse, ne convient pas à un marcheur, ensuite il ne s'agit plus d'une jeune fille agréable que l'on demande poliment en mariage, mais d'abâts sexuels répugnants, complètement inversés qui mangent au lieu d'être possédés. A s'y laisse prendre, complètement aveuglé; alors qu'un boiteux ou un borgne y voient clair; A méprise leur avis et, incivil, leur manque de respect. Enfin, comble de sottise, A assomme sa propre famille et finit par se suicider, aussi bêtement que possible. Dans cette situation II, on le voit, l'intelligence de l'araignée n'est que bêtise. Autrement dit: il y a deux mondes, le monde relationnel villageois ordinaire, le monde non-humain de l'en–dehors; ce qui convient à l'un est inefficace, inadmissible dans l'autre.

Mais entre ces deux mondes antagonistes, il y a une frange indécise. Ainsi dans la situation I, A fait preuve d'une clairvoyance peu ordinaire en désignant les deux jarres qui cachent les plats convoités par C; dans la situation II, A soupçonne ces molletières d'être dangereuses et s'en débarasse. On peut voir aussi que l'humiliation de C, en I, provoque sa vengeance ‹sorcière› en II, contre A trop habile.

Ainsi ce conte nous fournit le paradigme de notre système philosophique. L'en-dehors s'y manifeste avec son irréductibilité et son caractère non-humain, en même temps qu'on voit les deux mondes s'aventurer l'un chez l'autre. Il est possible de tracer le ‹carré logique› suivant:

Il est possible de tracer le «carré logique» suivant:

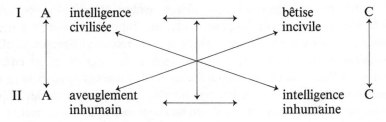

$$\begin{array}{llll}
\text{I} & \text{A} & \text{intelligence civilisée} & \text{bêtise incivile} & \text{C}
\end{array}$$

I   A   intelligence civilisée   bêtise incivile   C

II   A   aveuglement inhumain   intelligence inhumaine   C

2.6.1.3   Exemple 3: La propriété du sol

Un homme, sa femme, sa fille et son fils avaient semé dans un endroit reculé de la brousse. Le jour même, le mil a germé, poussé et donné des grains. Il en fut de même pour la calebasse et le melon. Le lendemain, le père envoya sa fille aux champs pour chasser les oiseaux. Mais, dès que celle-ci commença à crier, les *cox-sinri* sortirent de la terre. Têtes énormes et jambes toutes petites, corps larges comme un grenier, cheveux qui tombaient jusqu'aux genoux... elle eut très peur. Chaque fois qu'elle cherchait à croquer un haricot ou à manger de la farine cuite qu'elle avait apportée de la maison, ils lui arrachaient sa nourriture. Cela se répétait pendant plusieurs semaines et elle maigrissait à vue d'œil. Inquiète, sa mère la suivit un jour jusqu'aux champs. Mais elle ne put se cacher à temps, sa fille l'aperçut et se décida à lui dire la vérité: qu'elle vivait avec les *cox-sinri* malveillants auxquels appartenait leur terre. Lorsque les esprits apparurent, la mère monta sur un arbre. Mais, elle fut à ce point effrayée qu'elle laissa tomber d'abord son cache-sexe, puis sa houe que les *cox-sinri* dévorèrent aussitôt. Alors, elle déféqua de peur. Surpris par le silence de sa femme et de sa fille qui se couchèrent dès leur retour à la maison, le père se décida à aller voir lui-même le mil. Et les mêmes événements se reproduisirent. Il laissa choir son couteau, sa hache et sa lance que les *cox-sinri* engloutirent. Ce fut alors le tour du frère aîné qui prit son épée et son couteau et se jura de défendre sa sœur, fut-ce au prix de sa vie. Arrivé aux champs, il ordonna à celle-ci de préparer la cuisine. Dès qu'ils sentirent l'odeur de la nourriture, les *mozumri* s'approchèrent. Ils avaient des corps décharnés, des cheveux longs, des yeux multiples... Mais, le frère ne recula point et se mit à trancher leurs têtes avec son épée. Alors, les *cox-sinri* furent pris de panique et commencèrent à rentrer dans leurs trous d'où ils étaient sortis. Cependant, le plus vieux d'entre eux continua à chanter: «qui est-ce qui vient défricher ici? est-ce que c'est le chef?» Et les autres répondirent en chœur: «non, mais un pauvre paysan!...» Après avoir vu que les *cox-sinri* s'en allaient en direction de la brousse, le jeune homme rentra au village et raconta au chef toute son aventure. Le chef du village convoqua alors les habitants pour aller récolter le mil, la calebasse et le melon. On rapporta la récolte dans sa maison et il fit faire une offrande de tous ces produits. Le père lui-même ne remit plus jamais les pieds à l'endroit qu'il avait défriché (Adler et Zempléni 1972: 38s.).

L'imaginaire de ce conte Moundang développe d'une façon fort claire l'opposition entre une agriculture fantastique et sauvage et une agriculture policée; les monstres inhumains[121] s'opposent aux trois personnes assez imprudentes pour violer leur domaine; elles perdent à leur contact les attributs de leur humanité: vêtements, outils, armes, sang-froid; la nourriture ‹volée› aux monstres est volée par eux à la fille, autrement dit c'est une nourriture impropre à nourrir la personne humaine; par contre la nourriture cuisinée, après la récolte villageoise et l'offrande des prémices, devient profitable. La famille audacieuse qui s'aventure en brousse est opposée à l'unité du village autour de son chef. Entre ces deux séries de termes opposés, il y a un élément médiateur: le fils aîné qui fait preuve de détermination et, repoussant les monstres, conquiert un nouveau secteur de terre à cultiver. Dans le monde de l'inhumain, le plus vieux *cox-sinri* correspond au jeune fils, il lui livre la clé du problème: le chef, c'est-à-dire l'ordre villageois. L'imaginaire de la dévoration est évident: oiseaux pilleurs, monstres au ventre énorme qui engloutissent n'importe quoi, *mozumri* décharnés affamés de cuisine humaine; mais ces dévorateurs sont eux-mêmes dévorés par la mort (l'épée qui tranche les têtes avaleuses), et les trous de terre où disparaissent les esprits. On comprend que le père de famille reste désormais sagement au village.

Ce conte traduit donc clairement, d'un côté l'opposition entre le monde inhumain de la brousse lointaine et les terres humanisées du village, de l'autre côté, le moyen par lequel une sorte d'alliance s'installera entre le village discipliné sous son chef et ces premiers possesseurs du sol. L'ensemble traduit la maîtrise limitée de l'homme sur la brousse.

2.6.1.4 Exemple 4: Les funérailles d'un chef malchanceux

Il s'agit des funérailles d'un chef de Komo dont le premier septennat a été marqué, quatre années consécutives, par les malheurs suivants: guerre, famine, épidémies (dites maladies du vent), et pertes diverses (nombreux avortements, dissensions sociales, cherté de la vie, étiolement du commerce, etc.). Malheurs qui portent un nom signifiant: «qui indiquent la fatalité». Le chef est en quelque sorte rendu ‹responsable› de ces malheurs; on dit qu'il a un mauvais *tere*, qu'il a «du mauvais dans la tête» (G. Dieterlen et Y. Cissé 1972: 294s.):

> Un tel chef de Komo ‹malchanceux› devait obligatoirement mettre fin à ses jours par pendaison. S'il ne le faisait pas − ce qui était le cas courant −, il était fatalement et nuitamment soumis par le haut clergé, le corps des *dyaalé faw*, à l'épreuve du poison, un poison à base de fiel et de tripes de crocodile dit ‹poisons sans

---

121 «*Cox* signifie endroit, lieu. A la différence des *mozumri* proches qui hantent les abords des habitations et plus particulièrement le seuil de la maison où sont enterrés les chefs de famille, les *cox-sinri* résident dans les collines, les rochers, les bosquets touffus, les mares, les confluents de rivière... bref, en tout lieu naturel, tout accident de terrain qui rompt la monotonie du paysage» (Adler et Zempléni 1972: 37).

antidote› ... Pour annoncer sa mort, on disait: «Il a été pris par le Komo»[122]. Son corps était transporté à l'aube dans le bosquet du Komo où il était ‹mis à enfler› pendant sept jours, après quoi le prêtre malchanceux était foulé et broyé, toujours nuitamment, au carrefour, par ses pairs munis pour la circonstance de lourdes dames de la société... Les restes étaient abandonnés dans le creux d'un baobab, à l'abri des pluies, après qu'on eût recouvert de cendres de bois le sol foulé.

La chefferie du Komo restait vacante jusqu'au terme du septennat. A défaut d'un vieux forgeron, le doyen des initiés ou une ‹âme ardente›... assumait l'intérim dont la durée était dite soleil-ère indiquant la fatalité...

A la fin des cérémonies septennales suivantes, on nommait... un nouveau chef, après qu'on eût procédé à de nombreux sacrifices tant purificatoires que propitiatoires pour d'une part éloigner à jamais le mauvais *nyama* du chef infortuné, d'autre part restaurer l'équilibre moral et la prospérité du village fortement entamée par les récents malheurs dont le souvenir hante l'esprit de la communauté (294s.).

Nous voyons se réaliser ici l'aporie du système relationnel: des malheurs se produisent dont personne ne dit qu'ils sont causés par des fautes contre les droites relations. Le chef du Komo n'est pas accusé de mauvais desseins; mais il est porteur de mauvais destins comme si sa subjectivité était frappée d'un vice irrémédiable auquel il ne peut rien. Il faut donc qu'il soit sacrifié au salut de la collectivité. Comme une victime émissaire, son corps est l'objet d'un piétinement, exclus (enfermé dans un baobab de telle sorte qu'il ne souille ni la terre, ni l'eau, ni l'air). Il est en quelque sorte acheminé dans le ‹nulle-part› (le carrefour qui mène dans la brousse la nuit, et les traces enlevées par la cendre). Le mauvais *nyama*, disons son mauvais destin, est ainsi imaginairement et rituellement détruit. Bref, la mauvaise subjectivité est renvoyée dans la mort absolue, et la communauté se resserre sur elle-même par cet exorcisme; elle se purifie et appelle dans sa prière une fatalité plus favorable.

2.6.2 L'En–dehors irréductible comme catégorie

Comme nous venons de le voir par les exemples précédents, l'En–dehors est le terrain d'élection de l'imaginaire. Certains parleront de magie, de sacré, d'animisme, de surnaturel mystique... En rationalisant nous n'y trouvons que la perception du non-humain, mais un non-humain défini comme rebelle à la vie relationnelle. Pour une philosophie critique, une telle perception est parfaitement recevable; elle témoigne que l'expérience vitale et la pensée africaine sont conscientes des limites inhérentes à l'option du Je–Avec. Chaque option culturelle se heurte forcément à quelque ‹en–dehors› inassimilable. Mais le non-humain pour être

---

122 «...telle est l'expression employée pour annoncer la mort de toute personne exécutée rituellement par la société du Komo qui... veille à l'ordre moral de la communauté bambara» (Dieterlen et Cissé 1972: 294, note 3).

pensé comme tel doit s'affubler d'un imaginaire qui l'exprime en l'opposant de part en part à l'humain. La densité de cet imaginaire exprime mieux la charge émotionnelle, la peur, l'angoisse et la fascination de cet Autre sur lequel, contre lequel une société humaine se construit.

Nous pouvons donc définir l'*Irréductible* et l'*En−dehors*, en tant que catégorie du Je−Avec, comme l'*Au−delà de la relation normale*.

2.7 Réflexions épistémologiques

Que signifie la configuration en six catégories que nous venons d'analyser? quelle est sa valeur et sa portée?

Il convient d'abord d'en rappeler la *relativité*. Le premier décodage qui a été fait de la réalité africaine, l'a été du point de vue surtout sociologique (ethnologique, anthropologique); il a été fait du point de vue occidental, les observateurs de l'expérience vitale africaine étant d'abord des Européens, peu conscients d'ailleurs de la relativité de leurs propres valeurs; notons aussi un décodage plus empirique, plus psychologique fait par les personnes qui, sans théorie scientifique, vivaient parmi les Africains (missionnaires, administrateurs, coloniaux). Ces décodages ont amené à la publication d'un grand nombre de faits. La présente élaboration en est largement tributaire. Elle ne prétend pas utiliser un matériel nouveau; mais proposer un arrangement − nouveau peut-être − d'un matériel de faits bien connus.

Les six catégories élucidées sont, pour nous, les conditions de possibilité d'un déchiffrement *non-ethnocentrique* de la réalité africaine. Nous disons ‹non-ethnocentrique› donc ni d'un point de vue européen, ni d'un point de vue africain; expliquons-nous.

Le propre de la démarche philosophique c'est de tendre à l'universel rationnel et critique. La façon de prendre conscience de la relativité des options fondamentales occidentales, et africaines, prouve que ni l'une, ni l'autre ne sont des absolus, mais une manière pour l'homme d'être homme. L'ethnocentrisme n'est pas conscient de cette relativité; chacune des catégories proposées comporte une charge critique, c'est pourquoi nous pouvons dire que notre élucidation n'est ni proprement européenne (puisqu'elle entend sortir consciemment de l'horizon de pensée propre à l'occident), ni proprement africaine (puisqu'elle se distancie par son option critique, de l'immédiateté vitale qui tend à l'absolutisation).

Cette catégorisation permet, croyons-nous, de livrer les *conditions de déchiffrement* de la réalité africaine. Conditions non forcément conscientes comme telles dans l'expérience vitale de l'Afrique. Or ces conditions permettent de procéder à la *conceptualisation* critique des réalités africaines. Nous en donnerons un exemple tout à l'heure. L'Afrique possède ses concepts propres; chaque peuple, dans sa langue, énonce les siens. C'est quand on veut les traduire, surtout dans une langue européenne, qui se déploie dans un autre horizon de pensée, que le problème éclate. Une conceptualisation critique permet de rendre compte de la structure particulière de ce qui est pensé.

Nous pouvons parler de *structures*, car, grâce à ces catégories, on peut mieux voir que ce qui compte pour la compréhension ce n'est pas simplement le *dit* d'un concept, mais les *arrangements*, les organisations systématiques, la configuration que prend ce dit dans ce champ catégoriel. Ainsi quand nous employons les concepts (occidentaux) d'animisme ou d'‹esprits›, ou de génies, ils prennent un sens particulier parce que nous les arrangeons dans le contexte religieux, spiritualiste, dualiste, propre à l'occident. Les catégories africaines nous obligent à un arrangement différent et, pensons-nous, spécifique: ces ‹esprits› sont l'*Irréductible* et l'*En−dehors*. Le concept d'intelligence n'est pas structuré de la même façon en Occident qu'en Afrique (il ne s'agit pas de contradiction, mais d'accentuation différente, de configuration variée).

Donnons, maintenant, un exemple de *conceptualisation africaine*, pour illustrer les remarques épistémologiques précédentes. Nous le ferons sur un cas précis de la culture Zerma-Songhai (Niger)[123].

Lakkal, terme emprunté à l'arabe, est traduit ordinairement par intelligence (traduttore, traditore[124]). Les auteurs que nous résumons ici disent que c'est une réalité ‹protéiforme›; c'est certainement vrai du point de vue occidental. Mais du point de vue africain, ce concept nous paraît avoir une unité spécifique remarquable. Voyons les faits.

L'enfant en gestation a son âme (*bia*), sa force vitale (*hundi*) et son *lakkal*, don du ciel et susceptible d'être transmis héréditairement. Dans la première enfance, les parents cherchent à savoir si Dieu a donné à l'enfant *lakkal*: on l'observe donc quand il marche et parle: sait-il se débrouiller? imiter les adultes? s'adapter aux consignes? tenir compte des autres? Quand l'enfant atteint l'âge de raison, on apprécie son *lakkal* ainsi: respecte-t-il les valeurs du groupe, est-il obéissant et vif, observe-t-il les consignes plus complexes, a-t-il du savoir-faire, apprend-il vite telle ou telle technique?

Une fille a *lakkal* si elle respecte les personnes âgées, est obéissante, a de la pudeur, reçoit bien les gens, surtout les camarades qui sont dans la même classe d'âge que le mari présumé; a-t-elle la même attention à l'égard de plusieurs prétendants?

Un jeune homme a *lakkal* s'il est respectueux pour ses aînés. Entre camarades on ne peut s'accuser de manquer de *lakkal* (ce serait précisément rompre la camaraderie); mais un père peut le dire à son fils. En principe les camarades de même classe d'âge, ayant le même statut, ont un *lakkal* égal.

---

123   J. Bisilliat et al. (1967: 209). Etude pluridisciplinaire. Il est frappant de constater justement que ce qui est un concept *un* dans la culture zerma-songhai, ait besoin d'une analyse pluridisciplinaire pour être élaboré en culture française. C'est donc que nous n'avons pas à faire à la même forme de pensée ni aux mêmes catégories. Sur le *lakkal*, voir aussi F.A. Diarra (1971: 50).

124   Dans la philosophie occidentale, l'intelligence est la faculté qu'a un être de comprendre vite les problèmes complexes, de résoudre aisément les problèmes nouveaux, de s'adapter promptement à des situations nouvelles (cf. P. Foulquié et R. Saint-Jean 1969: article *Intelligence*). Aucune des définitions ou exemples donnés dans cet article ne fait allusion aux relations sociales. Le concept *lakkal* manifeste aussi quelque chose de cette promptitude et aisance, mais surtout dans le domaine relationnel.

Une femme mariée a *lakkal* si elle observe les interdits, obéit aux ordres de son mari; si elle a *lakkal*, elle peut demander n'importe quoi à son mari et l'obtiendra. Un adulte, un vieillard, en pleine possession de son statut social, voit son *lakkal* s'accroître.

On peut perdre *lakkal* (ou n'en point avoir) si on vit (habituellement) distraitement, si on se met en colère, si on oublie les bienséances, si on perd le contrôle de soi-même. On se méfie des personnes qui ne parlent pas avec les autres et qui ne prennent soin que d'elles-mêmes. *Lakkal* permet de se conduire socialement. Il permet de se grouper, de s'entendre, de trancher les différends par la conciliation. Les personnes dont la force physique l'emporte sur le contrôle d'eux-mêmes, n'ont pas *lakkal*. L'homme sans *lakkal* est un âne ou un chameau.

Cette constellation sémantique nous transporte évidemment dans un univers relationnel. L'être humain intelligent s'y définit par sa capacité à entrer avec aisance en relation avec les autres; et pas n'importe quelles relations, mais celles qui sont définies par la *Tradition*; aussi *lakkal* est-il compris comme savoir-faire, savoir vivre, maîtrise de soi, assimilation d'un code social. *Lakkal* est un guide qui oriente la personne dans ses rapports interpersonnels. La qualité du comportement avec les autres, la sociabilité ou l'individualisme, traduisent la présence ou l'absence de *lakkal*. Le fond du *lakkal* est donc bien la *Relation* définie par la Tradition.

Lakkal est manifestement une propriété du sujet. Un sujet qui ne s'accomplit normalement que par et dans les relations. Les auteurs se demandent si *lakkal* est un don, un héritage, un résultat du milieu? Ils pensent que chacun a des dispositions, mais que la qualité du *lakkal* est acquise et diversifiée par la capacité de réagir en toutes les circonstances:

> Notre hypothèse serait que l'importance du *lakkal* est proportionnelle à la qualité de relations que l'individu entretient avec les autres, la richesse de la vie sociale. Car nous savons qu'à un moment donné, on apprend à l'enfant, on habitue l'enfant à se comporter avec *lakkal*, donc à passer à un statut dans lequel le *lakkal* est exigé (Bisilliat et al. 1967: 226).

On attend d'un adulte non son savoir-faire (*cermey*) mais *lakkal*, capacité à se tirer d'une situation sociale, de la vivre selon les valeurs de la société locale. On comprend ainsi que *lakkal* puisse varier selon les milieux, selon la position dans l'échelle sociale, la richesse de la vie sociale de l'entourage. Le vieillard, le plus relationné, est celui qui doit avoir le plus grand *lakkal*. *Lakkal* est donc fonction du degré de participation autonome et réussie à une vie sociale pleine et entière, aux responsabilités sociales qui en découlent. Ainsi la catégorie *Subjectivité* se trouve pleinement honorée.

Faisons maintenant la contrepreuve. Quand la subjectivité, et son noyau de liberté, se replie sur l'individu, elle devient mauvaise ou ‹sorcière›. Ainsi, pense-t-on chez les Zerma-Songhai, les sorciers ont un *lakkal* normal pendant le jour (parce que vivant comme tout le monde); mais la nuit ils le perdent et le désir de faire le mal s'empare d'eux: la disparition de *lakkal* est la condition qui leur permet de se transformer en être nuisible. On remarquera aussi que toute situation où l'on perd le contrôle des relations normales, est synonyme de perte de *lakkal*: être en colère, être distrait, être possédé par un esprit. Un homme sans *lakkal* est privé de droit, on ne le consulte pas, on n'en tient pas compte, il n'est rien. A statut égal, donc dans un complexe identique de relations interpersonnelles, *lakkal* égal, du moins en principe, sauf accident. Le futur chef est choisi non seulement en fonction de son aînesse, mais surtout en fonction de son *lakkal*; d'ailleurs la personne élevée dans une famille princière, présente plus de dispositions que quiconque pour le rôle de chef: son *lakkal* étant mieux à même de se développer dans ce milieu aux multiples relations.

Lakkal, réalité du sujet, ne se sépare point des réalités corporelles. *Lakkal* quitte l'homme pendant le sommeil; car ‹quand on dort on ne connaît rien› , c'est le rêve et ses voyages. *Lakkal* revient avec ces retours de voyages. On pense aussi que la qualité du sang influe sur *lakkal* (sang d'une bonne famille, d'une famille princière, sang non-adultérin). *Lakkal* permet de ‹broyer la parole› qui va sortir de la bouche, c'est-à-dire soutient la réflexion qui permet de parler à bon escient. *Lakkal* est donc aussi fonction de la *corporalité*. Le jour, lorsque les relations sont pleinement corporalisées, selon le code traditionnel, *lakkal* travaille à plein.

Lakkal est *manipulable*. On pense que moyennant des remèdes appropriés on peut augmenter le *lakkal* d'un enfant. Pour éviter les jalousies et les manœuvres ‹sorcières› on prend soin de ne pas vanter ouvertement le *lakkal* de l'enfant; on affecte au contraire de l'insulter en disant qu'il est laid, bête, impoli, malicieux. Des interdits alimentaires existent pour ne pas gêner la croissance de *lakkal*, ainsi s'apprend la maîtrise de soi. *Lakkal* peut être menacé par un sorcier; on peut le protéger en recourant aux services éclairés d'un marabout. La présence ou l'absence de *lakkal*, étant synonyme de bonnes ou de mauvaises relations, donc de bien ou de mal, le zerma-songhai musulman pense, logiquement, que le mal moral chasse *lakkal* et que la prière le réintègre.

Cet exemple de conceptualisation, permise par l'usage des catégories ici définies[125], nous manifeste l'unité formelle du concept zerma-songhai *lakkal*. Faut-il conclure que l'intelligence, en Afrique, est la faculté des relations interpersonnelles? Nous pouvons le conjecturer[126].

125 La 6e catégorie n'est pas manifeste, du moins dans l'article résumé ici. Logiquement d'ailleurs, si *lakkal* est la faculté du relationnel, donc de l'intra-humain, le monde de l'En‒dehors doit en être dépourvu. Le conte bobo manifestait bien et le caractère relationnel de l'intelligence humaine et sa défaite, son inutilité dans l'En‒dehors.
126 On pourrait comparer *lakkal* avec l'intelligence-puceron *kpakpanyinidiépo*, des Bété (B. Holas 1968c: passim); avec l'*umutima* (cœur) du Rwanda et du Burundi (cf. D. Nothomb 1965: 22). Comparer aussi avec les proverbes suivants: «Celui qui a l'intelligence ne meurt pas comme du charbon de bois» (Rodegem 1961: 391 no 3865; 1983: no 744), c'est-à-dire comme un célibataire sans enfant, qu'on enterre précisément avec un charbon éteint. «Le malchanceux danse tout seul» (no 3844; no 4105); «L'enfant... malin accepte tout ce qu'on lui donne» (no 3153; no 3537); «Quoiqu'il n'aime pas (la nourriture qu'on lui donne) l'enfant intelligent l'avale quand même» (no 3166; no 3536); «Un nain devient grand (grâce à son intelligence qui lui procure) ce qu'il a fabriqué» (no 629; no 3016); «On montre certaines choses à celui qui a de bons yeux, le reste il le voit de lui-même» (no 2083; no 1202); «Au bon juge, un seul mot suffit» (no 2739; no 753).

3 Dynamique ou l'économie de la relation

«Il faut deux sons pour se faire comprendre.»
(Proverbe camerounais; Bahoken 1967: 69)

Les catégories que nous venons de définir ne restituent pas suffisamment le mouvement interne de l'expérience vitale africaine. Non qu'elles soient statiques en elles-mêmes, mais l'analyse exigeait de les immobiliser pour les mieux saisir. Dans le présent chapitre, nous nous proposons d'analyser leur dynamique.

Certaines représentations peuvent ici nous barrer le chemin. La vie relationnelle peut apparaître comme un écheveau de relations s'entremêlant. P. TEMPELS voit les êtres comme se renforçant ou se déforçant réciproquement (cf. 1949: 38s.). C'est l'impression de la toile d'araignée (L.V. Thomas et al. 1969: 15). J'ai utilisé plus haut l'image de la vannerie. L'univers dogon peut faire penser à un tissu, étant donnée l'importance des classifications et des correspondances: correspondances entre la personne humaine, l'organisation sociale, les espèces animales et végétales, les éléments de la maison et les techniques, les dessins ou figures[1]. On peut aller plus loin et imaginer l'univers africain comme un accord total de l'homme avec lui-même, ses semblables et le cosmos. En fait, il n'en est rien! Les sociétés africaines sont faites de tensions comme les autres, et les Dogon unissent dans leur conception de l'existence le sage Nommo et Yurugu le dévoyé, deux contraires. Que l'image du tissu ne nous abuse donc pas![2]

D'ailleurs, si on y prend garde, il est facile de voir que les catégories précédemment élaborées comportent leur charge propre de dynamisme que nous devons maintenant déployer. L'acte relationnel est en soi ponctuel, il doit se renouveler et se diversifier selon les circonstances; la relation mari/femme, par exemple, se manifeste par une nuée de gestes divers et répétés. La subjectivité comme tout ce qui est conscience et mouvement, les sentiments sont éphémères, la volonté fidèle doit sans cesse se reprendre et se maîtriser sur les occasions de jalousie et de colère. La tradition en tant que consensus des vivants suppose une perpétuelle mise au point, discussion et compromis. Le corps est mouvement, va-et-vient, situé ici et là, hier et aujourd'hui; plus fondamentalement, la personne naît, grandit et meurt et les relations varient avec l'âge et la situation sociale. La manipulation est visiblement activité dynamique. Quant à l'En-dehors, il n'est pas sagement cantonné derrière un *no man's land* protecteur, il y a irruption ou intervention de l'humain dans le non-humain et vice-versa.

---

1   Voir G. Calame-Griaule (1965: chap.III); M. Griaule (1948a, 1949 et 1952).
2   La sociologie doit être sensible au statique et au dynamique dans la société; elle ne peut imaginer que la société est simplement un état d'intégration, de fonctionnement équilibré du système dans lequel chaque individu, chaque groupe et chaque institution auraient leur place et leur tâche, comme si les conflits sociaux n'étaient que troubles d'amoraux et d'asociaux. Le conflit est normal dans la société, il est son moteur et le moteur du changement. La philosophie ne peut pas ignorer ces faits et théories, au profit d'une vue idyllique de la réalité sociale.

Il nous faut donc maintenant édifier, d'une manière rationnelle et critique, un modèle théorique dynamique, commandé par la nature même de la relation, à l'intérieur de la forme de pensée Je−Avec.

Le relationnel définit l'humain réussi et épanoui. Il régit l'En−dedans communautaire, ou le groupe. Nous allons montrer que l'économie[3] de la relation obéit à une dynamique qui va de la diversification à l'unification, résorbant les conflits dans la recherche de la paix. Mais en amont et en aval de la relation, il y a une double incertitude, celle qui tient à la subjectivité des personnes et celle qui est constitutive de l'En−dehors irréductible.

3.1 Economie de la relation

Proposons d'abord un schéma d'ensemble de la dynamique de la vie relationnelle.

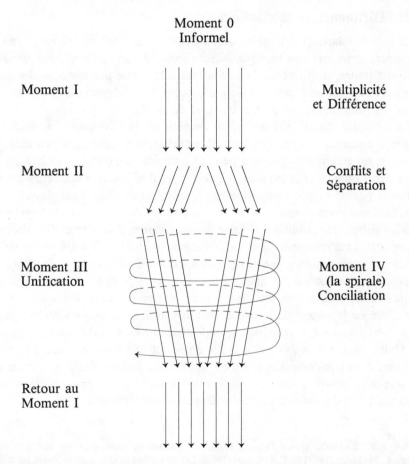

Moment 0
Informel

Moment I   Multiplicité
et Différence

Moment II   Conflits et
Séparation

Moment III   Moment IV
Unification   (la spirale)
Conciliation

Retour au
Moment I

---

3 Nous employons le terme «économie» au sens d'«organisation des parties d'un ensemble complexe» (P. Foulquié et Saint-Jean 1969: 198). Le mot connote une rationalité d'ensemble, une rectitude pour la réalisation d'une option fondamentale. Etymologiquement, le terme connote la «maison» ; la relation a précisément une fonction domestique.

Qui dit relations, dit partenaires, donc pose la différence, et la multiplicité (1er temps). Deux mouvements sont alors possibles: ou bien la séparation-conflit jusqu'à la rupture (2me temps) ou bien l'unification pour la paix (3me temps); mais ces deux mouvements ne sont pas d'égale valeur, c'est la recherche de la paix et de l'entente qui est positif, c'est l'harmonie qu'il faut construire après les tensions qui opposent. Et pour y arriver, une conciliation faite par des médiateurs est souvent nécessaire (4me temps). Après une stase, le mouvement reprend comme une pulsation; la paix retrouvée ne l'est que pour un temps et les tensions séparatrices sont travaillées par les besoins unificateurs. D'où les quatre moments suivants qu'un schéma tente de visualer.

3.1.1 Différence et multiplicité

Toute idée de relation implique au moins deux termes distincts et séparés qui entretiennent entre eux une certaine liaison, sans fusionner. La relation implique donc la distance, la différence, la discontinuité, l'extériorité réciproque des partenaires et donc leur multiplicité. Une philosophie de la relation est donc aux antipodes des philosophies de la participation ou de l'un.

En Afrique, comme ailleurs, selon l'expérience immédiate et commune, les êtres sont distincts, ils sont ce qu'ils sont; un arbre est un arbre; une roussette, une roussette; un enfant n'est pas son père. Quand donc on dit: «cet enfant est son grand-père» ou «ces caïmans sont nos ancêtres», il ne saurait s'agir d'une identité ou fusion pure et simple. La relation par le sang, la nourriture commune, le voisinage, l'alliance ou la coopération ne saurait être une combinaison des êtres les uns dans les autres, une abolition de leurs limites propres. Il faut se méfier, du point de vue critique et rationnel, de ces affirmations qui font de la solidarité je ne sais quel lien mystérieux, ectoplasmique, transphysiologique, qui unifierait les êtres en supprimant leur distance, et quelque chose de leur identité. La relation est tout au plus un rapprochement, une coopération, une co-présence; si elle n'est pas un leurre, elle est le respect de l'autre et non digestion et absorption du partenaire. Ainsi nous pensons que l'expérience vitale africaine est polarisée par la recherche de l'Unité, mais non de l'Un, c'est-à-dire d'une entente, d'une alliance, d'une coopération, d'un être-ensemble, qui n'est jamais une fusion, d'ailleurs impossible.

La relation pose la différence; elle insiste sur les couples d'oppositions, chacun ayant ses types de comportements et de prestations-échanges[4]:

---

4 Voir A.R. Radcliffe-Brown 1968: 5 (premiers chapitres). Monographies sur une ethnie comme L. Mukenge (1967) ou E. Leynaud (1963). Les proverbes mongo sont précieux pour comprendre les divers styles de relation: «La bienveillance de la parenté par alliance (persiste) seulement quand la fille est présente» (G. Hulstaert 1958: 180 n° 637); «les parents de ta femme sont de l'huile» (G. Hulstaert 1958: 99 n° 314), c'est-à-dire à traiter avec prudence; «le beau-père... est mort: le gendre... est l'assassin» (G. Hulstaert 1958: 100 n° 315).

1. l'homme/la femme; cette opposition mâle/femelle servant de modèle à beaucoup d'autres relations;
2. les preneurs de femmes/les donneurs de femmes; les paternels/les maternels;
3. les vivants/les morts;
4. les classes d'âge opposées entre elles, et opposées aux relations familiales (synchronie/diachronie, verticalité des générations/horizontalité des personnes de même âge);
5. opposition chefs/sujets; opposition entre l'étatique (ou la centralisation) et le lignager;
6. opposition entre autochtones et envahisseurs (par exemple entre chefs de terre, et chefs politiques conquérants);
7. opposition entre castés et non-castés, libres et non-libres; entre l'agriculteur et le pasteur nomade; entre les hommes de la terre et les hommes de l'eau (pêcheurs), etc.

On peut affirmer que la société africaine, bien loin d'abolir les distinctions pour opérer une fusion, les cultive pour unir. Il n'y aurait pas de problème d'union s'il n'y avait pas au départ des êtres parfaitement distincts. La relation suppose la détermination des individus; quand cette détermination est nulle, il n'y a pas de relation nommable: c'est l'informel. Tel est l'enfant à naître; tels sont aussi les morts-ancêtres lointains confondus dans l'anonymat, innommables.

Ces conceptions sont vécues effectivement chez les Venda de l'Afrique australe (Roumeguère-Eberhardt 1963: 25s.). Le nouveau-né est d'abord, jusqu'à l'apparition de ses dents, de ‹l'eau› c'est-à-dire n'a encore aucune signification sociale; il n'est pas encore *muthu*, personne; eau, il n'est pas encore solide; sa mort n'est pas pleurée, comme défunt il n'a aucune relation à jouer avec les vivants. Cette eau est un symbole de l'informel. Pour donner un sens au nouveau-né et le constituer personne, il faut le mettre en relation avec le père et les ancêtres, par divers symbolismes (enduire le bébé de la sueur de son père, lui donner un nom d'ancêtre; le présenter à la pluie et à la lune ‹qui ouvre l'intelligence›, parfois présentation à la terre). Avec la première dentition, ou chez les Thonga, quand l'enfant commence à ramper, l'enfant se durcit, les parents en prennent possession par un rite spécial et sont libérés du tabou des relations sexuelles. Au fur et à mesure de sa petite enfance, jusqu'à la puberté, l'enfant se durcit, se sépare graduellement de sa mère pour s'intégrer à la collectivité; l'enfant est incomplet; pas encore intelligent, il est dans ‹l'obscurité› mais se complète peu à peu au contact des autres, ses aînés et ses camarades de même âge. Le petit garçon est d'abord chevrier. A huit ans, on lui perce les oreilles pour signifier qu'il est responsable, capable d'entendre et d'obéir; l'enfant devient berger de gros bétail. La puberté lui fait passer les rites de l'initiation, mort à l'enfance, naissance à la vie adulte; instruit dans les lois de la tribu par les anciens, représentant les ancêtres, il peut devenir procréateur. Au fur et à mesure de sa vie adulte, l'homme voit s'accroître ses troupeaux, ce qui lui permet de prendre plusieurs femmes, et de procurer des épouses à ses fils, donc d'accroître ses alliances. Devenu vieux, l'homme est symbole de sagesse, il est déjà assimilé aux ancêtres, il est gardien des traditions de la tribu qui est toute tournée vers lui. Mort, il accède au statut d'ancêtre proprement dit, relié aux vivants qu'il surveille, et à ses pères qu'il a rejoints dans le village des morts.

Cette évolution de la personne est tout ensemble une construction de son individualité, une détermination par les relations des potentialités initiales de fœtus; l'enfant découvre peu à peu son réseau de parenté, sa classe d'âge, ses alliés quand il se marie; par le mariage de ses propres enfants, il noue de nouvelles relations avec brus et gendres et les familles de ceux-ci. En même temps, ces relations vont se multipliant. La logique du relationnel le demande: si dans l'isolement, l'être humain est essentiellement labile, s'il cherche dans la relation avec les autres, la consistance de son être, plus il sera relié avec des partenaires différents, plus il sera puissant. La vie relationnelle se plaît donc dans la multiplicité et la différence.

3.1.2 Conflits et séparation

Les relations supposent la différence; l'accumulation des relations produit des asymétries. Puisque la relation met en cause la subjectivité des personnes, elle introduit la variabilité des caractères, des dispositions intimes, des idées et des vouloirs; il y a forcément divergence entre les personnes, et dans une même personne d'un moment à l'autre. Corporellement la personne vieillit et meurt; il faut la remplacer dans la situation qu'elle occupait, cela provoque les concurrences et les compétitions. Bref, la relation se déployant dans le temps et l'espace, il y a place pour la diversité et les oppositions.

L'idéal serait sans doute l'*égalité*, parce que c'est le meilleur moyen de désamorcer les jalousies donc les tensions. Il y a en Afrique une passion pour l'égalité. Les Sérer disent: «L'égalité n'est pas agréable, mais la supériorité est encore plus pénible.» Dépasser les autres, ne pas faire comme tout le monde, c'est se distinguer donc s'isoler, donc rompre la relation. Ou bien on s'aligne volontiers sur celui qui a réussi[5], ou bien on le ramène dans le rang. Certaines sociétés (Bwa, Sénoufo) sont particulièrement susceptibles en ce qui concerne l'égalité des chefs de famille, personne ne doit pouvoir dominer autrui[6]. Mais on a beau faire, l'inégalité

---

5 Proverbe minyanka (J. Cauvin 1969: 92): «Si une guenon dit qu'elle va accoucher, toutes se mettent à enfanter», se dit quand tout le monde s'aligne sur un même modèle; tout le monde travaille, quelqu'un, fatigué, demande à se reposer; tout le monde dit la même chose.

6 Le *poro*, classe d'âge sénoufo, outre sa fonction d'initiation de socialisation de la jeunesse, a un rôle de régulateur économique. Gardant le souvenir de migrations pénibles et dangereuses, obsédés par le besoin de sécurité, les Sénoufo tiennent par dessus tout à la cohésion du groupe; il faut donc absolument empêcher la famille et l'individu de créer des ruptures; une de ces ruptures pourrait être l'enrichissement économique. Comme dans ce pays, la seule richesse est la force de travail, la société sénoufo égalise les chances en réunissant les jeunes gens dans une classe d'âge unique, constituant ainsi une force de travail unique, la même pour tous, qui se mettra au service de chaque chef de famille, selon un système compliqué de préséances. Le salaire est toujours le même: un bon repas avec viande et bière de mil.

s'introduit forcément avec les hasards de la naissance, de la vie et des qualités personnelles de l'individu. Chez les Somba, les familles sont théoriquement égales, seul le principe de séniorité devrait les distinguer; en fait il y a des familles ‹fortes› et des familles ‹faibles›, les premières accumulent les femmes, les richesses, la puissance magique ou rituelle (P. Mercier 1968: 515-516). Les proverbes et les contes ne manquent pas sur ce sujet: que l'inégalité apparaisse inévitable, qu'elle soit stigmatisée, ou qu'on en prenne son parti[7]. Comme disent les auteurs d'*Œdipe Africain*: «Etre homme, c'est être l'égal de ses frères, intégré à leur groupe, c'est être soumis aux aînés et se rendre inaccessible aux cadets»[8].

L'inégalité est aussi un effet de la diversité des *statuts*[9]: le roi, le chef, le vieillard, l'aîné, le mari ont des statuts privilégiés. La première femme d'un polygame l'emporte sur les autres, et d'un autre point de vue, la plus jeune ou la plus aimée.

La *hiérarchisation* est un produit de la cumulation des relations. Les relations s'additionnent sans se supprimer: un père reste un père, et il le reste en travaillant ou en priant. Les relations deviennent de plus en plus nombreuses avec l'âge: il est clair que le mariage noue de nouveaux liens entre l'intéressé et la famille où il prend femme; s'il y a plusieurs mariages, il y a multiplication des alliances. Certes, le système ne fonctionne pas toujours: un vieillard peut être réduit à ses relations de voisinage, parce que sa famille a disparu. Mais l'idéal est le vieillard entouré d'une nombreuse descendance[10]. Statut le plus élevé, car c'est à lui que l'on parle des choses les plus importantes et qui dit le droit[11]. Ces personnes les plus relationnées sont aussi celles qui ont le plus d'avantages à retirer des relations et qui sont les plus intéressées au maintien du système[12].

---

7   Proverbes rundi: «Celui qui a réussi aura toujours des envieux» (F.M. Rodegem 1961: 389 nº 3840; 1983: nº 2500); «Les richesses qui échoient à l'un, sont égales aux pertes de l'autre» (F.M. Rodegem 1961: nº 3797; 1983: nº 3921); «Si un des tiens est riche, tu devrais être riche toi aussi» (F.M. Rodegem 1961: nº 3772; 1983: nº 1839). Proverbe mongo: «(Il y a) ceux qui se tuent à exécuter les ordres et ceux qui jouissent de l'abondance» (G. Hulstaert 1958: 76 nº 226). Proverbes mossi (P. Alexandre 1954): «Les oiseaux ne volent pas tous à la même hauteur» (nº 2); «Si tous les hommes étaient aussi intelligents les uns que les autres, le village ne se bâtirait pas» (nº 3); «Si tous savaient tresser des paniers, on n'achèterait pas de paniers» (nº 4).
8   M.C. et E. Ortigues (1966: 144; cf. 142): «La rivalité entre les frères est surcompensée par une forte solidarité»; «La recherche d'une reconnaissance de mon statut par les frères est un mode dominant de l'affirmation virile»; «Le drame de dépasser les frères».
9   «La notion de *statut*... définit la position personnelle d'un individu par rapport aux autres à l'intérieur d'un groupe, elle permet d'apprécier la distance sociale existant entre les personnes, parce qu'elle régit les hiérarchies d'individus. Le *rôle* exprime le statut en termes d'action sociale, il en représente l'aspect dynamique...» (G. Balandier 1967: 103).
10 Exemple: P. Mercier (1968: 135): «L'*otoki* (le vieux, l'homme complet, achevé) dans l'image idéale que les 'Somba' en présentent, est l'homme complet ayant autorité sur des adultes mariés et pères, et que nul écran ne sépare plus des ancêtres.»
11 Cette hiérarchie se vérifie aussi dans les attributs religieux. Chez les Mossi, la force du *tibo* (autel lignager) réside dans son ancienneté, attestée par la transmission qui en est faite de chef de famille en chef de famille. Si un banni ou bâtard fonde un nouveau *tibo*, celui-ci n'aura qu'une ‹force› très faible, ne recelant que ‹l'âme› de son fondateur, relation sans profondeur ni extension (cf. R. Pageard 1969: 95, 99).
12 D'où le désarroi des vieillards dans l'Afrique moderne où les hiérarchies traditionnelles sont mises en cause.

La source des difficultés ne se trouve pas uniquement dans l'inégalité. Notons aussi l'*éloignement*, et l'oubli qui en découle; alors forcément les relations sont distendues; arrive-t-il un malheur? L'intéressé se culpabilisera: c'est parce qu'il n'a pas entretenu les relations avec ses parents lointains, que les ancêtres le punissent (cf. Collomb et Ayats 1962). Un remède s'imposera: revenir à la maison paternelle, distribuer des cadeaux, bref, renouer les relations.

La vie relationnelle ne se comprend donc pas sans des moments de tension-séparation. Même lorsque ceux-ci sont relativement camouflés, ils n'en existent pas moins.

Normalement on ne peut entrer en conflit ouvert avec une personne de statut supérieur. Un fils ne peut avoir raison contre son père[13]. La compétition se localise d'ordinaire entre égaux.

Ce qui est frappant en Afrique c'est l'expression en quelque sorte ritualisée, institutionnalisée des tensions. Ainsi les parentés à plaisanteries[14]; certains rituels de funérailles ou des fêtes prévoient l'expression de l'agressivité du fils contre son père[15] ou des preneurs de femmes contre les donneurs[16]. On connaît aussi les compétitions sportives entre jeunes (combats singuliers, ou affrontement de sociétaires, ou de classe d'âge); on connaît aussi les joutes de chants (Mercier 1968:394)

---

13 Il y a quatre personnes à qui le Peul ne peut jamais dire non: ses procréateurs ou ceux qui en ont le rôle (oncles, tuteurs); son maître-initiateur; son Roi; l'étranger que Dieu envoie (A.H. Ba 1969: 149). La politique azande comporte un ensemble de domaines où se déroule la compétition, mais de telle sorte qu'elle n'ait lieu qu'entre égaux, jamais entre roturiers et nobles, pauvres et riches, fils et pères, femmes et hommes.

14 Ce type de relations consiste en ceci qu'une personne est autorisée par la coutume et dans certains cas obligée, de taquiner l'autre et de s'en moquer, parfois fort rudement; l'autre, de son côté, ne doit pas s'en formaliser (cf. A.R. Radcliffe-Brown 1968: 169). Dans les funérailles mossi, par exemple, certaines personnes en relation à plaisanterie avec le défunt et sa famille, font rire l'assistance en faisant mine d'apporter des offrandes farfelues: crapaud au lieu de chèvre. Chez les Dogon, il y a plaisanterie entre un homme et les femmes de ses frères, un homme et les sœurs de sa femme, etc. En général, les alliés ne peuvent se nuire, ‹se tirer le sang›, ils plaisantent donc. Ainsi cette relation est une combinaison de bienveillance et d'hostilité. Un antagonisme latent se trouve canalisé dans une expression socialisée, à la fois plaisante et désagréable, qui permet de se dire sans passion et sans grave conflit ce que l'on pense. C'est une alliance dite ‹cathartique›, qui purifie l'agressivité en l'exprimant et en l'attenuant. Ces occasions de se chamailler contrebalancent des relations de type beaucoup plus sévère: la plaisanterie entre un homme et ses belles-sœurs est habituellement associée à un respect très rigide du gendre à l'égard des ses beaux-parents, comme l'évitement de la belle-mère.

15 Par exemple, dans les funérailles mossi, le fils aîné, en tant que successeur de son père, doit s'emparer des armes de ce dernier, entrer dans son grenier, bref faire les gestes qui montrent qu'il succède enfin à son père. Le rite ne se fait pas sans précaution, mais sous le couvert d'un *yaghêga* (petit fils-du défunt par une fille, qui a le droit de plaisanterie et de médiation sur son grand-père maternel). Celui-ci s'empare de l'arme, avec la main gauche, crie contre la maison mortuaire, en frappe le toit avec un couteau, une lance ou une flèche; abrité derrière cet exemple, le fils aîné en fait autant et d'autres personnages comme les cadets du mort (cf. P. Alexandre 1953b).

16 Manifestation de cette agressivité aux funérailles: cf. G. Dieterlen (1941: 110); G. Hulstaert (1938: 425s.). Quand une femme défunte est ramenée dans sa famille, celle-ci édifie plusieurs barrières et crie aux porteurs: «Halte ici vous ne passez pas!» Les autres répondent: «Nous venons vous apporter le cadavre de votre enfant, et voulons abattre la barrière; laissez-nous passer; voici les cadeaux.»

et des provocations[17].

Une façon de régler les conflits c'est la segmentation, la séparation pure et simple[18]. L'Afrique ne paraît pas aimer particulièrement la guerre, surtout la guerre de conquête; cependant entre tribus et voisins il y a bien des occasions d'en venir aux mains[19].

La meilleure façon de régler un conflit, sauf le recours aux instances politiques ou judiciaires, qui opèrent à différents niveaux (cf. Middleton 1954: 71-82), c'est de renouer l'entente et de faire la paix. Nous y reviendrons.

Pour conclure, remarquons que ces tensions, conflits, compétitions et inégalités ne détruisent pas, en principe, la cohésion relationnelle. Ils contribuent au contraire à l'intégrer, car ils obligent les personnes à se dire, à refaire leurs options en faveur de la solidarité, à renforcer leur unité et à l'exprimer à nouveau par des nouveaux gestes (P. Mercier 1968: 513-518, conclusion). La vie relationnelle n'est donc pas un équilibre statique, une surface plane et immobile, mais une perpétuelle remise en cause et remise en état. Et la paix ne serait sans doute pas autant prisée si elle était toujours là.

3.1.3 Le mouvement d'unification

C'est le moment privilégié de la vie relationnelle: l'accord, l'harmonie, la paix, l'unité. Distinguons l'échange, procédure quasi quotidienne de la relation droite, la fête qui rassemble, les rituels de paix qui réparent.

3.1.3.1 L'échange

Deux traits caractérisent l'échange: il est réciproque et répétitif. Les proverbes le proclament: «Les hommes c'est la réciprocité»[20]. Cette *réciprocité* se remarque partout: dans les salutations, les visites et les contre-visites, dons et contre-dons; l'hospitalité est à base de réciprocité; de même l'échange matrimonial (bien que

17 J. Cauvin (1969: 229): «Je te ramasse ici comme une tortue qui va sur son chemin; elle se promène avec son canari pour la cuire»; quand un chasseur prend une tortue, il la fait cuire dans sa propre carapace; le proverbe se dit quand on est en train de cultiver et qu'on provoque un passant en lui présentant une houe. Mais il faut que le provocateur soit sûr de lui, car si le défié termine sa ligne à cultiver avant celui qui l'a provoqué, il a le droit de le rosser. Le Minyanka est chatouilleux dans son honneur de cultivateur.
18 Les Mongo disent: «Si l'entente n'est plus bonne (dans une grande famille) on met la forêt entre les groupes» (G. Hulstaert 1961: 61). Autres exemples: B. Holas (1952: 19); la migration de Zoumassakro (B. Holas 1952: 23).
19 Chez les Mongo «les motifs de la guerre étaient multiples: vengeance d'un affront, redressement de torts, glorification, razzia, conquête. Elle était souvent provoquée par des jeunes gens en mal d'activité ou dans le besoin de richesses pour acquérir une épouse» (G. Hulstaert 1961: 43-46; cf. E.E. Evans-Pritchard 1968: 177; B. Davidson 1971: 67).
20 Proverbe tanzanien et kényan, cité par G. Kajiga (1968: 15). Proverbe bambara: «Se manger les mères réciproquement, c'est la loi principale des sorciers!»; «Cours après une personne qui se donne la peine de se retourner pour te voir». Proverbe mossi: «Le père nourrit le fils jusqu'à ce qu'il ait des dents; le fils nourrit son père quand ce dernier n'a plus de dents.»

la réciprocité puisse être indirecte, par l'intermédiaire d'une ‹monnaie›); réciprocité dans les travaux exécutés en commun, dans les sociétés de types mutualistes.

Réciprocité ne veut pas nécessairement dire égalité dans l'échange; il peut y avoir défi et renchérissement[21]. Cet échange réciproque est la négation de l'avarice qui est le refus des relations sociales[22].

La *répétition* est un attribut inéluctable de la relation. La relation n'est pas qu'un acte qui s'envole dans le temps; la subjectivité a besoin de s'exprimer et de montrer sa fidélité dans des actes successifs; la personne, soumise au temps et à l'espace, doit répéter ce qu'elle fait au rythme du temps et dans la variété des lieux; les biens qu'elle consomme, doivent être reproduits; «manger n'est jamais terminé», «la dot n'est jamais finie». La périodicité des choses humaines entraîne donc nécessairement le renouvellement des relations.

Et puisque la relation c'est la vie, c'est la solidité, la répétition (et la réciprocité dans cette répétition) assure la sécurité: on est certain qu'on ne manquera pas de secours dans la détresse, car on est soi-même coopérant avec les autres.

Cette répétition n'est pas automatisme, ‹dégradation du moi› , elle est engagement de la personne à l'égard des autres, et fidélité qui se renouvelle (P.T.W. Baxter 1965: 64s.). Manifestons cette structure d'échange réciproque par les exemples suivants.

3.1.3.1.1 Exemple 1: le don-cadeau

Le cadeau, don et contre-don, apparaît constamment dans la trame de la vie sociale africaine. Les Mossi disent «le cadeau est échange et placement» et les Rundi «donner c'est éparpiller» (F.M. Rodegem 1961: 261 n° 2501; 1983: n°2171). On ne salue pas un chef sans cadeau; aux fêtes il y a échange: le chef me donne un mouton, je paie une couverture; j'apporte à un maître d'école rurale des photos pour décorer sa classe, à quelques mois de là, quand il a fait sa récolte d'arachides, il m'en envoie tout un sac. Le cadeau reste une coutume, même chez les fonctionnaires surtout quand ils se déplacent chez les gens. Des visiteurs de marque arrivent-

---

21 «L'exposition publique des *bèmà* (objets pour la compensation matrimoniale) surtout dans la formule Batanga où le contre-paiement parvient à égaler le paiement, exprime ce caractère de totalité des échanges. Cette pratique n'est d'ailleurs pas sans analogie avec les *bilaba* des Fang, forme africaine de potlatch, par laquelle les adversaires renchérissent sur la qualité et la quantité des cadeaux qu'ils s'offrent réciproquement. Le *bilaba* est d'ailleurs pratiqué par les Batanga. Les *bèmà* se présentent donc comme un défi économique destiné à assurer au sein du groupe la circulation des biens, la connaissance publique des richesses respectives des familles en présence, et surtout l'égalisation des fortunes. On retrouve ici comme dans beaucoup d'autres institutions le souci de contrôler les antagonismes possibles par des manœuvres équilibratrices. On se tromperait donc en qualifiant la dot de transaction unilatérale. Elle correspond à une méthode destinée à établir et à maintenir des relations durables entre groupes ou entre individus» (R. Bureau 1962-64: 177).
22 J. Binet (1970: 51). Aphorisme mossi: «Le pouvoir (du chef) c'est de la nourriture et une charge», autrement dit le chef reçoit beaucoup mais il doit aussi faire preuve de largesses. Le cadet ne doit pas attaquer le plat de nourriture avant l'aîné; mais l'aîné doit laisser au cadet une part respectable.

ils? Ils sont venus avec un cadeau; voisins et amis envoient des plats cuisinés; il y en a sûrement trop! n'importe, la famille qui reçoit prépare aussi la nourriture, si elle s'abstenait, elle se ferait remarquer et les hôtes pourraient dire: «Heureusement qu'un tel ou un tel ont pensé à nous, sinon nous serions restés sans manger.» La vie politique est à base de dons et contre-dons. Par exemple les hommages et les allégeances au chef le jour de sa fête, ou encore, la coutume mossi du *pugh-siuuré* (E. Skinner 1960): un chef pour honorer quelqu'un, remercier un domestique, s'attacher un voyageur, lui donne une femme; le bénéficiaire devra donner au chef le premier enfant mâle qui naîtra comme domestique, et surtout la première fille comme femme, le chef en disposera comme un vrai tuteur. Remarquons que le sacrifice est à base de don réciproque, *do ut des*; les ancêtres, les ‹esprits› sont ‹nourris et nourrissants›. Ainsi les Somba sacrifient en disant: «Quand quelqu'un t'aide, il faut l'aider aussi; vous mangerez les premiers et vous ne cesserez pas de nous aider»[23].

L'échange des cadeaux peut devenir une véritable compétition (F. Rehfisch 1963). Cela peut devenir une fête, où tout le monde se distrait et oublie ses querelles (Binet 1970: 121; Mauss 1960: 145).

Certains objets deviennent porteur d'une mystique de l'échange. Ainsi la kola. Chez les Banen[24] la kola est par excellence le cadeau de bienvenue; elle est faite pour être divisée en quartiers; elle symbolise le dévouement, l'altruisme, par opposition à un autre fruit (*mual*), de même genre que la kola, mais monocotylédone, qui signifie l'égoisme. La kola sert à la divination: «Nos ancêtres considéraient que la kola était comme un objet capable de les venger. Selon eux, la kola est dotée de quatre yeux qui voient jusqu'au monde des esprits. Elle est comme un être qui voit toutes choses passées, actuelles et futures» (Mahend-Betind 1966: 60); ce qui n'est pas étonnant: si la kola signifie réciprocité des échanges, elle réalise la solidarité familiale donc la volonté des ancêtres.

On ne saurait comprendre cet usage de l'échange à l'intérieur des théories et des pratiques économiques occidentales. La vie économique moderne (production – distribution – consommation) a pour rapport-type, l'achat-vente, réglé par la justice commutative, anonyme et mathématique; le calcul économique tient compte des investissements, de la productivité, de l'amortissement, il prévoit à court, moyen et long terme[25]. Pas besoin non plus de supposer que derrière cette

---

23 P. Mercier (1968: 229). R. Jaulin (1967: 162s.): «Ngabra, chef de terre, avait mal aux yeux et décida de consulter le *koso* (devin)... C'est ainsi que l'âme de son père était fort contrariée: son fils faisait de gros profits et ne lui donnait rien... Ngabra, en compagnie du fossoyeur, offrit donc un cabri à l'âge de son père.»

24 P.L. Mahend-Betind (1966: 45); rites avec kola (63, 64, 68, 73). Comparez avec D. Zahan (1963: 34-36): «D'une manière générale, la kola que l'on croque confère à la bouche, et par conséquent au verbe, des qualités de pondération, de retenue, de maîtrise.» Or le verbe aussi est échange.

25 Le commerce africain ne connaît pas cette rigidité. Un Voltaïque disait: «On donne à celui que l'on connaît, on vend à celui qu'on ne connaît pas.» Le marchandage transforme l'achat en cadeau: «J'y perds, c'est un cadeau, parce que tu es mon ami.» Un riche peut payer plus cher puisqu'il est riche et reconnaît ainsi sa supériorité.

réciprocité se manigancent des forces magiques. Il suffit de comprendre l'importance de la relation entre les personnes et que la relation se vit dans des échanges bien matérialisés. L'oubli du cadeau, le refus du cadeau signifie inattention coupable en matière de relation (cf. A. Ombredane 1969: 52, 54, 93).

3.1.3.1.2 Exemple 2: les échanges dans une société – les Kikuyu[26]

Glanons quelques faits:

> Les cousins, ou *moihwa*, sont très liés et il serait considéré comme offensant de ne pas rendre visite à son cousin lorsqu'on passe dans le village, ou de quitter sa case sans manger quelque chose. La rigide politesse gikuyu veut que «un cousin ne puisse refuser un repas» (Kenyatta 1967: 31).

> Les relations entre parents par alliance sont marquées par des règles de politesse strictes, «le beau-père ne peut pénétrer dans la maison de sa bru avant qu'elle ait eu son enfant, et en signe de politesse, il doit lui offrir une chèvre ou un mouton» (p.33); les parents par alliance s'entraident dans les travaux des champs.

> Le mariage est l'occasion de multipes cadeaux, ainsi d'ailleurs que les cérémonies d'initiation ou de circoncision. Lors de la circoncision de son fils (ou l'excision de sa fille) si un homme n'a pas suffisamment de farine pour recevoir parents et amis, il demandera à sa belle-famille de lui fournir nourriture et boisson, sachant qu'il aurait agi de même pour elle. Cet échange de cadeaux est régi par le principe du don et du contre-don: «une fois toi, une fois moi» (p.33).

> De même dans les travaux des champs: «L'aide mutuelle fondée sur le principe: 'donne et reçois' est essentielle ici. Les relations entre un homme et ses voisins ou entre les différents groupes de la tribu sont régis par la réciprocité. L'homme aux services duquel on a fait appel et qui s'abstient sans raison valable est mis au ban de la communauté pour son attitude individualiste, surtout s'il s'agit d'un travail urgent comme de construire une maison ou un parc à bestiaux... Lorsqu'un individu a été mis en quarantaine, il doit verser une indemnité à ses voisins (généralement un mouton ou un bouc) en dédommagement de sa mauvaise conduite. On égorge l'animal pour célébrer l'événement puis, après une courte cérémonie de 'réunion', l'homme est à nouveau tenu pour un voisin honnête et serviable» (p.70; cf. p.92 le proverbe: «Un travail en commun rend la tâche légère»).

L'importance des échanges et cadeaux dans cette société donne aux chèvres et aux moutons une importance spéciale:

> Leakey a calculé que cent huit circonstances de la vie d'un Kikuyu exigent le sacrifice de chèvres ou de moutons; une bête et demie en moyenne par an pour chaque membre de famille. Le capital de chèvres et de moutons est donc fondamental pour l'indigène... Mentionnons seulement le système de classes d'âge échelonnées, que chaque Kikuyu mâle doit parcourir et qui forme le ciment de l'organisation politique: ces initiations coûtent très cher... Le petit garçon franchit un échelon à cinq ans, lorsqu'il est en âge de distinguer les chèvres et donc capable de faire un berger. A neuf ans, a lieu sa 'deuxième naissance', un rite plus complexe où chèvres et

---

26 D'après J. Kenyatta. Cf. aussi J. Middleton (1954) et W.E. Mühlmann (1968: 82-116). Comparer avec le don chez les Hausa, in J. Monfouga-Nicolas (1972: 38s.).

moutons sacrifiés jouent un grand rôle... Chaque nouvel échelon signifie plus de puissance et d'honneur, mais aussi un surcroît de dépenses, les chèvres constituant l'essentiel de la mise de fonds. Certains échelons sont ainsi directement désignés par: 'homme à une chèvre', 'homme à deux chèvres'... etc. (Mühlmann 1968: 90-91; Kenyatta 1967: 119, 120, 123).

3.1.3.2   La fête

La description d'une grande fête appelée *essaka* chez les Mbundu de l'Angola central suffira à notre propos (communication orale d'un Mbundu, 1971).

C'est une fête d'amitié et de joie pour toute la contrée. Elle est organisée par un homme riche de descendance royale; elle a lieu à l'ombre de certains arbres (*mulemba*), qui sont plantés à la fondation d'un village, et qui symbolisent ainsi l'origine du peuple et la succession des ancêtres qu'on enterrait d'ailleurs au pied de ces arbres. Tout le village prépare de la nourriture et de la boisson en quantité, car les invités seront très nombreux. L'organisateur de la fête tue des bœufs (le bétail le plus valorisé). La fête comporte, outre cette bombance, des danses, des sports, et une manifestation d'ancêtres. Les meilleurs danseurs se manifestent au rythme des chants et tambours; des masques faits avec les cornes des bœufs immolés participent aux danses. Le sport comprend des luttes, et une compétition d'un genre particulier où l'athlète porte une grande calebasse d'huile de palme dans la main; il danse ainsi, et doit se défendre des attaques sans faire tomber l'huile. Les tambours sont énormes et s'entendent très loin. Une calebasse de bière circule, mélangée d'ingrédients particuliers; celui qui y boit a le droit d'insulter plaisamment les autres (insultes sexuelles au père et à la mère). Le clou de la fête c'est la manifestation des ancêtres; certaines personnes, hommes et femmes, entrent en transes et sont tenues comme représentant les ancêtres en visite chez les leurs; on leur souhaite la bienvenue; on profite de cette visite pour se faire des communications réciproques sur l'état de la tribu. A la nuit un grand repas est servi qui rassemble spécialement ces visiteurs-ancêtres, les nobles, l'organisateur etc., et la fête continue jusqu'au matin.

Ainsi, pour un riche et son village, *essaka* est une occasion de se donner du prestige; c'est un renforcement général de l'entente, autour des ancêtres, qui représentent la tradition; tout le monde est mis dans le coup d'une manière ou d'une autre, tout en sauvegardant certaines hiérarchies; la fête donne lieu à une abondante circulation de richesses, non dans un but proprement économique (au sens moderne du terme) mais pour le renforcement de la solidarité[27].

3.1.3.3   Les rituels de paix

La relation bien vécue c'est la paix. Paix signifie santé, calme, absence de disputes, solidité, prospérité; aussi les salutations en plusieurs pays africains, sont-elles des

---

27   Comparer avec C. Coquery-Vidrovitch (1964): fête des coutumes au Dahomey; et F.J. Amon d'Aby (1960: 27s.): fête des ignames chez les Agni.

demandes et des affirmations de paix, des souhaits de paix[28]. La paix c'est aussi le climat nécessaire à la vie relationnelle. La paix est donc à la fois moyen et but. Faire la paix est donc quelque chose d'important en Afrique; cela se fait le plus souvent rituellement. Le rituel prévoit le rejet des mauvaises intentions ou des fautes, des ruptures d'interdits (confession, purification); la malédiction proférée contre quiconque troublera la paix, dira des paroles mauvaises, fomentera des querelles; le geste d'union ou de rassemblement. Le rituel n'est pas seulement symbole ou expression de la paix, il est l'acte même qui réconcilie, non par quelque vertu magique occulte, mais *ex opere operato*, tout simplement parce que chacun s'y plie volontairement et s'engage en un geste qui ne saurait être mensonger. En effet, le rite accompli de façon sacrilège, dans l'intention de tromper, est puni, pense-t-on par des maladies, la stérilité, la mort; et cette conviction, avons-nous dit, n'est autre que la conviction selon laquelle la personne ne peut plus réellement vivre en dehors de ses relations. Cette pacification, même sincère, reste sans doute éphémère, mais elle porte tout de même ses fruits. Relevons maintenant quelques faits.

Le *marché* est un lieu privilégié pour les relations entre un grand nombre de personnes, de familles, de statuts, d'origines différentes; ce doit donc être un lieu de paix[29].

Les *grandes occasions* de la vie (naissance, funérailles, intronisation d'un chef, fêtes annuelles, départ en voyage, procès) demandent une purification, une exigence de paix, en chassant le mal qu'on a pu faire. Certaines sociétés comme les Ashanti, connaissent des rituels de purification générale pour se libérer de toutes les sorcelleries et mauvaises intentions. On chasse «le mal du groupe en donnant à chacun la plus grande liberté pour insulter ou accuser son prochain (supérieur ou inférieur) et aussi pour s'accuser publiquement de toutes les fautes (réelles ou imaginaires) commises durant l'année» (Rouch 1963: 140, citant R.S. Rattray). J.C. BAHOKEN parle de la cérémonie *esa* comme d'une cure d'âme. «La personne qui raconte sa vie, se sent délivrée. Elle peut vivre au milieu des siens désormais dans l'amour, l'honnêteté, la loyauté et l'entente»[30].

---

28 Le vocabulaire mossi des salutations tourne autour de la paix: *lafi bala*, seulement la paix; autres termes possibles: *ya bugesgo* (c'est la douceur, le calme, l'humidité) par opposition aux situations ‹chaudes› où l'on se dispute; *kweg ka ye* (pas d'histoires); *kyééma mé* (bien portant, solide); *bâané* (bonne santé). L'idéal de paix est fait de bonne santé corporelle et psychologique, individuelle et sociale.

29 D. Zahan (1954: 370-375); J. Binet (1970: 129); S.O. Anozie (1970: 101-102) (le marché chez les Ibo).

30 J.C. Bahoken (1967: 84, 69-74), fête *ulumu*, 95-96: «Pendant cette fête on recherche la paix du village, mais aussi la paix avec les villages voisins...» La paix chez les Lele du Kasai (M. Douglas en D. Forde 1954: 13); chez les Abaluyia de Kavirondo (G. Wagner ibid.: 48, 50, 53); rituel de fête annuelle chez les Tallensi (M. Fortes 1962: 74-76); rite *tsoo* des Béti (L. Ngongo 1969: 261ss.). P. Mercier (1968: 384): «Le *difoni* ou *dibani* (rites de passage) efface en principe et pour un terme les divisions; il exige plus encore que les cérémonies funéraires, l'apaisement des conflits.» Les funérailles exigent la réconciliation au sein de la grande famille (339-340). Un exemple de prière de réconciliation en B. Davidson (1971: 80).

On ne peut rien *entreprendre* qui réussisse, en dehors de la vie relationnelle droitement vécue, selon les canons de la tradition, donc en communion avec les ancêtres. C'est ce que pensent les Bété:

Tout individu désireux de mener à bonne fin une entreprise quelconque – voyage, vente de café, mariage, service sous les drapeaux – peut, directement ou avec l'aide de ses ancêtres médiateurs, demander la bénédiction de Lago (Dieu). Il prend alors un récipient empli d'eau et dès l'aube, s'assied sur le seuil de sa maison pour se confesser, à voix basse, de toutes les fautes jusqu'ici consciemment commises. Ensuite, purifié de la sorte, il prend dans la bouche une lampée d'eau pour la recracher sur le sol, en trois jets successifs, suivis de l'énoncé de son vœu. Une autre fois, par exemple, lorsqu'un jeune homme irrespectueux se trouve en difficulté après un désaccord avec un représentant de la vieille génération, il peut être obligé afin de détourner de lui le mauvais sort, de demander au vieillard insulté de ‹verser l'eau de la bouche› , en signe de pardon. De même un individu convoqué pour comparaître devant un tribunal coutumier afin de répondre à une accusation, se lèvera ce jour de bonne heure et se rendra, à jeun, un pot d'eau et un poulet à la main, prier sur la tombe d'un des aïeux: «dans mon embarras, je t'appelle, ancêtre, ne m'abandonne pas et fais que je sois acquitté». Chaque phrase, plusieurs fois répétée, de la prière, est suivie d'un jet d'eau de la bouche du demandeur[31].

3.1.4 Le mouvement de conciliation

Pour que la vie relationnelle aboutisse à la paix, pour que les tensions ne mènent pas au désastre, pour rapprocher des personnes ou des familles trop distantes, l'expérience africaine a mis en place des systèmes de conciliation. Les *conciliateurs* auront en outre un rôle de témoins; ils authentifient les accords et les garantissent. Ils constituent un maillon de plus dans la chaîne des personnes relationnées. Chez les Mongo

la participation au combat était interdite au *mbotswa* = personnes apparentées aux deux parties; car on ne hait pas ses parents quels qu'ils soient. Il leur incombait de circuler entre les armées pour ramener le calme et arrêter la lutte, guettant le moment où le nombre de victimes était à l'égalité absolue dans les deux camps, condition nécessaire pour la cessation des hostilités[32].

31 B. Holas (1968c: 132). Comparer avec A. Raponda-Walker et R. Sillans (1962: 127ss.). Les prières de paix in L.V. Thomas et al. (1969: 339). Proverbe rundi: «Qui n'oublie pas, ne pardonne pas, est impossible à vivre» (F.M. Rodegem 1961: 144 n° 1253; 1983: n° 3023). La duplicité existe: «Grande cruche de bière n'arrête pas la haine» (F.M. Rodegem 1961: n° 1236; 1983: n° 3126). Proverbes mongo tournant autour du terme *booto* (paix, concorde, bonne entente, parenté): «Parenté (amitié) (ne va) qu'avec des choses » (c'est-à-dire des cadeaux, des actes) (G. Hulstaert 1958: 154 n° 527); «La parenté, l'amour de parenté ce n'est que la mère» (G. Hulstaert 1958: n° 531), c'est-à-dire rien ne surpasse la mère.
32 G. Hulstaert (1961: 44). Les proverbes mongo insistent sur la délicatesse du rôle de conciliateur: «La flèche à barbillons ne sort pas en l'arrachant» (G. Hulstaert 1958: 166 n° 577); «Un arrêteur de combat avec un cache-sexe» (G. Hulstaert 1958: n° 580), c'est-à-dire pas d'armes, donc impartial; «Celui qui arrête (une rixe, etc.) ne peut pas être la victime» (G. Hulstaert 1958: n° 582); «La guerre... ne termine pas une affaire» (G. Hulstaert 1958: n° 979); mais «Une guerre... ne manque pas d'hommes pour la soutenir» (G. Hulstaert 1958: n° 984).

Chez les Mossi, le conciliateur, dans la famille, c'est le *yaghêga* (enfants de la sœur: donc n'appartenant pas à la famille patrilinéaire). Quand un père est fâché contre un de ses enfants et que le *yaghêga* intercède, il ne peut pas refuser le pardon. En cas d'abandon du domicile conjugal, quand les *yiga* (pierres du foyer) ont été jetés dehors, la femme ne peut de nouveau renouer la vie commune avec son mari, sans que le *yaghêga* n'ait remis les choses en ordre; le *yaghêga* sacrifie un poulet sur le *tibo* (autel) du lignage (R. Pageard 1969: 311-312, 325).

Dans les affaires délicates, comme les fiançailles, la présence d'un intermédiaire est souvent réalisée[33].

Le forgeron est un conciliateur puissant (L. Makarius 1968), essentiellement, croyons-nous, parce que c'est un homme qui par ses techniques s'aventure dans le domaine mystérieux et dangereux de l'En-dehors; c'est un être de l'entre-deux, comme l'étranger et parfois l'enfant[34]. Mais il existe d'autres moyens de conciliation: le *renforcement des alliances*.

L'Afrique connaît les relations basées sur une assise naturelle, celle du sang, ou proche de la nature comme la parenté; elle connaît les relations en quelque sorte obligatoires, non électives comme celles de la famille ou des classes d'âge; elle donne aussi beaucoup d'importance à la relation amicale; proverbes et contes insistent sur les qualités des vrais amis. Mais nous voyons aussi des sociétés africaines renforcer ces relations électives par le rite de l'échange du sang[35].

Le pacte de sang peut lier des particuliers ou des groupes par l'intermédiaire de leurs chefs. D'après V. Mulago (1965: 76) le pacte de sang[36] se dit dans la langue des populations interlacustres «s'entre-boire, être boisson l'un pour l'autre». On ne saurait mieux exprimer la réciprocité et le degré d'intimité de cette relation amicale. L'effet de ce pacte, que son rituel souligne, c'est la fidélité. «Chez les Bashi, les deux contractants se couchent sur la même natte et se disent: le jour où nous nous trouverons ensemble n'ayant qu'une seule natte, nous dormirons sur cette seule natte tous les deux.» L'engagement ne lie pas d'ailleurs que les deux intéressés mais aussi leurs épouses, leurs familles, qui deviennent étroitement soli-

---

33 M. d'Hertefelt et al. (1962: 92); D. Cissé (1970: 137); J. Binet (1970: 142, 143).

34 P.L. Mahend-Betind (1966: 64). Voir d'autres rites ou symboles unificateurs, tels le pangolin chez les Lele du Kasai (M. Douglas 1971: 180s.).

35 E. Leynaud (1963: 367): Evolution du pacte de sang chez les Azande: avec le système moderne des plantations, le pacte pouvait favoriser la paresse puisque le ‹frère› qui avait fait une bonne récolte devait partager ses gains avec son ‹frère› qui n'avait peut-être rien fait! C'est une solidarité de type économique qui remplacerait l'échange du sang: «L'acquisition d'une bicyclette, d'une machine à coudre, d'un fusil de traite, exige la mise en commun par plusieurs individus d'une certaine somme d'argent. Cette mise en commun se fait au profit d'un seul et l'année suivante, à la récolte, c'est un second partenaire qui profite du tout.» Cf. aussi J. Binet (1970: 155): «Surmontant l'anarchie qui divise le monde pahouin, les villages, par leurs sociétés de jeunesse, tentaient de se regrouper au long des axes routiers qui formaient de nouvelles unités sociologiques. Le titre de certaines de ces associations 'la jeunesse de bon cœur de la route de N' montrait bien l'esprit de bénévolence qui présidait à ces manifestations.»

36 P. Hazoumé (1937); J. Middleton (1954: 39, 128); D. Cissé (1970: 128, 134).

daires. Cet engagement est inviolable et ne peut être révoqué; sa violation entraînerait les pires sanctions: perte des biens, mort sans postérité.

On ne saurait dire que le pacte de sang est le sommet de la vie relationnelle africaine. Il en montre en tout cas la tendance profonde: la fidélité et l'égalité. C'est la volonté d'assujétir librement deux subjectivités à un même destin. C'est la volonté d'étendre une relation de type fraternel, au delà des limites de la fraternité biologique[37].

La dynamique de la relation est une sorte de va-et-vient, systole-diastole, par lequel le groupe tantôt se resserre, tantôt se détend. Mais le mouvement de détente est plutôt négatif, quoique nécessaire. Nous voyons donc la dynamique de la relation lancée, tendue vers un rassemblement relationnel, multipliant les liaisons, les superposant et les enchevêtrant pour qu'elles se soutiennent et se renforcent les unes les autres.

3.2 La dynamique de l'En–dedans et de l'En–dehors

L'En–dehors est pour la société humaine à la fois une nécessité et une menace. Essentiellement ambigu, tantôt favorable, tantôt défavorable. C'est par excellence le non-humain, c'est-à-dire ce qui ne répond pas automatiquement aux désirs de l'homme.

Les rapports entre En–dedans et En–dehors sont de quatre types opposables:
– type I, l'évitement; type IV, l'alliance
– type II, l'irruption-incursion imprévue; type III, le contact aménagé

3.2.1 Rapport d'évitement face à l'En–dehors engloutisseur, resserrement dans l'En–dedans

L'En–dehors est lié à des phantasmes de dévoration, ce qui signifie que l'homme ne saurait être lui-même que pour autant qu'il évite la dissolution dans le non-humain. La *nature* est englobante, le village et les champs se conquièrent sur la brousse[38]. Certes, il est impossible d'éviter complètement l'extérieur: les nourritures (cultivées, chassées, cueillies), les remèdes, les matières premières viennent de l'En–dehors. Même les nouvelles naissances sont censées amener chez les humains des êtres nouveaux venant de cet extérieur. Il n'en reste pas moins vrai que

---

37 Il y aurait lieu de citer aussi les sociétés dites secrètes, ou d'initiation, centrées sur un ‹fétiche› qui contribuent à lier fortement entre eux, en leur donnant une place et un rôle reconnus dans la structure d'ensemble de la société, des individus qui, certes, ne seraient pas isolés sans cela, mais qui obtiennent ainsi un lien supplémentaire, extra-familial. Tels: le *yengu* des Duala (R. Bureau 1962-64: 105); les *su-komse* mossi (J.B. Méline 1938: 191-194); le *lemba* kongo (A. Fu-Kiau 1969: 133); le *kimpasi* kongo (J. Van Wing 1959: 426s.). Certaines sociétés ‹secrètes› jouent aussi un rôle policier, contribuant à maintenir les individus dans le droit chemin de l'ordre relationnel, éliminant les récalcitrants irrécupérables.
38 «La brousse est l'aînée du village» (A. Sanon 1972: 200).

le rapport d'évitement se retrouve physiquement vécu (lieux réputés dangereux peuplés de monstres horribles)[39]. Le conte de l'Araignée et du Chasseur (reproduit ci-dessus) montre bien que ce qui prévaut dans l'En−dedans ne vaut pas dans l'En-dehors. Si le premier est le lieu des relations droites entre personnes corporalisées, le second est le lieu des ‹esprits› sans corps (ou au corps monstrueux), le lieu où sont censées se produire les métamorphoses d'hommes en animaux dangereux.

Le moment où l'opposition joue à plein c'est la nuit, quand la famille se rassemble dans la maison, au village, et passe le temps à dire des contes. C'est le monde humanisé qui se blottit chez soi loin de la brousse inquiétante. Or précisément les contes (qu'il est interdit de dire le jour) exaltent la vie humanisée en donnant des leçons de moralité relationnelle, en manifestant des drôleries des situations, et en exerçant la sagacité des intelligences; d'autre part, les contes narguent la puissance dévoratrice de l'En−dehors: l'hyène gloutonne (symbole de la brousse) est finalement dévorée (tuée) tandis que le lièvre, d'abord englouti, réussit toujours à s'en sortir grâce à sa ruse. Dans le lièvre c'est l'humanité qui triomphe en riant de l'inhumanité qui tue.

3.2.2 Rapport d'irruption-incursion dans le domaine de l'autre

Cependant l'évitement total n'est pas possible. Il y a une irruption de l'En−dehors dans l'En−dedans sous forme de maladies, d'épidémies, de morts multipliées, d'échecs; irruption représentée comme la prise d'une personne par un esprit indésirable. Parfois c'est une personne imprudente qui a dérangé en brousse un esprit malveillant et en rapporte une maladie. La parade consiste alors à évacuer l'esprit mauvais par un exorcisme[40]; il arrive aussi que l'on protège les habitations contre ces invasions possibles en les entourant; par exemple, d'un fil de coton[41].

Mais puisque l'En−dehors est fondamentalement ambigu, ces irruptions peuvent aussi devenir utiles. Moyennant un rituel approprié, la personne qui se voit possédée par un esprit, peut en devenir la ‹monture› attitrée; elle deviendra devin ou ‹médium› fournissant aux humains des révélations bénéfiques. De même les

---

39 «*Mpaca* est le spectre de la forêt, de sexe mâle, mais souvent présenté sous une apparence féminine, sale, aux cheveux abondants et aux ongles très longs et très maigre car il ne mange pas. Ce spectre a le don de se métamorphoser en jeune fille très belle. Ses intentions sont toujours mauvaises. *Mpaca* est toujours envieux et puissant; il possède un flair extraordinaire et a... un museau d'animal. Il s'attaque aux femmes seules en forêt (toutefois cette attaque n'est jamais sexuelle); il s'agrippe... au dos des femmes les obligeant à exécuter divers travaux; il ravit les enfants et 'mange' les hommes; il sème la discorde entre mari et femme. Cependant, *Mpaca* finit toujours par être vaincu. Il aime la bière et on s'en débarasse donc en le faisant boire copieusement. Il adore le chant qui exerce un pouvoir magique sur lui, de sorte que ses victimes versées dans les chants réussissent à se débarasser de *Mpaca*... Il se fait attraper... par des hommes» (D.P. Biebuyck et K. Mateene 1970: 184). Voir d'autres affabulations semblables dans B. Holas (1968c).
40 Par exemple le rituel d'expulsion des maladies décrit par J. Kenyatta (1967: 174-176).
41 L'Arc-en-ciel peut être vu comme la protection du monde humain contre les méfaits du ciel en colère (cf. Fu-Kiau 1969: 125).

femmes pensent devoir attirer chez elles des esprits qui les rendent fécondes en s'incarnant en elles. La naissance des jumeaux est le signe de l'irruption insolite de l'En–dehors dans l'En–dedans; et c'est dramatiquement ambigu.

Mais l'incursion peut avoir lieu en sens inverse. Le chasseur est l'homme de l'En–dedans qui s'en va dans l'En–dehors non sans prendre des protections raisonnables (médecines de chasse, amulettes), et quand il revient à la maison, il lui faut se purifier des émanations délétères de la brousse et des animaux sauvages qu'il a tués. Ceci doit se comprendre comme les précautions par lesquelles l'homme en s'enfonçant dans le non-humain, accentue son appartenance à l'humain. Mais une personne partie en brousse pour une raison quelconque peut aussi y faire des rencontres inopinées intéressantes: elle dira avoir rencontré un esprit qui lui a indiqué un secret, source de santé, de richesse, de prestige: ce sera d'ordinaire le commencement d'une alliance.

3.2.3 Contact aménagé grâce à la divination

Le rapport précédent était inopiné. Les nécessités de la vie obligent l'homme à entrer en contact avec l'En–dehors d'une manière moins imprévisible; il a donc besoin d'aménager la rencontre en cherchant le moment et la manière qui lui soient le plus favorables. Or l'En–dehors, en tant qu'irréductible au monde relationnel, est nécessairement ambigu, non-favorable ou mauvais-favorable. C'est donc le domaine de l'aléa qui appelle logiquement des techniques divinatoires.

La divination a pour but de déterminer à l'aide d'un procédé aléatoire, le moment favorable pour une entreprise humaine, comme s'il s'agissait de sonder les dispositions bonnes ou mauvaises de l'En–dehors à l'égard d'un projet concret. La divination cherche aussi, comme nous le verrons plus loin, à préciser la configuration droite ou pervertie des relations humaines dans l'En–dedans. Ce qui nous intéresse ici, c'est son utilisation par rapport à l'En–dehors. Il est remarquable qu'il y a consonnance parfaite entre la technique de la divination fondée sur le hasard, et la nature essentiellement ambiguë du non-humain[42].

Le système divinatoire des Moundang est particulièrement significatif (Adler et Zempléni 1972: 97). Le procédé aléatoire est évident; il est posé pour fournir la réponse favorable/défavorable à plus de cent questions couvrant en quelque sorte l'univers moundang: la lune et la pluie, les catégories de personnes, les esprits de la brousse, l'eau à boire, le village, ses alentours, ses chemins; la terre; le temps, aujourd'hui, demain et après-demain, matin et nuit; la maison, les ancêtres, les nourritures et les boissons, l'état de la malade (pour qui on consulte),

---

42 A. Caquot et M. Leibovici (1968/2: 430, 442, 473); la fabrication du hasard est un problème très sérieux (476). Voir par exemple la divination au Rwanda: M. d'Hertefelt et al. (1962: 88); et d'Hertefelt et A. Coupez (1964: 286, 326). Le premier acte de la séance divinatoire peut consister à poser la question: dira ou dira pas la vérité? par exemple V. Guerry (1970: 65); l'impression de hasard favorable s'accentue quand la réponse satisfaisante est donnée trois fois de suite; cf. la technique ndembu (V.W. Turner 1972: 43).

l'état de la maîtresse du collège des possédées et de ses deux adjointes (soignantes); enfin la consultation elle-même[43]. Dieu seul n'est pas interrogé, ce qui «reviendrait à chercher la possession de la vérité en une seule fois et pour toujours» (1972: 163). L'ensemble des réponses fournit donc une indication de démarches à faire de telle ou telle façon, à tel ou tel moment, etc. Mais si une indication ne plaît pas, on recommence la consultation sur ce point précis jusqu'à ce qu'elle s'avère favorable[44].

Le recours à la divination suppose une civilisation n'ayant pas de connaissances technologiques très poussées: c'est par la technique que l'homme se rend maître de la nature qui l'entoure; lorsque son emprise est faible, l'homme éprouve ses actions comme aléatoires[45]. De là à imaginer que la nature qui l'entoure est animée d'intentions bonnes ou mauvaises à son égard, il n'y a qu'un pas; le langage même du devin et du consultant entretient l'illusion. Illusion aussi de l'observateur qui imaginerait que par la divination l'homme africain entend être renseigné sur un ordre extérieur auquel il devrait se conformer − illusion du cosmocentrisme.

Il s'agit ici d'opérer une démystification. L'En−dehors n'est rien d'autre que la perception par l'homme du non-humain qui l'entoure; l'animisme anthropomorphique qui peuple ce non-humain d'entités ‹spirituelles› plus ou moins monstrueuses et fantasques, n'est qu'un langage, qu'un symbole[46]. Le jeu divinatoire consiste au fond pour l'homme à jouer sa responsabilité, à s'acculer à des choix, sur une matière en quelque sorte abstraite: configuration de cailloux, de figurines, d'objets divers. Lorsque le devin ndembu (V.W. Turner 1972: 39s.) agite son panier divinatoire de façon à ce que les figurines qu'il contient en se déplaçant d'un bout à l'autre du panier, prennent des positions fortuites, certaines restant en dessous, d'autres au-dessus, il interprète ‹l'événement› ainsi produit. Chaque figurine a plusieurs sens, mais qui renvoient tous aux composantes importantes de la société ndembu. Le devin ‹lit› donc ‹la situation› en quelque sorte ‹écrite› par ces

---

43 Chaque réponse est inscrite sur le sol, par des cailloux, en arcs-de-cercle concentriques face au devin. Pour la divination concernant la grande fête du roi, le ‹texte divinatoire› à parcourir et à récapituler aura près de quatre cents mètres de long (Adler et Zempléni 1972: 153). La consultation pourra s'échelonner alors sur une, deux, voire trois semaines (152).

44 Dans la consultation décrite par A. Adler et A. Zempléni, plus de la moitié des génies du lieu étaient défavorables. On le fit savoir au roi; et un nouveau tirage détermina l'animal à faire sacrifier. Ce qui fut fait. Ensuite un autre tirage fut nécessaire pour savoir si les génies avaient agréé l'offrande. La réponse fut affirmative (1972: 165). M. d'Hertefelt et A. Coupez (1964: 286): «Si l'acte dont l'exécution est conditionnée par l'obtention de bons augures est absolument nécessaire, le devin continue les opérations jusqu'à ce que la matière augurale se révèle favorable. Bourgeois (1956: 256) rapporte les dires d'un informateur selon lequel les devins de la cour avaient parfois besoin de cinquante taurillons avant d'arriver au résultat escompté.»

45 Dans la civilisation industrielle occidentale, les systèmes divinatoires se développent précisément dans les secteurs de la vie non-technologisables: la réussite en amour, dans les affaires, et les jeux de hasard. Autrement, dans l'agriculture, l'industrie, les transports, c'est le maximum de fiabilité qui est recherché.

46 Nous reviendrons sur le problème de ce langage: pourquoi cette traduction animiste d'une réalité qui marque simplement la limite de l'humain?

figurines. Si ce qu'il lit convient ou ne convient pas, il peut recommencer l'opération soit pour confirmer la première lecture, (lorsque la position des figurines se maintient inchangée) soit pour l'infirmer et susciter un autre ‹événement› (lorsque la position a changé).

Ces opérations renvoient l'homme à son libre arbitre, en lui offrant comme un miroir où il peut se projeter avec ses plans d'action (G. Devereux en Caquot et Leibovici 1968/2: 469). La divination suppose que l'homme a face à lui, un espace d'incertitude mais aussi un espace où il a la possibilité d'exercer ses désirs, d'entreprendre une action à ses risques et périls.

Pourquoi l'homme ne fait-il pas un calcul rationnel, n'élabore-t-il pas une stratégie de son action? Précisément parce qu'il estime être dans l'imprévisible. Au lieu de ce calcul, il se dit ‹on verra bien›. Aussi bien, dans le système moundang, voyons-nous la divination se dérouler (au moins symboliquement) dans la brousse, donc le non-humain et le devin est censé être un ‹aveugle avec son bâton›, c'est-à-dire aveugle aux réalités et aspirations humaines, au delà des calculs de la prévisibilité rationnelle.

La divination suppose aussi que Dieu n'est pas consultable et qu'il n'y a point de providence déterministe posant un fatum indépassable; elle pose plutôt que Dieu est chance[47], c'est-à-dire qu'il y a devant l'homme un espace et un futur ouverts à la possibilité et réalisation de ses désirs[48].

3.2.4 Rapport d'alliance

Lorsque le contact de l'homme avec l'En–dehors s'avère favorable à l'expérience, il s'institutionnalise en une alliance. Quand un chef de famille ou de village doit s'installer dans un nouvel endroit, il commence par un acte divinatoire: les esprits du lieu choisi seront-ils favorables ou non? et au moyen de quelle redevance? Si la réponse est satisfaisante, on entreprend une première installation. L'expérience jugera. S'il n'arrive pendant une année ou deux que de bons événements, le lieu est bon, les esprits sont avec nous; on s'installe définitivement, et l'alliance avec ces esprits favorables est célébrée périodiquement par des fêtes et des sacrifices. Dans le cas contraire, on s'en va ailleurs. C'est ainsi que les descendants d'un ancêtre fondateur qui a acquis un territoire par alliance avec les génies premiers occupants, s'estiment liés à ces génies qui leur doivent aussi protection. Cependant tout apprivoisés qu'ils soient, ces esprits de l'En–dehors, restent de l'En–dehors, c'est-à-dire qu'ils restent toujours au fond aussi fantasques. Ils restent objet de prières et d'offrandes. L'aléatoire n'est pas éliminé.

---

47 Tel est précisément la signification première de *Imana* (Dieu, au Rwanda et Burundi).
48 Cf. les salutations-souhaits mossi: Que Dieu nous donne un bon lendemain; que Dieu nous donne une bonne saison de pluies; que Dieu nous fasse nous rencontrer dans sept jours.

Un récit typique nous fera toucher du doigt cette logique:

Un jour, un Peul perdit sa vache. Il la chercha en vain longtemps. Il arriva sur la colline, et promit à celle-ci de lui faire une libation de lait si elle lui faisait recouvrer son bien. Il partit et ne tarda pas à retrouver sa vache. C'était un vendredi. Le lendemain il retourna sur la colline accomplir sa promesse, mais pas seul. Il invita le chef de terre à venir avec lui. Celui-ci amena ses danseurs et fit une offrande de beurre. C'est ainsi que la fête commença et l'on décida de la recommencer chaque année, au même moment. La fête tombe toujours un samedi du mois d'août.

Ce jour-là le chef de terre reste sur la colline depuis le matin jusqu'au soir, faisant les libations de beurre offertes par les femmes du village. Celles-ci demandent surtout des enfants, et pour cela, elles tâchent de prendre discrètement un caillou de la colline, pendant que le chef fait l'offrande; elles le garderont sur elles jusqu'à ce qu'elles soient enceintes. Ce jour-là, il n'est permis à aucun étranger de gravir la colline; s'il prenait une pierre de la colline cela signifierait qu'il enlèverait une femme du village. Enfin on boit, on mange et on danse pendant deux jours (récit recueilli à Imansgho, cercle de Koudougou, Haute-Volta).

La dynamique des rapports entre l'En—dedans et l'En—dehors que nous venons de décrire, est vécue à un niveau symbolique très élaboré. Nous voulons la rationaliser en disant simplement: l'homme a en face de lui l'aléatoire, c'est-à-dire un espace et un temps qu'il ne domine pas, mais dans lequel il peut agir à ses risques et périls. Ceci nous introduit à une autre dimension de cette dynamique: la technique.

L'homme africain n'aborde point les réalités de l'En—dehors (brousse, forêts, fleuves et mers) sans de solides connaissances techniques qui lui permettent de mener une agriculture, une chasse, une pêche, des artisanats satisfaisants. Cependant la fiabilité de ces techniques est toute relative. C'est sans doute pour expliquer ce résidu important d'aléa que l'origine de ces techniques est attribuée à ces esprits ‹héros civilisateurs›, et que seuls peuvent les pratiquer les descendants de ceux qui ont fait alliance avec ces bienfaiteurs.

3.3 La dynamique du moi dans les relations

La vie relationnelle est vécue par les personnes; et pour qu'elle aboutisse à leur réussite et à leur épanouissement, il est nécessaire qu'elles s'y adonnent avec bonne volonté en suivant la tradition des ancêtres. Mais, nous l'avons déjà dit, le système relationnel, même droitement vécu, n'aboutit pas toujours au résultat escompté. Il y a en somme trois sources possibles de dérangement:

— ou bien le mal est produit par les personnes elles-mêmes; elles se sont refusées au bon ordre des relations;

— ou bien le mal est venu d'une rencontre avec l'En—dehors inhumain;

— ou bien le mal vient de plus loin, d'une sorte de destin de la personne, contracté avant la naissance.

Or, dans ces trois cas, la personne n'est point complètement démunie. Quand la personne s'est rendue coupable de quelques fautes, jalousie, intention sorcière, rupture d'interdits, elle peut réparer en confessant sa faute, en répudiant la mauvaise volonté ou la mauvaise parole, en renouant les bonnes relations. Dans le deuxième cas, il y a les ressources de l'exorcisme: le mal est renvoyé dans la brousse; ou bien l'esprit prend possession définitivement de la personne, échange d'âmes pourrait-on dire, et l'esprit deviendra le protecteur bénéfique de sa ‹monture› et des siens. Dans le troisième cas, le destin n'est jamais tout à fait une prédétermination inexorable: connu d'ailleurs par la divination, ce destin peut toujours être plus ou moins modulé. Nous nous trouvons donc devant une conception où la personne humaine n'est jamais réduite à la passivité pure et simple. Il serait aberrant de croire que le communautarisme relationnel dilue les personnes; elle les exalte au contraire, mais non à la façon de l'individualisme occidental.

3.3.1 La personne équipée pour la vie relationnelle

Nous prendrons l'exemple dogon[49].

La relation droitement vécue étant de première nécessité, l'analyse de l'homme privilégie les facultés qui l'assurent. Les Dogon distinguent huit ‹âmes› ou ‹principes spirituels› appelés *kikinu* (nous pourrions aussi bien dire ‹facultés psychiques›), en utilisant une triple opposition: *kikinu* du corps/*kikinu* du sexe; chacun se subdivisant en *kikinu* intelligent et bête; et ces derniers en mâle et femelle. La première opposition met en évidence les deux secteurs principaux de la vie relationnelle: les relations ordinaires diurnes entre personnes séparées, et les relations sexuelles nocturnes entre mari et femme unis. La deuxième opposition est celle qui nous retiendra le plus ici: sont dites intelligentes les facultés qui favorisent la relation, et bêtes celles qui y font obstacle; l'homme et la femme se les partagent également, chacun avec sa nuance propre. Nous avons donc l'ensemble suivant:

Kikinu du corps
- Intelligent mâle (dans le cerveau) désigne les facultés intellectuelles (réflexion abstraite, volonté, intelligence). Elles sont dites mâles parce que l'homme est plus intelligent que la femme;
- intelligent femelle (dans le foie doux) désigne l'affectivité positive: la joie, l'amour, l'affection, les sentiments agréables. De ce côté, la femme paraît plus douée que l'homme;
- bête mâle (logé dans l'ombre, comme une mauvaise chose dont on ne parvient pas à se libérer): ce sont la colère, les sentiments violents qui s'opposent à la raison, le ‹cœur rouge›. *Kikinu* mâle, car l'homme est plus violent que la femme;
- bête femelle (logé dans la pénombre) désigne le mauvais côté de l'affectivité, le ‹cœur ténébreux›, rancune, jalousie, haine, émotions néfastes. Ce que l'on rencontre plus souvent dans la femme que dans l'homme: parce que la femme est moins satisfaite dans le système relationnel.

---

49 G. Calame-Griaule (1965: 36s.). Nous prenons l'exemple dogon parce qu'il a été étudié plus en profondeur. Nous n'entendons pas dans cet article étudier toutes les dimensions des conceptions africaines sur la personne humaine, ses constituants, ses ‹âmes›.

Kikinu du sexe

- Intelligent mâle (logé dans le pancréas, ou le bon sang, ou le sperme) désigne l'acte sexuel réussi et fécond;
- intelligent femelle (logé aussi dans le pancréas), c'est le bon désir, l'accord physique et affectif des époux notamment dans l'acte sexuel;
- bête mâle (mauvais sang) c'est l'acte sexuel manqué, l'impuissance de l'homme, la mésentente du couple;
- bête femelle (organes sexuels et rate), c'est la frigidité de la femme, la mésentente qu'elle provoque, les menstrues.

La finesse psychologique de l'analyse dogon montre en somme que la personne est équipée du meilleur et du pire en vue des relations. Constation réaliste: la vie relationnelle n'est pas toujours au beau fixe.

Nous déduirons de ceci l'importance de l'éducation[50] pour l'éveil du sens social, du savoir-vivre relationnel, de la maîtrise de soi. Le concept rundi-rwanda d'*ubupfura*[51] peut servir ici de référence. Le mot peut se traduire par noblesse. «La vraie noblesse (*ubupfura*) est dans le fond du cœur», on ne peut mieux dire combien la subjectivité droitement éduquée est la racine de la vie relationnelle. En principe cette vertu est celle de l'aîné (*impfura*), d'où l'importance reconnue à ce dernier dans le maintien de la tradition. Mais il n'y a rien d'automatique dans cette attribution, car l'aîné de naissance peut être démuni de cette ‹noblesse› et un cadet bien pourvu. Les composantes de *ubupfura* sont la maîtrise de soi, la prudence et la bienséance, la pudeur et la fidélité, la reconnaissance et la bonté.

3.3.2 La personne investie par l'ancêtre et l'esprit

Les Moundang du Tchad distinguent l'esprit ancestral (*mozum*) et le génie du lieu (*cox-sin*)[52]. Au niveau de la personne ces deux axes ne semblent pas se refléter d'une

---

50 Proverbes rundi: «L'éducation est plus difficile que l'accouchement»; «L'éducation l'emporte sur la naissance».

51 D. Nothomb (1965: 251); M. Sinankwa (1971: 53).

52 A. Adler et A. Zempléni (1972: 33): «... il semble clair que la religion moundang subordonne à l'être d'en-haut, lointain et impersonnel (*Masen*), deux principes opposés et complémentaires que l'on peut désigner ici par les radicaux *sin* et *zum*. Les forces qui sont du côté de la nature d'une part, les forces captées et manipulées par l'homme d'autre part, seraient subsumées sous le concept de *sin*. Les esprits et les puissances ancestraux de toute sorte seraient inclus dans le concept de *zum* ou de *mozum*. Ainsi, nous trouverions d'un côté tout ce que l'on désigne habituellement par les termes 'magie', 'médicaments', 'génies' (*cox-sin*), 'forces de la nature' et de l'autre, les âmes des ascendants morts.» *Mozumri* désigne aussi les masques: «Les fonctions des masques trouvent leur fondement dans l'organisation clanique de la société moundang, sont davantage liées à la puissance du clan comme entité morale et juridique qu'à la puissance des ancêtres sur le clan lui-même» (33). Les *mozumri* désignent aussi «des puissances qui commandent la terre ou plutôt, qui du point de vue des vivants expriment la souveraineté de la terre sous son aspect bénéfique de terre féconde et nourricière» (163). On peut aussi appeler *mozumri* de grands arbres habités par des esprits ancestraux claniques (164). Enfin les ancêtres morts depuis longtemps semblent se confondre avec les *cox-sinri*.

manière très claire. La petite âme (*ce-lane*) désigne la conscience et se trouve associée au rythme respiratoire et au sternum, «centre de la réflexion, de la décision
et de l'action consciente» (Adler et Zempléni 1972: 28). Elle est donnée par Dieu
au moment de la conception, mais elle peut aussi être comprise «comme une âme
d'ancêtre de retour du monde des morts» (p.26). Cette ‹petite âme› invisible peut
sortir du corps dans le rêve, elle peut subir l'attaque des sorciers et l'agression des
esprits *cox-sinri*. Les sorciers la cachent dans des trous, la battent, font mourir
la personne, et s'attachent ces petites âmes dérobées en qualité d'aide sorcière[53].

Dans les états de possession, la petite-âme n'est pas, à proprement parler, soustraite
du corps. Elle est plutôt sous l'emprise d'âmes extérieures, d'‹âmes de *sinri*› (*cê-
sinri*) qui se sont introduites dans la personne et se sont peu à peu substituées à
son cê-lane... Les rites de la possession... ont pour but de les extraire de la personne
investie pour les reléguer ensuite dans un autel de brousse (Adler et Zempléni 1972:
32).

Du côté ‹ancestral› , chaque personne a ses *mozum*, mânes paternels et mânes
maternels, mânes des grands-parents, dont il importe dans les séances de divination, de sonder les intentions (p.94, 172). Mais on ne voit pas que ces mânes interviennent au niveau de la constitution même de la personne.

Pour les Mossi, au contraire, la personne comprend (je ne retiens ici que ces
deux aspects) le *sigré* et le *kinkirga*; ce dernier montre que la personne est sous
l'influence d'un esprit de la brousse (*kingirga*) qui s'est incarné dans sa mère; le
sigré est le rapport d'un enfant nouveau-né à un ancêtre ‹revenu boire de l'eau› ,
c'est-à-dire d'une certaine façon ‹réincarné› . Cette conception traduit la conviction qu'il y a dans la personne deux couches permanentes l'une plus individuali-
sée, marquant la nouveauté de la personne et son polymorphisme d'origine: au
point de départ, l'enfant n'est pas encore homme proprement dit, c'est-à-dire qui
a pris rang dans un système de relations familiales précis; il doit peu à peu y pénétrer, s'y acclimater, intérioriser l'esprit ancestral, il doit reproduire l'ancêtre et
l'éducation y veillera. Le *sigré* désignerait donc plutôt la couche de la personnalité
qui relève de l'accoutumance relationnelle. Mais cette couche, seconde et acquise,
peut se trouver parfois submergée par la première: un homme en colère qui ne se
domine plus et rompt la bonne relation est dit ‹possédé par son *kinkirga*› . Ce
n'est plus l'homme ‹ancestralisé› pourrait-on dire, qui agit, mais l'individu a-
social[54].

Ces deux pôles de la personne traduisent assez clairement l'orientation de la
vie relationnelle: ou suivre la tradition ancestrale qui prescrit les relations favo-

---

53 La croyance populaire pense que les «vieilles *ma-sak* (sorcières) ont une multitude de *wê-
sak* (enfants de sorcières) qu'elles peuvent expédier vers leurs nouvelles victimes en ouvrant la
seconde bouche munie de grandes dents qu'elles possèdent à l'endroit du sternum» (Adler et
Zempléni 1972: 31). On notera ici cet imaginaire de la sorcellerie-dévoratrice; il est aussi frappant de voir que le sternum, organe de la pensée consciente, source de la vie relationnelle, devient chez la sorcière un organe dévorateur.
54 La notion mossi de *sigré* est parallèle à la notion dogon de *nani*, à la notion fon de *joto*;
on la retrouve un peu partout en Afrique.

rables, sources de prospérité et par le fait même, s'éloigner de la fantaisie in-humanisante de l'En – dehors irréductible ou bien se laisser prendre par cette fantaisie et alors rompre avec le bon ordre, et s'acheminer vers la mort.

3.3.3 Le destin de la personne

Il reste que, dans la conscience africaine, les spéculations précédentes ne suffisent pas à tout expliquer. Chacun a les facultés convenables, que l'éducation développe, pour mener la vie relationnelle droite. Chacun peut revendiquer en somme l'aide des ancêtres contre l'irruption malencontreuse des esprits, ou plutôt chacun trouve dans les premières la règle des comportements qui assurent la vie féconde et prospère. Et pourtant tout le monde ne réussit pas dans la vie relationnelle. Certains paraissent incapables de surmonter jalousie et haine. On les croit possédés par une réalité sorcière qui s'attache à eux malgré eux[55]. Vivre la bonne relation paraît difficile à certains caractères. En plus, la réussite ne s'attache pas forcément à la vie relationnelle droitement vécue, les uns ont de la chance, les autres non. Ce qui nous introduit à la notion de destin.

F.N. AGBLEMAGNON (1969: 76-78) explique que le ‹nom du jour de la naissance› est en rapport avec le ‹créateur-destin› de l'enfant. Or ce nom est bon ou mauvais.

> C'est pourquoi tous les enfants qui ont des difficultés dans leur processus de socialisation sont soumis au rite de *tsitu* (cracher de l'eau, bénir) pour corriger les effets d'un mauvais *dzogbé* (nom-destin). Il s'agit d'un véritable retour de la créature au principe de création dont elle dépend, un retour au créateur – protecteur – déterminateur (p.77).
>
> Dans le cas d'un enfant difficile, il s'agit de retourner à son auteur, à son constructeur, cette œuvre mal achevée, mal cuite (p.78).

Nous avons déjà vu chez les Moundang la notion de ‹petite âme› . Mais il existe encore une autre sorte de principe spirituel dans la personne humaine, nommé *Masen-byane* dieu de la naissance (Adler et Zempléni 1972: 23s.). Cette instance douée d'une intentionnalité propre n'est pas un esprit gardien (si par là on entend la notion d'ange gardien «marquée par une théologie de la providence divine qui semble étrangère à la pensée moundang» (p.23s.)). On l'associe à la circulation sanguine, aux tremblements d'un membre blessé, aux convulsions de la volaille sacrifiée ou de l'homme en agonie. Une coagulation trop lente, donc une hémorragie dangereuse, signifie le mécontentement de ce ‹dieu de la naissance› à l'égard de son propriétaire. Ce dieu est un destin inscrit dans la paume de la main. Il est donné par le Créateur lui-même au moment de la conception: «A la naissance,

---

55 Par exemple, chez les Baoulé, le démon du mal *baé* peut s'installer dans une personne et la rendre sorcière. «Le sorcier lui-même ignore souvent qu'il est possédé, il sent en lui une force diabolique qui le pousse au mal» (V. Guerry 1970: 119). J. Roumeguère-Eberhardt (La divination en Afrique australe. En A. Caquot et M. Leibovici 1968/2: 366) pense que le sorcier malgré lui n'existerait pas chez les Bantu du Sud-Est.

tout l'avenir de l'enfant, son destin d'homme sans descendance ou de père de famille nombreuse, de personne honnête ou de voleur, d'homme avare ou généreux... est déjà gravé dans les paumes de ses mains» (p.24). Destin qui semble donc hors des prises de la volonté libre.

Néanmoins la disposition, bonne ou mauvaise, de votre *masen-byane* à tel moment particulier de votre existence n'est pas indépendante des actes que votre conscience, votre petite âme disent les Moundang, vous conduit à accomplir. Il vous appartient de ne pas négliger votre *masen-byane*, de consulter régulièrement le devin à son sujet et de régler périodiquement la dette que vous avez contractée envers lui, envers Dieu, de par votre naissance. Votre chance à la récolte, dans les voyages ou les affaires en dépend. Ainsi, au moment des semailles vous devez faire une offrande à l'adresse de votre *masen-byane* et le prier de faire pousser le mil, d'écarter les calamités, de faire rentrer la récolte dans les greniers. Après avoir tué une chèvre, vous devez lui offrir sa part. S'il vous arrive de ne rien lui donner pendant plus de quatre ans, il se retourne contre vous-même et manifeste d'abord sa mauvaise humeur par votre malchance persistante. Il faut consulter alors le devin qui constate ses mauvaises dispositions et prescrit une offrande propitiatoire. En versant la farine de mil blanc sur votre couche ou à la droite de la porte d'entrée de la maison, vous dites: mon *masen-byane*, je te demande pardon, je veux recevoir des cadeaux... je veux guérir de cette maladie...» Quelquefois, il est trop tard et vous apprenez par la bouche du devin que votre *masen-byane* n'est plus votre gardien qui se porte garant de l'intégrité de votre corps et du caractère faste de vos actions, mais la cause même de votre maladie, l'ennemi mortel que vous portez en vous-même. Bien des personnes sont mortes, dit-on, d'un tel clivage interne de leur personne (p.24s.).

Le caractère malléable du destin est encore mieux marqué dans la conception fon du Dahomey. H. Aguessy[56] affirme: «Il est erroné de dire que l'homme est livré au destin qui l'écrase.» C'est vrai qu'il existe une certaine inéxorabilité du destin:

C'est vrai qu'à propos de la moindre démarche, l'individu s'en réfère à la révélation divinatoire que le devin peut lui faire. C'est vrai que l'individu est sans repos tant qu'il n'a pas su sous quel signe géomantique s'annonce telle ou telle entreprise. Dans cet ordre d'idée, le *Fa*, par exemple, symbolise le déterminisme le plus rigoureux. Mais ce n'est là qu'une partie du comportement de l'homme. Rarement, il lui arrive d'accepter le sort ainsi jeté. Il a toujours la possibilité de modifier le destin qui lui est imparti. Aussi à côté de *Fa* (système de divination ou de détermination), existe-t-il toujours *Lêgba* (possibilité toujours ouverte). *Lêgba*, ici encore, sauve l'homme du caractère inhumain ou a-humain du destin. Ce n'est pas par hasard si la société qui a accordé une grande place à *Lêgba*, a forgé pour désigner l'homme, le nom *Gbêto* (*Gbê*: vie, monde; *tô*: père, possesseur). Il y a une cohérence certaine dans ces deux attitudes. Nous sommes loin d'avoir affaire à une religion où l'homme serait condamné à la résignation et aurait aliéné sa faculté de décision.

---

56   En *Les religions africaines comme source de valeurs de civilisation* (1972: 44-45). Voir aussi Aguessy (1970).

3.4 Réflexions épistémologiques

Les élaborations précédentes entendaient définir le *dynamisme* de la relation ou le régime de l'action humaine à l'intérieur de la forme de pensée Je—Avec. Le fondement de ce dynamisme c'est la nécessité des relations droitement vécues pour l'obtention de la réussite des personnes et de leur groupe. Nous devions montrer les péripéties de ce dynamisme, une sorte de *circuit* où les tensions de partenaires distincts et multiples se résorbent dans la recherche de la paix, moyennant un effort de conciliation. Nous devions montrer à la fois que les personnes sont équipées — éduquées — pour la vie relationnelle qui fait prospérer et en même temps tout à fait capables de détruire et de rendre impossible la relation qui fait vivre. Nous devions montrer qu'il n'y a point de vie relationnelle sans rapport avec l'En—dehors, car l'homme ne puise pas en lui-même et en ses relations les biens extérieurs qui lui sont nécessaires, il va les puiser dans l'En—dehors par ses techniques; mais celles-ci étant relativement insuffisantes, son action reste aléatoire: d'où la perception d'un En—dehors comme essentiellement ambigu, irréductible aux désirs humains et aux efforts relationnels.

Ce faisant nous avons voulu démystifier les représentations liées à l'En—dehors ou à la constitution de la personne. Ces représentations sont largement symboliques et nous avons voulu les interpréter à l'aide d'une herméneutique précise: la forme de pensée du Je—Avec et le champ relationnel déterminé par six catégories fondamentales[57]. Nous aboutissons ainsi à poser une théorie d'ensemble: le *relationnisme*, que nous considérons avant tout comme un outil opératoire destiné à penser et à conceptualiser l'expérience africaine, d'une manière qui soit à la fois rationnelle et authentiquement africaine, ne devant rien à des problématiques étrangères. Mais cette théorie se heurte à d'autres conceptions sur lesquelles nous devons nous expliquer.

3.4.1 La théorie de la participation

Le terme de ‹participation› est employé par divers auteurs pour caractériser la réalité africaine.

> L'un des fondements de l'art de vivre africain est la participation ou la communion profonde avec l'univers. C'est ici que l'on peut chercher à situer les différences entre l'art de vivre des Occidentaux et celui des Africains... Pour l'Africain, le projet majeur est celui de la vie en harmonie avec l'humanité et avec la nature, même s'il est engagé dans une œuvre moderne de transformation. Tout en gardant un certain individualisme, il se détache mal du milieu humain et naturel où il s'insère. Pour lui le mal est d'abord, la désintégration. Le bien est l'intégration ou la participation et l'auteur énumère les participations: avec l'homme, le monde animal, les végétaux, la terre-mère, les éléments (*A la rencontre des religions africaines* 1960: 30-32).

---

57 Nous n'avons pas voulu dans ce chapitre traiter *in extenso* de la divination, de la sorcellerie, des constituants de la personne humaine, etc. Nous les avons seulement situés dans notre problématique. Nous comptons y revenir dans un ouvrage ultérieur.

Un autre voit dans la participation la deuxième notion maîtresse de la métaphysique *ntu* (la première étant la force):

> La participation est le principe de connexion qui unit sans les confondre des êtres différents comme êtres... Chez les Bantu, les limites entre le sujet et l'objet se trouvent rétrécies par le fait des rapports qui relient l'homme à la nature inanimée, au moins animale, par le truchement du totem, aux autres hommes par le pacte de sang, la solidarité familiale, clanique, tribale. L'ontologie *ntu* a la vaste notion de l'être. Sa conception emporte l'idée de fraternité avec le monde total (G. Kajiga 1968: 15-16).

V. MULAGO utilise le terme:

> Il y a participation ou intime relation ontique entre les membres d'une même famille, d'un même clan, d'une même tribu, vivants ou décédés. Le lien qui les unit résulte de l'unité du sang, de l'identité de la vie qui circule dans tous les membres... (1965: 126 et passim).
> La clef de voûte de la société bantu paraît être un principe unique, la participation... (p.128). Et cette participation semble avoir pour rôle celui d'intégrer les êtres particuliers et de les situer dans le plan total du monde visible et invisible, de façon que chaque réalité prenne sa place et sa vérité dans sa connexion et dans sa relation universelle... (p.128). (Mais il faut bien noter que) la participation est cet élément de connexion, cet élément qui unit, sans confondre, des êtres différents comme êtres, des substances (p.128)[58]
> La conception africaine du monde se ramène à un jeu de liaisons (pensée participative) et d'antagonisme (pensée séparante) lié à une classification des êtres-forces.
> ... la participation n'est que l'opération complémentaire de la classification des forces, un essai de coordination ou d'unification dynamiques. En un sens, tout est participation. Puisque c'est la même force qui anime tout l'univers, il est normal que tout agisse sur tout[59].

Nous ferons à la théorie (ou plutôt à l'emploi du terme) de la participation plusieurs critiques.

1. Le mot est en lui-même dangereux, parce qu'il est chargé d'une trop longue histoire philosophique, depuis PLATON à LÉVY-BRUHL; il est difficile d'en préciser le sens; il est le produit d'une forme de pensée particulière et il y a donc risque en l'employant ici d'imposer à la réalité africaine des idées et des présupposés étrangers.

2. Dans l'usage philosophique occidental, participation évoque émanation, une sorte d'identité entre les êtres dérivés d'une source commune. La personne connote une diminution de l'être émané par rapport à sa source, c'est une ombre, un

---

58 Cf. aussi V. Mulago, 'La participation vitale, principe de la cohésion de la communauté bantu', en *Pour une théologie africaine* (1969: 191).
59 L.V. Thomas (1961a: 65); du même: 'Positivisme et métaphysique', en *Aspects de la culture noire* (1958: 86-87). A.J. Shelton (1963: 98) se propose d'appliquer à l'Afrique le principe néoplatonicien de l'émanation − recul − immanence. R. Bastide (1962: 37, et 1968: 103). D'autres termes que participation sont aussi employés dans un sens voisin: symbiose, osmose, contagion, fusion, fluidité.

double, une image d'un au-delà idéal parfait qu'il convient d'imiter et de rejoindre. Dans cette participation, l'être individuel se déploie en s'éloignant de sa source et tend à y retourner. Dans l'usage qu'en fait Lévy-Bruhl, la loi de participation signifie que «les êtres et les objets peuvent être, dans les représentations collectives d'ordre mystique, à la fois eux-mêmes et autre chose qu'eux-mêmes» (Cazeneuve 1961: 12). Chez Leenhardt il s'agit moins de pensée que de praxis: c'est «l'expression du sentiment que l'existence personnelle n'est pas encore coupée des forces naturelles, ni des forces génésiques, ni de la vie des ancêtres, ni de la fécondité du cosmos» (R. Bastide 1970: 140).

Bref il y a toujours dans l'usage de ce concept l'idée que les êtres s'entre-pénètrent et ne s'entre-empêchent pas, démantant le principe d'identité et d'impénétrabilité (V. Jankélévitch 1960: 225). Il y a un va-et-vient: tantôt on insiste sur la fusion, tantôt sur la distinction. C'est un concept flou[60]; il permet de dire ou de faire dire n'importe quoi.

3. Justement cette ambiguïté se manifeste dans l'usage qu'on en fait au sujet de l'Afrique. Participation est pris comme synonyme de communion, de vie en harmonie avec, de connexion, qui unit sans confondre des êtres différents, trait d'union, liaison, relation. Si on analyse de près l'usage du terme, on y remarque qu'il y a toujours une tendance à penser que les êtres se confondent par une partie d'eux-mêmes tel le totem par quoi l'homme serait relié au monde animal! Mais quelle liaison? est-ce d'y avoir un pied? d'être un peu animal, d'avoir une partie de son être au loin ou à l'abri dans l'animal? Parlant de l'enfant dont on dit qu'il est un ancêtre revenu, tout en maintenant sa distinction, comment y a-t-il participation, présence de l'un dans l'autre? Ou bien en parlant de pacte du sang, on parle aussi de participation, comme si le sang coulait d'un organisme dans l'autre. Qu'est-ce qu'une ‹vie commune› qui est la mienne et celles des autres?

On nage, selon nous, dans l'équivoque en parlant ainsi. On ne fait pas l'effort d'une élaboration vraiment rationnelle et critique. On se contente de concepts fluidiques et magiques assez bons pour penser des manières de faire ‹mystiques›, ou ‹magiques› que la pensée occidentale ne saisit pas bien dans ses catégories propres.

4. Posons au contraire l'exigence rationnelle et critique comme fondamentale, mais à l'intérieur d'une forme de pensée *sui generis*. Nous avons dit que la relation impliquait la différence, la distinction et la multiplicité des êtres, qu'elle opposait pour unir; car il n'y a aucun sens à s'unir quand on n'est pas distinct. L'expérience africaine, pose que les êtres sont différents, distincts, séparés, individuels. Le principe d'identité est valable partout. Quant à la relation, elle ne désigne pas une fusion, un mélange, mais l'expérience incontestable que les êtres humains sont les uns *avec* les autres, agissant les uns *sur* les autres; expérience d'entraide, de communication, de coopération, de sympathie, de vivre ensemble. La relation ne pose

---

60   M. Nédoncelle (1942: 29): «Les philosophies de la participation n'ont aucune netteté.»

pas de ‹réalité ontique› entre les êtres humains[61]; elle ne suppose pas je ne sais quel cordon ombilical qui ne serait jamais coupé. La relation est une réalité que la psychologie, la sociologie peut analyser. Le philosophe y voit, en plus une option fondamentale: les personnes estiment ne pas pouvoir vivre, se développer, s'épanouir, en dehors de la vie avec les autres. Il n'y a là rien de fluidique, de mystique, ou de magique.

5. On pourrait objecter: mais que faites-vous du lien du sang? J'en fais seulement une métaphore, une image, non un concept explicatif. Je remarque que la relation pour être stabilisée a besoin de s'appuyer sur des réalités que la tradition estime stables, comme les relations familiales. Mais il y en a bien d'autres.

Quant aux manières de parler ‹totémiques› : ‹je suis un lion, une roussette; ces caïmans sont nos ancêtres›, n'y a-t-il pas là une illusion du langage occidental? Que signifie la copule *est*? Parce que la philosophie classique ne voit que des rapports d'identité et d'inclusion, que les êtres sont des substances, solides en eux-mêmes et distincts, elle en conclut que les affirmations ‹totémiques› sont contradictoires, donc qu'elles relèvent d'une mentalité prélogique qui se complaît dans la confusion. Mais si nous nous plaçons dans une autre forme de pensée, la copule ici ne signifie plus que ‹être en relation avec›. Le problème sera de déterminer quelle sorte de relation[62]. Mais a priori, et dans un contexte rationnel et critique, il n'y a pas lieu de supposer des relations mystiques, fusionnantes, participatives.

6. Il reste que le concept de relation entre personnes distinctes est difficile à penser et à exprimer. C'est pourquoi l'expérience africaine a dû se former un langage spécial pour l'exprimer. Langage bizarre comparé au langage occidental façonné sous d'autres horizons de pensée; mais langage aussi valable et aussi rationnel. Nous renoncerons donc à l'usage du terme participation et nous nous méfierons de toute la philosophie qu'il implique.

3.4.2 La théorie de la répétition des archétypes

L'histoire des religions, surtout avec Mircea ELIADE (1959: ch.XI; 1952: ch.II) a analysé les conceptions archaïques du temps sacré, comme un temps primordial, accompli dans un *in illo tempore* mythique, et que le rite doit répéter pour que le présent et ses événements ne se perdent pas dans l'inexistence, la dégradation

---

61 Nous disons: «Entre les êtres humains» car nous posons comme méthode, qu'une philosophie africaine doit commencer son élaboration par le plus évident, l'immédiat et l'empirique: l'humain; et non par l'ultra-obscur animisme. Remarquons que notre sixième catégorie pose cet animisme comme En–dehors, irréductible; nous accentuons donc la distinction.

62 C. Lévi-Strauss (1962b: 178): «Les croyances et coutumes hétérogènes, arbitrairement rassemblées sous l'étiquette de totémisme, ne reposent pas sur l'idée d'un rapport substantiel entre un ou plusieurs groupes sociaux et un ou plusieurs domaines naturels.» Il s'agit d'un schème de signification «permettant de saisir l'univers naturel et social sous forme de totalité organisée». Nous verrons plus loin que les symbolismes ‹positionnent› les personnes en relation, les unes par rapport aux autres, en même temps qu'ils développent un imaginaire significatif. Il ne faut donc pas prendre un symbolisme pour une affirmation substantialiste.

insignifiante. Cette répétition est une abolition du temps profane, et un départ à neuf, en revivant l'archétype de la cosmogénèse; on recrée la vie en refaisant ce que firent les héros, les ancêtres, les dieux. Dans cet *in illo tempore* mythique, tout d'ailleurs était possible, tout était fluide, puis tout a été fixé irrévocablement. Il n'y a donc plus rien à inventer, il n'y a qu'à refaire. D'où une conception cyclique du temps: on revient, on recommence sans cesse ce qui a été fait.

Cette théorie, qui nous livre une interprétation compréhensive et sympathique des sociétés archaïques, a été appliquée aux réalités africaines[63], non sans convenance, car le sens populaire donné aux rites et aux fêtes, aux mythes et aux légendes, prêtait à cette interprétation. Mais convient-elle réellement?

1. Notons d'abord que la théorie semble principalement édifiée à partir des spéculations de la philosophie hindoue pour qui la vie actuelle, la multiplicité et la distinction des êtres sont illusions. De plus cette théorie se situe dans le sillage du Platonisme. La réalité vraie, la vérité de l'être ne se situe pas dans le présent, mais dans un au-delà mythique et absolu, dans un en-avant inassignable qui fait fonction d'âge d'or. L'essentiel de la vie actuelle ne saurait être qu'une conformité avec un modèle idéal situé ailleurs. Le présent n'est jamais qu'une ombre dégradée, la vie actuelle n'est plus la vie.

Il est possible, certes, d'interpréter les réalités africaines dans cette optique. Mais, ce faisant, est-on fidèle au mouvement propre de l'expérience africaine? N'est-ce pas lui imposer des schèmes élaborés ailleurs?

En effet, l'optique anthropocentrique relationnelle, la réalité vraie n'est jamais située dans un ailleurs, mais dans le présent immédiat. La vraie vie c'est la vie actuelle que mènent les vivants en chair et en os. Le recours à la Tradition n'est pas vu comme la valeur fondamentale et essentielle, mais comme le moyen le plus pratique pour vivre actuellement. La valeur suprême c'est le vivre–ensemble-actuel. La tradition offre un modèle pour ce vivre–ensemble. Mais il ne faut pas inverser ce rapport: il ne s'agit pas de vivre–ensemble pour mieux représenter les ancêtres. Lorsque la fête annuelle ou l'initiation sont vécues comme un retour des ancêtres, ce sont les vivants qui sont visités par les morts, non l'inverse[64]. C'est l'actualité

---

63 Par exemple, L.V. Thomas (1961b). L'auteur a une position nuancée. Il applique tout de même la théorie du ‹grand temps› à l'Afrique. Il cite R. Sastre (Thomas 1961b: 22 note): «Le salut coïncide avec une certaine abolition du temps.» Voir aussi D. Zahan (1970: chap.V): «L'homme à l'échelle du monde», l'être humain est «considéré comme paradigme de ce qui le transcende» (113). Nous pensons qu'il y a dans ces expressions une philosophie cosmocentrique non-critiquée.

64 A. Sanon (1972: 216): «Selon la mentalité bobo, la célébration de l'initiation est un événement qui renvoie à la première manifestation de ce rite par le *Do* aux ancêtres; la célébration représente cette manifestation en une action qui la dramatise dans le temps et la vie de la communauté... Ainsi l'initiation est le moment privilégié où la communauté, à la suite des ancêtres, communie à l'esprit *Do* et exprime à elle-même sa manière d'être homme.» Autre exemple chez les Tallensi décrit par M. Fortes (1962: 75-78): La nuit de la fête, le chef de terre et le chef politique tallensi, viennent dans le plus grand silence, portant leurs insignes propres, par deux voies différentes. Dans les ténèbres, un ancien annonce gravement au chef de terre que l'autre chef est là pour le saluer. Les deux chefs se saluent avec gravité, comme s'ils ne se connaissaient pas.

qui est importante, c'est la seule qui nous soit réellement donnée. L'expérience africaine est là-dessus parfaitement réaliste. En conséquence, nous ne dirons pas que
la pensée africaine est centrée sur l'*accord* avec la nature ou l'accord avec les ancêtres ou quelque autre chose; ce n'est tout au plus qu'un moyen pour limiter les
dégâts que la subjectivité fantasque pourrait accumuler.

Aussi bien, n'oublions pas que la tradition est en fait un consensus des vivants,
une manipulation toujours actuelle. Si ce consensus des vivants s'abrite derrière
le prétexte: ‹les anciens ont fait ainsi›, c'est qu'il s'agit d'un procédé dont il importe de déterminer le sens.

2. La théorie du temps cyclique ne nous paraît pas applicable à l'Afrique. Dans
l'expérience relationnelle, le mouvement, le processus est irréversible: les relations
se diversifient, se cumulent, s'acroissent au fur et à mesure que la personne vieillit:
la mort n'est pas du tout symétrique de la naissance. L'enfant n'est rien, le vieillard
est tout, du point de vue relationnel. L'initiation, même si elle emprunte le rituel
de la nouvelle naissance, n'est pas un recommencement réel de la vie, mais le passage d'une étape à une autre, d'où on ne peut redescendre, en retrouvant une sorte
de virginité. Celui qui faute contre les relations, peut bien être réintégré, purifié;
ce n'est pas une anulation pure et simple, un retour en arrière; c'est un geste nouveau de relation nouvelle. Lorsqu'on pense que l'ancêtre ‹revient› dans le
nouveau-né, cela ne doit pas s'entendre d'un retour pur et simple; les deux restent
bien différents dans leur subjectivité et leur corporalité personnelles. La succession des générations ne constitue pas un cercle, mais un avancement qui grossit
au fur et à mesure comme un fleuve, ou le tronc d'un arbre dont la ramure s'étend
toujours plus.

Ainsi nous ne trouvons rien, dans l'expérience africaine, qui mérite vraiment
l'appellation de cyclique[65]. Evidemment la vie est marquée, en Afrique comme
ailleurs, par la répétition des saisons, des jours et des nuits; cela suffit-il pour parler de cycles cosmiques? La roue n'est pas une technique traditionnelle en Afrique.

Faut-il dire que le temps est linéaire? Peut-être; mais la ligne n'a pas d'épaisseur; un temps linéaire pourrait être un temps filiforme toujours le même. Or dans
l'expérience africaine nous voyons plutôt l'espace – temps s'accroître, en densité,
au fur et à mesure que la vie s'avance et que les relations se multiplient. Nous par-
lerions plus volontiers d'un temps, devenant de plus en plus massif.

Le chef de terre demande si tous les lignages sont présents, car il serait inconvenant qu'un lignage fasse l'isolé. On procède à une libation et le chef de terre prie les ancêtres de la recevoir,
de bénir le peuple et le pays, et son collègue le chef politique. Le mythe de fondation est récité.
Les participants communient à la même boisson et au même plat, et l'on se souhaite mutuellement grasses moissons et santé pour tout le peuple. Puis, chacun regagne sa maison en silence.
65 Y. Tiendrébéogo (1964: 13) donne un conte où les deux protagonistes s'appellent l'un ‹le-
monde-n'est-pas-solide-sur-ses-bases›, et l'autre ‹le-monde-tourne-et-revient-au-même-point›.
Le thème est celui de la fortune qui arrive à l'un en quittant l'autre. Ce ‹chacun son tour› n'inclut pas forcément une vision cyclique de l'univers.

De plus, nous pourrions parler d'un temps oscillant, pendulaire allant et venant, à l'image de la navette qui va et vient, non pas en faisant et défaisant comme Pénélope, mais en ajoutant toujours un peu plus. Car les relations se font et se défont; il y a des moments de relations intenses, d'autres où elles sont plus ténues; il y a les moments de séparation et ceux d'unification, comme nous l'avons expliqué ci-dessus. Le présent savoure ou rumine les réussites ou les échecs relationnels d'hier et prépare les relations de demain, à moins qu'il ne soit lui-même tout entier vécu comme relation intense, *hic et nunc*.

Concluons donc, que si l'on se tient dans un horizon strictement anthropocentrique et relationnel, l'homme vivant actuel ne saurait être exténué au profit d'archétypes ou de personnages mythiques. Si la substance présente de l'homme vivant est sa relation aux autres, c'est cette actualité qu'il faut privilégier et non le temps passé.

4 Symbolique ou l'expression de la relation

Soit une femme mossi présentant à boire à son mari. La femme se signale comme femme par son costume, ses gestes, l'action qu'elle pose, éventuellement par ses paroles ou son silence; le mari se signale comme tel de la même façon, par sa posture, ce qu'il reçoit, ses attentions. Dans cet ensemble complexe nous pouvons distinguer trois séries d'éléments:

1. Une communication linguistique, la *Parole* (éventuellement le silence). L'homme a demandé à boire; la femme tendant la calebasse peut s'entendre dire: «bois d'abord».
2. Une communication non-linguistique que nous appellerons *symbole*. La calebasse d'eau présentée par la femme à genoux à son mari assis, est un symbole *positionnant* la femme face au mari, comme donneuse de vie et donneuse d'eau.
3. Une communication *rituelle*. L'homme pose un rite si, avant de boire, il verse un peu d'eau à terre, en l'honneur de ses ancêtres, des invisibles.

Ce faisant, la femme et son mari se posent et s'expriment comme mari et femme. La relation conjugale est ainsi vécue et exprimée. Parole, symbole-positionnant parlant à l'imaginaire, et rite sont les trois éléments de la symbolique.

Le terme *symbolique* désigne ici ‹toute fonction de suppléance mentale›. Les paroles, symboles, rites ne sont pas producteurs comme le travail; ils ne sont pas des techniques sous-tendues par l'observation et la connaissance du milieu destinées à produire des objets réels; ils supposent la structure sociale, l'expriment, et ce faisant, la produisent. Ces paroles, symboles, rites sont isolables de leur contexte sérieux et peuvent être ‹joués›; ils ne sont compréhensibles que moyennant une activité mentale appropriée: il faut savoir la langue, connaître les symboles, croire aux rites; ils ne sont pas compréhensibles à la simple perception: je saisis immédiatement, en la regardant, qu'une femme tire de l'eau d'un puits, mais pour comprendre que cette tâche lui est réservée, je dois connaître le symbolisme de la femme par rapport à l'homme.

Dans la ligne du présent projet, nous devons nous demander s'il y a une problématique africaine de la symbolique. D'un côté la forme de pensée Je – Avec, si elle est juste, doit déterminer une façon particulière d'approcher la symbolique africaine. D'un autre côté l'exigence philosophique, rationnelle, systématique, va sans doute pouvoir utiliser certaines techniques modernes d'analyse. Cherchons à préciser.

D'abord la problématique africaine n'est pas spécialement axée sur la *conscience*, la représentation, l'individu, comme la philosophie occidentale classique, mais sur la *communication* entre les partenaires. L'herméneutique occidentale des symboles cherche surtout à élucider les rapports entre signifiants et signifiés, la problématique africaine devra considérer surtout l'aspect *positionnel* des symboles; n'importe quelle parole ne peut pas être dite par n'importe qui à n'importe quel moment; les personnes en relation sont *posées* comme partenaires et s'expriment comme telles.

Les relations vécues supposent le facteur travail et technique. Pour que la femme puisse donner de l'eau ou de la bière à boire à son mari, il lui faut fournir une certaine quantité de travail et utiliser certaines techniques. En soi travail et techniques sont indépendants de l'option relationnelle: au fond n'importe qui peut puiser de l'eau. Mais nous voyons au contraire qu'en Afrique le travail (répartition des tâches) et l'usage des techniques (fabrication, vente, utilisation) sont fortement marqués par le système relationnel: c'est la femme seule qui puise l'eau et la porte dans un canari (poterie) sur sa tête, ce n'est pas le mari. Les tâches techniques ont donc en Afrique un symbolisme positionnant certaines personnes face à d'autres.

Ensuite la pensée africaine est toute tendue, croyons-nous, vers la maîtrise de la vie sociale. La symbolique africaine voit donc l'efficacité de la parole, du symbole, du rite d'une autre façon que la symbolique occidentale. L'occidental est toujours porté à voir de la magie dans la parole, le symbole ou le rite qui se veulent efficaces, parce qu'il se demande comment du mental peut opérer objectivement dans le matériel. Dans une vie relationnelle au contraire, la symbolique est le nœud de la communication, et la communication est nécessaire à la relation. C'est pourquoi la symbolique paraît beaucoup plus importante en Afrique que dans l'individualisme occidental; en tout cas elle n'a pas le même sens.

Pour sérier les problèmes, et tenir compte de la complexité du donné africain, nous allons étudier successivement la Parole, le Symbole et le Rite.

4.1 La parole

4.1.1 Position de la problématique

Notre projet philosophique se voulait pleinement philosophique d'une part (rationnel-critique) et d'autre part pleinement africain. Une philosophie ne peut pas s'édifier en ignorant les sciences humaines: ici linguistique et sémiologie ont leur mot à dire.

4.1.1.1 L'exigence philosophique rationnelle

Pour y voir clair, il faut utiliser les mots dans leur sens strict. Or à l'heure actuelle on dirait qu'on peut appliquer le terme ‹langage› à n'importe quoi. Si nous lisons l'ouvrage monumental de G. CALAME-GRIAULE (1965) ‹La parole chez les Dogon›, nous voyons que pratiquement à peu près tout est parole, non seulement la parole proprement dite des vivants, mais les morts aussi parlent; le tissage, l'agriculture, la forge sont des paroles; de même la musique et les représentations graphiques, les symbolismes lus dans la nature; le Dieu Amma prononce des paroles (muettes) en créant; les présages sont des paroles dites aux hommes par les entités mythiques Nommo ou Yurugu[1]. Or *il n'y a de parole, à proprement parler, qu'entre personnes humaines vivantes.* Il importe donc de parler strictement sous peine d'emmêler les questions et de ne pas dégager la véritable rationalité des attitudes africaines. Il est indéniable que l'Africain parle aux puissances invisibles par des prières, des devises, des rites; il est indéniable qu'il déchiffre des faits naturels comme si c'était des messages qui lui sont adressés, mais pour comprendre comment cela fonctionne réellement, il faut d'abord appeler ‹un chat un chat› et ne pas croire qu'on a résolu le problème par des métaphores ou l'exaltation lyrique du Verbe.

De même l'exigence rationnelle et critique oblige à considérer la parole non comme une essence métaphysique, un Verbe substantialisé[2] mais comme un fait humain, historique, pratique, social. La désacralisation et la démythisation de la parole est la seule voie possible pour tenter de rationaliser l'expérience africaine et donc d'en montrer le bien-fondé.

4.1.1.2 L'exigence africaine

Les études sur la parole africaine ne paraissent pas très nombreuses[3]. Nous pensons surtout étayer notre réflexion sur le cas dogon. C'est évidemment bien peu pour prétendre poser une problématique africaine de la parole. Nous pensons tout de même que l'étude de ce cas-type peut être bénéfique.

Il ne s'agit pas de renier quoi que ce soit du donné africain, mais de le considérer strictement et critiquement. A travers l'élaboration des auteurs que nous consultons, nous discernons une élaboration autochtone, mais non-critique. Ce que les Dogon (et les Bambara) pensent, disent et font à propos de la parole se distingue de ce que cherchent les linguistes, les grammairiens ou les philologues. Les premiers n'édifient point de phonétique, de phonologie, de syntaxe ou de morphologie, de dictionnaire ou d'histoire de la langue[4], mais une physiologie, une éthique, un cérémonial, une mythologie de la parole. Il importe de discerner ce que ces élaborations signifient. Nous le ferons en nous situant à l'intérieur de notre option rationnelle.

---

1 Il est étonnant que le linguiste M. Houis ne fasse dans son livre *Anthropologie linguistique de l'Afrique noire*, aucune distinction opératoire entre la parole entre humains et les ‹paroles› que seraient les présages, les sacrifices ou les charmes. Même si les Africains voient dans la nature des «intentionnalités multiples» (1971: 87), la stricte rigueur rationnelle exige que l'on critique cette intuition et qu'on cherche ce qu'elle signifie réellement.
2 Les Dogon penseraient que la parole a «une vie propre, une personnalité qui est une sorte de double de celle de l'être» (Calame-Griaule 1965: 32). Les Bantu penseraient aussi que la parole est l'expression de la ‹force› du locuteur (cf. P. Tempels 1949: 56).
3 Outre l'ouvrage de G. Calame-Griaule; nous disposons de D. Zahan (1963); F.N. Agblemagnon (1969).
4 Encore que l'on puisse discerner des rudiments de ce genre d'approche: étymologies populaires, rapprochements de mots se ressemblant (cf. G. Calame-Griaule 1965: 29; M. Griaule 1948a: 36 et *passim*).

4.1.1.3 L'exigence linguistique

Il importe de se tenir à des définitions strictes.

La linguistique décrit la langue comme un instrument de communication; elle en décrit le fonctionnement actuel (étude synchronique d'un état de langue), à bien distinguer de l'évolution historique de la langue (étude diachronique d'une succession d'états de la langue). La langue est un moyen de communication parmi d'autres. La *sémiologie* est l'étude des moyens de communication. Par *communication* on entend les signes, signaux, messages impliquant une véritable *intention de communiquer*[5]: en conséquence rencontrer une paire de caméléons accouplés sur le bord du chemin n'est pas une communication ou un message, car il n'y a personne qui a l'intention de poser ce signe comme message au promeneur. La *langue* est un système que l'on peut considérer abstraction faite des locuteurs concrets. Le *langage* est l'utilisation concrète que quelqu'un fait de la langue. La *parole*, considérée abstraitement est la faculté de parler; concrètement c'est l'usage que l'on fait de cette faculté en utilisant une langue. *Parole* est réservé à l'usage humain; le mot *langage* peut s'appliquer aussi aux animaux.

Autre mise au point: la parole des hommes est absolument à mettre à part. *Il n'y a que les hommes qui parlent*; le monde, la nature, la création, les invisibles, les morts, les esprits, Dieu, ne parlent pas, si ce n'est métaphoriquement. Un proverbe bambara le dit clairement: «La parole construit le village, le silence bâtit le monde»; il y a ici une opposition significative entre village (lieu des communications interhumaines, la culture) et le monde (c'est-à-dire la nature, le non-humain, l'en–dehors, où règne la non-parole). Aussi bien les Dogon disent de la divination par interprétation des traces laissées par le renard, qu'il s'agit de «parole muette» (Calame-Griaule 1965: 101); les morts ont une ‹parole› tout à fait différente de la parole vraie des hommes vivants: sèche, incohérente, en zigzag, errante, vide, se perdant dans le vent, incommunicable, à jamais privée d'interlocuteurs (ibid.: 86-89, 436-438). Expressions qui signifient clairement, à notre sens, que les Dogon savent bien que la parole est le privilège strict des humains vivants.

Il faut manifester maintenant les traits essentiels qui font que le langage est un moyen de communication *sui generis*.

4.1.1.3.1 Le langage est un moyen de communication

Il y a communication quand il y a intention de livrer un message. La communication peut se faire autrement que par la parole (piquer dans un champ un bâton dont le sommet incisé porte une écorce de caïlcédrat (*Kaya senegalensis*), fait connaître aux passants et aux voleurs éventuels qu'il leur arrivera malheur s'ils touchent au champ). Un indice ne comporte aucune intention de message: la vue des pléiades se levant à l'est, le soir, signifie dans la savane de l'Afrique de l'Ouest la fin de la saison des pluies, mais ce n'est pas un message envoyé par quelqu'un.

---

5 Nous reprenons la terminologie de G. Mounin (1970 et 1971); L.J. Prieto (1968).

Toute parole est communication, mais toute communication n'est pas parole. Pour qu'il y ait communication linguistique, il faut un locuteur et un auditeur au moins, en position de réciprocité.

La parole est donc communication entre deux partenaires distincts. Les Dogon raillent le soliloque comme un fou et lui demandent: «Où est ton compagnon?» (Calame-Griaule 1965: 344). Si les partenaires ne sont pas vraiment distincts, il n'y a pas de parole. Il n'est pas facile d'ailleurs de trouver des moments de fusion; la fusion totale n'existe jamais, mais on peut trouver une fusion relative. Dans les danses en commun, le rythme, la musique prend le pas sur la parole proprement dite. L'union sexuelle est silencieuse[6]. Par contre les Mossi appellent ‹paroles› (*goama*) les disputes, c'est-à-dire les moments où la séparation entre les personnes est à son point critique. Quand la rupture est totale, ‹on ne se parle plus›. Evidemment les moments de rapprochement, de conciliation sont aussi des moments où l'on se parle, mais c'est aussi le moment des rites.

«Tout ce qui est bon, disent les Dogon, est aidé par les paroles» (exemples dans Calame-Griaule 1965: 81-85). La parole peut être vue comme la grande technique de la relation entre les personnes. Aussi les techniques (tissage, forge, cuisine, agriculture) ce sans quoi il n'y a pas de vie relationnelle, peuvent être appelées métaphoriquement paroles. Il ne s'ensuit pas que la parole soit un outil comme les autres. Mais la fonction de cet outil est, comme les autres, de permettre la vie relationnelle. Ainsi la parole n'est pas à définir d'abord comme l'expression de la pensée (ce qui tendrait à enfermer l'étude de la parole dans le psychologisme et l'individualisme et nous ferait sortir de la forme de pensée Je−Avec) mais comme *outil de communication*. Pour exprimer cela, les Dogon disent que la bonne parole, celle qui fait du bien, qui soude la vie relationnelle, a de l'huile (Calame-Griaule 1965: 49-50; cf. 541). Pour eux, la parole serait nourriture du corps, exaltation de la force vitale, semence des rapports sociaux, fécondation. Ce qui signifie, en climat relationnel, que la parole qui tisse les relations, rend les personnes heureuses, fortes, robustes, vivantes, fécondes. Sans paroles, on n'est pas des hommes en communauté.

4.1.1.3.2 Le langage se définit par la double articulation

Le trait distinctif absolu du langage humain est la double articulation en monèmes (unités de message, unités signifiantes minimales) et en phonèmes (unités phoniques minimales sans signifié). Par là le langage humain se distingue des cris (humains ou animaux), de l'inarticulé.

---

6 Calame-Griaule (1965: 318). Les Dogon disent aussi que l'acte sexuel est «la parole par excellence» (318); Ogotemmêli dit: «Etre nu c'est être sans parole» (M. Griaule 1948a: 100); la femme sans parure est sans attirance, prête qu'elle est pour la possession; par contre parures et vêtements peuvent être dits ‹paroles› parce que, en se cachant, la femme devient fascinante; elle suscite le désir et la curiosité, elle se place comme partenaire distinct, non-possédé. Le désir suppose la non-possession et le désir meut la parole.

Articulation signifie différenciation des éléments, distribution et mise en ordre. C'est sans doute ce qui est aperçu par les Dogon lorsqu'ils voient la création comme une parole qui s'articule, l'œuf du monde indifférencié fait peu à peu place à un univers articulé aux parties distinctes. De même certaines techniques sont dites paroles parce que ‹articulées› [7].

4.1.1.3.3 Le langage est linéaire

Les unités constitutives du langage se déroulent dans le temps d'une façon irréversible. «Jamais deux unités ne peuvent ensemble être en même temps au même point du message, et l'ordre dans lequel elles se suivent est fonctionnel» (G. Mounin 1971: 55). Il y a donc un courant de la parole.

Or l'intuition dogon est que les paroles doivent respecter l'ordre du temps, l'ordre des générations. C'est ce que nous appellerons la fonction positionnelle de la parole. Celle-ci n'est pas la même suivant qu'un ancien parle à un jeune ou un jeune à un ancien. Dans le sens descendant, des générations supérieures aux inférieures, c'est la parole d'autorité, d'enseignement, de justice; dans le sens ascendant il faut utiliser les euphémismes, les formules de politesse, de respect, d'excuse; il y a des interdits de noms, de plaisanterie; mais la moquerie ou l'insulte peut descendre du supérieur plus âgé à l'inférieur plus jeune. Au niveau de la même génération, c'est la libre circulation des paroles (moqueries, insultes, obscénités, emploi des noms et surnoms); sur le même plan chronologique, il n'y a aucun danger de régression, tous les échanges se font sur un plan d'égalité (Calame-Griaule 1965: 400-401). Ainsi l'irréversibilité des générations est aussi représentée sinon dans l'irréversibilité de la parole, du moins dans son style. On voit par là que les Dogon s'intéressent dans le fonctionnement de la langue à l'usage qui en est fait, et qui doit refléter, créer même, l'ordre social. La stylistique dogon utilise la parole comme symbole positionnant les interlocuteurs les uns par rapport aux autres, selon leur rang.

4.1.1.3.4 La langue repose sur le caractère discret des signes

Les unités (monèmes) sont discrètes; elles sont présentes ou non, mais pas un peu, en gradation. Cependant la langue comprend aussi des faits non-segmentaires,

---

7 «A partir du moment où les gestes techniques s'organisent selon un certain rythme, en produisant un son, ou un ensemble de sons caractéristiques, ils émettent pour les Dogon, une 'parole' symbolique» (Calame-Griaule 1965: 530); ainsi le métier à tisser. Mais pour qu'il y ait rythme il faut que «les coups ne soient pas pareils». Cf. le proverbe duala: «Il faut deux sons pour se faire comprendre» (J.C. Bahoken 1967: 69). L'articulation est très importante pour les Dogon; ce qui est plus distinct, vibrant, comme le son de l'enclume, est aussi ce qui est le plus bénéfique; tandis que le nasillard est le signe du mauvais, de Yurugu. L'homme n'est véritablement un homme que par ses articulations corporelles, grâce auxquelles il peut marcher, travailler, parler. Le fœtus n'est pas un homme, mais un poisson, sans articulations. Les premiers hommes (qui justement n'étaient pas encore véritablement des hommes) ne parlaient pas, mais grognaient (cf. Calame-Griaule 1965: 93-96). Les Dogon attachent aussi beaucoup d'importance aux articulations du discours (23, 50).

non-discrets, tels que l'intonation, le débit, le rythme, l'acuité de la voix, l'intensité.

Les Dogon s'intéressent davantage à l'aspect non-segmental. Ils distinguent la voix de la parole et du bruit; une parole étrangère, incompréhensible, un vain bavardage ne sont que bruit (Calame-Griaule 1965: 22 n.3). Ils distinguent spécialement les voix femelle et mâle; ainsi la parole est sexuée. Les sons hauts et montants sont considérés comme féminins, et les sons bas et descendants comme masculins (ibid.: 50). La voix nasillarde est dite pourrie, elle s'oppose à la voix et aux sons clairs. La première est maléfique, la seconde bénéfique. La nasalité est associée à la mort, à la pourriture, à la stérilité, au Yurugu rebelle[8]; la voix claire est associée au Nommo, héros civilisateur, c'est la vraie voix de la parole humaine. Une voix haute et claire est purificatrice, elle signifie la bonne entente et l'ordre normal de la société; la voix de femme est d'ailleurs sentie comme ayant plus d'huile, parce que possédant plus de charme, d'onction, de fécondité; tandis que la voix de l'homme est plus forte, plus prompte à la colère, elle est ‹vent et feu›. Les sons aigus sont significatifs d'encouragement et de félicitations; le tintement de la forge a une valeur purificatrice, elle répare les offenses graves et constitue une demande de pardon aux ancêtres (Calame-Griaule 1965: 538).

Ici encore nous entrevoyons que ce qui intéresse les Dogon dans l'analyse de leur langue: ce n'est pas la phonologie, mais la vie relationnelle. D'où les oppositions significatives: mâle/femelle; claire/nasillarde; grave/aiguë. L'opposition claire/nasillarde renvoie à l'opposition en−dedans humain/en−dehors non-humain. C'est donc bien l'espace relationnel qui est perçu.

4.1.1.3.5 La langue est un héritage, une tradition

C'est assez évident. La parole est déjà là quand le petit d'homme naît. La parole livre à chacun la tradition de sa société. Aussi bien les Dogon appellent-ils la tradition ‹parole ancienne› et l'homme qui en possède la connaissance, «l'homme qui connaît la parole» (Calame-Griaule 1965: 26).

Il faut insister sur la liaison: parole = tradition = vie en société humaine. Spéculant sur l'origine de la parole, les Dogon disent qu'elle fût révélée peu à peu par le Nommo à l'ancêtre Binou Sérou. La révélation de la parole claire et distincte, bien articulée, fit que les premiers ancêtres mythiques devinrent proprement humains, capables de communication en même temps qu'ils découvraient les techniques essentielles. La révélation de 48 paroles, 24 de Nommo, 24 de Yurugu définissent les traits fondamentaux de la société dogon en ce qu'elle comporte d'ordre et de désordre.

---

8 Calame-Griaule (1965: 55-56, 102, 172,442). La nasalité est aussi la caractéristique du *liru*, petit instrument de musique du chevrier; le chevrier est l'enfant de la brousse, aux cheveux mal tenus, menant une vie sauvage, vagabondant avec ses chèvres, capricieux comme elles, non-humain comme Yurugu (536). Les chèvres s'opposent d'ailleurs aux moutons, comme le caprice asocial à l'obéissance qui fait l'ordre.

Par contre, chaque fois que l'homme retombe dans l'inhumain, dans la mort, il cesse de posséder son langage normal. Le mythe d'origine de la mort indique que les hommes et les *andoumboulou* (petits hommes rouges des cavernes) se transformaient en serpent et ne parlaient plus qu'une langue inconnue, dans un monde non-terrestre, non-humain (langue dite du *sigi*). Transformés en serpent ces ancêtres ne pouvaient plus communiquer par la parole avec les hommes ni se mettre en rapport avec eux, sous peine de mourir tout à fait, ce qui arriva (G. Dieterlen 1941: 11s.). Ce mythe (que nous étudierons en son lieu), indique au moins clairement que la vie humaine comporte sa langue; et que la vie non-humaine (du serpent ou du mort) comporte une langue tellement inconnue que toute communication est impossible entre les deux mondes. Il apparaît clairement que le monde humain des hommes vivants, régis par les nécessaires relations interpersonnelles, est le domaine de la langue articulée, claire. L'homme sort de l'inhumain par le langage, par les relations. Dans le monde non-humain de la mort, de la brousse, du Yurugu, il n'y a point de paroles claires, tout au plus des cris ou grognements, de la nasalité pourrie; si on y parle, ce ne peut-être qu'avec une langue inconnue et interdite entre les vivants humains, ce que les hommes mimeront dans leur langue secrète chaque fois que l'en–dehors fait irruption dans l'en-dedans (funérailles, fête du grand masque représentant le premier ancêtre mort).

Ainsi donc pas de société humaine, pas de vie sans relations, sans tradition, sans parole. Constituer un monde humain, c'est constituer un monde séparé, où les hommes sont entre eux, en inter-relations, communiquant et parlant, dans une tradition.

Cela nous permet de répondre à notre question: quelle est la problématique africaine de la parole? En partant de l'exemple dogon, nous répondrons: c'est la problématique de la relation qui fait vivre les hommes en hommes. D'où le plan suivant de notre étude[9]:

- La parole à l'intérieur de la société relationnelle des hommes. Ou, les hommes vivants entre eux. Nous remarquerons que la parole situe chaque partenaire, comment elle en émane, et comment elle l'investit. La parole pose et suppose des personnes en relation. Ensuite nous étudierons les péripéties de l'échange linguistique, la bonne et la mauvaise parole.
- L'homme est affronté à l'En–dehors: peut-il parler avec l'extérieur non-humain? Que signifie la parole dite aux morts, aux ‹esprits›, etc.? Il importe de distinguer absolument cette situation: car la vraie parole est uniquement celle qui se dit entre interlocuteurs vivants.

---

9 Faisons remarquer qu'il n'y a pas parallélisme ou correspondance entre l'analyse linguistique scientifique et les spéculations dogon; le concordisme n'est pas une méthode rationnelle. Mais l'exigence linguistique permet de discerner dans l'expérience dogon, au-delà de ce qui pourrait être une admiration médusée perdant tout sens critique, des lignes d'interprétation rationnelle à l'intérieur d'une anthropocentrique relationnelle.

4.1.2 La parole africaine ou les relations par la parole

Il s'agit ici uniquement des paroles entre hommes vivants à l'exclusion de toute parole dite à des interlocuteurs invisibles, non-humains, non-vivants. Il nous faut montrer d'abord que les personnes sont en quelque sorte parées pour la parole, prêtes à la parole. Nous avons dit en effet (chap.III) que la relation posait les partenaires dans leur différence. De même ici nous voyons que les locuteurs sont positionnés dans leur parole même. Autrement dit, la parole n'est pas un outil neutre, passif, abstrait; chaque parole pose et situe son locuteur et son auditeur, ou, si l'on préfère, d'un locuteur positionné de telle ou telle façon, ne peut pas sortir n'importe quelle parole.

4.1.2.1 Les personnes prêtes à la parole[10]

4.1.2.1.1 La parole récapitule le locuteur

Réfléchissant sur la nature de la parole, les Dogon lui trouvent une réalité propre, une sorte de double de la personnalité: «Manifestation humaine fondamentale, la parole est comme la projection sonore dans l'espace de la personnalité de l'homme»[11]. Autrement dit, la personne se donne dans sa parole. La parole récapitule la personne. D'où la physiologie fantastique que développe la spéculation dogon pour exprimer cette réalité.

Dogon et Bambara pensent que les quatre éléments (eau, air, feu, terre) qui forment le corps humain, interviennent aussi dans la parole (Calame-Griaule 1965: 48s.; Zahan 1963: 17). La parole en récapitulant l'homme récapitule le cosmos. Pour se proférer, elle passe par les divers organes du corps humain (Calame-Griaule 1965: 58s.; Zahan 1963: 17s.); elle a un sexe, elle participe à la situation saisonnière des personnes[12]. Elle porte l'empreinte de son éducation[13]. La per-

---

10 Ce proverbe malinké pourrait servir d'exergue: «L'homme peut se tromper sur sa part de nourriture, il ne peut pas se tromper sur sa part de parole.» Chacun doit être à sa place pour parler.

11 Calame-Griaule (1965: 48). — Pour les Bambara il y a un rapport étroit entre le *dya* (double de l'homme) et le verbe. Donner sa parole c'est donner son *dya* (D. Zahan 1963: 29).

12 Apprécier les correspondances suivantes: «La parole mâle est identifiée à la mauvaise parole; l'homme parle d'une voix rude et forte, avec rapidité et impatience. Sa parole correspond à la saison sèche, époque où le temps est sec et brûlant, où les hommes ont peu de travail, et beaucoup de temps pour discuter (et se disputer) dans les réunions sous l'abri de la place du village. Alors règnent la sécheresse, la masculinité, stérilité, la mauvaise parole. Au contraire la parole de la femme est douce, lente, son ton est peu élevé, car elle est patiente. A elle correspond la saison humide, époque du travail en commun pour les récoltes à venir; on parle peu et doucement, on se montre bienveillant envers autrui. L'eau humidifie et refroidit la terre, comme les esprits des hommes. C'est le règne de la bonne parole et des gestes féconds» (Calame-Griaule 1965: 51).

13 «Il y a dans l'homme deux couches de vocabulaire: l'une féminine qui vient de la mère est la plus ancienne (bien qu'elle soit modifiée par la suite par un changement dialectal), concerne les choses du dedans, la femme, l'intérieur du corps, la vie domestique; l'autre masculine, vient du père et concerne les fonctions mâles, l'extérieur, la brousse, le dynamisme» (Calame-Griaule 1965: 256).

sonne étant reliée dans son être même, aux ancêtres, aux géniteurs (cf. chap.II)
la parole qui récapitule la personne, plonge dans la tradition. Selon les Dogon la
personne possède dans ses clavicules des graines (tout à fait mythiques) qui sont
interprétables comme les relations fondamentales que chaque personne entretient
avec des êtres supérieurs (ancêtres, géniteurs). Or ces graines sont vues comme
‹gardiennes de la parole› ; elles sont entretenues par les nourritures végétales solides que l'homme ingère et qui lui donne la force de parler. Une parole vide est
une parole sans graine, sans intérêt, sans poids sur les rapports humains. La parole entendue est comme une eau qui fait germer les ‹graines› de l'auditeur, sa
personnalité enracinée dans la tradition. Oublier sa langue maternelle c'est «changer ses quatre éléments de base, ceux que l'on a reçus dans sa région natale», c'est
donc «se renier soi-même en reniant du même coup sa famille, ses origines, sa culture» (Calame-Griaule 1965: 260).

La personne est donc bien présente dans sa parole. Mais comment? Elle s'y
manifeste clairement dans son statut relationnel: comme homme ou femme, liée
à tels ancêtres, à tel genre de vie, à telle période de l'année où se font tels travaux.
En parlant, la personne ne peut faire abstraction de son statut relationnel, spécialement de sa situation sur la chaîne des générations.

Cependant la personne comme donnée de subjectivité n'est pas absente de sa
parole: en procédant par oppositions successives, le Dogon voit dans la parole
mâle surtout une parole dure et mauvaise, sujette à la colère et à l'emportement,
tandis que la parole féminine est douce et conciliatrice; par ailleurs, à partir du
ton de la voix, le Dogon voit dans le ton grave de l'homme une parole de raison,
de sagesse, dans le ton aigu de la femme, une parole de joie, d'affectivité; dans
le ton fort de l'homme la colère, dans le ton faible de la femme, la tristesse, la
rancune, l'amertume, etc.[14].

Ces spéculations orientent vers un type de communication qui a bien pour but
la bonne marche de la vie relationnelle, faisant leur part aux sentiments comme
aux statuts sociaux. Cela suffit, croyons-nous, à expliquer l'appellation populaire
de la parole comme *double* de la personne[15].

Par contre, il ne s'ensuit pas que cette communication relationnelle soit véritablement une communication totale, par laquelle les partenaires se livreraient sans
restriction. Ce qui est livré c'est ce qui convient à la vie relationnelle; les mystères

---

14 Calame-Griaule (1965: 54-55); cf. les représentations sur l'homme et la femme contenues
dans les huit *kikinu* de la personne (chap.III).
15 Il faut s'attendre à ce que la parole soit dotée de *nyama*, comme la personne même (cf.
chap.II). «Le *nyama* de la parole dépend de celui du sujet parlant; il lui donne force et autorité
convaincantes. Celui qui a peu de force vitale parle peu et n'est pas écouté... Lorsque le *nyama*
est chargé d'impureté, celle-ci se communique également à sa parole, c'est pourquoi on ne doit
pas parler avant de s'être purifié» (Calame-Griaule 1965: 51). Rationnellement le *nyama* n'est
pas autre chose que l'ensemble des relations qui font la personne et l'établissement dans un certain statut face aux autres. La parole d'un vieux bien situé a plus de poids que celle d'un petit
jeune homme. Une personne en état d'impureté est une personne dont certaines relations sont
perturbées ou interrompues.

intimes ne sont pas manifestés; la personne reste avec ses secrets personnels; il est dangereux pour la relation de dire tout ce qu'on pense. Ce qui compte c'est l'ajustement réciproque[16].

Ce qui compte aussi c'est que la parole soit traditionnelle. La personne est pour ainsi dire constitutionnellement, biologiquement et psychiquement investie par les ancêtres, mythiques et historiques dans la spéculation dogon. Là encore il ne s'agit pas pour les partenaires de se dire n'importe quoi, mais de se dire une parole réglée par la tradition. Autrement dit, la relation interpersonnelle n'est jamais simplement duelle, spéculaire, mais toujours en triangle, le troisième terme étant la Tradition, représentée par l'Ancêtre, qui est censé entendre la parole, et voir les sentiments du cœur qui brouillent la vie commune[17].

4.1.2.1.2 La parole investit l'auditeur

Prononcer le nom de quelqu'un, lui parler c'est évidemment établir le contact, et donc par la vertu propre de la relation, vivifier autrui. Les Dogon expriment cela en disant que nommer quelqu'un et lui parler (et même lui donner un objet) c'est donner de l'eau à ses ‹graines›; c'est «favoriser une sorte de naissance symbolique, ou plutôt de re-naissance, de re-création perpétuelle. Quelqu'un ou quelque chose qui ne serait jamais nommé, en fait, serait comme s'il n'existait pas» (Calame-Griaule 1965: 363).

Dans sa physiologie imaginaire, le Dogon explique le cheminement de la parole dans l'auditeur, depuis son oreille, jusqu'à ses organes qu'elle irrigue comme une eau. La bonne parole rafraîchit le cœur et nourrit le foie de son huile. La parole de discorde contenant un excès de vent et de feu, échauffe le cœur et contracte le foie; la mauvaise parole en sort comme une bile. Elle produit un véritable malaise physique[18].

4.1.2.1.3 L'eugénie de la parole[19]

Si la parole est si importante pour la relation, il importe qu'elle soit soigneusement éduquée. L'homme se perfectionne en perfectionnant sa parole, c'est-à-dire la qualité de ses échanges. Les Bambara utilisent certaines pratiques destinées à assurer à la parole une naissance favorable, une vie normale et efficace. Ainsi l'usage de la pipe et du tabac, de la kola, le limage des dents, l'utilisation de

---

16 M.C. et E. Ortigues (1966: 142): «L'idéal conscient est fondamentalement d'être comme les autres, avec les autres, s'accompagner avec, être toujours ensemble, partager tout. Les manifestations d'agressivité sont soigneusement évitées, ce qui désigne en permanence la présence même de ce qu'il convient de taire. A cet égard, la parole est puissamment investie. Nous avons déjà indiqué combien sont longues les formules de politesse qui multiplient les affirmations d'intentions pacifiques... Beaucoup de temps est consacré à parler entre personnes de même sexe. Peut-être les échanges verbaux ont-ils, entre autres fonctions, celle de prévenir, désarmer, nier l'hostilité: la conversation serait d'abord témoignage que l'on peut échanger, s'entendre. Il nous semble que les affrontements possibles en paroles sont très finement dosés, nuancés par la coutume et que la sensibilité est extrême à la menace que constitue l'agressivité latente.»
17 Nous reviendrons plus loin sur cette ‹triangularité›.
18 Calame-Griaule (1965: 70). Plus une parole est douce et efficace plus elle a d'huile (ibid.: 529s.). Effectivement, pour que le son de certains instruments soit plus harmonieux, il faut que l'émetteur soit huilé.
19 Heureuse expression de D. Zahan (1963: 31).

frotte-dents et les tatouages de la bouche: «La femme à la lèvre tatouée se limite en elle-même, la femme à la lèvre non-tatouée ne connaît pas ses limites»[20], ainsi la femme apprend et signifie la maîtrise de soi et de son verbe. Les Dogon connaissent aussi des pratiques pour aider la femme à maîtriser ses paroles: anneaux de lèvres, du pavillon des oreilles et du nez (Calame-Griaule 1965: 266). L'homme pense n'en pas avoir besoin, car il a plus de caractère pour résister à la mauvaise parole (ibid.: 268). Les Dogon utilisent aussi l'hygiène de la bouche, comme les Bambara, pour assagir le verbe (ibid.: 270). La mauvaise parole s'évite en se pinçant les narines, geste qui signifie: «Il vaut mieux que je meurs plutôt que de t'écouter»; ou bien on se ferme l'oreille.

Le locuteur doit respecter certains interdits. On ne parle pas en urinant, en prenant son bain, en transportant des semences au champ, en semant le fonio, quand on a revêtu un masque, quand on est candidat à la circoncision, en présence d'un mort non-lavé, en traversant le cimetière, etc. (Zahan 1963: 156-157). Il existe aussi des pratiques malfaisantes destinées à atrophier le verbe, à fixer la parole, à l'enterrer, à l'anéantir, car le Bambara est préoccupé non seulement d'exercer une emprise sur sa propre parole mais aussi, si possible, de commander au verbe d'autrui (Zahan 1963: 158, 166).

Ces manipulations relèvent du rite, et du symbole. Il est clair que la bonne parole qui favorise les relations, est une parole réfléchie, maîtrisée. Le sage, avant de parler, ‹tourne sept fois sa langue dans sa bouche›.

4.1.2.1.4 Le ‹sens› ou le courant de la parole

La parole va du locuteur à l'auditeur. Les Dogon expriment cela par diverses graphies. Le trait en zigzag régulier signifie la vibration; plus les angles sont arrondis, plus la parole est bonne, comme celle du griot; une vibration régulière et calme désigne la parole ordinaire; une vibration irrégulière et fouettante désigne la colère. La bonne parole va droit à l'auditeur. La parole de dispute est représentée par une ligne zigzagante irrégulière, errante, et revenant à son point de départ, en englobant un autre tracé tout aussi irrégulier, sans jamais le rencontrer: les deux interlocuteurs ne peuvent s'entendre (Calame-Griaule 1965: 89).

La parole, avons-nous déjà dit, ne doit pas remonter l'axe du temps. De même les locuteurs sont placés aussi sur un axe du temps, l'ordre des générations, et ils doivent le respecter dans leur parole.

Chaque génération obéit aux générations supérieures et la faute la plus grave contre l'ordre social consiste à se rebeller contre l'autorité de plus âgé que soi... La parole autoritaire du chef de famille est écoutée avec respect, même lorsqu'on la trouve injuste et l'on ne peut que se taire (Calame-Griaule 1965: 382).

---

20 D. Zahan (1963: 47). L'apprentissage de la parole pour la femme serait plus difficile que pour l'homme, parce que la femme est moins satisfaite dans une structure sociale patrilinéaire (Calame-Griaule 1965: 266, 285s.).

La parole a donc un sens, allant des plus vieux aux plus jeunes. Il s'ensuit que la parole, comme ensemble de connaissances, n'est pas donnée n'importe comment à n'importe qui. Tout le monde ne peut être savant. D'où l'ésotérisme de la connaissance africaine. La parole est trop précieuse pour être confiée à n'importe qui, pour passer d'une famille à une autre. Selon D. ZAHAN, les Bambara seraient réfractaires à l'écriture parce qu'il ne faut pas aliéner les productions de la pensée. La parole est donc dévoilée progressivement, dans une initiation graduelle. Il y a l'homme des profondeurs et l'homme de la surface, avec leurs paroles respectives. L'homme et la femme, le circoncis et l'incirconcis n'ont pas le même lot de paroles[21].

Il faut comprendre cela dans la perspective relationnelle: «parler c'est bâtir, car la destinée du verbe est d'établir des relations sociales, de construire le village» (Zahan 1963: 47), ce qui ne peut se faire qu'en dépendance des ancêtres, selon la tradition. On comprend aussi, dans ces conditions, que la parole est moins faite pour exprimer la vérité objective, le sentiment d'un chacun, que pour faire les relations. Il convient de dire ce qui fait plaisir à l'autre. Entre égaux, d'inférieurs à supérieurs, on ne peut rien dire de blessant sans prendre beaucoup de précautions (par exemple le proverbe)[22].

4.1.2.1.5 Conclusion: Puissance et impuissance de la parole

La linguistique montre que la parole n'est pas une réalité substantielle, *sui generis*, une force-*nyama* qui sortirait de la personne pour subjuguer l'autre. Pourtant la parole est puissante entre les hommes: «L'homme n'a pas de queue, il n'a pas de crinière, le point de prise de l'homme est la parole de sa bouche» (proverbe bambara). La parole est sentie, en Afrique, comme très efficace: «La parole bien dite, et au moment juste, a valeur de l'acte lui-même» (cf. M. Houis 1971: 56, citant B. Holas). On a peur des paroles mauvaises ou de l'excès de louange (ibid.). Et pourtant le réalisme africain n'est pas aveugle: «La bouche d'un homme ne peut faire mûrir les fruits de palme» (proverbe mongo, Hulstaert 1958: 136 n° 454) et si cela se produit «c'est que Dieu s'est mis du côté des hommes».

21 D. Zahan (1963: 65). — De même les jeunes par rapport aux vieux: «Nous les jeunes, nous ne savons pas; ceux qui savent, ce sont les vieux» (Tempels 1949: 50; cf. Holas 1968c: 292s.; Mufuta 1969: 33). La dépendance de la parole vis-à-vis des ancêtres peut se marquer expressément par des rites: «Chez les Akan, on doit sacrifier d'abord aux ancêtres avant de réciter certaines traditions...» De même chez les Bushong, cf. Vansina (1961: 165).
22 Cela n'est pas fait pour atténuer le conflit des générations. Cf. le proverbe mongo (G. Hulstaert 1958: 81 n° 245: «Ce que les feuilles se proposent, les racines ne le savent pas», ce qui peut se comprendre de deux façons: les supérieurs [feuilles] ne communiquent pas leur projet aux inférieurs [racine, base] ou les jeunes [feuilles dernières venues] ne sont pas écoutés par les vieux [racines plongeant dans la tradition].
On conçoit aussi que cette idéologie soit source de stagnation. Même dans l'Afrique moderne, l'obéissance au leader, au parti, est le premier devoir: «Le vrai katangais, disait naguère un ministre, est seulement obéissant.» De même, face à la contestation, un Président affirme: «Je ne permettrai pas que mon peuple soit précipité dans le désarroi.» L'obéissance est vue comme le grand moyen d'unification. En Afrique, comme ailleurs, on peut poser la question: qui a le droit à la parole? qui parle à qui?

Autrement dit, l'efficacité de la parole, c'est celle de la vie relationnelle même. Aucune magie là-dedans.

4.1.2.2　Les péripéties de l'échange linguistique

«La parole dit Ogotemmêli, est pour tous en ce monde, il faut l'échanger, qu'elle aille et vienne, car il est bon de donner et de recevoir les forces de vie» (M. Griaule 1948a: 165). Voyons donc comment se vit l'échange de la parole.

4.1.2.2.1　Le contact ou la salutation

Chez les Ewe:

> A chaque circonstance de la vie sociale, correspond une forme déterminante de salutation. Au lieu du ‹bonjour› et du ‹bonsoir› impersonnels et non-circonstanciels, l'Ewe emploie des formules spécialisées. On ne se salue pas de la même manière quand on se rencontre aux champs et quand on en revient. Celui qui n'a pas quitté la maison de la journée ne salue pas de la même manière celui qui revient du champ, de la chasse ou du marché (Agblemagnon 1969: 59).
> Lorsque deux Ewe de sexe masculin se rencontrent et se saluent, chacun doit appeler l'autre par le nom de salutation de son jour de naissance. Si quelqu'un ne connaît pas ou oublie le nom de salutation de son interlocuteur, il le lui demande par l'expression *Wone?*, ‹on lui donne?› . L'autre le lui dit... La salutation est aussi l'occasion pour les deux personnes en présence de s'informer réciproquement et en détail sur leurs familles respectives (Agblemagnon 1969: 57).

Nous trouvons chez les Mossi des précisions semblables. Précision des formules selon l'heure, les occupations, les rencontres déjà faites, les événements récents ou présents. La salutation consiste à reconnaître la personne là où elle est, dans le réseau des rapports réels qui la définissent concrètement à un moment. Ainsi la salutation est le contact, l'embrayage qui met les deux partenaires à l'unisson. La fin de la rencontre comprend des souhaits, chacun est acheminé vers le futur immédiat, de façon précise, selon la salutation[23].

La salutation est donc extrêmement importante pour la vie relationnelle. Le refus ou l'oubli de la salutation est signe ou d'impolitesse notoire, ou de fâcherie grave qu'il faut tirer au clair.

4.1.2.2.2　La bonne parole

Toutes les paroles ne se valent pas. «La parole, pensent les Minyanka, est faite pour arranger et non pour repousser.» On aime parler avec des gens qui nous respectent, qui nous connaissent pour ce que nous sommes. C'est très angoissant

---

23　Chez les Mossi, les formules d'entrée en contact commencent par: *né i...* (avec votre... travail, votre lever, votre peine, votre pluie, votre soleil, etc.). Pour terminer, la formule est un souhait: «*Wen nâ...* Que Dieu... vous fasse arriver, nous donne le lendemain, nous donne de nous rencontrer dans sept jours, etc.» Formules bambara, cf. D. Zahan (1963: 69-70); formules dogon, cf. Calame-Griaule (1965: 356).

pour un Minyanka de se sentir repoussé; la parole qui ne sert pas à créer des liens sociaux n'a pas de sens: on doit toujours dire de bonnes paroles aux gens même si on n'est pas d'accord avec eux, il faut préserver l'unité sociale par le jeu de la parole. Celui qui est dur dans ses paroles est un a-social. On lui oppose le proverbe: «Tu ne fais pas commerce de sel mais de piment»[24]. Certes, personne n'est dupe. «La salutation n'enlève pas les mauvais sentiments du cœur», dit un proverbe mongo[25]. Mais la parole finit toujours par révéler la personne et ses sentiments: «Les hautes herbes peuvent avaler les pintades, mais ne peuvent avaler leurs cris» (proverbe peul).

La bonne parole en système relationnel est donc celle qui maintient et renforce les relations, et avec elles le groupe. V. Guerry affirme que chez les Baoulé «il y a une foule de paroles qui sont lancées uniquement pour entretenir de bonnes relations». Ainsi un oui accordé à une demande d'aide ne signifie pas une promesse ferme, c'est une parole aimable pour faire plaisir et qu'il faut traduire: «Il est possible qu'il vienne m'aider demain»[26].

Une parole purement personnelle isole et tue la relation[27]. Une parole désagréable suscite la réaction suivante: la personne attaquée ne cherche pas à savoir si ce qu'on lui reproche est vrai, elle cherche à savoir ‹qui m'en veut›, et ‹pourquoi m'en veut-il?›

Les bonnes paroles sont évidemment conformes à l'ordre traditionnel et respectent les hiérarchies et le ‹sens› déjà indiqués. Avec réalisme, les Dogon disent que les bonnes paroles ont une puissance fécondante: «La bonne parole, tout en étant recueillie par l'oreille, va directement au sexe...» (M. Griaule 1948a: 166, 169; cf. Calame-Griaule 1965: 75s.).

On peut traduire: La bonne parole en favorisant la vie relationnelle favorise l'entente et la fécondité, fruit de cette entente mutuelle.

---

24 J. Cauvin (1969; proverbes 66 et 86): «Le cou est trop long pour que les paroles lui manquent»: on se débrouille toujours par des paroles.

25 Les proverbes sur la parole sont innombrables. Exemples mongo: «La bouche est un habit: tu parles, tu retrousses» (Hulstaert 1958: 135 n° 450); «La bouche est un chemin» (et tout y passe) (n° 448).

26 Guerry (1970: 34). «De même, quand un Baoulé vous demande quelque chose, ce n'est souvent qu'une parole gentille qu'il veut vous adresser», et non pas mendicité.

27 Le Yurugu de la mythologie dogon peut s'interpréter comme le symbole de «la révolte et de la liberté individuelle s'opposant à l'ordre social» (Calame-Griaule 1965: 548). «Une société vivant dans des conditions matérielles difficiles, sans cesse menacée dans son existence par l'insuffisance de ses ressources, soumises aux caprices du climat et du sol, ne peut survivre que si tout le groupe joint ses efforts dans la marche en avant. La liberté individuelle apparaît, dans cette perspective comme une menace de regression. C'est pourquoi elle est réprimée, mais non supprimée, car elle est nécessaire. Les Dogon l'ont fort bien compris et l'expriment en disant qu'Amma n'a pas voulu anéantir le Renard (Yurugu) et l'a laissé continuer sa course folle dans le monde, où il mène sa quête éternelle et toujours déçue. Car le déséquilibre, provoquant sans cesse une nouvelle remise en équilibre, est en définitive plus dynamique que la stabilité» (ibid.).

4.1.2.2.3 La mauvaise parole et sa réparation

Elle se trouve chez la femme et chez l'homme. Parole dure, violente, coléreuse, sèche, dite mâle. Parole querelleuse, jalouse, incapable de garder un secret, dite femelle. L'homme excité, aveuglé, à ‹l'œil assombri› par des circonstances malheureuses, des contrariétés, des malheurs, l'injustice ou la mauvaise volonté d'un tiers, n'est plus dans les dispositions favorables pour la vie relationnelle. Etat anormal qui produit des effets nocifs sur ses proches.

> Lorsque l'excité retrouve son calme... il est obligé de corriger son attitude destructrice involontaire pour revenir au respect de la vie. Il est obligé de révoquer publiquement ses imprécations et ses malédictions et de témoigner sa bonne volonté, aussitôt que ses yeux voient à nouveau clair. Si, par contre, il s'entête après qu'il est libéré de l'emprise de la colère, il est fautif; il y a chez lui une mauvaise volonté qui lui est imputable et que les circonstances atténuantes ne peuvent pas excuser plus longtemps... La preuve extérieure qu'on s'est dégagé de toute influence néfaste volontaire est fournie en éjectant la salive[28].

Inutile de voir là une quelconque magie. Les mauvaises paroles troublent évidemment la vie relationnelle, donc mettent en péril les personnes concernées; on rétablit l'ordre normal en le reconnaissant, en rejetant visiblement les paroles mauvaises.

Aux disputes ouvertes et dangereuses, malgré les réconciliations rituelles, on préfère en Afrique le langage allusif ou détourné. Un mari a-t-il à se plaindre de sa femme, il attendra la visite d'une sœur cadette de celle-ci et dira par exemple: «... il n'y a plus rien de bon à manger depuis que ta famille est venue ici...» Lors d'une naissance, on peut donner au nouveau-né un nom qui avertit l'entourage: le nom *Dayelle* chez les Mossi signifie ‹pas d'histoires›, nom «adressé à l'intention des membres de la famille qui ont créé la discorde et signifie que les parents de l'enfant se refusent à entrer dans ce jeu»[29].

Celui qui a la bouche légère n'inspire pas confiance. Laisser sortir des paroles que l'on devrait garder dans son ‹foie› est une grave faute qui nécessite réparation (Calame-Griaule 1965: 277). La mauvaise parole provoque la maladie. La maladie est elle-même une mauvaise parole, parce que donnée par une mauvaise parole (insultes, propos amers, provocations). Mais la bonne parole guérit la mauvaise (ibid.: 423).

---

28 P. Tempels (1949: 86). Chez les Dogon, les techniques de réparation de la mauvaise parole font intervenir divers intermédiaires: personnes âgées, forgerons, parents à plaisanterie, petits-fils par la fille. Le rite d'éjection de la salive est fréquent. Le geste le plus simple et le plus direct consiste à prendre les deux chevilles de l'offensé en disant: «fais patience». Il est préférable de liquider tout de suite une rancune. Une dispute qui ‹a séché›, s'aggrave, bientôt seuls les ancêtres pourront intervenir (Calame-Griaule 1965: 272s.).

29 M. Houis (1971: 57). F.N. Agblemagnon (1969: 56): «Le *halo* est la pratique par laquelle deux villages, deux communautés en conflit au lieu d'en venir directement aux mains se livrent à une véritable guerre verbale; chaque communauté essaie de ridiculiser au possible l'adversaire, de le mettre en chansons, que l'on va clamer sur la place publique, sur la place du marché, souvent en se rendant dans le camp même de l'ennemi; il y a certainement là un processus par lequel la société traditionnelle réduisait ses tensions.»

4.1.2.2.4 La palabre

Elle permet de résoudre les conflits en mobilisant les personnes pour s'efforcer à l'unanimité. La vie africaine n'est pas une harmonie toute faite, une unité donnée, mais sans cesse reconquise sur les subjectivités menaçantes et récalcitrantes. Un leader africain a cru devoir affirmer: «La palabre sauvera l'Afrique.» Elle est en tout cas une technique intéressante pour autant que les parties opposées sont décidées à discuter en commun, à trouver une solution et à l'appliquer; elle suppose que les subjectivités consentent à se lier de bon cœur. Une palabre suppose l'invitation de tous ceux qui sont concernés au village et chacun doit participer au règlement du conflit. Accepter l'invitation c'est déjà dire non au conflit; s'abstenir c'est refuser la conciliation. On commencera peut-être par des injures ou des disputes; le sac une fois vidé, il faudra en arriver à la pacification[30].

4.1.2.2.5 Règles de la parole

Nous avons déjà vu qu'elles doivent respecter l'ordre des générations. Il y a des paroles interdites (par exemple nommer un chef, le père, son mari pour une femme; nommer implique la familiarité et la possession). Certains objets ne doivent pas se nommer ou seulement par euphémismes. Il faut respecter certains détours, passer par des intermédiaires obligatoires en certaines occasions. L'Ewe, en présence de son chef, s'adresse à lui par personne interposée (Agblemagnon 1969: 54). Une femme dogon, pendant ses règles ne doit parler à personne (Calame-Griaule 1965: 434). Celui qui va entreprendre un rite ne parle pas; il ne répond pas aux salutations.

Pendant les cérémonies solennelles (funérailles, fêtes des prémices, des ancêtres, les initiations), sur les marchés toute la population doit éviter disputes et querelles, pour que la paix ne soit mise en danger.

Il y a des règles spéciales pour dire des paroles importantes, pour raconter les contes, poser les devinettes (Calame-Griaule 1965: 470s.).

Le *silence*, comme le *secret* est une façon de savoir maîtriser sa parole. Il est à l'origine de ce qui est vrai et sérieux; il est calme et paix. L'homme qui sait se taire apparaît comme l'homme social par excellence. Il est patient, il est ‹rafraîchissant comme l'eau›. On conçoit donc que la spiritualité africaine fasse une grande place au silence (Calame-Griaule 1965: 374; Zahan 1963: 149; 1970: 175s.).

4.1.2.2.6 Conclusion: Les fonctions du langage

R. JAKOBSON distinguait six fonctions du langage (1963: 214-218). Il est intéressant de vérifier comment cela se réalise en Afrique.

Toute communication verbale suppose six facteurs: le *destinateur* adresse un

---

30 B. Atangana (1966). A. Doutreloux (1967: 199s.): «La vie socio-politique yombe se ramène à un art subtile de concilier, avec le minimum de heurts, les tendances antagonistes, les prétentions opposées, les ambitions rivales; de ménager toutes les susceptibilités»; ce qui se fait par la palabre et quand les antagonismes se révèlent irréductibles par la segmentation.

message au *destinataire*. Le message renvoie à un *contexte* saisissable par le destinataire, grâce à un *code* commun aux deux locuteurs (encodeurs et décodeurs du
message). Enfin «le message requiert un *contact*, un canal physique et une connexion psychologique entre le destinateur et le destinataire, contact qui leur permet d'établir et de maintenir la communication» (ibid.: 214). A ces six facteurs
correspond une fonction linguistique différente, étant bien entendu que chaque
message accorde quelque place à ces six fonctions. «La diversité des messages réside non dans le monopole de l'une ou de l'autre fonction, mais dans les différences de hiérarchie entre celles-ci» (ibid.: 214). R. JAKOBSON distingue donc la fonction référentielle, centrée sur le contenu du message; la fonction expressive ou
émotive centrée sur le destinateur; la fonction conative tournée vers le destinataire, telle l'allure supplicatoire ou exhortative d'une parole adressée à quelqu'un;
la fonction phatique par laquelle on s'efforce de maintenir le contact; la fonction
métalinguistique s'intéressant au code employé dans le message; enfin la fonction
poétique qui tend à valoriser le message en lui-même.

Nous pouvons nous demander si cette énumération est suffisante du point de
vue de la problématique africaine du langage. Les pages précédentes ont voulu démontrer que cette problématique visait la vie relationnelle: l'échange des paroles
entre les personnes accomplit les bonnes relations; les paroles resserrent les liens,
elles unifient, elles vivifient. Il n'y a là aucune magie, mais simplement l'efficacité
propre à la relation interpersonnelle: autrement dit il y a là une fonction spécifique du langage africain, que le linguiste attentif peut étudier pour elle-même.
Nous aimerions donc parler de *fonction positionnelle* du langage, par laquelle les
locuteurs se posent comme partenaires dans leur spécificité propre: une femme
qui parle à son mari se pose comme épouse; un fils parle à son père avec la défé-
rence qui convient... etc.

Cette fonction se distingue de la fonction *référentielle*, laquelle renvoie au
‹contexte›, c'est-à-dire aux événements, faits, objets qui constituent la teneur du
message. Quand la véracité est conçue comme ‹adéquation de la parole aux
faits›, c'est cette référentialité du langage qui est visée. Dans l'objectivisme occidental, cette référentialité est essentielle. En Afrique, on peut douter qu'il en soit
ainsi. La référentialité est présente certes, comme partout ailleurs, mais il ne semble pas qu'elle soit principale. La parole dite d'un inférieur au supérieur n'a pour
but de dire la ‹vérité›, mais de dire ce qui doit être dit pour que le supérieur reste
en sa position de supérieur. L'essentiel n'est pas de dire la vérité, mais de garder
les bonnes relations selon les exigences de la Tradition. Un mensonge qui renforce
les bonnes relations n'est pas réellement un mensonge.

Autrement dit, la fonction positionnelle du langage met en évidence que la ligne schématique (cf. R. Jakobson 1963: 215): destinateur... message... destinataire,
n'est pas forcément une ligne horizontale, plate, sans relief, sur laquelle les deux
partenaires se situeraient dans une égalité théorique et abstraite. En réalité les locuteurs sont tantôt à l'égalité, tantôt en situation d'inégalité; la fonction position-

nelle révèle l'asymétrie possible des partenaires, en révélant les statuts d'un chacun. Prenons, par exemple, les relations à plaisanteries: la fonction qui domine est positionnelle; les messages injurieux ou scatologiques ne sont pas d'abord expressifs de l'émotion du destinateur; leur référentialité est mince, parfois nulle; la qualité ou la structure du message peut être plus ou moins vulgaire, plaisante, ingénue, etc. (fonction poétique); il ne s'agit ni de fonction phatique ni de fonction conative; il s'agit de se poser l'un en face de l'autre comme des personnes qui ont le droit de se taquiner en fonction de leur statut ou de leur appartenance.

La fonction positionnelle n'est pas non plus réductible à la fonction *expressive* ou émotive du langage; l'expression du rang que l'on occupe n'est pas l'expression de l'émotion ressentie. Un inférieur qui s'étonne devant son maître ne dit pas son étonnement de la même manière que son supérieur. La fonction émotive renvoie à la subjectivité du locuteur; or dans la vie relationnelle africaine, les sentiments intimes du sujet ne sont pas la première chose à mettre en valeur, loin de là. C'est plutôt la bonne entente et l'harmonie qu'il faut favoriser et donc le respect des hiérarchies, ce qui renvoie à la fonction positionnelle du langage[31].

Par contre, la fonction *conative* du langage est très utile à la relation. Le commandement, l'exhortation, la prière, l'incantation, la demande ou la promesse, le serment et la malédiction, le souhait et la bénédiction, constituent la manipulation d'autrui inhérente au système relationnel. C'est même l'activité propre du griot. La prononciation des *devises* qui exaltent l'individu est de cet ordre. Par l'évocation d'un passé prestigieux, elles rattachent l'individu à son groupe, à sa famille, à son appartenance tribale, territoriale, à son métier ou à sa fonction, à l'ancêtre.

On met l'interpellé en demeure de se tourner vers l'avenir. Les devises sont des appellations au sens strict du mot: elles appellent l'intéressé à continuer à être, à persévérer dans son état et elles lui donnent, au moins momentanément, la force de l'accomplir (de Ganay 1941: 157; Calame-Griaule 1965: 476).

Cette fonction conative n'est pas la fonction positionnelle; chacun exerce la première selon son rang relationnel.

La fonction *phatique* par laquelle les locuteurs se maintiennent en contact est très visible en Afrique. Par exemple, au niveau des réactions d'un auditoire qui écoute un conte, ponctue un récit. Au niveau encore des salutations dont la longue litanie débitée d'une façon quasi mécanique, n'a pas pour but de renseigner sur l'état réel des personnes et des choses (référentialité quasi nulle): dans les premiers moments de la rencontre, les salutations affirment que tout le monde va bien, est dans la paix, qu'il n'y a pas d'histoires... ce n'est qu'ensuite, quand on s'est assis, et désaltéré, que l'état réel des gens et des choses sera évoqué. La fonction phatique qui entretient le contact ne dit pas encore ce que doit être la relation entre les locuteurs compte tenu de leur rang.

---

31 On pourrait aussi parler en Afrique d'une fonction *cryptique* du langage, que l'on pourrait rapprocher *a contrario* de la fonction expressive. Il s'agit de l'emploi de la parole pour camoufler les sentiments intimes des personnes, et par là réduire les tensions.

La fonction *métalinguistique* ou de *glose* est bien réelle en Afrique. Dans la vie relationnelle, il importe évidemment que l'on ne se trompe point sur la teneur du message, il est donc nécessaire d'utiliser les codes en honneur.

Enfin la fonction *poétique* qui s'attache à la structure du message en lui-même, qui fait qu'on s'enchante d'un beau langage, se retrouve partout. Elle est indépendante de la position relationnelle des locuteurs. Une femme peut avoir un langage plus ‹poétique› qu'un homme, et un cadet mieux s'exprimer que son aîné.

Concluons donc que la fonction positionnelle du langage en Afrique est une réalité très importante. Si elle est relativement marginale en Occident, si elle ne s'est pas imposée à l'attention de R. JAKOBSON, c'est sans doute que dans le contexte individualiste égalitaire, les dissymétries relationnelles sont moins visibles; c'est sans doute aussi le fait que l'analyse linguistique pose des locuteurs abstraits, sensés interchangeables, sur pied de stricte égalité. Pourtant en Occident aussi, supérieurs et inférieurs n'ont pas à l'égard les uns des autres le même langage.

L'étude de la parole africaine révèle d'autres surprises encore. Nous voulons évoquer ici la fonction *hyperphatique* du langage mise en évidence par F. RODEGEM (1974). Dans certaines circonstances, un locuteur énonce un discours sans référentialité appréciable, non réellement destiné à un autre locuteur précis, dans lequel le code employé constitue une performance ultra-valorisante; le message en lui-même est une succession de propos louangeurs, égocentriques et exhibitionnistes. Exemple:

Je suis l'adolescent de Corde-d'arc, je suis Celui-ci-qui-tue, je suis l'homme du Vigoureux, je suis l'Empenne, je suis celle d'Invulnérable; ... Je suis moi, l'efficient, je suis l'homme du Vigoureux, je n'ai eu personne pour m'exciter au combat lorsque les Autodéfenseurs et Ceux-qui-ont-les-cuisses-égales ont provoqué la fuite des Abagamba dans la propriété de Rugonza. Je suis Celui-qui-met-(les armes-)dans-la-main-droite-au-milieu-de-la-troupe-de-guerriers, quand les pleutres songent aux oracles. Ravitailleur-des-Lanceurs-de-défis, Celui-qui-part-en-expédition-sans-rechigner, homme de Celui-qui-précède-les-plaintifs, élevé parmi Ceux-qui-courbent, j'ai été sevré à Autodéfense[32].

On a l'impression d'un déluge verbal que rien ne retient. L'individu se met sur le pavois pour impressionner la galerie. Verbe exalté dans lequel la configuration ordinaire de toute communication se trouve désarticulée. Dans la vie relationnelle, c'est l'individu qui s'exacerbe.

4.1.3 Les paroles aux invisibles

4.1.3.1. Position du problème

Nous appelons invisibles les entités telles que les ancêtres, les ‹esprits› (génies, gnomes, forces des fétiches, divinités) et Dieu. Même si certains prétendent avoir

---

32 F. Rodegem (1973: 87). Cf. sous d'autres cieux, ces mots de Cassius Clay (Mohamed Ali), «je suis le plus beau, je suis le plus grand, je suis le plus fort...»

des communications directes avec ces ‹Puissances› , et même être munis d'un don de voyance extraordinaire, la critique philosophique pose d'abord ces entités comme essentiellement inatteignables par les sens, par les moyens ordinaires de communication, comme non-existantes de l'existence dont nous avons l'expérience. Le langage que les hommes tiennent avec ces entités a donc un statut bien particulier, qu'il importe d'élucider.

Une démarche philosophique rigoureuse doit employer des concepts exacts. La parole, la seule qui soit véritablement telle, est une communication réciproque qui s'établit entre deux locuteurs, par le moyen de signes de double articulation. Or ces entités ne ‹répondent› jamais par le moyen de la parole proprement dite. On prétend qu'elles répondent par des faits: bouillonnement de l'eau, poulet tombant sur le dos, etc. Or ces faits ne sont lus comme ‹réponses› que par les hommes qui y croient. Ils ne peuvent être appelés signes ou signaux que si l'on peut prouver qu'il y a une intention qui les a posés, en vue d'une communication. Peut-on parler d'indices? un indice fait connaître quelque chose, non parce qu'il a été posé par une intention, mais parce qu'il relève d'une séquence cause-effet; ainsi les nuages sont indices de pluie, non pas signaux ou messages, car il n'y a aucune intention qui pose les nuages pour indiquer la pluie. On ne peut parler non plus de transmission: le poulet sacrifié ne transporte dans l'au-delà aucune ‹information› aux défunts. Quoiqu'en dise le sacrificateur konkomba (Froelich 1964: 126), l'autel où l'on sacrifie n'est pas un téléphone qui permette de parler au génie. On ne pourra jamais rien expliquer rationnellement si on ne commence pas par parler sérieusement, en termes rigoureux et critiques.

On dira: mais les défunts ‹existent› , les génies ‹existent› . Peut-être, mais je ne sais pas de quelle existence. La mort c'est justement, si elle est prise au sérieux, ce qui est au-delà de toute expérience et donc, toute parole sur la mort et l'au-delà ne peut être signifiante que pour l'en-deçà, non pour l'au-delà. Quant aux génies, nous dirons, pour le moment, qu'ils ne sont que la désignation de l'en–dehors non-humain, et que l'expérience que l'on peut avoir de l'en–dehors non-humain dépend de l'expérience que l'on a de l'en–dedans relationnel. Du point de vue relationnel la parole dite aux invisibles, est une parole sans interlocuteur, dite devant le mur de la mort ou la non-humanité de l'en–dehors. Mais cette parole est dite. Elle n'est pas insignifiante. Que signifie-t-elle? pourquoi faut-il qu'elle soit dite?

4.1.3.2 Analyse de quelques exemples

4.1.3.2.1 Le sacrifice accepté

Dans le pays manon, au village Nya, on offre des poulets vivants aux gros silures apprivoisés du ruisseau voisin dans le but d'obtenir une nombreuse progéniture. Il s'établit alors un *dialogue* entre l'homme et les Puissances sur la base d'une *interprétation* des phénomènes naturels. La victime est jetée vivante à l'eau et engloutie dans un tourbillon. Si elle reparaît encore vivante, quelques instants après, c'est la preuve que '... l'offrande est acceptée par les âmes'. Dans le cas contraire, c'est la preuve qu'elle est refusée... 'les poissons en acceptant l'offrande de riz divinatoire ne font que *traduire* la réaction favorable de la Divinité de l'eau'[33].

Il y a ici abus de langage. Certes les gens pensent ainsi: mais que veulent-ils dire exactement? Faut-il poser par principe que les gens se plaisent dans la magie, l'animisme bizarre? Ou faut-il penser que derrière ce langage se camoufle une rationalité? et pourquoi cette rationalité ne peut-elle s'exprimer ainsi que derrière ces symboles animistes? Nous ne répondrons à ces questions qu'en pratiquant une analyse critique.

Il n'y a dans les va-et-vient de la poule jetée à l'eau aucun message, car il n'y a nulle part d'intention vérifiable. Il y a seulement un indice: à savoir que les poissons s'en occupent; une poule coulant à pic serait l'indice que les poissons ne sont pas là, ne s'en occupent pas, n'ont pas faim, etc. S'il y a indice c'est uniquement pour l'observateur humain qui tient à savoir ce que devient la poule; il se passe autour de la rivière ou de la mare, une infinité d'autres choses qui ne sont l'indice de rien, parce que l'homme n'y fait pas attention, n'y cherche rien. Quand un poulet sacrifié tombe sur le dos, il n'y a ni message, ni indice: il y a seulement un poulet qui meurt, et ses convulsions, c'est-à-dire un ensemble de mouvements inanalysables dans leur complexité. Il n'y a aucune manipulation du poulet par un défunt ou un génie. Il y a seulement hasard et nous avons vu (chap.III) qu'il est normal que l'En–dehors ambigu soit appréhendé à l'aide d'un procédé aléatoire qui lui soit homogène.

Lorsque le roi Soundjata immole aux génies de la mare du Lita-Kuru (génies très méchants, protecteurs de son rival) 100 bœufs blancs, 100 béliers blancs, 100 coqs blancs et que ces derniers expirent tous sur le dos, il pense que les génies redoutables lui sont devenus favorables (Cissé 1970: 19): en fait il n'y a rien d'autre qu'un coup de hasard (cf. tirer 100 boules rouges de suite dans un sac qui contient aussi 100 boules blanches). Le coup de Soundjata est un pari, le pari d'un homme entreprenant qui a confiance en son étoile. Evidemment gagner un tel pari cause une impression formidable.

4.1.3.2.2 La fiction de la langue secrète

Chez les Ewe, les grands *vodu* ou divinités spéciales, possèdent une langue particulière (Agblemagnon 1969: 30, 56, 64). C'est là une manière de parler évidemment; ce qui existe réellement c'est que les personnes vouées à ces *vodu* apprennent une langue spéciale, qui les situe d'ailleurs dans la société comme personnes initiées.

La langue secrète des morts, chez les Dogon, ou *sigi-so*, est bien réelle, mais elle n'est parlée que par les vivants en certains moments. Les Dogon savent très

---

33 M. Houis (1971: 86); les deux premiers soulignements sont nôtres. De la même façon on pense communément qu'un poulet sacrifié tombant sur le dos est accepté par l'invisible; autrement il est refusé.

bien que les morts ne parlent pas. Et la parole qui leur est symboliquement attribuée est précisément une non-parole, une parole sèche, vide, errante, sans interlocuteur; autrement dit l'au-delà est une existence non-expérimentable, sur laquelle on ne peut rien dire; on la symbolise donc par opposition à cette vie présente[34].

Dans les contes, les humains peuvent toujours faire parler les invisibles, comme ils font parler les animaux. Personne, évidemment, ne s'y trompe. Ce qui est significatif par contre ce sont les oppositions structurales entre le langage propre à la société humaine et ce langage prêté aux invisibles[35].

4.1.3.2.3 Les présages et rencontres

Il est parfaitement abusif de dire que «la nature joue alors dans le processus de la communication le rôle de partenaire, la nature nous communique quelque chose» (cité par M. Houis 1971: 91), car la nature ne communique rien; n'a aucune intention de communiquer quoi que ce soit, ce qui est essentiel pour parler de communication et de langage.

L'accouplement de deux caméléons est un signe impératif qui porte en quelque sorte sur lui-même, puisque c'est courir un grand danger que de le voir. Une telle rencontre doit être réparée, et si elle ne l'est pas, l'effet s'en fera néanmoins sentir, par exemple, par la mort des enfants. Il arrive que le signe n'ait pas été perçu, mais il sera dévoilé par le devin aux parents anxieux comme la raison qui explique la mortalité de leurs enfants (Houis 1971: 92s.).

---

34 Les associations dogon sur la langue du *sigi* sont révélatrices. Le terme désigne les paroles contradictoires (Calame-Griaule 1965: 140 n.5); c'est aussi la langue de la tourterelle, animal sacrifié au Yurugu (168, 432). Les langues étrangères sont rapprochées de la langue secrète (394). La langue du *sigi* s'emploie pour encourager les masques (383). C'est la langue des hommes impurs, liés à la mort. Elle proviendrait d'un monde inconnu, sauvage, hostile, de la brousse domaine des morts; elle serait la langue des oiseaux, des génies *gyinu* qui vivent dans les arbres (443). C'est la langue de la grande fête soixantenaire du *sigi* où l'on renouvelle le grand masque commémorant la venue de la mort chez les hommes (443). La langue *sigi* est associée à la bière offerte aux morts, c'est-à-dire parole des vivants célébrant les morts; elle est pleine de vent et de feu donc redoutable; mais aussi d'huile parce qu'émotionnellement riche (442). Réservée aux initiés, cette langue pose les hommes à l'écart des femmes et renforce les liens de solidarité (443). La parole du *sigi* est ‹noire›, d'essence masculine, énigmatique, tandis que la parole du Nommo est celle de la vérité sincère, féminine, intra-humaine; elle est ‹blanche› (518). Bref «pour les humains l'emploi (de cette langue *sigi*) sert à exprimer le sentiment profond de l'impossibilité de communication réelle entre les vivants et les morts» (443). Il est certes astucieux – mais l'homme peut-il faire autrement? – de symboliser l'inexprimable, l'incommunicable par une langue secrète. Dès lors cette langue est à la base d'une dichotomie opérationnelle; monde humain/monde non-humain; homme/femme, rapports aux morts/éloignement des morts; initiés/non-initiés.

35 Les *yéban*, génies fantastiques, bourdonnent en se déplaçant, mais ne parlent pas. S'ils parlaient ils pourraient habiter avec les hommes. De même les *andoumboulou*, transformés en serpents, parlaient une langue inconnue des humains (Calame-Griaule 1965: 407). Les contes analysés par Luc de Heusch (1971: 189s.) comportent des mythèmes relatifs à la parole: la fille aidée par les génies de l'eau, ne doit rien dire de son aventure à ses parents, sinon elle disparaîtra (191). Le monde des génies doit être tu aux humains, c'est-à-dire il n'y a pas de véritable communication entre les deux. Si les filles arrivent à dire le nom de chaque génie, ceux-ci les comblent de cadeaux. Nommer, entrer en dialogue, est une épreuve culturelle, comme le feu et la cuisine; quand le langage est posé dans le monde des esprits, ceux-ci n'ont plus qu'à disparaître au profit de la culture humaine (202).

Démystifions: Ces rencontres, ces présages heureux ou malheureux, ne sont en rien des signaux, il n'y a nulle part une intention qui entend communiquer un message aux hommes. Il n'y a indice de rien du tout. Tout se passe dans l'esprit des observateurs qui interprètent cette rencontre. Parmi les milliards de rencontres que l'homme fait au cours de sa vie, au cours d'une journée, il n'y a que quelques-unes qui attirent son attention, *parce qu'elles sont rares*. Les caméléons sont rares; en voir deux à la fois et accouplés c'est encore plus rare; cette rencontre attire l'attention (tandis que l'accouplement de volailles dans la cour ne ‹signifie› rien de spécial). Un coq qui chante entre 18 h du soir et 1 h du matin est un mauvais présage, parce qu'il se signale à l'attention comme un coq déréglé. J'en ai fait l'expérience: lorsque creusant la terre, je découvre un nid tout frémissant de toutes petites souris[36], on est étonné et ému; les Mossi disent qu'il ne faut pas les tuer mais leur faire des funérailles. Ces rencontres peu communes, ces conjonctions étonnantes sont ressenties comme un avertissement (on sait que l'information est proportionnelle à la rareté) (P. Guiraud 1968: 147).

Je n'ai pas à conclure que la nature me fait signe, ou que la Puissance m'envoie un message; il y a seulement ceci: je me trouve subitement en présence de l'Endehors non-humain; dans mon univers policé, humanisé, fait de rencontres normalisées, des rencontres aussi bizarres me provoquent à constater qu'il y a un Endehors non-humain. La ‹réponse› que l'homme fait à ces rencontres étonnantes et troublantes, signifie seulement que l'homme troublé par l'irruption de l'Endehors pose délibérément un geste culturel, voulu par la société, par lequel il réintègre promptement l'ordre humain, l'en–dedans apaisant. Ainsi il conjure le malheur, car pour l'homme, quitter l'en–dedans relationnel humanisé et s'aventurer dans l'inhumain c'est affronter des dangers, c'est perdre le bénéfice de la sécurité humaine. L'inhumain qui fait irruption, c'est littéralement la fin, la mort de l'humain, si l'homme ne se ressaisit pas[37]. Il n'y a rien de magique là-dedans. Il n'y a rien qui soit je ne sais quelle communion de l'homme avec la nature, comme certains le prétendent; il y a plutôt perception d'un ordre humain relativement fragile devant une nature proche, potentiellement envahissante et probablement destructrice, perception qui aboutit au blotissement de l'homme dans son monde humain sécurisant.

4.1.3.2.4 Les ‹messages du monde›

«Le monde est pour un esprit Dogon comme un livre dont il déchiffre, 'décode' le message et il est constamment en souci d'interpréter les 'signes' qui l'environnent» (Calame-Griaule 1965: 27).

---

36 En môré, *kita*, pl. *kitsé* (*leggada setulosa*).
37 Fait ancien raconté par B. Davidson (1971: 166): Histoire kalabari sur l'arrivée des Européens: «On raconte que le premier homme blanc fut aperçu par un pêcheur qui était descendu à l'embouchure de la rivière avec son canoë. Frappé de panique, il courut chez lui et raconta à ses voisins ce qu'il avait vu: là-dessus, lui et le reste du village sortirent pour se purifier — c'est-à-dire pour se débarrasser de l'influence de la chose étrange et monstrueuse apparue dans leur monde.»

Remarquons tout de suite la métaphore! le monde n'est pas un livre. Un livre est strictement écrit par quelqu'un, intentionellement, en vue de communiquer un message traduisible en langage; il ne parle ni ne répond. Le monde n'est écrit par personne; Dieu n'est pas un interlocuteur, un écrivain ordinaire, comme ceux dont on a l'expérience directe. Il y a seulement dans le monde des objets, des événements dont l'homme peut analyser la nature par son observation. Les Africains connaissent très bien leur environnement naturel, les propriétés empiriques des minéraux, végétaux, animaux, leur comportement, leur description; là-dessus les hommes peuvent ajouter des symbolismes divers, établir des classements, rapprochements ou oppositions. Mais à aucun moment de ce processus, il n'y a un message envoyé par quelqu'un et reçu par l'homme. Il y a seulement un En–dehors qui en devenant familier, humanisé, connu, répertorié, s'impose à l'homme comme régularité dont il ne peut pas faire n'importe quoi.

Mais dans cet En–dehors, se produisent des événements qui sortent de l'ordinaire et piquent l'attention, comme nous l'avons dit ci-dessus. Ainsi l'homme reprend conscience que l'En–dehors est bien l'*En–dehors*, irréductible au monde humain.

De même l'homme ne fait pas marcher le monde par sa parole. Si la récitation des contes, la nuit, favorise les mariages et la procréation, on peut le comprendre, car on est entre humains. Mais on ne peut en dire autant du monde non-humain:

La parole contribue également par la vertu des quatre éléments qu'elle contient symboliquement au développement des êtres et des choses appartenant à la même catégorie élémentaire. Les contes de l'eau correspondant à Nommo sous sa forme célestielle (pluie) et terrestre (mares) accroissent les naissances des poissons, font pousser les plantes aquatiques, etc.; ils donnent l'eau aux graines et au sang du corps. Ceux de la terre aident le sol à produire des récoltes, les plantes, les herbes pour les troupeaux. L'oiseau qui mange les graines des herbes favorise les naissances des hommes, du bétail et la conservation des minéraux. Ils donnent les os, correspondant à l'enveloppe des graines. Ceux du ciel contribuent à la bonne marche des astres et de l'univers; ils donnent la respiration aux êtres et le 'nez' (germe) de la graine. Enfin ceux du feu sont propices aux travaux de forge, à la cuisine, aux masques, et sur le plan cosmique à l'influence du soleil sur la terre. Ils donnent 'l'huile du sang' et la semence mâle, ainsi que l'huile qui se trouve dans la graine. 'Tout ce qui est bon est aidé par les contes'. Nous retrouvons une fois de plus cette grande osmose universelle selon laquelle les êtres et les éléments se compénètrent en un cycle constant. Le rôle en quelque sorte catalyseur de la parole est ici mis clairement en évidence (Calame-Griaule 1965: 475).

C'est très beau, mais c'est malheureusement faux! La parole ne fait strictement rien au monde. Est-ce que les Dogon ne s'en seraient pas aperçu? il s'agit donc d'interpréter ces discours. Dans ses contes, le Dogon exprime en quelque sorte le résumé de sa connaissance du monde, ainsi que dans les correspondances qu'il établit entre les êtres. Ce faisant il exprime *son* monde, celui qui lui convient, qu'il a compris, dont il attend la régularité. Exactement comme le physicien moderne qui dans ses théories ultra-élaborées se donne le monde qu'il comprend. Ces paroles (ou théories) ne font pas marcher le monde, mais expriment la marche du monde, telle que l'homme l'a saisie, avec, en plus, la conviction que cette marche continuera inchangée[38].

4.1.3.3 Signification de l'animisme

Les critiques précédentes avaient pour but de manifester la nécessité d'une analyse rationnelle stricte de certains faits culturels africains. La parole dite par les invisibles ou dite aux invisibles recèle un animisme qu'il importe d'élucider. On ne pourra y parvenir si l'on suppose que l'Africain est doué d'un mystérieux pouvoir d'aperception d'un monde invisible. Il n'y a aucune rationalité philosophique possible à prendre ces affirmations animistes comme ayant une portée ontologique sur l'invisible sans élucider le processus par lequel l'Africain aboutit à ces affirmations; le contenu de l'affirmation est intimement dépendant du chemin qui y conduit. Or ce chemin ne peut être que la vie de tous les jours, les rapports des hommes entre eux dans leur monde: c'est le genre de vie vécu par les gens qui éclaire l'animisme et non l'inverse.

Les affirmations animistes comportent à la fois une réalité et une illusion. La *réalité* c'est l'En–dehors irréductible qui s'impose à l'homme comme ce que l'homme ne domine pas et dont il a pourtant besoin; ce sur quoi il se détache comme une figure sur un fond; ce qui s'impose comme non-culture, ce en quoi l'homme perdrait son humanité s'il s'y abandonnait (cf. l'enfant-loup). En s'humanisant, l'homme *pose* l'En–dehors comme ce qui s'*oppose* à lui et ne répond pas automatiquement à ses désirs et besoins, ce contre quoi il lui faut se défendre pour ne pas être englouti dans la non-humanité. L'En–dehors est donc à la fois un donné toujours là et le résultat de l'humanisation de l'homme. Il n'y a que l'homme qui se distinguant de la nature, s'aperçoit par le fait même qu'il y a la nature. Celle-ci lui est donc une sorte de vis-à-vis.

Là va se produire l'*illusion*. D'abord l'homme va exprimer sa position face à l'En–dehors par un imaginaire approprié. Celui-ci traduit essentiellement la non-humanité de l'En–dehors: aspect monstrueux, dévorateur, engloutisseur, incorporel, sans paroles, animal, fantasque etc.[39]. Mais cet imaginaire est toujours lié

---

38 Les Bambara ont raison de dire: «La parole est aussi longue que l'humanité», car elle se confond avec elle. De même les Dogon: «Tout ce qui est bon est aidé par des paroles», en ce sens que pour une société humaine, tout ce qui est perçu par elle comme étant favorable, doit être dit, exprimé, répété dans les échanges. La parole a comme contenu fondamental la légitimité sociale, l'ordre relationnel; l'ordre cosmique lui est nécessaire. La contestation en paroles est conçue comme périlleuse. Les sociétés totalitaires réduisent au silence leurs opposants.

39 Un exemple: Les Ewe parlent de «Nukpekpe: monstre, personnage horrible avec plusieurs têtes, de multiples bras, de multiples jambes et autres excentricités ou difformités imaginables, que l'on rencontre dans les bois. Il n'est pas toujours malfaisant et peut, dans certains cas, initier son découvreur, à condition de suivre des consignes, à des secrets importants à caractère magique» (F.N. Agblemagnon 1969: 202). Cf. monstres dessinés, in B. Holas (1968c: passim).

à un *support* qui est une répliqe non-humaine du sujet humain. L'homme personnalise comme un partenaire cet En–dehors qu'il pose et qui s'impose à lui. La raison de cette personnalisation illusoire s'explique aisément, comme un effet de miroir. Cette personnalisation animiste ne signifie nullement que l'homme africain ignorerait les limites de sa personne. Au contraire, c'est le sentiment profond qu'il a d'être un sujet engagé dans une vie de relations avec ses semblables qui le conduit à poser devant lui, imaginairement, des ‹sujets› à sa ressemblance lesquels, par un effet de miroir, renforcent le sentiment qu'il a d'être une personne. Par comparaison, on notera que dans l'Occident actuel, notre vis-à-vis non-humain n'est pas la nature, mais des abstractions: Etat, Capitalisme, Argent, Inflation, Fascisme etc.... sans doute, précisément, parce que le sujet humain se saisit comme de plus en plus noyé dans l'anonymat, perdu dans le magma d'une société dissolvante pour la personne. A une expérience d'écrasement et d'aliénation anonyme, globale, abstraite, correspond un imaginaire et un langage de l'En–dehors comme abstrait et sans visage. Finalement ce qui est perçu, affirmé, exprimé dans l'animisme, c'est l'homme relationnel africain.

1. Dans une conception de l'existence fondée sur les relations interpersonnelles on peut penser que le schéma interpersonnel continue à s'imposer même dans le rapport homme/monde, homme/choses, homme/animaux. Dans les contes l'imaginaire fait parler bêtes et choses. Il est plus facile pour l'homme de concevoir le non-humain sur le modèle de l'humain, à partir de l'humain (anthropocentrisme) que de concevoir l'humain sur le schéma des choses.

2. La subjectivité d'un chacun étant ce qui est le plus incontrôlable, l'imprévisible, il est assez humain de penser l'inattendu objectif sur le mode de la subjectivité. On dira donc: les génies sont bons ou mauvais, me veulent du bien ou du mal.

3. Nous avons déjà dit que l'En–dehors ne devient indice ou signe aux yeux des gens que sur la base de la faible probabilité. Les événements réguliers n'apportent aucune information, c'est-à-dire aucune nouveauté qui pique l'attention. Aussi bien l'En–dehors est-il lié tout spécialement à ce qui est rare: rare dans l'espace mais durable comme un énorme rocher, un trou d'eau, une cascade, un grand arbre (= les lieux sacrés); ou qui est rare à la fois dans l'espace et le temps: rencontre de deux caméléons accouplés, serpent qui mord, tremblement de terre, éclipse, sécheresse, coup de foudre; enfin il y a l'éloigné, ce qui ne se trouve pas habituellement au contact de l'homme et de ses besoins: l'étranger, les fauves, les brousses reculées. L'En–dehors s'inscrit donc dans la discontinuité spatio-temporelle. Les événements inattendus, donc gros d'information, se passent dans l'En-dehors[40].

---

40 Dans les contes, le centre du récit, les péripéties intéressantes ne se passent jamais à la maison, et en présence de toute la maisonnée rassemblée (car alors règne le maximum de probabilité, l'ordinaire, l'ordonné), mais au cours d'un voyage, dans l'absence de l'un ou de l'autre: alors les rencontres imprévisibles sont possibles, et elles sont faites par des individus non des foules.

Inversement, ce qui dans la nature est connu, répertorié, utilisé par l'homme, les séquences régulières observées sur lesquelles il peut compter, les champs cultivés n'appartiennent pas à l'En–dehors. Ceci représente la portion humanisée de la nature et entre par conséquent dans la culture de l'homme. Ce n'est pas absolument parlant de l'humain: un champ n'est pas un homme et ne se commande pas comme un homme. Il y a un ‹reste› irréductible. Mais c'est tout de même beaucoup plus proche de l'homme. Cette nature humanisée est celle qui répond aux désirs de l'homme, à son attente. L'homme a ses besoins; leur satisfaction dépend de ce que donne la nature, et de ce que l'homme réussit à lui prendre. Il y a adaptation de l'homme à son environnement et volonté humaine de le ployer à son service. L'impression d'En–dehors irréductible réapparaîtra dans cette nature humanisée dans la mesure où la fiabilité de l'emprise de l'homme n'est pas totale, et que subsiste une frange plus ou moins large d'aléa.

Or le rare et l'aléa produisent dans la conscience de l'homme l'impression de quelqu'un qui transmet une information[41]. Ce que nous expliquerons ainsi: le contact brusque avec l'En–dehors comme tel réveille l'homme à lui-même et le fait se poser comme vis-à-vis, comme un partenaire qui proteste, s'affirme, craint ou se félicite. Il le fait dans une parole qui paraît adressée à un autre, mais qui n'est en réalité que la prise de conscience par l'homme de son humanité face au non-humain.

4. Réfléchissons aussi à la nature du désir. Par ses désirs, l'homme est projeté hors de lui-même, tendu vers autre chose qui lui manque, tendu vers un donateur. L'homme qui désire, se donne en quelque sorte un interlocuteur, il lui parle, il attend une réponse. La poussée du désir est de s'exprimer dans une parole qui sort de soi; un désir purement intérieur est au moins une pensée, une parole interne, qui se donne aussi un interlocuteur mystérieux, Dieu par exemple. Et cet interlocuteur, ce donateur est conçu implicitement comme polyvalent: pouvant répondre non seulement à ce désir bien spécifié mais à bien d'autres choses encore, pouvant répondre ou refuser. En effet, si cet Autre donnait automatiquement ce dont l'homme a besoin, il n'y aurait plus de désir, il n'y aurait que des besoins physiologiques trouvant d'ailleurs immédiatement satisfaction: ainsi (sauf en cas de pollution ou d'asphyxie) l'homme n'éprouve aucun désir de l'air, car celui-ci est toujours là présent; il n'y a pas de prière pour obtenir de l'air![42]

---

41 Réaction typique: si, me promenant dans la rue, un morceau de brique tombe juste devant moi (événement heureusement rare!) automatiquement je lève les yeux et me retourne pour voir qui me l'a lancé. Le hasard n'est pas spontanément perçu comme tel. Il est perçu comme intention, quand il m'implique.
42   Le contenu de la plupart des prières africaines livre ceci: désirs humains relatifs à la vie présente; protestation que l'ordre relationnel est sauvegardé, qu'il y a paix et entente, ou qu'on vient de les rétablir; que les entités priées sont situées dans l'En–dehors, soit avec référence à une alliance ancienne avec les ancêtres, soit comme rencontre personnelle; que les ancêtres priés sont vus comme les garants de l'ordre relationnel. Les salutations-souhaits contiennent la même affirmation essentielle: manifestation des bonnes intentions des partenaires, inter-relations vécues, désirs, vœux. Que Dieu soit nommé ou non, cela ne fait pas que la parole dite soit autre chose qu'une parole humaine dite entre humains.

Nous conclurons donc que les paroles dites aux invisibles ne sont pas de véritables paroles, en ce sens qu'elles ne s'adressent à aucun interlocuteur. Au point où nous en sommes, on peut aussi bien dire: il n'y a pas du tout d'interlocuteur invisible, que l'existence des Invisibles est inexpérimentable, et d'un tout autre genre que la nôtre. Il y a seulement l'homme et son monde culturel, humanisé, face à l'En−dehors non-humanisé. Ces paroles sont dites par les hommes à eux-mêmes et à ceux qui les entourent; elles expriment leur idéologie et leur conviction de sa valeur; elles manifestent, en tant que paroles dites, exprimant le désir, que l'En-dehors est une source inépuisable de possibilités.

Remarquons d'ailleurs pour terminer que les Africains ne sont pas dupes. Certaines cérémonies d'initiation consistent précisément à démystifier ces soi-disant entités terribles aux yeux des néophytes; les aînés montrent aux jeunes ce qui leur faisait si peur: ce n'est rien qu'un homme, un camarade bien connu, ou une chose inoffensive manipulée par l'homme. Mais la démystification doit être tenue secrète, c'est-à-dire niée au moment même où elle est affirmée. Tout le monde continuera à affirmer que le masque est bien un esprit de la brousse. Rouerie nécessaire sans doute au jeu social; façon de distinguer des catégories de personnes initiées et non-initiées; maintenance de la domination d'une catégorie sur une autre. Sans doute! mais au-delà, conscience d'une réalité et conscience d'une illusion. La réalité c'est la nécessité d'affirmer l'ordre humain face au non-humain et d'affirmer que le seul ordre humain possible est l'ordre relationnel communautaire. L'illusion: créer le masque (donc en savoir la vraie nature) et s'imposer le secret, et cela pour renforcer l'importance de l'ordre humanisé, conquête de l'homme sur l'En-dehors. On peut dire alors que l'illusion entretenue ne fait qu'énoncer en la dramatisant, la réalité essentielle: l'homme est homme et s'est construit son monde humain et entend bien maintenir ce qu'il s'est créé.

4.1.3.4 *Application à quelques cas*

4.1.3.4.1 Formules propitiatoires

Quelques paroles sont prononcées parfois avant l'affrontement d'un danger pour s'en protéger. Par exemple: avant de traverser l'eau il convient pour ne pas se noyer de prononcer la formule suivante: «Gens de l'eau, pardon. Prenez-moi et faites-moi passer.» Les Dogon sont conscients de la valeur psychologique de la formule: elle indique que l'on concentre son attention sur l'action à faire (Calame-Griaule 1965:416-417). Le voyageur devient plus confiant s'il a reçu la bénédiction de son chef de famille: «qu'Amma t'accompagne en paix. Que les Ancêtres t'accompagnent en paix...» Quand quelqu'un éternue, on lui dit «prends ton nez (c'est-à-dire ta vie)!» D'autres formules renvoient le mal ou le danger chez d'autres. Ainsi l'affrontement de l'En−dehors, du désordre, provoque l'homme à prendre ses précautions.

4.1.3.4.2 Paroles ou devises adressées à des animaux ou des choses

Les chasseurs susu de Guinée interpellent le charognard:

> 'Viens! Charognard! Fais courir l'animal': l'oiseau, sachant la mort prochaine de l'animal, le survole, l'effraye, le fait courir et le fatigue au profit du chasseur. [Ou bien le chasseur s'adresse à la brousse:] 'La brousse! je te salue, le chasseur perce la peau, la brousse! je te salue, mon père a fait taire la brousse.' [Ou encore il s'adresse au fauve blessé:] 'Baisse tes yeux!' (Houis 1971: 81-82).

Faut-il conclure que l'homme parle à la brousse, aux oiseaux? Faut-il voir là des incantations magiques? Inutile de supposer qu'il y a dans l'En−dehors des présences occultes qui écoutent l'homme et répondent à ses demandes. L'homme ici, se parle à lui-même en parlant aux choses; le chasseur-cherchant-du-gibier exprime son désir; s'aventurant dans l'En−dehors non-humain où règnent les fauves, il jette un défi au nom de ses ancêtres, fiers chasseurs. C'est la fonction conative du langage.

Les Dogon connaissent les devises adressées à des Puissances:

> Elles font ressortir les clauses d'une sorte de contrat passé entre les deux parties, contrat qui, du côté des hommes, se constate par les mille obligations dont le réseau enserre l'individu, et qui, du côté surnaturel engage les puissances à se montrer généreuses (de Ganay 1941: 159).

D'autres devises s'adressent à des animaux sauvages, à des plantes, aux animaux domestiques, à la bière. Lors des funérailles d'un homme on proclame les devises des plantes comestibles qu'il a cultivées et des animaux domestiques qu'il a élevés: «Grâces sont ainsi rendues au mort d'avoir élevé ces animaux et cultivé ces plantes qu'il a ensuite partagés avec ses semblables; on remercie également plantes et animaux d'avoir nourri les hommes» (de Ganay 1941: 137). Nous ne voyons là que le rappel de la bonne fortune qu'a connu ce défunt. Dans l'univers dogon, où la fiabilité technologique est peu élevée, la chance d'un individu mérite d'être relevée en même temps que s'exprime le désir des survivants de voir la chance sourire à tous.

4.1.3.4.3 Paroles de malédiction

«Maudire est un meurtre», c'est une prière à rebours où l'on demande la mort pour un coupable. Il s'agit de livrer à l'En−dehors, engloutisseur inhumain, celui qui par ses mauvaises actions s'est déjà mis dans cette in-humanité. La parole n'a pas besoin d'une efficacité magique. Elle énonce un fait: le témoin ou la victime se désolidarise de l'action mauvaise, du coupable, il se renforce dans l'ordre humain et renvoie dans la mort celui qui s'est conduit inhumainement (Calame-Griaule 1965: 425).

Les Tanga connaissent une danse de malédiction

...utilisée par un groupe de femmes marquant leur désapprobation vis-à-vis d'un ou plusieurs membres, lors d'une assemblée, d'une fête, d'une réunion de famille. En rond, l'une derrière l'autre, elles scandent les couplets de la danse... 'si un enfant casse une chose, ce n'est pas sérieux, mais..'; l'intention étant de souligner la responsabilité des actes posés par l'adulte. Elles relèvent le bas de leur robe et montrent une partie de leur nudité provoquant la malédiction sur les coupables. Les hommes présents ne peuvent intervenir. Les effets ordinaires: langueur, déboires, maladies, ne tarderont pas à se faire sentir (M. Richard 1970: 75).

Le rite peut être encore plus solennel et plus expressif: obscénités nocturnes, nudité, confinement des hommes; le matin les femmes se purifient à la rivière pour revenir au village.

Paroles et rites sont clairs: pour livrer les coupables à l'inhumain, les femmes jouent en quelque sorte l'irruption de l'En−dehors parmi les hommes; leur comportement est alors le contraire du comportement ordinaire policé. Après quoi il leur faut bien revenir dans le monde humain[43].

4.1.3.4.4 Serment

Dans les commentaires qu'elle fait des serments et ordalies dogon, G. Calame-Griaule (1965: 427) relève que l'eau (Nommo, Binu), la terre (Lébé), les morts sont envisagés sous leur aspect négatif et redoutable. Ces réalités sont, en soi, ambivalentes: l'eau est à la fois bue-vivifiante et buvant-absorbant-tuant (noyade); la terre est à la fois donneuse de nourriture-bienfaisante et bouche engloutissant les morts; les morts sont pourvoyeurs de bénédictions et en même temps assoiffés-affamés. Faire un serment se dit chez les Dogon: «Boire le *binu*, le *lébé*, les ancêtres ou le bâillon des morts.» Celui qui fait le serment boit et se trouve en même temps bu-absorbé par ces puissances engloutisseuses. Le serment consiste donc à se livrer à l'En−dehors mortel. Pour arrêter le processus, il faut offrir un sacrifice

---

43 Autre rite: «Au petit matin, la mère sort sur la cour avec son fils ou sa fille, elle se dévêt entièrement et nie sa maternité en ces termes: 'Je le jure, ce n'est pas moi qui ai reçu la semence qui a formé ton corps. Tu n'as pas eu de place dans mon sein. Tu n'es pas sorti de moi, ton sang n'est pas le mien. Je te dénonce, tu n'es pas mon enfant, que tous les biens se retirent de toi, je te maudis.' Le maudit livré à la mort dépérit, perd ses cheveux, refuse toute nourriture, lorsqu'il ne sombre pas dans la folie. L'intervention de la famille, notamment de l'oncle maternel en raison des liens l'unissant au neveu 'noble' peut décider la mère à revenir sur sa décision. Elle seule a le pouvoir de lever cette malédiction par le rite de *mpapo*. Toujours de petit matin, elle sort avec une cuvette d'eau et redonne 'la bouche à son enfant'. Elle lui lave la tête, la frotte avec des feuilles *béboku*, en disant: 'Tout ce que j'ai dit s'en va, la malédiction coule avec cette eau, la vie reprend en toi et ma bénédiction te fortifie'. Dans le courant de la matinée, l'enfant lui offre une poule ou un animal fourni par l'oncle ou le père; la mère le prépare et le repas les réunit tous deux. Chaque bouchée de nourriture prise par elle est partagée; elle la met dans la bouche de l'enfant marquant par ce geste qu'elle reprend ses droits maternels. Ils mangent dans la même assiette, boivent dans le même verre. Le repas se termine par l'imposition des mains sur la tête, le cœur, les membres avec les paroles d'usage: '... bonne bénédiction, bien, va bien..'» (M. Richard 1970: 75s.). Rituel éloquent: la relation vivifiante mère-fils est niée, puis rétablie.

à ces puissances, c'est-à-dire s'arracher à cet avalement en livrant une victime de remplacement.

4.1.4 Appendice 1: Les paroles qualifiées — les proverbes

Notre propos ici est d'examiner les rapports des proverbes à la philosophie. Il est souvent question d'établir une philosophie africaine à partir des proverbes. Est-ce possible et comment?

Les proverbes constituent bien un donné de base privilégié; ils condensent l'expérience vitale d'une société[44]. Ils ne sont pas, en eux-mêmes, une philosophie réellement élaborée, ils en sont les matériaux, parmi d'autres possibles. Il leur manque en effet d'être une réflexion proprement critique, épistémologiquement consciente et systématique[45]. Beaucoup ne dépassent pas le sens commun le plus ordinaire[46]. Renvoyant à l'expérience, ils disent aussi bien le fait que le droit, le bien que le mal, la conviction que le scepticisme; certains peuvent se lire à l'envers[47]. Enfin et surtout, dans une culture donnée, les proverbes ne constituent aucun ordre synthétique et critique défini. Aucun proverbe ne dit qu'il est le premier, le plus important, la base de l'édifice social. Chaque proverbe en vaut un autre. Les proverbes n'ont pas en eux-mêmes, (du moins à première vue) leur propre critère d'ordonnancement. On le voit bien dans les corpus publiés: l'ordre alphabétique par la première lettre du premier mot est une solution de désespoir! l'ordre par matières (classement par règnes: minéraux, végétaux, etc.) ou par thèmes (justice, famille, politique, vertus ou vices, etc.) reflète beaucoup plus la philosophie implicite de l'ordonnateur que celle des proverbes eux-mêmes. La plupart du temps, en philosophie africaine, le proverbe ne peut servir que d'illustration. Lorsque d'aventure, on trouve une synthèse philosophique à partir des proverbes,

---

44 Pour les griots malinké les plus instruits «toute la société malinké pourrait se saisir grâce aux maximes et récits fascinants» (D. Cissé 1970: 207). Certains proverbes ne se comprennent que par rapport à des événements historiques, ou à des personnes précises. D'autres supposent une connaissance exacte des mœurs et traits caractéristiques des gens et des bêtes; flore et faune sont mises à contribution, ainsi que l'environnement physique, les structures sociales, familiales ou politiques.

45 Les proverbes cités sont tirés des corpus suivants: P. Alexandre (1954) 1472 proverbes mossi; Y. Tiendrébéogo (1964) 181 proverbes mossi; G. Hulstaert (1958) 2670 proverbes mongo; F. Rodegem (1961 et 1983) 4000 proverbes rundi; G. Mabendy (1959) 241 proverbes bambara; J. Cauvin (1969) 250 proverbes minyanka.

46 «Demande à la taupe ce qui se passe sous terre»; «Ce qui se trouve au firmament, tu le demandes à la foudre» (rundi, Rodegem 1961: 47 nos 230 et 224; 1983: nos 882 et 881). «Quand le dos vous démange, on ne se gratte pas la poitrine» (ewe, cité par F.N. Agblemagnon 1969: 104).

47 Proverbe mossi: «Un vieillard qui cultive vaut mieux qu'un vieillard magicien» (l'inverse aussi se dit). Proverbe ewe: «Honte du mort vaux mieux que honte du vivant» (ou l'inverse) (F.N. Agblemagnon 1969: 105). On peut se demander si les proverbes ne font pas ‹cercle› : «Trop de puissance gâte son possesseur», mais aussi «Quand on connaît l'étendue de sa force, on ne fait jamais de mal» (proverbe mossi, Tiendrébéogo no 87); proverbes mongo: «On ne tresse pas un bouclier dans le combat» (Hulstaert 1958: no 56), et aussi «Parfois on tresse un bouclier durant le combat» (no 211).

l'ordre introduit relève de l'a priori philosophique de l'auteur, non des proverbes eux-mêmes[48].

Le problème herméneutique étant crucial pour une philosophie qui entend reprendre rationnellement tout le sens inclus dans une expérience vitale, il est tentant de chercher dans le matériau des proverbes, une clé d'interprétation objective. Est-ce possible?

Il faudrait d'abord, dans l'énorme matériau que l'on peut appeler ‹locutions sentencieuses›, distinguer ce qui est strictement proverbe de ce qui ne l'est pas (étant bien entendu que les autres locutions sentencieuses non-proverbiales peuvent aussi servir de matériau à l'élaboration philosophique). D'après F. Rodegem (1972) les locutions sentencieuses se structurent formellement autour de la présence ou de l'absence de trois données fondamentales: la norme, le rythme, la métaphore. Le proverbe, strictement compris, possède précisément – et lui seul (par opposition à la locution proverbiale, au dicton, à la maxime, à l'adage, etc.) cette structure formelle: il est normatif, rythmique et métaphorique. L'avantage de cette définition c'est qu'elle ne demande rien à l'extérieur du proverbe même. Si une société s'exprime par cette forme structurale, c'est qu'elle y trouve son avantage, et donc cette forme objective va être porteuse d'indications philosophiques précieuses.

L'aspect *normatif* du proverbe est assez évident. On peut légitimement tenir l'hypothèse (mais il faudrait une démonstration que nous ne pouvons tenter dans cet ouvrage) que si la même norme est représentée par de nombreux proverbes, c'est qu'elle est importante dans la vie des gens; de même aussi la fréquence d'emploi d'un proverbe donné (si on peut l'établir, ce qui paraît beaucoup plus difficile). Il faut ajouter à cela que la norme, dans les proverbes, n'a pas toujours la même force; parfois elle suggère, parfois elle conseille, parfois elle impose une ligne de conduite. Directive, conseil, ordre[49]. La structure normative du proverbe explique en partie l'usage que l'on en fait. Le proverbe, dit-on, est le corps de la pensée, lui donne du poids, l'empêche de s'égarer, la ramène à l'objectivité de l'expérience: «Le proverbe, pensent les Yoruba, est le cheval de la parole, quand la parole se perd, le proverbe la retrouve.» Il termine une pensée:

---

48   Par exemple O. Bimwenyi (1970); V. Mulago (1968). Nous pensons que la façon d'organiser les proverbes sur Dieu relève non des proverbes eux-mêmes, mais d'une théodicée préétablie, non-critiquée. Dire que «la vie sociale est la source essentielle de l'expérience que nous communiquent les proverbes» (Agblemagnon 1969: 100), c'est affirmer que le principe d'intelligence des proverbes est en dehors d'eux-mêmes (cf. J. Mbiti 1970: 67).

49   La directive se présente sous une forme adoucie, qui en suggérant un choix, prescrit une attitude (mieux vaut un âne vivant qu'un lion mort). «Il y a possibilité de déduire ainsi une classe de normes (affectées d'un certain indice de relativité): norme impérative, norme directive, norme indicative» (F. Rodegem 1972: 689); «Il est possible de chiffrer la fréquence relative de chaque type de formule: norme impérative (10 %) (A Rome vivons comme les Romains); norme directive (40 %) (ce qu'on ne peut pas bouillir, on le rôtit, prov. Rundi); norme indicative (50 %): lait sur vin venin, vin sur lait souhait» (ibid.).

Souvent le propos le plus banal est complété par une citation, une pensée, un proverbe, un exemple frappant pour l'esprit. Mon père qui parlait peu et réfléchissait beaucoup avant de parler, terminait toujours ses propos par une citation, un proverbe adéquat, une pensée caractéristique (Agblemagnon 1969: 48).

Il semble que le proverbe soit particulièrement apte à clore une discussion, à ‹fermer le bec›: ainsi les nouvelles initiées ne pourront pas prétendre à l'égalité avec leurs sœurs aînées quand elles s'entendront dire: «l'aisselle n'est jamais plus haute que l'épaule»[50]. On peut donc conjecturer qu'il y a une échelle objective des normes dans les proverbes d'une société donnée.

Les autres éléments formels du proverbe ne sont pas moins significatifs pour la philosophie. Le *rythme* comme mnémotechnie et procédé éducatif manifeste bien que la fonction du proverbe est de maintenir l'ordre social en l'inculquant, pour ainsi dire, jusque dans les mécanismes physiologiques du langage[51].

La *métaphore* n'est pas seulement un moyen pédagogique grâce à la curiosité qu'elle éveille, mais surtout un moyen d'éterniser la norme. En renvoyant une disposition d'ordre social contingente, à un ordre naturel, stable, hors contestation, la métaphore clôt le débat, immobilise. L'homme est renvoyé au-delà des vicissitudes humaines: «Chaque oiseau prend le plumage de son père» (Bwa); «La grosseur du piment n'est pas sa force» (Bwa); «La cuisse de la gerboise est sa valeur» (Bwa); «Rien du tout ne se pile pas dans un mortier» (Bwa); «Le vent passe là où il y a une fente» (Rundi); «Même si un morceau de bois demeure longtemps dans l'eau, il ne devient pas un caïman» (Bwa); «L'écorce de l'arbre n'adhère pas à un autre arbre» (Masai). Parfois l'homme est renvoyé à la mécanique du réflexe: «Si tu vois la barbe de ton frère prendre feu, arrose d'abord la tienne» (Hausa) et «Si le dos te démange, tu ne te grattes pas la poitrine» (Ewe). Le proverbe a quelque chose de désarmant.

Dans le dialogue interpersonnel, le proverbe renvoie à un ordre de faits, il englobe l'auditeur, et le laisse à sa réflexion. Il évite de prendre l'autre de façon trop personnelle, en face. Il procède par un détour, par transposition: «Si tu vois un poussin insulter un coq, c'est qu'il est à côté d'un grand buisson» (Bwa); ce proverbe ne procède point de l'observation de la basse-cour, mais des mœurs humaines: il faut avoir de puissants protecteurs pour avoir l'audace de parler à plus fort que soi.

---

50 Encore: «La danse ne peut dépasser les tam-tams» (proverbe mongo, Hulstaert 1958: 87 n° 263); «Le fer ne conseille pas le marteau» (n° 31); «Il n'y a que le ciel qui voit le dos de l'épervier» (n° 38); «Le sorgho a beau grandir, il ne dépassera jamais la pointe de l'épi» (proverbe rundi, Rodegem 1961: 159 n° 1420; 1983: n° 4184).
51 A.J. Greimas (1970: 309-314) fait remarquer que dans la chaîne parlée, le proverbe se distingue par son rythme, sa forme particulière, sa syntaxe, ses archaïsmes; par là, il s'établit au niveau du discours même, une ‹mise hors du temps› des significations énoncées, ce n'est plus l'individu qui parle, il cite quelque chose qui vient de plus loin que lui: ‹La sagesse des nations›, celle des ancêtres, des vérités éternelles. L'homme qui dit des proverbes est l'homme traditionnel, non l'homme moderne tourné vers le changement et l'invention.

Renvoyant les hommes à un ordre objectif, le proverbe n'apparaît pas très libé-
rateur. Cependant l'homme n'étouffe pas forcément dans ce système, car cet ordre
objectif contient de tout. L'habileté consiste à jouer sur l'ambiguïté du réel. LA-
RHALLÉ NABA fait remarquer que les proverbes sont pour les Mossi

> les instruments principaux de leur diplomatie. Le proverbe est discret: il fait seule-
> ment allusion à des faits précis connus d'un petit nombre de personnes. S'adressant
> à l'humanité toute entière, il ne blesse pas les susceptibilités personnelles... C'est
> un instrument capital de liberté d'opinion et d'expression dans la société très disci-
> plinée et hiérarchisée qui fit la force de l'empire Mossi. C'est pourquoi il est permis
> d'estimer que le proverbe, fût et demeure dans la société mossi un important fac-
> teur du délicat et mouvant équilibre dont est faite toute vie organisée[52].

Enfin l'emploi des proverbes suppose une longue éducation. On comprend que
ce soient les vieillards qui y excellent. L'usage des proverbes peut donc définir une
stratification sociale[53].

4.1.5 Appendice 2: Les communications non-linguistiques

1. La problématique définie au niveau de la parole s'applique aussi aux communications non-linguistiques: on trouve un effet de position des partenaires, chacun
est situé dans sa différence vis-à-vis de l'autre; puis un effet relationnel: la communication affirme l'ordre traditionnel des relations: dialectique de séparation et de
rapprochement avec (parfois) entremise d'un conciliateur.

Exemple: chez les Malinké de Kita, la demande en mariage se fait généralement
par l'intermédiaire de l'oncle paternel du prétendant (ou un répondant de la famille), l'envoyé est accompagné d'un griot ou d'un autre homme de caste devant
transmettre la parole d'un côté et de l'autre. La première tentative de demande en
mariage s'effectue avec 10 noix de kola. Dès réception de ces kola, les parents de
la jeune fille procèdent à l'interrogatoire formel de celle-ci et de sa mère, et commencent une enquête sur les qualités et aptitudes du futur mari (D. Cissé 1970:
81-82).

Il s'agit bien d'un système de communications qui ne sont pas simplement lin-
guistiques. Un code est employé, qui signifie des tractations en vue d'un mariage.
Un contact est inauguré et entretenu. Les partenaires occupent des places bien définies. La présence d'un double intermédiaire (oncle et griot) est ressentie comme
ayant une signification complexe: le mariage engage des familles entières et non

---

52 Y. Tiendrébéogo (1964: 131). Cet auteur donne deux contes qui illustrent bien ce qu'il dit.
En nommant ses trois chiens de trois noms ‹contestataires› proverbiaux: «L'épouse aimée du
chef ignore que son mari est chef», «Un ami qui vous connaît intimement vaut mieux qu'un
parent», «Si Dieu ne permet pas de tuer, le chef ne peut pas tuer», – un homme prétend mettre
en cause l'autorité suprême du chef et de la parenté; le chef le condamne, mais les faits lui donnent raison et il est gracié (ibid.: 17-19; cf. 70).
53 Cf. H.M. Bergsma (1970). Les aînés parlent en proverbes pour que les jeunes surtout scolarisés, ne puissent pas suivre leur conversation. Chez les Bété, le bon usage des proverbes définit
le sage: B. Holas (1968c: 269).

un simple jeune homme et sa fiancée; ensuite «l'égard dû aux beaux-parents défend de leur adresser toute autre parole (sans intermédiaire) en dehors de formules de politesse», il ne convient donc pas que le jeune homme fasse sa demande seul. La présence du griot signifie sans doute, dans une culture sans écriture, «la recherche constante de témoins pour procéder aux transactions socio-économiques traditionnelles» du mariage. La kola est en elle-même un objet symbolique de l'amitié, de la bonne entente, du partage, de la discussion amicale; la kola purifie la bouche pour la bonne parole, la maîtrise du verbe (Zahan 1963: 34). Or ce cérémonial est aussitôt compris par la famille du prétendant comme demande en mariage et provoque un ensemble d'investigations; si celles-ci s'avèrent favorables une longue série de communications continuera, série qui ne s'achèvera pas d'ailleurs avec les noces.

2. Dans les communications un code *gestuel* et *postural* s'ajoute au code linguistique.

La vraie parole est celle que prononce un locuteur assis, position qui permet l'équilibre de toutes les facultés: l'esprit est tranquille, l'eau des clavicules est calme, la parole est de même posée et réfléchie. Les vieillards qui se réunissent pour discuter sous l'abri de la parole, sont toujours assis... Celui qui veut être écouté, qui a des paroles importantes à prononcer, s'assied; au contraire celui qui parle, se lève brusquement s'il se met en colère (Calame-Griaule 1965: 73; Zahan 1963: 28).

On peut facilement retrouver dans ce code gestuel et postural les fonctions du langage décrites plus haut.

3. La fonction positionnelle se retrouve principalement dans le *costume* et la *parure*.

«Il n'y a que la femme qui porte un vêtement féminin» (Hulstaert 1958: 603 n° 2385). L'homme dogon se pose comme homme dogon par son costume. Les cicatrices faciales posaient la personne comme originaire de telle ethnie ou famille. Le port d'une certaine sorte de ‹bonnet› pose l'homme mossi comme chef (maintenant comme homme important). Le costume européen en tergal, pose son porteur dans une certaine classe sociale (C. Rivière 1971a: 415-443). Ogotemmêli fait remarquer que «l'habit... aide (les jeunes gens) à se marier. Car plus un homme a d'habits, plus ses habits sont élégants, et plus les femmes le désirent», de même «la parure (de la femme) est un appel à l'amour» (M. Griaule 1948a: 100). Deux amis peuvent représenter leur amitié en s'habillant d'un costume taillé dans la même pièce d'étoffe. Le costume est donc beaucoup plus qu'une affaire utilitaire, il porte un message. Parce que le vêtement situe les partenaires, Ogotemmêli peut se permettre de raffiner sur le symbolisme des habits:

Le pantalon de l'homme, comportant trois bandes de fond (chiffre masculin) qui passent entre les jambes, couvrant ventre et reins, et trois bandes de chaque côté pour les cuisses. La taille est donc entourée de quatre fois trois bandes, chiffres de la féminité et de la masculinité.

Le pantalon est fermé à l'aide d'une cordelette, car le sexe de l'homme est clos. Le nœud de fermeture est un symbole de l'amour, le bout droit de la corde étant l'homme, le gauche la femme (ibid.: 96).

On peut penser qu'il n'y a de fait dans un tel costume aucune intention de message, mais interprétation après coup de nécessités techniques, selon un certain code (3 = mâle, 4 = femme), aboutissant à situer le vêtement masculin comme masculin[54].

4. La *musique* et la *danse*: F.N. Agblemagnon fait ressortir l'importance de la musique dans la société Ewe; mais il s'agit moins d'une activité libre dans laquelle n'importe qui d'un peu doué pourrait exprimer sa personnalité originale, sous des formes nouvelles, que d'une expression de la vie sociale et des divers rôles et statuts. L'auteur peut dire d'ailleurs: «La société est comme mise en musique et jouée» (1969: 114); «chaque type de musique a sa traduction sociale et chaque aspect social a son système musical» (ibid.: 115). Ainsi y a-t-il des orchestres et des musiques spécialisées selon la chefferie, la guerre, le deuil, la religion, les cultes des divers *vodu*, des jumeaux, du Fa, le rituel de chasse. Cette division sociale entraîne pour les joueurs des divers orchestres des statuts particuliers, et une division du travail.

Les Dogon voient dans les sons une éthique relationnelle: les sons musicaux les plus clairs, les plus ‹articulés› (voix féminine, son de l'enclume), sont sentis comme purificateurs, bénéfiques; tandis que la voix grave, forte et dure du mâle, du rhombe ou le nasillement sont interprétés comme dangereux, signes de mort, de dévoiement. Pour les Dogon la musique favorise et intensifie les rapports sociaux; il n'est pas étonnant alors qu'elle soit rattachée au Nommo bienfaisant, l'organisateur de l'univers et de la société dogon (Calame-Griaule 1965: 527s.).

5. Les *langages tambourinés*: Ce sont de vrais messages, beaucoup plus proches de la parole que ce qui précède. Ils utilisent d'autres vecteurs de la communication linguistique: tambours, flûtes, sifflets (Houis 1971: 48s.). Nous rappellerons seulement leurs fonctions référentielles et positionnelles.

6. Les *graphismes*: Il ne s'agit pas d'écriture, mais de représentations symboliques comme par exemple la représentation graphique que les Dogon font de la parole. Dessins sur poteries, les murs, les bois de masques, les lieux de cérémonie, les corps. Chez les Dogon, toutes les paroles mythiques importantes, sauf quelques exceptions explicables, ont leurs représentations graphiques. Ces graphismes tiennent plus du rite que de l'écriture. La façon de les tracer, les divers moments de leur formation, le matériau employé, le lieu et le temps où ils sont tracés, leur durée même plus ou moins éphémère, leur ésotérisme même, tout est significatif. Quel contraste avec l'écriture qui se caractérise (notamment) par la neutralité du matériau. Il ne s'agit pas de faciliter et de multiplier la communication, ou l'information, mais de fixer sur un lieu et dans un temps la parole trop fugace, et encore pas n'importe quelle parole, mais celle qui dit le processus de la création cosmique

---

54 Comparer avec G. Calame-Griaule (1965: 515s.) sur le symbolisme de la couverture dogon, ensemble de damiers blancs et noirs. Symbolisme qui est une variation sur la vie dogon, l'alternance village/brousse, l'homme/la femme.

et la formation de la société. Le graphisme n'exprime donc pas un concept isolé, abstrait, mais un ordre en construction qui doit être sans cesse renouvelé au cours de l'existence de la société et des personnes. Apprendre à dessiner ces graphismes c'est apprendre la parole correspondante, c'est apprendre le fonctionnement de la société. De plus, ces dessins, pensent les Dogon préexistent aux paroles, comme les signes ou les pensées précèdent les choses: celles-ci sont pensées silencieusement avant d'être proférées et créées[55].

4.1.6 Appendice 3: L'oralité africaine

4.1.6.1 Structure de l'oralité

Nous avons fait de la corporalité une catégorie particulière de la forme de pensée Je−Avec. Car la relation vivifiante, droite, est une relation corporalisée, sous le signe de la proximité visible des personnes. Domaine du corps à corps pour le petit; domaine de la vue et de l'ouïe: se voir, s'entendre, se parler, et pour ce faire, se déplacer pour se rencontrer; domaine de la foule, au marché, aux fêtes. L'Afrique traditionnelle ne connaît pas des substituts de la présence corporelle des vivants (photographie, portrait, journal ou livre) mais des substituts corporalisés pour les invisibles. L'Afrique moderne fait grand usage du transistor: oralité sans visualisation, écoute en commun, même dans l'obscurité.

Oralité et corporalité manifestent une présence interpersonnelle bien déterminée, saisissable, disciplinée, nécessaire à la vie relationnelle droite. Tandis que l'activité sorcière est liée à l'invisibilité, à l'insaisissabilité nocturne, au corporel monstrueux.

On peut distinguer deux oralités:

− L'oralité *diurne*: la parole est aussi gesticulation, décor, costume; l'expression du visage est perçue (il ne convient pas qu'un inférieur regarde son supérieur en lui parlant); l'oralité est liée à tout le système des relations; le jour est aussi le temps des déplacements, des rencontres.

− L'oralité *nocturne*: est différente, du fait qu'on ne se voit pas ou peu (sauf au clair de lune, moment favorable à la danse), qu'on ne circule pas pendant la nuit, qu'on est là réunis en famille, ou entre voisins, après les fatigues et les chaleurs du jour. C'est tout spécialement le temps des contes et légendes, activité interdite normalement pendant le jour. Il y a dans ce trait une réalité profonde qui éclaire à la fois la nature et le contenu de cette littérature orale: ce qui est vécu profondément c'est la douceur de l'être−entre−soi, le bonheur de l'entente, la sécurité que

---

55 Calame-Griaule (1965: 67, 185s., 512); G. Dieterlen et Y. Cissé (1972: 12). — Quand on étudie ces signes (et la présentation qui en est faite par ces auteurs) on a l'impression qu'une sorte de platonisme existe en Afrique: ces graphismes évoquent des sortes d'idées primordiales, des Archétypes présents en Dieu et sortis chez les humains; leur durée éphémère semble indiquer que ce monde-ci est celui de l'illusion, monde qu'il faut régénérer en retraçant son ‹Idée› créatrice. Mais si on les lit dans la forme de pensée Je−Avec, leur signification devient différente.

donne le resserrement des personnes dans l'en – dedans de la maison, de la cour, du village. Les Dogon pensent d'ailleurs que ces moments favorisent les unions et poussent les jeunes au mariage et à la fécondité. Or ce resserrement intra-humain dans les ténèbres de la nuit s'oppose structuralement à l'angoisse des ténè-bres dans la brousse ou la forêt où circule l'animal sauvage; l'en – dedans s'oppose à l'en – dehors inhumain. C'est pourquoi nous pensons que le contenu profond des contes, sous leur revêtement symbolique, signifie cette conviction fondamen-tale: il y a une victoire de l'humain sur l'inhumain, victoire (sans doute jamais to-tale ni définitivement acquise), des hommes bien unis en sécurité dans l'être-ensemble, qui peuvent se moquer du grand avaleur que constitue cet en – dehors. Et lorsque les contes se font didactiques, enseignant la morale de la société, les vertus de la solidarité, les traditions, c'est toujours la célébration de l'être-ensemble.

On peut comprendre aussi que la nuit favorise une expression orale rythmée. Le gestuel ayant moins d'importance dans l'obscurité, c'est la diction qui devient essentielle; ainsi que les réactions, la collaboration des auditeurs.

4.1.6.2 Oralité et société

«Le matériel oral et les structures sociales proprement dites constituent les deux parties essentielles d'une culture sans écriture» (Agblemagnon 1969: 15). L'oralité est le tissu social même.

Mais dans l'oralité s'est déposée une tradition; on trouve donc dans la littéra-ture orale «une source essentielle de compréhension du milieu social, des modèles sociaux, des mythes, des structures sociales» (ibid.: 17). Elle constitue les archives ou les monuments de cette société.

L'oralité est en même temps une technique de vie en société: la société africaine s'est organisée avec, sur l'oralité; les divers agencements sociaux, les conflits, et leurs solutions sont enracinés dans l'oralité; c'est pourquoi L.S. SENGHOR peut dire: «L'oralité n'est pas que des langues mais de toutes les manifestations culturel-les négro-africaines, l'oralité est un de leurs caractères communs» (cité ibid.: 20).

L'oralité ne compose pas de grammaire sur la langue, mais elle a sa ‹gram-maire› sociale, c'est-à-dire que n'importe qui ne dit pas n'importe quoi, n'importe comment, à un interlocuteur. L'oralité va avec la stratification de la société, établit, maintient et exprime les différences de statuts et les différences de savoir (qui sont liées aux statuts).

4.1.6.3 Oralité et modernité

Sans entrer dans trop de détails, on notera ici que la civilisation moderne des mass-media diminue de plus en plus les contacts physiques entre les hommes (écran du cinéma, radio, livre, photo, image), sans permettre la réciprocité (au té-léphone l'autre peut répondre mais on ne le voit pas). A l'école, la relation la plus importante est-elle la relation maître – élève, ou la relation élève – matière abstraite représentée par des documents ou des livres? Par contre ces moyens modernes permettent de montrer ce qui est au loin. L'image court-circuite la parole, mais il faut apprendre à lire les images. Le mot donne la chose absente, l'image la restitue un peu plus, la corporalité la rend tout-à-fait. L'éducation dans l'oralité n'apprend pas tellement les choses abstraitement, mais dans la vérité d'une situation concrète et réelle. L'échec scolaire n'est-il pas dû à ce fait: la vraie vie africaine relationnelle est en dehors des livres et des méthodes scolaires? Que signifie alors l'alphabétisation dans l'oralité? Une alphabétisation peut être perçue comme compromettante pour la société traditionnelle, s'il est vrai que «dans les structures traditionnelles, il n'y a de science que du caché, du secret ou de l'occulte» (Cissé 1970: 18), s'il est vrai que dans la société relationnelle, il suffit que chacun reçoive la tradition et y consente, car le livre ou le journal peut être lu alors par n'importe qui, le savoir passe aux jeunes aussi bien qu'aux anciens, et chacun peut vouloir exprimer sa pensée et la diffuser au loin. Une alphabétisation réussie permet à la foule anonyme de prendre la parole, et de déborder les groupes de pression qui prétendent l'encadrer[56].

4.1.6.4   Oralité et écriture

«L'oralité n'est pas absence ou la privation d'écriture. Elle se définit positivement comme une technique et une psychologie de la communication» (Houis 1971: 9). L'Afrique connaît des graphismes divers, et des vecteurs sonores de la langue autres que la voix. Mais «il y a strictement écriture quand la technique de communication opère une fixation du discours oral. Les gestes globaux, ou le calendrier d'Abomey... sont des abrégés par rapport à des situations de communication orale, mais non par rapport à des énoncés spécifiques» (ibid.: 100). L'Afrique a connu des embryons d'écriture (Agblemagnon 1969: 33). Si elle n'a pas cultivé systématiquement l'écriture, c'est sans doute qu'elle n'en avait pas besoin, l'oralité lui suffisant. En tout cas, l'oralité et l'écriture sont deux techniques différentes de communication; elles induisent des types de sociétés bien distinctes[57].

4.2 Le symbolisme africain

En certaines sociétés africaines, l'homme est défricheur, la femme agricultrice. Pourquoi? parce que dit-on, la femme est donneuse de vie, tandis que l'homme est destructeur.

---

56 En supposant évidemment une alphabétisation dans les langues autochtones et la liberté d'expression... Problème politique.

57 A. Doutreloux (1967: 11): «L'écriture (moderne) peut être parfaitement maîtrisée au point de vue de la technique, mais le sens qu'elle prend, dans le cadre privé ou dans le cadre officiel, est radicalement différent de celui que lui donnent les maîtres. Elle n'est plus un mode de transmission de pensée à un interlocuteur absent, elle s'exerce comme un nouveau mode d'action, empreint de force magique, sur l'interlocuteur absent ou même présent...»

Dans ce type de relation entre l'homme et la femme, chaque partenaire est positionné dans un statut et un rôle distinct, lesquels ne peuvent fusionner (ce serait une honte pour l'homme de se livrer à la culture vivrière, rôle des femmes); le rôle de l'un ne se comprend que par référence au rôle de l'autre. De plus une explication est donnée qui renvoie à la conception que l'on se fait de l'homme et de la femme: agressivité destructrice/fécondité donneuse de vie. Cet exemple schématique va nous introduire dans la problématique africaine du symbole.

4.2.1 Vers une problématique africaine du symbole

Interrogeons-nous d'abord sur le vocabulaire[58] en revenant à l'antique usage de la tessère:

> Le symbole est un gage de reconnaissance, un objet coupé en deux et distribué entre deux partenaires alliés qui devaient conserver chacun leur part et la transmettre à leurs descendants, de telle sorte que ces éléments complémentaires à nouveau rapprochés, permettaient par leur ajustement réciproque de faire reconnaître les porteurs et d'attester les liens d'alliance contractés antérieurement. Le *sum-bolon* consiste donc dans la correlation entre des éléments sans valeur isolée, mais dont la réunion (sum ballô) ou l'ajustement réciproque permet à deux alliés de se faire reconnaître comme tels, c'est-à-dire comme liés entre eux (sum-ballontes, contractants) (E. Ortigues 1962: 60-61).

On peut tirer de cet usage une définition et une théorie générale du symbole:

> Les symboles sont des valeurs distinctives opposables entre elles dont les possibilités de combinaisons significatives attestent une règle d'échanges ou d'obligations mutuelles: ta loi sera ma loi. Deux idées paraissent donc essentielles: 1. le principe du symbolisme: liaison mutuelle entre des éléments distinctifs dont la combinaison est significative, et 2. l'effet du symbolisme: liaison mutuelle entre des sujets qui se reconnaissent engagés l'un à l'égard de l'autre dans un acte, une alliance (divine ou humaine), une convention, une loi de fidélité (ibid.).

Mais l'usage du terme symbole est beaucoup plus large que celui de la tessère antique. Le symbole se situe dans la ligne du signe: chose visible renvoyant à un signifié absent, à un acte à poser, ou à une entité abstraite, non présentable. Le symbole est donc employé à l'évocation du non-perceptible, de l'indicible, du non-sensible sous toutes ses formes (inconscient, métaphysique, surnaturel ou surréel) (G. Durand 1964: 3-8). Nous nous référons à ce sens du terme symbole, lorsque nous disons, en reprenant l'exemple de tout à l'heure, que la femme agricultrice est symbole de vie, tandis que l'homme est symbole de l'agressivité destructrice et de la mort; cette distinction des tâches devient symbolique du mystère de la féminité et de la masculinité. Le symbole renvoie donc ici à l'imaginaire, à l'idéologie, à un système de représentations.

---

58 «Une extrême confusion a toujours régné dans l'emploi des termes relatifs à l'imaginaire» (G. Durand 1964: 3; cf. P. Ricœur 1965: 19). L'usage chez les africanistes n'est pas plus clair; cf. L.V. Thomas et al. (1969: 30-32); et *Dictionnaire des civilisations africaines* (1968: 396), article ‹symboles› .

Nous pensons que la problématique du symbolisme africain doit tenir compte de ces deux acceptions du mot symbole. Le vocabulaire usuel étant ici plutôt défaillant nous prendrons l'habitude de distinguer le *symbole–positionnant* (comme dans la tessère) et le symbole–imaginant ou l'*imaginaire symbolique* pour désigner dans une représentation sensible les signifiés invisibles, non-représentables[59]. Expliquons-nous sur cette position du problème.

4.2.1.1 Insuffisance de la problématique du symbole comme problématique de la conscience

Qui dit conscience dit connaissance, représentation, et aussi sujet individuel. Conscience peut intégrer l'affectivité par opposition à l'activité; ou s'opposer aux deux. Dans cette ligne le symbole est du côté de l'image, de la représentation indirecte; si le symbole est riche et profond, il émeut tout le sujet en lui faisant toucher en quelque sorte l'intouchable, l'indicible, le mystère.

De la primauté donnée à la connaissance, il suit que le représentatif (idée, image, parole) est moins réel que l'objet proprement dit: décrire un bon repas n'est pas aussi réaliste que le manger. A l'enterrement d'un chef mossi, l'assistance honora le mort en balançant non pas le corps réel qui mis en bière aurait été trop lourd et intransportable, mais une simple natte roulée: corps symbolique. Ainsi encore au lieu du bœuf promis, le Nuer peut-il offrir un concombre: sacrifice symbolique! Symbolique = de peu de chose. Au spectateur étranger, ces ruses paraissent suspectes; il aura vite fait de crier à la magie, au prélogisme.

Dans la perspective conscientielle, on pourra faire remarquer qu'il y a des symboles plus ou moins vivants, des débris qui ne signifient plus rien, d'autres au contraire qui sont très suggestifs, envoûtants, efficaces. On s'étonnera de la présence des premiers et on aura de la peine à saisir leur utilité.

Ou bien encore on insistera sur le fait que beaucoup de symboles ne sont lisibles que pour des initiés, formant une catégorie à part, d'où l'ésotérisme du symbole. Le symbole peut alors avoir un ou plusieurs signifiés, ceux, superficiels, perçus plus ou moins distinctement par le commun, d'autres étagés en profondeur, perçus par les initiés selon les différents degrés de leur initiation. La fonction symbolique est vouloir dire autre chose que ce que l'on dit (cf. P. Ricœur 1965: 21); il y a une ‹architecture du sens›. La structure de symbole–double sens pose évidemment les problèmes de l'interprétation. Qui parle dans ces différents sens étagés? est-ce le sujet ingénieux qui les invente en fonction de son imagination personnelle? ou est-ce le sujet instruit qui brode sur un thème commun à sa société[60].

La perspective conscientielle accentue la recherche phénoménologique: quelle est la visée, l'intentionnalité de la conscience (individuelle ou universelle) dans le

---

59 Nous réservons l'adjectif substantif ‹symbolique› pour désigner l'ensemble des conduites représentatives (paroles, rituels, symbolisme) (cf. ci-dessus).
60 Question souvent posée à l'école Griaule (cf. G. Calame-Griaule 1965: 15).

symbole, surtout lorsque l'on constate que les mêmes symboles se reconnaissent partout sur la planète et dans l'histoire[61]? Dans cette perspective, le symbolisme africain n'a aucune spécificité.

Dans cette problématique on est conduit à expliquer le symbole par les lois de la pensée symbolique: *continuité* ou *contiguïté* (l'ombre de la personne est la personne même, dans son double); *similitude* (l'enfant ne doit pas s'appuyer au piquet qui retient la natte-porte, car l'enfant ne grandira pas plus que ce piquet; ou «toi termitière qui dépasse la terre aide-moi à dépasser les hommes»); *contraste* (la salive du serpent comme antidote de son venin; la blessure causée par le couteau est guérie par la rouille du couteau parce que rouille = couteau mort); *cause-effet* ou *coïncidence* (proximité dans le temps et l'espace). Ces ‹lois de l'association des idées›, mécanique rudimentaire d'une psychologie mécaniste, doivent être complétées et corrigées par beaucoup d'autres (cf. la psychanalyse). Mais tout ceci n'explique pas pourquoi les hommes ont besoin des symboles. Comment ils symbolisent n'est pas pourquoi ils symbolisent. On aura beau jeu de répondre alors en disant: L'homme primitif est plus proche de la nature, il est immergé dans le cosmos, il participe à tout parce que mal distingué[62].

Posé dans l'optique de la connaissance, le symbole entre dans la problématique du vrai et du faux, du cohérent ou de l'incohérent, du logique ou du prélogique.

4.2.1.2 *Le symbole vu dans la problématique du langage*

Les problèmes de la communication entre les hommes dominent maintenant l'horizon philosophique. Langage et symbole sont situés parmi d'autres échanges: échanges des femmes, des services, des biens, des messages.

Dans cette perspective il s'agit moins de la conscience individuelle et de la représentation que de la culture s'opposant à la nature, donc de vie sociale. Et comme l'ordre social se pose en rupture avec la nature, il n'est plus possible de parler de participation et de fusion. D'ailleurs la communication suppose la distinction et la séparation tant des partenaires entre eux, que des choses à propos desquelles ils communiquent.

Rapproché du langage et de la linguistique structurale, le symbole se trouve pris dans un type d'analyse nouveau. Puisque «dans la langue tout est différence», le symbole ne peut se considérer isolément, mais seulement en rapport avec d'autres symboles, à l'intérieur d'un corpus donné, et selon les deux axes: synchroni-

---

61   Cf. les œuvres de C.G. Jung, G. Bachelard, M. Eliade, G. van der Leeuw et G. Durand (1964 et 1969).
62   J. Brun (1961: 264): «Il faut reconnaître que le rêveur, le malade, le primitif, vivent et disent ou représentent une expérience de participation dans laquelle les objets et les êtres annulent leurs limites concrètes, expérience où s'incarne une coïncidence avec le Tout. Et où le Tout vient s'incarner dans une sorte de panenthéisme.»

que et diachronique[63].

Dans cette optique: le symbole ne renvoie pas simplement à un signifié mais à un autre symbole: le lièvre comme symbole dans les contes s'oppose aux autres animaux, spécialement à l'hyène. L'eau comme image renvoie à fraîcheur, vie, femme, danger, etc.; comme symbole l'eau s'oppose à terre sèche, ou à ciel; eau courante à eau dormante, etc.

Et puisque les symboles, en se référant les uns aux autres, constituent un système, dans une société donnée, «ils constituent une convention de langage, un pacte social». En saluant de telle façon, j'entre dans l'ordre social mossi ou peul. Tout système de symboles détermine un groupe, une totalité, donc des personnes qui se tiennent ensemble en vertu d'un pacte, d'une fidélité, d'une tradition. On peut alors comparer, paradigmatiquement, tous les systèmes de symboles valables pour la situation femme enceinte, dans les diverses sociétés ou cultures, comme on peut comparer, syntagmatiquement, les symboles qui posent la femme enceinte, son mari et les autres membres de la famille, dans une société donnée[64].

Cette problématique linguistique de symbole est très utile pour la compréhension du symbolisme africain. Elle permet de mieux suivre l'usage des différents symboles à un moment donné, suivant la diversité des statuts et des rôles des personnes dans le groupe, et diachroniquement, dans la succession des événements, au fil des jours.

Il faut tout de même nous demander s'il est possible d'unir cette problématique linguistique à la problématique précédente de la conscience et de la représentation. Ainsi la maison dogon, bambara, fali, mossi peut être analysée selon la fonction utilitaire immédiate, son symbolisme social fonctionnel (place des hommes, des femmes, des jeunes; disposition des entrées; possibilités d'accès aux greniers, aux autels ou aux autres pièces). Mais elle peut aussi être analysée dans sa signification ‹interne›, plus cachée, moins extériorisée, quasi ésotérique, selon laquelle la maison serait un cosmos en réduction, ou une cosmogénèse reproduite sur le sol, ou une représentation du drame de la vie—fécondité—mort. Ainsi le panier à ouverture circulaire et à fond carré, a une fonction utilitaire évidente; objet féminin, son symbolisme – positionnant place la femme face à l'homme[65], mais Ogotemmêli lui ajoute une signification imaginaire cosmogonique (M. Griaule 1948a:

---

63 E. Ortigues (1962: 61): «Les symboles sont les matériaux avec lesquels se constituent une convention de langage, un pacte social, un gage de reconnaissance mutuelle entre des libertés. Les symboles sont les éléments fondateurs d'un langage considérés les uns par rapport aux autres en tant qu'ils constituent un système de communication ou d'alliance, une loi de réciprocité entre les sujets. Alors que le signe est l'union d'un signifiant et d'un signifié, le symbole est l'opérateur d'un rapport entre un signifiant et d'autres signifiants. Alors que le signe propose un signifié d'un autre ordre que le signifiant, le symbole appartient à un ordre de valeurs signifiantes qui se présuppose lui-même dans son altérité radicale à l'égard de toute réalité donnée.»
64 Exemple de telles analyses in Luc de Heusch (1965: 139 ou 1971: 226). Voir aussi V.W. Turner (1962 et 1971).
65 Dans les funérailles mossi, ce panier désigne la femme tandis que l'arc et les flèches désignent l'homme.

39). Ce surplus imaginaire serait lié au symbolisme en vertu de quoi? dans quel but? Faudrait-il comprendre qu'un accroc à l'ordre symbolique fonctionnel serait censé déterminer un accroc cosmique et donc une catastrophe de l'ordre humain?

4.2.1.3   *La problématique du symbole dans la forme de pensée Je−Avec*

Vu de l'extérieur, le symbolisme africain peut être étudié dans l'optique conscientielle ou linguistique ci-dessus exposées. Mais ce n'est pas restituer suffisamment l'expérience africaine elle-même. La problématique africaine est celle de la vie-ensemble, non celle de la conscience ou de la langue. Si la vie−ensemble est faite de relations interpersonnelles, le symbolisme doit être étudié dans la perspective relationnelle. La relation s'exprime, se vit, se dit, se réalise dans les activités: vivre en frères ou vivre la paternité, ce n'est pas seulement ressentir cela intérieurement, l'exprimer imaginativement ou conceptuellement dans son for interne ou extérieurement dans des termes de parenté, c'est aussi se situer pour toutes sortes d'actes, de services, de prestations (catégorie Relation) selon une norme qui définit le groupe (catégorie Tradition); chaque personne−partenaire *sait* qu'elle doit avoir tel comportement, dire telle parole, rendre tel service en telle situation, le partenaire lit dans la façon de faire de l'autre son hostilité, son indifférence, ou son amitié (catégorie Subjectivité). L'optique occidentale qui privilégie l'intention, la pensée, l'idée, l'image doit ici faire place à une optique qui privilégie la Corporalité du symbolisme: attitudes corporelles, vêtements, objets présentés, travaux exécutés par quoi se réalise la visibilité des relations. Et puisque les relations doivent aboutir à des résultats vivifiants, les symbolismes provoquent des Manipulations. Enfin la position de l'En−dedans humain face à l'En−dehors irréductible déterminera un symbolisme particulier. La vie relationnelle se déploie dans le temps. On peut la comparer à une partie d'échecs: chaque coup (chaque relation) est diachroniquement dépendant du coup précédent et engage le coup suivant; synchroniquement chaque symbole−élément, chaque pion, chaque personnage est à chaque coup situé différemment par rapport aux autres, sur le champ de l'échiquier. De même chaque individu se trouve au centre d'une configuration de rapports; X est frère cadet de Y, époux de Z, fils de V, de même classe d'âge que plusieurs amis, etc.; et toutes ces relations doivent être menées ensemble, par des symbolismes différents[66]. Telle est, selon nous, la perspective dans laquelle il s'agit de considérer le symbolisme africain.

---

66   Pour mieux saisir les dimensions du problème, reprenons l'exemple de la femme mossi qui présente à boire à son mari, s'agenouille et lui offre une calebasse d'eau, eau qu'elle a été elle-même puiser; l'homme assis la reçoit des deux mains; la femme a son vêtement particulier (pagne de coton teint à l'indigo, parures diverses, coiffure), l'homme a le sien (grand pantalon de coton bouffant, sorte de blouse, bracelets divers, coiffure spéciale); chacun a sa maison dans la cour; le secteur de la femme (celui du foyer, de la réserve d'eau) est distinct du secteur de l'homme (vestibule, abri à l'ombre, grenier); chacun a son travail et ses responsabilités; la femme seule prépare la bouillie de mil et puise l'eau; elle file le coton, l'homme le tisse; l'homme

Nous allons considérer d'abord le *symbole–positionnant*. Dans n'importe quelle relation vécue, les partenaires se positionnent les uns par rapport aux autres par des traits, gestes, comportements particuliers. Dans l'article suivant nous étudierons la *signification* ou l'*imaginaire symbolique* que ces traits, gestes, comportements, peuvent avoir.

4.2.2   Analyse structurale du symbole–positionnant

4.2.2.1   Schéma général

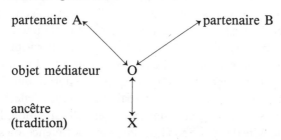

Ce schéma général veut exprimer la structure du symbolisme positionnant en Afrique. Nous constatons d'abord (au moins) deux partenaires visibles: A et B, soit la femme (donnant à boire à son mari) et l'époux. Chacun des partenaires, c'est bien évident, se positionne comme femme et mari par un ensemble de traits distinctifs que nous avons déjà énumérés. Un objet médiateur se trouve entre les deux partenaires: soit ici la calebasse d'eau potable qui va de la femme A au mari B. Ces trois éléments structurels sont visibles, mais il y en a un quatrième, invisible, très important que nous appelons X ou l'ancêtre, ou la tradition, qu'on pourrait aussi visibiliser dans les ‹témoins› réels ou possibles de ce qui se passe entre A et B. Il est clair en effet que l'échange qui a lieu entre A et B, avec la forme symbolique qu'il revêt n'est pas une invention spéciale à ces deux partenaires, mais une réalité culturelle qui s'impose à A et B, que n'importe qui dans le milieu peut reconnaître, que tout témoin survenant s'attend à trouver dans le comportement de A et de B.

---

construit la maison en briques de terre séchée, la femme la crépit. Allant au marché, hommes et femmes ne se mêlent pas, leurs charges sont différentes: une femme ne circule pas sans calebasse ou panier, un homme sans une arme ou un outil. Dans les rites, l'homme a le chiffre 3, la femme le chiffre 4. L'homme frappe les tambours de peau, pas la femme, qui a ses tambours propres (calebasses vides retournées sur un tas de linge ou un récipient d'eau). On peut raffiner indéfiniment cette analyse. Nous pouvons toujours y distinguer un aspect *symbolisme-positionnant* la femme en face de l'homme, et un aspect *imaginaire-symbolisant* l'idéologie de la femme et de l'homme dans la société mossi: femme respectueuse, inférieure, mère et nourricière; époux supérieur, commandant, pourvoyeur des vivres essentiels, force offensive et défensive, maître de la maison, des enfants, des biens etc.

4.2.2.2 Analyse

4.2.2.2.1 L'objet médiateur

Dans les relations entre les personnes, il y a un objet bien visible qui est le médiateur entre les deux partenaires: par exemple la calebasse d'eau, le plat de nourriture préparé, qui vont de la femme au mari, la portion de mil en grains que le mari donne à sa femme; ou encore la kola, ou l'eau mélangée de farine que l'hôte offre au visiteur; ou le cadeau que le sujet amène au chef en saluant; ou encore les insignes que le chef prend face à ses sujets (les *mintadi* des Kongo; les sièges reliques des Akan, le *naam-tibo* des Mossi); la personne masquée se trouve au centre d'une relation dont les partenaires sont d'un côté le peuple spectateur, de l'autre la société des masques ou les musiciens qui dirigent l'évolution du masque; dans un acte sacrificiel: le chef sacrificateur se trouve en face d'autres personnes (par exemple les membres de sa famille, ou le demandeur), l'objet médiateur est la victime et l'autel. Deux personnes se rencontrent: la poignée de main est ⟨l'objet⟩ bien visible qui les relie; il faut ajouter aussi la Parole, celle-ci constitue une chaîne sensible (on entend, et on voit que les partenaires se parlent).

Nous devons citer aussi parmi ces objets–symboles, des objets permanents: la maison qui est le domaine propre de la femme est un objet permanent qui se trouve au centre de multiples relations, en ce sens qu'elle a été construite par le mari pour sa femme, que la femme seule l'utilise (avec ses enfants en bas âge, ses filles ou d'autres femmes) que le mari (les grands garçons, les autres hommes) évite. Les pierres du foyer sont symboles aussi entre le mari et la femme: c'est le lieu privilégié du travail de la femme préparatrice de nourriture et de boisson fermentée; si le mari extirpe ces pierres et les jette au-dehors il signifie par là clairement le renvoi de sa femme, geste grave. Chez les Mossi, la première femme (*pugtiéma*) d'un homme est aussi celle qui a la garde des *kimsé* ou *tibo* (autels ancestraux) de son mari; cette garde situe cette femme comme première femme et lui donne un rôle privilégié; ces objets d'autre part sont évidemment reliés au mari auquel ils rappellent la succession ancestrale; on peut aussi dire que la garde dans sa maison des autels ancestraux, situe la première femme par rapport à ses coépouses plus jeunes qui, elles, n'ont pas cette prérogative.

Cet objet médiateur entre des partenaires peut aussi être une personne: la femme est médiation entre les donneurs et les preneurs de femme; les enfants entre la femme et son mari; un médiateur (forgeron, griot, intermédiaire) entre les deux parties à concilier.

Dans une fête, dans un grand concours de peuple, on peut sans doute plus difficilement distinguer des partenaires individuels A et B, ou bien chacun est tour à tour A et B, ou bien deux fractions de la foule se séparent en deux camps, ou bien la foule forme cercle autour d'une exhibition; mais on peut isoler des objets médiateurs: la nourriture et la bière offerte, les masques ou lutteurs qui s'exhibent. Dans une cérémonie d'initiation, on peut considérer que les jeunes postulants sont les *objets* confiés par les mères aux pères et aînés, pour qu'ils passent du monde des femmes au monde des hommes.

Cet objet central est vraiment un ‹sym-bole›, il unit ou relationne les deux partenaires; par une partie de lui-même ce sym-bole ‹tient› à chacun des partenaires: la calebasse d'eau est un attribut de la femme, en buvant le mari est considéré comme mari[67], c'est le service-type par lequel il se sent le mari de cette femme. Cet objet ne peut pas à proprement parler se comparer à la tessère antique qui se partage entre deux partenaires, chacun conservant un morceau. Mais on peut le comparer à une entretoise (cette pièce de menuiserie, adaptée par ses deux extrémités, qui relie deux autres pièces, par exemple les deux pieds d'une table). On pourrait dire encore *intersigne* ou, en jouant sur le mot, entretien[68].

Nous remarquerons la visibilité de cet objet intermédiaire ou médiateur. De même aussi la visibilité des partenaires A et B. Ceci est absolument nécessaire au caractère corporel de la relation vraie et droite. Cet objet manifeste aussi qu'il n'y a jamais fusion entre les partenaires, que ceux-ci sont toujours séparés et distincts. Nous observerons plus loin que cet objet est parlant pour l'imaginaire.

4.2.2.2.2 Les partenaires

Nous posons par principe que ces deux partenaires sont des humains, visibles, présents. Cependant nous devons parfois poser le partenaire B comme absent, non pas comme inexistant, par exemple lorsqu'une femme s'en va en visite dans sa maison natale, elle n'est pas seulement fille ou sœur, elle est femme d'un tel, lequel peut être absent de corps, mais présent dans les mémoires; la femme est la médiation entre A (la famille donneuse) et B (le mari preneur et sa famille).

Nous pensons que ces deux partenaires sont toujours des personnes humaines vivantes. Cela pour sauvegarder le réalisme interpersonnel de la relation. Car toute relation avec un invisible doit être critiquée et réduite, si l'on tient à rester dans l'optique d'une philosophie rationnelle.

Nous mettons en position A la personne qui a l'initiative de la conduite symbolique, ou la personne qui occupe un poste d'autorité. Entre A et B il faut mettre le maximum d'opposition. Les spectateurs ou témoins, les personnes passives peuvent se situer, selon leurs affinités derrière le ou les protagonistes A et B.

Soit un rite de réconciliation qui réunit autour de l'autel familial, le chef de famille, les deux coupables, les femmes âgées, et toute une grande partie du lignage[69]. Nous avons en A le chef de famille qui dirige la cérémonie; en B nous mettrons les deux coupables qui par leurs comportements se sont singularisés et sont aujourd'hui l'objet de la réconciliation. Les autres personnes du lignage et

---

67 De fait, en recevant promesse d'une épouse, l'homme mossi s'est entendu dire: «Je vais te donner une petite chose qui te puise de l'eau.»
68 Rapprochons de ceci le mot anglais ‹at-one-ment› (expiation, réparation) dont l'étymologie évoque l'idée de réunir en un ce qui est dispersé.
69 Cf. L.V. Thomas et al. (1969: 328): rite de réconciliation familiale chez les Bobo-Fing. Texte cité plus bas.

notamment les femmes âgées qui encouragent les coupables au sentiment de paix, sont à situer de côté A, auprès du chef de famille. L'objet médiateur O est l'autel familial. Les ancêtres à qui la prière est adressée par A pour B constituent le pôle X, invisible.

4.2.2.2.3 Le troisième terme invisible

Nous devons toujours poser dans la relation entre deux partenaires visibles humains, un troisième terme d'ordinaire invisible mais bien présent. Nous le nommerons X.

En effet la relation entre deux personnes ne saurait être purement duelle ou spéculaire: l'image que l'un renverrait à l'autre dans un procès indéfini, n'aurait aucune règle; ce serait aussi une sorte d'extase, ou de contemplation réciproque sans mouvement, sans succession. Le troisième terme X leste les partenaires d'un poids qui les juge. Dans la conversation ordinaire il y a entre les interlocuteurs quelque chose qui arrête le renvoi réciproque indéfini: le réel même; autrement chacun dirait l'un à l'autre ce qu'il pense, sans rien qui arrête le débat. De même dans la relation, chaque individu n'est pas seul devant son partenaire, comme s'il pouvait se dire ou faire à sa façon, selon sa subjectivité, il y a toujours un troisième terme nécessaire: la Tradition; on peut aussi bien dire: la mort ou l'ancêtre. Ainsi la relation n'est jamais duelle, il y a toujours un tiers.

Ce tiers est un invisible, mais qui existe dans les personnes sous forme de Tradition; un témoin surgissant au moment où une femme agenouillée donne à boire à son mari assis, n'est pas surpris, s'il partage la même culture, la même tradition.

Puisque, la tradition est imaginée par les Africains comme legs des ancêtres, comme ce qui est garanti, surveillé, urgé par eux, on peut toujours voir dans ce troisième terme: l'ancêtre.

Cela est parfaitement évident dans nombre de cas: si le mari avant de boire, verse à terre un peu d'eau pour les ancêtres, ce geste constitue la reconnaissance explicite de l'élément Tradition, en tout ce qui touche la relation mari—femme. Lorsque la jeune femme est introduite chez son mari et passe d'abord devant les autels ancestraux, il est manifeste que la relation entre donneurs et preneurs de femme a un troisième terme: les ancêtres à qui on continue d'obéir en faisant ce que l'on fait. Les *mintadi* des Kongo, sont vus comme «les doublets des chefs disparus, choses vivifiantes», continuant leur «présence efficace» parmi les vivants, et assumant «la continuité mystique» dont profitent les membres du clan; «portraits symboliques» ils «exaltent le pouvoir» et rappellent la «pérennité de la chefferie»[70].

___

70 L.V. Thomas et al. (1969: 31); cf. F.J. Amon d'Aby (1960: 24-27) sur les sièges-reliques. Sur le Naam-tiibo des Mossi: Larhallé Naba (1964); E.P. Skinner (1964); Ch. Arnould (1949). Il s'agit d'une boisson consommée par le nouveau-chef à son intronisation. Liquide puisé dans un canari spécial, contenant des divers ingrédients. Le *tiibo* est aussi un sac contenant des objets divers sur lequel se font les sacrifices aux ancêtres. Il suit le chef dans ses déplacements. Voler le *tiibo* c'est devenir chef et évincer l'ancien possesseur; ainsi le *tiibo* n'est-il transporté que sous

Le *pembe* (kaolin ou terre blanche) est utilisé en plusieurs ethnies Bantu pour investir les chefs, marquer la réconciliation entre deux personnes qui ont eu des querelles, ou célébrer une maternité. Or cette terre est tirée soit du fond de certaines rivières (car les ancêtres sont gens de l'eau), soit d'une souche provenant de l'Ouest, pays des ancêtres avant la migration de leurs descendants vers l'Est. L'objet médiateur est manifestement signe de ces invisibles. Par cette médiation le chef est reconnu comme le successeur des ancêtres; les personnes réconciliées se voient telles face aux ancêtres qui avalisent leur effort pour la paix; l'homme qui est chargé de mettre le feu à la plaine pour cerner le gibier est aussi badigeonné de *pembe*, car aux yeux de la collectivité, les ancêtres sont, par une alliance avec les esprits du lieu, possesseurs de cette terre.

Le masque, objet significatif par excellence, chargé d'imaginaire, renvoie aussi aux ancêtres invisibles: soit qu'il les représente directement, soit qu'il représente la vision du monde (entités mythiques, divers animaux, diverses catégories de la population) instaurée par eux et qui doit être continuée.

La relation vécue entre A et B par l'intermédiaire d'un objet est telle que le plus souvent A et B se regardent l'un l'autre en quelque sorte, le troisième terme étant invisible, présent comme tradition. Mais il arrive que A soit tourné plutôt vers X devant B. Ainsi le chef de famille A qui offre les prémices aux ancêtres, s'adresse directement à ceux-ci, mais sous les yeux de sa famille B.

Concluons que le symbolisme africain, en tant qu'il positionne les partenaires est triangulaire, non pas bipolaire, mais tri-polaire. Cette configuration constitue, si l'on peut dire, un atome de symbolisme.

4.2.2.2.4 L'étranger et l'invisible – En – dehors

Dans cette configuration triangulaire, que faire du regard étranger? Il se présente en quelque sorte comme un 5me terme: œil critique du philosophe, ou œil interrogatif de l'ethnologue, œil amusé, charmé, admiratif ou méprisant du voyageur. L'étranger est ridicule. En fait l'étranger est de trop, il ne joue pas le jeu. On s'efforce de l'éliminer ou de l'intégrer.

Sous le regard étranger, les participants réels à la relation se sont saisis comme faisant partie d'un tout culturel qui s'oppose à la culture de l'autre (d'ailleurs souvent ressentie comme non-culture, ou sous-culture). On aurait alors le schéma suivant:

escorte. Aux fêtes d'ancêtres, le chef, rentrant solennellement dans son palais, après sa retraite, se fait précéder du *tiibo* porté par un cheval; les litanies généalogiques sont dites et des sacrifices offerts aux ancêtres pour obtenir santé, prospérité, fécondité, paix. Par le *tiibo* et son liquide, le participant se place aussi sous l'égide de la terre (*tem-pélem, tenga*). En buvant le *tiibo* le nouveau-chef intronisé se place dans la dynastie des chefs et fait serment de loyalisme à leur égard. En certaines familles, le *tiibo* ressemble à une grosse boule noirâtre avec une sorte d'outil ou de manche; ailleurs il est fait de l'écheveau des cordes qui liaient les animaux offerts aux ancêtres à travers les générations.

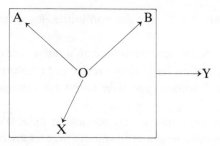

Mais comment analyser les comportements qui font entrer en ligne de compte l'En – dehors – invisible? Logiquement il n'est pas possible de lui assigner la place de X. La tradition est dans le relationnisme l'instance qui détermine les relations authentiques; et c'est l'Ancêtre qui représente la Tradition. Ce ne peut être l'En-dehors qui, fantasque et non-humain ne saurait fournir une règle stable et humanisée.

Supposons une personne ‹possédée› par un ‹esprit› : elle tombe malade, entre en transe. Cette personne va se trouver au milieu de plusieurs configurations successives: d'abord (supposons une femme mariée) son mari ou le père de famille (A) et les autres membres de la famille (B); puis la famille et son chef (A) devant le devin (B); enfin le maître des initiés (A) devant la famille et son chef (B). La bizarrerie du comportement de la femme O autorise à situer en X un esprit précisément bizarre. En même temps l'anormalité de ce comportement n'est perçue que par comparaison avec ce qu'aurait dû être un comportement normal.

La configuration:

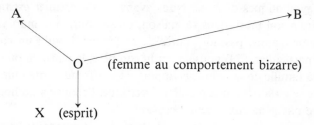

est interprétée par rapport à la configuration suivante, vue en quelque sorte en filigrane

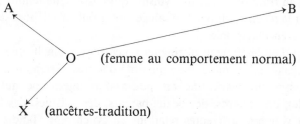

Lorsque la personne possédée est initiée et intégrée comme telle à la société, la situation redevient normale. La position X est occupée par la Tradition normative; la position O par la femme + l'esprit qui la possède; A représente le groupe

des initiés avec leur chef, B le groupe des non-initiés, les spectateurs, ou les consultants.

Quand l'En – dehors est éprouvé comme ce qu'il faut éviter ou éjecter, il occupe la position O; la configuration est toujours réglée par l'Ancêtre X, car c'est précisément au nom de la Tradition que telle chose est réputée représenter l'En-de-hors[71].

Quand le contact avec un ‹esprit› est normalisé, objet d'alliance, on peut le mettre en position X quand il tend à se confondre avec les ancêtres; ou en position O (l'autel qui représente l'invisible), quand il se distingue nettement des ancêtres. Dans chacun de ces cas d'ailleurs, il s'agit de comportements acceptés par la Tradition et normalisée par elle: c'est donc toujours elle qui occupe la place de X, le pôle normatif.

4.2.2.2.5 La succession des symbolismes

Le symbolisme de la femme qui donne à boire à son mari, forme une unité qui se distingue d'autres unités symboliques. La femme A aura une autre attitude pour saluer sa voisine, ou pour s'adapter à sa co-épouse plus âgée, ou à sa co-épouse plus jeune, la préférée; elle aura une attitude particulière avec les frères de son mari, ses époux potentiels, et avec ses beaux-parents. Chacune de ces unités symboliques met A en présence d'un partenaire B différent et moyennant une médiation objective O différente. Il y a autant d'unités symboliques distinctes que A a de partenaires, ou groupes de partenaires distincts.

Mais entre deux mêmes partenaires, la femme et le mari, il peut y avoir bien des unités – symboliques diverses. Nous avons vu un premier exemple: l'épouse donne à boire à son mari, dans sa maison, ou sa cour; si le mari va au marché avec un groupe d'amis, passant auprès de sa femme, il aura un comportement symbolique particulier. Si l'épouse a perdu son père, le mari, en tant que gendre, doit visiter la famille de sa femme et apporter les offrandes attendues: sa relation à son épouse se vit alors d'une manière spécifique; l'épouse aura honte si le mari ne se montre pas généreux à cette occasion.

Ces exemples montrent que les symbolismes sont successifs comme les relations qu'ils expriment. Une femme qui présente à boire à son mari n'est pas en même temps en train de saluer une voisine qui passe. Une femme portant un canari d'eau sur la tête ne doit pas être saluée tant qu'elle n'a déposé sa charge... Tout se passe donc en diachronie.

Cependant il est légitime de distinguer synchronie et diachronie. Chaque partenaire a en même temps une grande quantité d'autres partenaires; la femme A a en même temps un mari, une co-épouse plus âgée, une autre plus jeune (supposons-le), des parents, des beaux-parents, des voisines, des frères et sœurs etc. On peut voir ces différentes relations en synchronie. Tandis que le fait de

---

71 Par exemple: un lieu à éviter, des balayures à éjecter dans un rituel de ‹purification›. Voir le mime de chasse concernant les esprits-porteurs d'épidémie, dans J. Kenyatta (1967: 175).

participer aux funérailles de son père est pour la femme A et son mari un événement nettement situé sur l'axe du temps, en diachronie; les conduites symboliques
propres aux funérailles ne seront pas celles qui conviennent lors de la réception
d'une nouvelle co-épouse, d'une nouvelle grossesse, de la réfection de l'habitation.

Il est clair que, considérées en synchronie ou diachronie les relations s'affectent
mutuellement; les symbolismes qui ne sont pas des formes stéréotypées et mécaniques, mais souples, traduiront cette affectation. Une femme qui a souffert de la
lésinerie de son mari lors des funérailles de son père à elle, le lui fera bien savoir
lors des divers services qu'elle doit lui rendre.

Considérés ainsi en diachronie ou synchronie, les divers symbolismes, comme
les relations qu'ils expriment, ont un sens positif s'ils réalisent et manifestent la
conciliation, l'entente, l'union, la paix; un sens négatif s'ils accentuent les sépara-
tions, les tensions, les conflits.

4.2.2.2.6 Symbolismes ponctuels et symbolismes continus

Nous avons considéré les conduites symboliques comme des actes isolables et distincts. En fait beaucoup de ces conduites ponctuelles inaugurent un comportement symbolique durable. Par exemple, à l'arrivée d'un voyageur, l'hôte qui reçoit
se positionne comme tel en saluant le premier par la formule *i-éla* (Bienvenu, chez
les Mossi); tous les comportements suivants seront situés à l'intérieur de cette première conduite. De même les conduites symboliques entre mari et femme se situent à l'intérieur d'une première conduite inaugurale: la conclusion du mariage.

Nous pouvons donc distinguer entre symbolismes ponctuels et symbolismes
continus. Les interdits par quoi un groupe de personnes s'affirme comme groupe,
constituent un symbolisme continu lequel sera actualisé quand, par exemple, l'occasion se présentera de refuser une nourriture interdite face à d'autres personnes
qui peuvent en manger. De même, le secret: le chef sait ce qu'il y a dans son *tiibo*,
mais pas le peuple; la société des masques ou les initiés savent de quoi il s'agit,
pas les autres; les femmes ont leurs secrets de femmes, et les hommes les leurs.

Dans la même ligne chacun a ses affaires avec ses caractéristiques propres. La
maison du chef de famille se distingue de celle de ses femmes, et parmi celles-ci,
la maison de la première femme est spéciale en tant qu'elle garde les autels lignagers du mari. Ce sont des symbolismes permanents, qui positionnent des personnes dans leurs statuts d'une manière stable; c'est le fond sur lequel s'accompliront
les actes symboliques qui se succèdent au fil des jours.

4.2.2.3 Evaluation

On peut se demander si l'analyse précédente est bien utile et si toutes les formes
de comportements et de rituels y entrent commodément.

Une analyse structurale des symbolismes ne peut se faire que sur la base d'un
découpage en unités ou atomes[72]. Mais nous ne croyons pas que ce découpage

---

72 De même que l'on parle en sémantique de sèmes, lexèmes, mythèmes, etc.

puisse se faire en dehors d'un cadre plus général d'analyse philosophique. Si la relation est la substance de l'expérience vitale africaine, c'est à l'intérieur de cette donnée première qu'il faut faire notre découpage. L'atome symbolique n'est pas autre chose qu'un atome relationnel; et nous y trouvons les catégories et le dynamisme propre du relationnel.

Le schéma proposé rationalise les phénomènes dits de solidarité ou de communion: la relation père—fils n'est pas suspendue à je ne sais quel principe ontologique qui lierait les deux personnes intrinsèquement (sang, *nyama*, vie, force): il y a seulement deux personnes qui se positionnent respectivement et l'une par rapport à l'autre comme père et fils, selon des comportements appropriés et différents, et autour de prestations ou d'objets significatifs (par exemple: le fils ayant gagné de l'argent doit faire un cadeau à son père; le fils doit aider son père, lui obéir; partageant le même plat de nourriture: c'est au père de commencer, mais aussi à lui de ne pas tout manger).

Notre schéma démythise aussi ce qui pourrait apparaître à certains comme de la magie. La femme mossi qui prépare le *saghabo* (bouillie de mil) ne doit pas parler pendant qu'elle tourne la mouvette; certains verront là de la superstition. Nous y voyons simplement le comportement distinctif de la femme−nourricière, toute concentrée sur une occupation centrale pour elle et sa famille. L'efficacité du symbolisme n'est pas magique, elle ne met pas en jeu je ne sais quelle causalité occulte ou *deus ex machina*; elle s'explique simplement par ceci: les personnes en relation se posent dans leur réalité personnelle, dans leurs différences, par la médiation de quelque objet, conformément à la tradition. Le fait de consentir à ces symbolismes, de les mettre en œuvre, signifie que la personne veut la relation, et par là, elle réalise la relation. Les deux partenaires ainsi reliés vivent donc bien ensemble.

Soit l'exemple suivant: Chez les Luyia du Kavirondo (D. Forde 1954: 49) lorsque une dispute de quelque importance s'est produite entre mari et femme, ou entre deux clans, dispute causant de la haine, les deux partenaires doivent s'éviter, tant qu'un rite de réconciliation n'est pas intervenu. Il serait ridicule de voir là de la magie. En langage relationnel, il est clair qu'une dispute engendrant une situation de conflits, de séparation, est directement à l'opposé de la vraie relation bénéfique; si cette situation s'éternise, non seulement de nouveaux conflits vont jaillir, mais de toute façon la haine couve. Cette situation contraire à la relation sera perçue comme cause de malheurs, les ancêtres ne pouvant permettre de pareilles divisions. Le comportement d'évitement exprime cette situation anormale et en même temps empêche qu'elle empire. Le mouvement de réconciliation devant les ancêtres sera la solution raisonnable du conflit. On peut traduire la configuration symbolique de l'évitement entre les partenaires A et B, par le schéma triangulaire proposé, sauf que l'objet médiateur est ici un événement rémanent: la dispute.

Un évitement de portée bien différente, doit être observé entre un gendre et ses beaux-parents, lorsque sa femme a mis au monde son premier enfant (ibid.). La configuration symbolique donne: le gendre A (preneurs de femmes) face aux beaux-parents B (donneurs), entre les deux il y a la jeune maman, dans l'acte même de sa première maternité, c'est-à-dire, au moment même où les donneurs B sentent tout le sacrifice qu'ils ont fait en donnant cette femme féconde aux preneurs A; c'est donc l'hostilité rémanente des deux groupes qui se manifeste là par leur évitement mutuel, et en même temps le respect du gendre qui peut mesurer l'importance du don qui lui a été fait. Cette reconnaissance pourrait se marquer par un comportement différent: un cadeau important par exemple (en Europe par des embrassades...). Le problème peut donc ici rejaillir: pourquoi tel symbole plutôt que tel autre? Nous pensons que l'article suivant peut répondre à cette question. Pour le moment il importe d'insister sur le positionnement des partenaires par des comportements symboliques; sans ce positionnement il n'y a pas de relation.

4.2.3 Analyse de l'imaginaire symbolique africain

4.2.3.1 Analyse générale

4.2.3.1.1 Importance du sens

Les objets africains, les comportements, les costumes etc., ne sont pas plats, sans épaisseur de sens, purement utilitaires. Il s'y manifeste, pas toujours immédiatement ni pour tout le monde, une signification qui conduit vers des idées, des représentations, des idéologies. L'imaginaire investit donc choses et gens. Nous devons chercher, comment, pour qui, et pourquoi?

4.2.3.1.2 Les porteurs de sens

Le sens se greffe sur le symbolisme positionnant déjà étudié, donc à la fois sur l'objet–médiateur, et sur les deux partenaires.

Dans l'exemple familier de la femme agenouillée qui présente des deux mains une calebasse d'eau à boire à son mari assis sur un tabouret, nous saisissons immédiatement que la position de la femme signifie le respect, une certaine infériorité, par opposition à la posture de l'homme qui signifie l'autorité, la supériorité. En même temps la calebasse d'eau représente la féminité de l'épouse: réceptrice comme une calebasse; féconde comme la pluie; douce, rafraîchissante, abreuvante comme l'eau. En recevant ce service, l'homme se signifie comme sec, comme celui qui serait infécond sans la femme[73].

Si l'analyse que nous avons faite ci-dessus du symbolisme–positionnant est exacte, il est clair que le sens ne peut se comprendre qu'à l'intérieur du schéma relationnel; non pas par une envolée arbitraire de l'imagination, mais à partir des personnes en relation et dans la situation qui les rassemble.

---

73 Voir ci-dessus le symbolisme de la kola. Le sens rapporté est concentré sur l'objet médiateur; il faudrait considérer aussi la façon de donner la kola et la façon de la recevoir.

Cependant les ouvrages qui s'intéressent à cette symbolique – imaginaire, réunissent souvent en un faisceau qui se veut cohérent, les différents usages qui sont faits de tel objet[74]. Ainsi se manifeste une constellation de sens autour de cet objet. Cette façon de faire est légitime, car dans une culture donnée, il est difficile de penser que le même objet pourrait avoir des significations hétéroclites sans aucune logique à travers les situations qui l'utilisent, ou qu'un objet donné ne pourrait avoir qu'un sens parce qu'il ne serait employé qu'une fois dans une situation unique.

4.2.3.1.3   Qui voit le sens?

Le sens est-il aperçu de tout le monde? Notons d'abord que le sens est sauvegardé par une tradition et qu'il est lu et interprété, d'ordinaire, en fonction d'une tradition. Il y a certainement un sens diffus, perçu par tout le monde, même s'il n'est pas raisonné, exprimé par des paroles, commenté; ce qui trouble ce sens en tout cas est vite repéré[75]. En tout cas, l'ésotérisme existe en Afrique; ce qui veut dire que des significations sont aperçues par certains, qui ne le sont pas par d'autres; et comme les meilleurs connaisseurs, sont du côté des initiés, des personnes ayant un certain âge, la règle des sens est à chercher du côté de la tradition. Ce qui n'empêche pas, bien entendu, les individus curieux et imaginatifs de se faire leur idée personnelle sur ce qu'ils voient, peut-être sans en rien dire à personne.

4.2.3.1.4   Qui ‹parle› dans le sens?

Sans aucun doute c'est l'homme qui se dit à lui-même. Il faut se méfier ici de certaines façons de parler: pour certains, on dirait que le cosmos ferait signe à l'homme, que chaque parcelle de l'univers que l'homme utilise ou qu'il voit renfermerait un message qui lui viendrait de quelque Puissance ou de Dieu; ou encore il y aurait je ne sais quelle fusion entre l'homme et le cosmos. Démythisons! Dans l'imaginaire, il y a uniquement l'homme dans sa culture qui s'exprime ce qu'il est ou désirerait être en utilisant des symboles imaginants.

4.2.3.1.5   Fonctions de l'imaginaire

A l'intérieur de l'ordre relationnel, l'imaginaire joue diverses fonctions:
1. Une fonction *idéologique*: une conception de la vie, de l'homme. Les exemples déjà rapportés manifestent évidemment une idéologie des rapports entre l'homme et la femme de même que la kola nous donne une idéologie de partage, de l'accueil, de l'entente[76].
2. Une signification *classificatoire*: les significations en évoquant classent les

74 Voir par exemple P.L. Mahend-Betind (1966: 43s.); D. Zahan (1960); V.W. Turner (1971).
75 En milieu traditionnel, on aura vite fait d'interpréter comme choquant, indigne d'une femme, le comportement d'une lycéenne en vacances qui affecte plus de liberté dans ses paroles, ses fréquentations, sa mise, etc.
76 Il va de soi qu'un projet philosophique comme celui-ci devra étudier ces idéologies dans des chapitres ultérieurs.

partenaires et les objets; l'idéologie imprègne ce classement: ainsi la femme se trouve positionnée face à l'homme, et se trouve porteuse d'une idéologie quand elle est imaginée comme nuit, eau – humide, saison des pluies, cultures, receptacle – calebasse, côté gauche, chiffre 4; alors que l'homme est imaginé comme jour, sec-chaleur, saison sèche, stérile, lance – arc – outil – phallus, côté droit, chiffre 3.

3. Une fonction *instauratrice* ou *historique*. Certains symboles pris en certaines positions (par exemple dans les rituels d'initiation) représentent la cosmogénèse ou l'anthropogénèse, l'instauration de tel ordre social, ou le rappel de tel événement historique. Ainsi *koumen* est à la fois un texte et un rituel initiatique qui retrace de façon imaginative les migrations peul d'ouest en est, du Sénégal au Macina, l'initiation du premier *silatigi* (prêtre, chef, sage de la communauté pastorale), la cosmogénèse, la maîtrise du pastorat[77]. La fête soixantenaire du *sigi* dogon évoque l'irruption de la mort parmi les vivants et comment la société dogon y a paré.

4. Une fonction de *compensation*. Par l'imaginaire, l'homme peut transcender la condition qui lui est faite, que sa tradition lui fait. Telle serait la fonction de certains contes ou de certains genres littéraires comme le Mvett[78].

5. Une fonction d'*expression du désir*. Par exemple dans le matériel magique africain, les ingrédients employés ont une valeur significatrice de l'intention du possesseur: pour qui ou contre qui veut-il agir, ce qu'il désire obtenir, les modalités de l'action (telles que vivacité, invisibilité ou secret, invulnérabilité, action offensive défiant toute parade etc.). Par exemple lorsque le chef yansi, possesseur du ‹fétiche› *mpwu*, dans lequel il faut voir la puissance même du chef pour le maintien de la vie relationnelle du groupe, carbonise des dents de serpents, des aiguillons de guêpes, de scorpions, et met cette cendre sur la statuette de *mpwu*, il manifeste évidemment son désir de voir le fétiche, c'est-à-dire sa propre puissance de chef, aussi efficace que ces animaux piquants, aussi offensif qu'eux quand on les attaque (*Dieux, idoles et sorcellerie dans la région Kwango-Bas-Kwilu* 1968: 107).

Ces diverses fonctions permettent de répondre à cette question: quelle est la vérité de ces symbolismes? Il convient de se rendre compte en effet du langage particulier qu'est l'imaginaire. Il y aurait naïveté et illogisme à mettre sur le même pied cet imaginaire et la science moderne. L'imaginaire africain doit être comparé à l'imaginaire des autres cultures. Il est regrettable alors que certains présentent tel mythe comme le résumé de la ‹cosmographie› ou de la ‹géographie› de tel peuple; il est regrettable qu'un Mongo, sur la foi de l'épopée de Lyanja pense que Bokele a effectivement volé le soleil par l'intermédiaire d'une tortue pénétrant dans une grotte; il est regrettable que F.B. BRULY racontant les aventures du héros

---

77   A.H. Ba et G. Dieterlen (1961); cf. E. Boelaert (1968).
78   T. Ndong Ndoutoume (1970). Noter que ces textes oraux publiés n'ont pas la même signification globale qu'un roman lequel se lit dans le silence, le repos, par une personne isolée.

mythique Zakolo, s'imagine que l'oiseau fabuleux du héros est bien «l'ancêtre de l'avion, le résultat d'une invention, d'un art achevé, d'une civilisation très avancée» (Holas 1968c: 178). La vérité des symboles (et des mythes) est *sui generis*, et ne doit pas être confondue avec la vérité de la science. Le symbolisme permet à l'homme de se dire, d'exprimer ses désirs, ses rêves, ce qui le rassure aussi, ce qu'il a expérimenté de meilleur pour l'organisation de son existence, son doute encore, parfois sa révolte. Ceci est déjà suffisamment riche!

4.2.3.1.6 Pourquoi ce symbolisme imaginaire?

Il semble bien que le symbolisme soit beaucoup plus important en Afrique qu'en Occident (disons au moins l'Occident actuel). On peut s'étonner[79]. Pourquoi la société traditionnelle a-t-elle besoin de symbolismes si nombreux, à la fois positionnant et imaginant? Pourquoi les gens ont-ils souvent peur de s'en dispenser?

1. Dans l'individualisme personnaliste occidental, le symbole qui positionne et l'imaginaire existent certes (cf. R. Barthes 1957); il y a des modes, mais aussi, semble-t-il plus de liberté, de variabilité. En Afrique traditionnelle, il y a plus de rigidité: le costume féminin mossi traditionnel est fait d'un pagne et d'un châle: deux pièces d'étoffe de coton, teint à l'indigo, l'une passée autour des reins, l'autre en bandouillère ou destinée au portage de l'enfant. Dans une société relationnelle, où la subjectivité des individus est tenue en laisse, où les normes, imposées par la tradition, sont nécessaires pour que chacun ait sa place dans les groupes bien définis, il semble qu'il faut multiplier les signes qui positionnent les individus dans leur ordre; trop de variabilité dans ce domaine signifierait la liberté donnée aux individus de se placer où ils veulent et où ils peuvent.

2. L'énigme du symbole – imaginaire ce n'est pas seulement ce qu'il signifie, mais pourquoi le signifié a-t-il besoin de ce revêtement. Constatons au moins que ce langage est premier, le langage rationnel, critique, réflexe, hyperlogique ne pouvant venir que dans un deuxième temps. Le symbole est premier parce que beaucoup plus suggestif, il «donne à penser», inépuisablement, tandis que le langage rationnel est beaucoup plus sec. Cependant le symbole s'use aussi, et finit par n'être plus compris, même pas regardé, il se vide pour devenir superstition, au mieux il se folklorise. Mais le symbole peut recouvrer son sens profond: «il n'est pas que vestige, il est aussi aurore de sens» (P. Ricœur 1965: 485). C'est pourquoi l'Afrique d'aujourd'hui peut, en considérant les symboles d'antan, retrouver son authenticité.

---

79 B. Muzungu (1968: 7): «A l'époque actuelle du Rwanda, il paraît difficile de s'expliquer comment nos ancêtres ont pu ajouter foi à des croyances et pratiques si vaines et si inutiles; l'étonnement devient encore plus grand lorsque nous remarquons que ces futilités ne sont pas complètement rendues caduques.» L'auteur parle des *mihango* (amulettes, présages, interdits). Il distingue ceux qui sauvegardent la loi naturelle, la moralité publique, la politesse; ceux qui ont une valeur médicinale influançant au moins le psychisme. Mais comme la plus grande partie de ces croyances n'offre pas d'explication raisonnable, l'auteur se rabat sur la mentalité primitive, le numineux. Nous pensons qu'il est possible de comprendre la rationalité de ces choses, dans la problématique du Je–Avec.

3. La diffusion d'un même symbolisme dans une société, l'ésotérisme qui fait que ce symbolisme est surtout analysé et compris par une minorité qui a le pouvoir, permet sans aucun doute de bâtir la solidarité, la vie ensemble. Les angoisses, les désirs d'une alternative ne sont pas exprimés par les individus ou la société d'une façon directe, mais voilée par le symbole. L'imaginaire contestataire est possible mais non l'acte révolutionnaire.

On peut penser qu'une société qui a besoin de l'union de tous ses membres, a aussi besoin de diffuser un symbolisme qui endigue les imaginations individuelles. Ce qui compte dans la société relationnelle, c'est l'adhésion de chacun, librement certes et de bon cœur, mais adhésion tout de même obligatoire à l'idéologie commune[80].

4. L'ordre relationnel de l'en–dedans (la culture) pose nécessairement un En-dehors (nature) où l'homme perd son humanité par définition. Or cet inhumain ne peut être qu'imaginé; ainsi l'homme se donne un au-delà de lui-même (en arrière, dans les cosmogénèses qui posent d'abord l'inhumain puis l'humanisation; autour de lui, dans le présent, dans cet en–dehors qui se trouve au-delà de l'habité et du domestiqué; au-delà de la mort aussi). Cet ailleurs imaginé (puisque nul ne peut l'expérimenter *de visu* et rester un homme vivant d'aujourd'hui) n'a pu être posé que par opposition. L'inhumain donne une image inversée de l'humain.

C'est là une attitude bien différente de l'attitude scientifique: le savant qui ‹imagine› la terre ou le système solaire il y a 10 ou 5 ou 2 milliards d'années, ne pose pas ses idées par opposition à ce qui est maintenant, mais précisément en continuité: les mêmes lois physico-chimiques gouvernaient les mêmes éléments, autrefois et maintenant. La nature, devant l'homme n'est pas l'opposé de la culture, mais un objet neutre, offert sans défense, sans propriétaire hargneux, à l'investigation humaine.

4.2.3.1.7 Orientation profonde de l'imaginaire africain

Cet imaginaire a-t-il le même sens que l'imaginaire grec, hindou, américain? S'agit-il d'un imaginaire extatique par lequel l'homme est convié à sortir de lui-même pour se réaliser ailleurs, dans la contemplation d'un autre monde? Si le cosmos a une grande importance dans l'imaginaire africain, faut-il comprendre que l'Afrique est cosmocentrique?

Nous avons bâti notre projet philosophique sur une forme de pensée délibérément anthropocentrique. Nous avons répudié tout platonisme dans la pensée africaine. Si cela est vrai, il faut conclure que l'imaginaire africain est lui aussi anthropocentrique. La référence au cosmos n'est pas une dénonciation de l'illusion de

---

80 Comparer avec R. Mehl (1967): «Tant que les représentations collectives ou mythiques ont assez de pouvoir pour s'imposer au groupe et assurer son unanimité, la communication de sujet à sujet n'est ni possible ni nécessaire, ni désirable.» Ce qui nous paraît inexact! Des représentations qui ne seraient pas répétées, expressément vécues, disparaîtraient peu à peu.

l'ici-bas, mais un renforcement de la condition humaine. L'homme se dit à lui-même, en imaginant le cosmos d'après lui-même.

Ces idées générales doivent maintenant être illustrées et précisées par l'étude plus détaillée de quelques faits précis[81].

4.2.3.2 Etude de quelques cas

4.2.3.2.1 Un exemple d'imaginaire classificatoire: conception venda

La relation pose la distinction des partenaires; l'accumulation des relations pose les hiérarchies; ainsi la société relationnelle est fondée sur l'ordre, le classement, la répartition des personnes et des choses. Pour les Venda, l'espace physique est en même temps social et mythique; l'imaginaire fonctionne à la fois par bipartition et tripartition (J. Roumeguère-Eberhardt 1963: 77 et passim).

Il y a trois groupes de *personnes*:

I: Les bébés-eau (c'est-à-dire pas encore formés par les relations interhumaines), et les ancêtres (sans doute parce que retournés à l'eau, à l'informel). Ils sont en rapport avec les ‹forces cosmiques› disons l'En—dehors, ou mieux l'en-deça et l'au-delà de l'humain.

II: Les enfants et les vieilles personnes, rituellement purs (c'est-à-dire incapables de véritables oppositions à l'ordre relationnel), médiateurs dans les rites religieux; ils ne peuvent pas ou ne peuvent plus procréer, trop jeunes ou trop vieux.

III: Les personnes procréatrices hommes et femmes.

L'espace *politique* se divise aussi en trois parties:

A: l'univers régi par le Roi, ou la Terre;

B: les régions régies par le chef régional;

C: le village régi par le chef—patriarche.

Ces trois divisions correspondent aux trois précédentes. Les rites de semailles et de prémices sont célébrés en respectant cette hiérarchie: le Roi d'abord invoquant les ancêtres royaux, maîtres de toute la tribu; puis les chefs de chaque famille.

L'espace *physique* se divise aussi en trois parties:

X: zone déterminée par l'enceinte du village;

Y: zone intermédiaire, ou champs cultivés;

Z: zone non-cultivée, ou la brousse.

On peut remarquer que l'imaginaire procédant par tripartition, ménage une zone II en transition, en intermédiaire, entre I et III qui sont beaucoup plus nettement opposées.

---

81 Les auteurs utilisés ici n'ont pas forcément les mêmes options philosophiques que nous. Nous réinterprétons les faits qu'ils présentent.

Il y a correspondance entre I—A—Z: les âmes à naître, ou les âmes disparues sont en rapport avec la terre, domaine royal, domaine de la brousse. III—C—X se correspondent, désignant l'en–dedans où la vie relationnelle familiale prend tout son sens.

L'imaginaire venda va procéder aussi par bipartition: homme (H)/femme (F), preneurs/donneurs de femmes; paternels/maternels, puissance sociale/vie féconde. Sur le terrain du village, cette bipartition est marquée par la division du village en deux demi-cercles, à droite et à gauche de l'habitation du chef-patriarche. L'homme vit dans son village paternel où il hérite, mais va prier les ancêtres maternels pour tout ce qui touche à la vie, dans le village maternel. L'initiation des garçons se fait en brousse, celle des filles se fait au village: ce qui marque à la fois un antagonisme et une complémentarité. L'homme détenteur des traditions sociales, responsable de l'ordre est mis en correspondance avec la brousse non-humaine représentant le désordre; cette initiation signifie alors que l'homme se gagne comme force sociale en se prenant sur la brousse. Tandis que la femme, détentrice de la vie (dont les germes sont dans la terre—eau—brousse) est située dans le village, domaine de l'ordre social; qui signifie que la fécondité (force non-humaine, naturelle) est mise au service de la société humaine. La tripartition se retrouve dans certains éléments de l'initiation; il y a une première école d'initiation des filles au village, durant six jours; une seconde durant un mois chez le chef régional, une troisième groupant garçons et filles, pendant plusieurs mois, auprès du roi où ils apprennent la danse du Python (symbole national de la fécondité).

La bipartition classificatoire s'exerce encore sur d'autres données. L'H est blanc, la F est rouge; l'enfant est fait d'os qui lui viennent de l'H et de sang qui lui vient de la F. Il y a ainsi opposition entre: blanc/rouge, dur/mou, solide/fluide, H/F; mais encore entre élevage/agriculture, bétail/bière, famille paternelle/famille maternelle. Complémentarité oppositionnelle vue aussi dans le feu qui est flamme et cendres, dans l'alliage ‹fort› qui est celui du cuivre (F) et du fer (H).

Si la femme menstruée doit avoir un comportement spécial, c'est qu'elle s'oppose à la femme féconde et normale; elle sera donc recluse, parfois dans une maison hors du village; elle se tiendra à l'écart du domaine masculin (spécialement du troupeau et du lait).

Les H s'occupent du bétail qui est sang donc F; les F s'occupent des cultures qui sont graines donc blanches, donc H; les F sèment et cultivent pendant la saison des pluies, car elles sont eau; les H récoltent pendant la saison sèche car ils sont secs. Les H, preneurs de F, donnent du bétail (F par son sang, mais H par le travail) aux donneurs de F, en guise de compensation matrimoniale. Les donneurs de F rendent de la bière (qui est H par sa consistance et sa couleur, à cause de la graine dont la bière est faite, mais F par le travail de la culture et la cuisson). Les champs sont F mais comprennent un espace réservé aux H où l'on sème un mélange de graines; tandis que la Brousse est H (domaine de la pâture) avec un trou d'eau réservé aux F. Il y a donc des choses qui vont ensemble et d'autres qui s'opposent: pour avoir une femme il faut donner du bétail et recevoir de la bière; les H cherchant F, donnent leur complément (bétail est H en tant que travail) et leur opposé (bétail en tant que sang qui est F); les donneurs de F livrent une F et leur complément (bière en tant que travail est F) et leur opposé (bière est H en tant que faite de graines dures et blanches).

Dans cet ensemble, la position de H et F revêt donc une grande importance; on revêt choses, espaces, activités, de qualités H ou F, de telle sorte que l'opposition et la complémentarité soient bien maintenues à tous les niveaux[82].

4.2.3.2.2 Exemple d'objets-signes

Le jeune chevrier bambara ou dogon qui mène ses bêtes au pâturage, porte une gourde de calebasse dont la panse est décorée. Mais pour lui cet objet dépasse sa destination purement utilitaire. Le milieu culturel dans lequel il a grandi le pousse à y lire une sorte de résumé succinct, mais agencé du monde. Les rayures qui se recoupent sont l'espace et indiquent les directions cardinales; elles représentent aussi l'inondation universelle par les eaux futures, et l'âme du porteur y échappera grâce à la calebasse elle-même, flottant sur les courants. Au-dessus des eaux voisinent les étoiles et les animaux, reptiles, poissons, oiseaux. Plus haut une collerette d'un nombre bien défini de triangles représente les 22 catégories d'êtres. Des chevrons croisés enserrant les étoiles marquent la position du dernier ciel. Le récipient lui-même avec ses deux renflements, représente, sans intervention de la main, la terre du bas surmontée par le ciel auquel la joint le goulot. Le chevrier prend donc le monde à son cou par la ficelle de sa gourde (P. Erny 1968b: 15).

Nous savons par ailleurs que le chevrier, avec ses cheveux hirsutes, ses habits plus ou moins usés, son pipeau à la voix nasillarde (‹pourrie› dans l'estimation dogon), ses chèvres, symbole du désordre et de l'indiscipline, représente la brousse, le Yurugu opposé à l'ordre humain institué par le Nommo.

Tous ces traits peuvent être représentés par le schéma triangulaire déjà proposé:

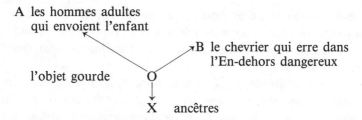

Ce que nous pouvons lire ainsi: l'enfant envoyé par les hommes hors de la société humaine, dans le monde dangereux de l'En–dehors est muni de la gourde utilitaire qui représente aussi l'ordonnance du monde, telle qu'elle est vue par la

---

82 Comparer avec l'imaginaire de la maison tswana, G. Dieterlen (1965: 276). Voir aussi l'imaginaire des Lele du Kasaï: cf. M. Douglas (1963 et 1954, 1971: 178); Luc de Heusch (1971: 43s.). L'imaginaire classificatoire luba in T. Fourche et H. Morlighem (1973).

tradition ancestrale. Ainsi muni, le chevrier n'erre pas à l'aventure dans l'inhumain, démuni de culture: il transporte avec soi l'ordre de telle sorte qu'il ne puisse
être victime d'un déferlement inhumain. Il affirme l'ordre humain dans l'irréductible En – dehors[83].

4.2.3.2.3 Exemple d'imaginaire à fonction compensatoire ou transcendante: le cycle du lièvre mossi[84]

En faisant l'analyse structurale de ces contes, mais dans l'optique de la présente
philosophie, nous découvrons la structure générale suivante: une entité dévoratrice, engloutissante cherche à avaler le lièvre, sans jamais y parvenir, que cette
entité avaleuse reste à jeun ou qu'elle soit elle-même absorbée. L'entité dévoreuse
est manifestement le Non-humain, l'En – dehors. Mais le lièvre qui échappe toujours par ses ruses, ses roueries, ses mensonges ne paraît pas pour autant, par son
intelligence supérieure, désigner le monde humain. On le voit utiliser les hommes
(chasseurs, remèdes magiques) pour se délivrer; il aide aussi les hommes et les animaux domestiques; il échappe aussi à la dévoration humaine. Ainsi le lièvre apparaît dans une position intermédiaire, certes plus proche de l'humanité que de la
brousse mais tout de même en opposition aux deux. C'est pourquoi nous pensons
que l'imaginaire africain attribue au lièvre une signification ultra-humaine: en
s'amusant du lièvre, en rêvant à ses aventures, on ridiculise l'En – dehors dangereux, avaleur; mais on est aussi au-dessus de l'humain ordinaire qui, lui, ne résiste
pas avec autant de brio à l'irruption de l'En – dehors; d'autre part l'ordre humain
ordinaire ne résisterait pas à tant d'intelligence, de roueries, d'injustices.

Considérons les détails. L'entité dévoratrice: ce peut être un arbre (1, 91, 9; –
ces chiffres renvoient au numéro des fables dans l'ouvrage de Tauxier), un bout
de bois (25), un serpent (1). Le plus souvent c'est l'hyène, gloutonne, avare, jamais
repue, dévoratrice perpétuelle. Il y a aussi le léopard (18), le lion (30, 46), tous les
animaux sauvages réunis, ‹encerclant› (31, 8), s'avalant les uns les autres (28); le
caïman dévoreur dans l'eau, le trou, le puits (11, 15) qui sont aussi des entités en-
gloutissantes; le trou-piège (24); ou une maison sauvage (7) abri des animaux, ou
parlante, abri de Wendé (Dieu) (24); une tombe à creuser (23), ou Wendé lui-même
avec une énorme voix (24). Il s'agit souvent aussi d'une grosse masse (éléphant,
hippopotame, buffle, chameau: 1, 3, 12, 16, 22, 23, 28, 91) qui parfois dévore ou
écrase, en tout cas qui en impose par son énormité même; cependant cette masse
est toujours vaincue par le petit lièvre. Par euphémisme, on voit aussi les animaux
parlant (27, 58).

83 Autres analyses d'objets-signes dans G. Calame-Griaule (1958: 11s.): tambour de l'enfant incirconcis, et hochet des vieilles femmes dogon. F. Roumeguère-Eberhardt (1963: 63s.): instrument de musique des Lemba, le *déza*. M. Griaule (1954); P. Erny (1968b: 16): le bonnet du circoncis bambara.
84 Nous utilisons le recueil donné par L. Tauxier (1917: 414-459) soit 37 fables. Voir aussi P.
Alexandre (1953a). Comparer avec G. Calame-Griaule (1969).

Dans le camp humain (contre lequel le lièvre aussi se débat), il y a de même une humanité dévorante, représentée par la maison, le canari (21) ou les hommes (36).

L'entité dévoratrice est le plus souvent tuée (disons avalée par la mort), parfois par les autres animaux sauvages, parfois par l'homme chasseur et ses remèdes magiques. Coincé, ou avalé, ou pris, le lièvre se retrouve libéré. Parfois la dévoreuse reste à jeun, le lièvre lui prend ce qu'elle allait engloutir (4, 5, 6, 14, 17). Parfois le dévorateur est attaché, empêché de manger (18). Parfois l'engloutisseuse est engloutie: l'hyène prise dans le trou-piège et voulant dévorer l'âne son sauveur, est remise dans le trou pour y périr (29, 10); le caïman dévorateur se meurt sur le sec loin de l'eau (15), l'homme le trouve et le remet à l'eau mais l'animal ingrat veut avaler son bienfaiteur; survenant, le lièvre demande au caïman: «ce que l'homme t'a fait là est incroyable, recommence donc pour voir», l'homme reporte le caïman au sec et l'y abandonne, le caïman crève. Parfois l'entité dévoratrice, ou la grosse masse est chevauchée (16, 19) (on dirait possédée, dominée) par le lièvre puis tuée; parfois l'engloutisseur est dévoré de l'intérieur (12), ou tué par ce qu'il engloutit: un bâton dans l'oreille (16), ou un bouchon de feuilles enflammées. Stupide, l'avaleur tire lui-même du trou avalant, le lièvre avalé en le prenant par ses oreilles, croyant saisir ses sandales (23, 24). Parfois les grosses masses se contentent de lutter en abandonnant (3, 22).

Le lièvre aide l'homme contre les animaux dévorateurs (8, 11), parfois il est du côté des animaux pour voler une vieille (46), mais échappe tandis que les autres se font tuer; parfois les hommes expulsent de chez eux toutes les bêtes, y compris le lièvre (32); tantôt il échappe aux hommes qui mangent (21), tantôt il utilise les chasseurs, ce qui fait fuir les animaux (22).

Le lièvre s'en sort toujours; même mangé il sort du dévorateur (12, 31). Il est une fois vaincu par la pintade (27) et déclaré aussi malin que la perdrix (26).

L'importance des thèmes ‹dévorateurs› est manifeste. L'image est pertinente: l'En–dehors est comme la mort, ce qui engloutit l'homme, le fait disparaître dans son sein non-humain. L'homme arrive souvent à y échapper en se constituant en monde humain, mais il est quelquefois vaincu. Le lièvre représente une surhumanité qui serait toujours victorieuse.

Analysons la fable 90:
Un homme cherche à tuer son bœuf dans un pays sans mouches. Il cherche avec son fils, pendant deux mois; il porte une boule de *kaolgo* (forte odeur), qui attire les mouches. Il finit par trouver et tue son bœuf. Son fils apporte du feu. Mais l'éléphant le rencontre, le fait fuir et fuir le père, s'empare de la viande, et veut s'en régaler avec les autres animaux. Il veut rattraper les deux hommes qui sont contraints de monter dans un arbre. L'éléphant va les tuer, mais le fils promet de donner un remède magique très efficace à l'éléphant s'il a la vie sauve; il lui demande seulement un couteau pour préparer le remède et lui dit de revenir dans deux jours. Au bout du temps, l'éléphant envoie une outarde chercher le remède. Le fils lui coupe le cou. Puis un phacochère, même sort. Finalement il envoie l'hyène. Mais le lièvre dit à l'hyène: c'est louche,

je vais avec toi. Le fils était dans une case; l'hyène entre, le fils lui coupe le cou, resté dehors, le lièvre dit à l'éléphant ce qui est arrivé: tous les animaux prennent peur et s'enfuient. L'homme et son fils rentrent chez eux. Depuis on ne cherche plus de pays sans mouches pour y tuer un bœuf.

Le pays sans mouches, loin du village humain = la brousse lointaine où se trouvent les gros animaux. Mouche/éléphants. Pays avec mouche = village/pays sans mouche avec éléphant = brousse.

Dans un premier temps nous avons l'opposition: l'homme tueur de bœuf, avec sauce (*kaolgo*) et le feu de cuisine (réalités villageoises)/éléphant et autres animaux, poursuiveurs, voulant tuer l'homme. Dans ce premier moment l'homme est vaincu par les animaux; c'est qu'il a voulu vivre d'une façon humaine là où ce n'est pas possible.

Dans le deuxième temps: l'homme avec sa technique (couteau, remède magique) vainqueurs des animaux, s'oppose aux animaux tués ou apeurés. La case, réalité humanisée, est dangereuse aux animaux sauvages. Rentrer chez soi, c'est être victorieux de la brousse dangereuse. Le résultat définitif: tuer un bœuf pour le cuisiner et le manger avec de la sauce est une opération humaine qui se fait dans le village humanisé. Tout le conte se réduit en définitive à une opposition entre l'En—dedans humain et l'En—dehors non-humain. Le lièvre occupe dans ce conte une position intermédiaire entre l'homme et les animaux. Il échappe aux hommes et il évite le sort des bêtes.

5 Le rituel, le sacrifice ou la relation menacée et apaisée

5.0 Du symbole au rituel

En abordant le rituel nous changeons de régistre.

Le rite pourrait être considéré comme un agencement de symboles. Ceux-ci en seraient les éléments ultimes, les molécules[1]. A chaque moment de la séquence rituelle, nous pourrions mettre en évidence le positionnement respectif des partenaires en relation et l'imaginaire qui y est associé. Ce faisant, la vie relationnelle se trouverait immobilisée et comme atomisée. Une telle analyse n'est donc pas suffisante. Il faut saisir la séquence rituelle dans son mouvement. Cette exigence nous conduit à un second palier. Un rite aussi considérable que les funérailles du vieux chef de famille se décompose aisément en fragments significatifs (le dernier soupir, la préparation du cadavre, l'annonce du décès, les manifestations de deuil, l'hommage au mort, le cortège funèbre, l'inhumation, le retour, etc.); et ces fragments peuvent s'analyser en unités structurées que l'on peut appeler ‹ritèmes›. Recomposé, un tel rite a sa cohérence propre; il est fonctionnel, répondant à un besoin (ou à un ensemble de besoins) bien défini de la vie du groupe.

Pourtant cette analyse, tout utile et nécessaire qu'elle soit, ne fournit point la clé du rite. Il faut considérer un troisième niveau[2]: le rôle qu'il joue dans le déroulement de la vie relationnelle. Au niveau précédent, le rituel est étroitement utilitaire: quand quelqu'un est mort, il faut l'enterrer, partager ses biens, le remplacer, etc.; le rite peut alors être vécu comme une simple mécanique; il peut aussi s'accompagner de ferveur, exprimer les valeurs du groupe; il n'est tout de même qu'une parenthèse, un moment isolable, un temps fort. Considéré au troisième niveau, la séquence rituelle a un avant et un après; elle devient un *drame*. C'est la nature de ce drame, dans la vie relationnelle africaine, que nous voudrions maintenant étudier.

5.1 Recherche d'une problématique africaine du rite

Epistémologiquement, notre recherche est sous la pression d'une triple exigence, philosophique, scientifique et africaine.

5.1.1 L'exigence de la forme de pensée Je—Avec

La logique oblige le philosophe à être conséquent avec lui-même. Si la relation entre les sujets est fondamentale dans l'expérience africaine, nous devons la

---

1 V.W. Turner (1972: 300; 1971: 76). Dans la chaîne rituelle, le symbole est assimilable au lexème dans la chaîne parlée, c'est la plus petite unité de signification.
2 Une comparaison: un film est fait d'éléments signifiants réunis dans un plan (1er niveau); l'ensemble des plans construit une histoire qui a sa signification spécifique (2ème niveau); il s'agit de considérer ensuite (3ème niveau) quelle place occupe dans le déroulement de ma vie, quelle fonction y joue le fait d'aller voir ce film.

retrouver dans les rites. Mais nous devons nous méfier d'une vision simpliste des choses et nous demander si l'auscultation des rites ne va pas faire faire à notre conception de la vie relationnelle un bond en avant de telle sorte que la conception jusqu'ici élaborée paraisse trop facile. Autrement dit, il faut échapper à la tentation de réduire le rite à ce qui a déjà été dit; c'est plutôt ce qui a été dit qui doit subir l'interrogation du rite.

La logique du Je–Avec oblige aussi à prendre ses distances vis-à-vis des problématiques occidentales. L'étonnement occidental à propos des rites suppose divers préjugés qu'il y a intérêt à regarder en face.

D'abord l'esprit utilitariste: La réflexion moderne est manifestement impressionnée par l'aspect non-utilitaire des rites; utilité d'ailleurs comprise à l'occidentale: les rites ne sont pas productifs de biens consommables, ils s'accompagnent au contraire de gaspillages de produits, d'énergie, de temps; certains sont douloureux, nuisibles, cruels, non hygiéniques. Evidemment, ce puritanisme industriel, dur au travail, efficace, lutteur, individualiste, a aussi ses fêtes et ses gaspillages, prétextes à activités commerciales et publicitaires: mais nous n'appelons pas cela des rites...

Le préjugé primitiviste: Il est entendu que les ‹autres› sont étranges! l'hypothèse primitiviste ajoute à cette étrangeté une nuance de mépris: les ‹autres› se situent dans le prélogique, le magique, le mysticisme; tandis que l'Occident marche au clair soleil de la raison. A cela s'ajoute le préjugé anti-religieux, le rite confine à la superstition et à l'obscurantisme.

Le préjugé personnaliste: Façonnée par la philosophie de la conscience et de la personne-individu, la mentalité occidentale est pleine de répulsion pour tout ce qui risque d'enliser l'originalité et la liberté de l'individu dans le magma de la société, des habitudes et du formalisme. Le rite est une sorte d'ennemi; on s'y prête, on y assiste, comme à des corvées (assistance à la messe, aux funérailles, aux cérémonies publiques)[3].

5.1.2 L'exigence scientifique

Les préjugés évoqués ne sont certes pas insurmontables. Cent ans de recherches aboutissent à la formulation d'exigences rationnelles dont le philosophe africain ne peut faire litière.

1. La recherche ethnographique a multiplié les *descriptions* de rituels, l'analyse minutieuse des séquences et des symboles, des circonstances sociales qui entourent leur célébration. Mais décrire n'est pas expliquer.

L'analyse comparée permet de mettre en évidence certains traits généraux des rituels, ce qui nous achemine vers des définitions. Le rite est répétitif en ce sens

---

3 Il faudrait évoquer aussi le préjugé catholique ou chrétien. Les occidentaux qui ont étudié les rituels religieux dans le monde sont imbibés de culture chrétienne (qu'ils aient la foi ou la répudient). Le modèle rituel que nous portons en nous, inconsciemment, est le modèle chrétien, il risque à chaque instant de jouer le rôle d'étalon.

qu'il s'en tient à des règles qui en fixent le déroulement, non sans quelque souplesse ni une certaine marge d'improvisation. Il est collectif, c'est-à-dire propre à une collectivité même quand il est posé par un individu (un rite strictement individuel a une connotation obsessionnelle et relève de la psychiatrie). L'accomplissement d'un rite ne va pas sans quelque ‹théâtralisation› : sens du public, solennité du langage et des gestes, renforcement du personnage (Turner 1972: 306). Fixé par une règle collective, le rite inclut un hommage rendu aux valeurs intouchables de la société. A ce niveau, étiquette et rituel ne se différencient guère: l'autorité, le judiciaire, la patrie se parent ainsi de majesté et se prémunissent contre le danger de la dissolution. Quand on en arrive au rituel religieux, la transcendance du Droit et du Bien fait place à Dieu, aux divinités, aux ‹puissances› invisibles. Elles y sont célébrées et sollicitées; dans ce dernier cas, le rite, par opposition aux techniques, pallie aux incertitudes de l'aléa.

2. Nous ne nous arrêtons pas à définir le rite[4]. Il est beaucoup plus intéressant de voir comment on cherche à l'*expliquer*. Nous distinguerons deux types d'explications, psychologiques et sociologiques; les deux veulent comprendre surtout pourquoi le rite est efficace et quel genre d'efficacité il comporte.

Psychologiquement on dira que le rite est efficace par l'émotion qu'il suscite chez les individus qui y participent profondément; efficacité psycho-somatique, comme l'émotion elle-même; ou bien encore le rite mobilise à travers sa symbolique les «forces inconscientes, au sens psychanalytique» (J. Huxley 1971: 255, 273); il est facile aussi de lire dans les symboles, les paroles et les actions rituelles, l'expression des désirs des participants[5]; de même encore le rite oblige les deux individus à soumettre leur subjectivité aux contrôles sociaux. Ces explications sont toutes utiles pour montrer en quoi et comment les rites agissent sur les individus, mais elles ne montrent pas comment le rite est créé. Autrement dit, le rite produit une émotion, mais comment l'émotion produit-elle le rite? et spécialement le rite sacrificiel[6]?

Expliquer le rite par la croyance religieuse ou magique c'est expliquer *obscurum per obscurius*. La croyance n'est pas donnée le plus souvent en dehors et indépendamment du rite où elle s'exerce; elle doit être elle-même expliquée bien loin d'être principe d'explication. La philosophie doit forcément critiquer le ‹surnaturel› inclus dans les rites.

Rattacher le rite au mythe, ou inversément, est une opération qui n'explique finalement ni l'un ni l'autre dans leur genèse réelle.

4 Retenons cette définition minimale: «Un rite est un schème d'actions symboliques, destinées à renouveler le contact avec le sacré, avec la source de ce qui est juste» (E. Shills in J. Huxley 1971: 307; autres formules *ibid.*: 247, 276, voir l'exposé de J. Huxley, 23ss.).
5 Ainsi le rituel *nkula*, décrit par V.W. Turner (1972: 68s.), manifeste évidemment le désir des gens de voir guérir une femme dont les dérèglements menstruels empêchent la fécondité.
6 Dans les pages qui vont suivre, c'est avant tout le sacrifice sanglant, omniprésent dans l'Afrique traditionnelle, qui va retenir notre attention. Rite crucial, pierre de touche pour les systèmes explicatifs. On peut penser que si le rite sacrificiel était entièrement expliqué, tous les autres rites le seraient.

Sociologiquement, les fonctions du rite sont éclairantes: on voit bien que le rite maintient la cohésion du groupe et sa permanence; le rite réduit les tensions de la crise et anticipe les bons effets de l'unité retrouvée[7]. On peut comprendre dès lors que des rites qui ne s'avèrent plus efficaces d'une manière ou d'une autre, soient rejetés. Mais l'explication fonctionnelle vient après coup: les rites sont là et au lieu de les condamner on se rend compte de leur utilité; elle ne dit rien sur la genèse du rite.

3. La problématique scientifique du rite doit être à la fois *génétique, structurale et fonctionnelle*[8]. Elle doit viser une explication unitaire de tous les rites, la valeur d'une hypothèse scientifique se mesurant à sa fécondité et à son économie des moyens.

L'approche génétique cherche à comprendre comment et pourquoi l'homme invente le rite. La phylogenèse du rite humain montre son enracinement dans l'éthologie animale et l'évolution d'Homo sapiens[9]. Il y a aussi une ontogenèse du rite qui cherche à montrer comment le petit d'homme apprend peu à peu les divers aspects du comportement rituel (Erikson 1971: 139-158). Le rite serait expliqué si l'on pouvait saisir comment l'homme et la société se posent au moment même où ils posent le rite. Alors la fonction du rite serait en même temps homogène à sa structure.

Quelque chose de ce propos se trouve dans la tentative de J. Cazeneuve (1971) de montrer comment la complexité et la diversité des rites découlent d'une source commune, par une dialectique de fuite et d'approche.

La caractéristique essentielle du rite doit permettre de comprendre «pourquoi les hommes ont recours à ce type de comportement collectif plutôt qu'à un autre» (p.24). Puisqu'il s'agit d'anthropologie philosophique, la solution au problème doit être cherchée du côté de la condition humaine en ce qu'elle a d'universel: c'est-à-dire l'homme comme «être libre, inventant son existence et la fondant lui-même», mais aussi se heurtant «à des contraintes, à des limitations» (p.27). C'est donc la liberté qui est au fond du rite.

Dans un premier temps, la liberté est perçue comme angoissante: elle fait peur; l'homme préférerait se créer un monde stable, en se gardant de toute nouveauté qui provoque l'incertitude et le place devant l'inconnu. L'angoisse de la liberté est l'angoisse du numineux; d'où une première série de rites: la fuite de l'impureté, de l'insolite, d'où l'*interdit*.

Mais dans un second moment, l'homme considère qu'il lui est bon de se libérer des règles, de conquérir de la force en se posant au-dessus de l'ordinaire. L'insolite fait peur mais aussi subjugue; le numineux est ‹tremendum et fascinans› . De là, une deuxième série de rites: la *magie*:

---

7 Cf. A.R. Radcliffe-Brown (1968: Chap.VIII). Relevons cette citation chinoise d'un texte antérieur à Confucius: «le sacrifice est ce grâce à quoi on peut montrer sa piété filiale, donner la paix au peuple, pacifier le pays et ramener le calme dans les esprits... Ce sont les sacrifices qui renforcent l'unité d'un peuple» (*ibid*.: 251). Voir aussi l'explication déjà donnée par A. Loisy, en 1920 (*ibid*.: 271).
8 Voir J. Cazeneuve (1958 et 1971); J. Huxley (1971); E. Morin (1973); R. Girard (1972).
9 Cf. J. Huxley (1971); E. Morin (1973); K. Lorenz.

Action symbolique permettant de capter et de manier la force numineuse. Mais ces rites impliquent le renoncement à la condition humaine définie (p.35).

En définitive ou bien on veut fixer la condition humaine dans un système stable en l'entourant de règles, et alors on a recours à des rites pour écarter de ce système tout ce qui symbolise son imperfection; ou bien on se place symboliquement dans le monde de la puissance absolue, irréductible à la règle, et alors il n'y a plus à proprement parler de «condition» humaine (*ibid.*).

Dans un troisième temps: «il est naturel» que l'homme ait éprouvé le besoin de résoudre la contradiction entre

l'ordre et la puissance, par une synthèse qui, elle aussi, ne pouvait se réaliser que symboliquement. Il fallait pour cela recourir à des rites qui donnassent à la condition humaine un autre fondement qu'elle même, la fissent participer à une réalité transcendante. C'était s'engager sur la voie de la religion (pp.35-36).

D'où une troisième série de rites proprement religieux tels que *la prière, le sacrifice, l'oblation.*

Nous nous permettrons quelques critiques.

Cette thèse s'exprime souvent au conditionnel et à l'imparfait du subjonctif, comme si l'on voulait recréer en esprit une évolution historique insaisissable. Chercher la genèse du rite est évidemment une gageure, non parce que ce serait une prétention déraisonnable, mais parce que cette quête doit s'enraciner dans l'histoire réelle et l'évolution probable de l'humanité.

L'auteur se donne comme point de départ une humanité angoissée par la liberté et tout de même désireuse d'en profiter. Il semble que c'est là une humanité bien occidentale et bien moderne! D'autant plus que l'homme abstrait, ici envisagé, paraît surtout être l'individu. Le rite s'enracinerait alors dans une expérience individuelle qui serait ensuite socialisée par voie d'imitation ou d'injonction. A notre avis la genèse du rite doit venir d'un acte par lequel l'homme et la société se posent en le posant.

Autre critique: l'auteur se donne le symbolisme sans vraiment l'expliquer, il tombe à point et tout fait comme *deus ex machina*[10]. Le problème n'est-il pas précisément de comprendre pourquoi et comment le symbolisme rituel est produit comme réponse aux questions de l'homme «primitif»[11]?

10 Par exemple: «Tout ce qui pouvait éveiller cette angoisse, tout ce qui menaçait l'ordre, à savoir par exemple l'insolite, le devenir, l'anormal tout cela *devenait un symbole* de ce qu'il y a d'irréductible dans la condition humaine. *Il était donc naturel* que le primitif essayât de réagir en repoussant par un *acte symbolique, ces symboles* eux-mêmes» (Cazeneuve 1971: 33; nous soulignons).

11 E. Morin (1973) cherche à expliquer l'importance de l'imaginaire dans l'homme par l'hypercomplexité de son cerveau, qui n'a aucun dispositif permettant «de distinguer les stimuli externes des stimuli internes, c'est-à-dire le rêve de la veille, l'hallucination de la perception, l'imaginaire de la réalité, le subjonctif de l'objectif. Aucun des messages parvenant à l'esprit ne peut être désambiguïsé en lui-même. Les ambiguïtés ne peuvent être résolues par l'esprit qu'en faisant appel conjointement au contrôle environnemental (la résistance physique du milieu, l'activité motrice dans le milieu) et au contrôle cortical (la mémoire, la logique)... » (*ibid.*: 140). «En tout état de cause, il demeure une vaste zone d'ambiguïté, une brèche indécidable entre le cerveau et le monde phénoménal, que comblent les croyances, les 'doubles', les esprits, les dieux, les magies et leurs héritières, les théories rationalisatrices» (141). Le religieux c'est alors du «bruit» dans le cerveau, de l'indécidable, que l'homme a le pouvoir de critiquer et de relancer sans cesse.

Si l'on peut croire insuffisantes les solutions avancées au problème posé ci-dessus, il ne s'ensuit pas que le problème lui-même soit disqualifié. Nous pensons au contraire qu'il doit être sans cesse présent à l'esprit du philosophe qui réfléchit sur les rites.

5.1.3 L'exigence africaine

Situé à l'intérieur d'une forme de pensée spécifique, armé des questionnements scientifiques, le philosophe africain doit d'abord considérer ce qui préoccupe les gens quand ils posent des rites. Il est évident que ce qui intéresse les savants (nature, origine, évolution, classement, structure des rites) n'est pas ce qui intéresse le peuple. C'est donc ceci que nous allons étudier par priorité et non cela.

Pour ce faire nous allons analyser un corpus rituel bien délimité appartenant aux Bobo-Oulé, ou Bwa, de Haute Volta. L'ouvrage de J. CREMER (mort en 1920), publié par H. LABOURET en 1927, a l'avantage de présenter la simple traduction (que l'on sent proche du langage oral et pas toujours sans obscurité) de quelques 92 récits d'informateurs bobo. Textes anciens, ce qui est un avantage pour saisir la mentalité traditionnelle; textes fragmentaires qui ne donnent pas tout le contenu de la religion bwa, mais en livrent sans doute l'essentiel. Car l'intérêt de ce recueil, c'est précisément qu'il ne comporte aucune élaboration si ce n'est celle inhérente à une traduction littérale; le classement des récits, dû à H. Labouret, n'affecte en rien ces récits eux-mêmes ni l'analyse que nous désirons en faire. Apparemment, en effet, les informateurs ne répondent pas à des questions précises de J. Cremer, lequel aurait pu, par sa curiosité, transformer la vision spontanée que ces gens ont de leurs rites. A travers ce qui est dit et omis, c'est une ‹idéologie› du rite sacrificiel dans la société bobo qui se manifeste au lecteur attentif[12].

5.2 Une conception africaine des rites sacrificiels

Nous procéderons à une triple lecture du corpus rituel bwa. La première concerne la signification globale des rituels aux yeux des informateurs comme s'ils répondaient à la question: pourquoi tous ces rites? La deuxième portera sur la structure – quasi dramatique – des récits considérés comme parallèles les uns aux autres. La troisième reprendra certains d'entre eux en ce qu'ils ont de spécifique, eu égard à la crise bien définie qu'ils racontent.

---

12 C'est pourquoi dans les pages qui suivent, nous allons multiplier les citations, afin de respecter au maximum ‹l'ambiance› de ces textes. L'ouvrage de J. Cremer concerne les Bwa de Dédougou; le territoire Bwa est plus étendu et diversifié. Consulter: J. Capron (1962) et B. de Rasilly (1965).

5.2.1 Signification globale du rituel

5.2.1.1 La séquence rituelle type

Il s'agit nettement d'un stéréotype pouvant s'appliquer aussi bien au niveau d'une famille que d'un village, chez des paysans que chez des forgerons, et quelque soit la divinité invoquée.

Voici un homme dans un village, il n'a pas beaucoup de femmes (pour marier ses enfants), les anciens se réunissent, proposent de s'approcher de Lobwa (arbres-bosquets sacrés) avec la poule, avec le bélier, avec le bœuf. Ils immolent d'abord une poule aux ancêtres, puis reviennent sacrifier le reste à Lobwa. Au bout de peu de temps ils obtiennent des femmes, mais réclament des enfants. Une poule est encore offerte à Lobwa, et voici que toutes les femmes ont conçu et accouché.
Les gens parlent. Que fera le père de famille s'il n'a pas de grain? Aussitôt tous se dépêchent d'attraper une poule pour Lobwa. La récolte est abondante.
Mais ils reviennent, entrent près de Lobwa. Les enfants ont grandi, sont devenus des jeunes gens, réclament des femmes, et leurs pères ont répondu que c'est Lobwa qui leur a procuré des épouses à eux-mêmes, que les jeunes fassent comme les anciens.
Les jeunes gens acceptent, cherchent le bélier, avec le bœuf, pour l'offrir à Lobwa afin d'avoir des fils à leur tour. Dans ce but ils parlent aux femmes du village, chacune d'elles donne dix cauris pour acheter des animaux à sacrifier.
Les enfants sont nés nombreux, et les gens ont encore immolé un bélier sur Lobwa pour saluer, remercier. Mais ils disent qu'ils n'ont pas de mil, il faut ajouter une libation de bière, pour obtenir le grain[13].

La séquence rituelle est en fait la séquence des générations. Le récit schématise l'enchaînement bénéfique suivant: installation (avec choix-essai d'une puissance protrectice), demande de femmes, puis demande d'enfants; mais comme il faut de la nourriture: l'attention se tourne vers les récoltes; ici la séquence peut développer les diverses phases de la culture défrichage, pluie, semailles, pluie, sarclage, pluie, récolte; enfin demande de sauce (c'est-à-dire de viande et de poissons, activités de chasse et de pêche). Puis les enfants grandissant, le cycle recommence.

A chaque articulation il y a double sacrifice, ou plutôt sacrifice à double face: remerciement pour le bien obtenu, offrande et promesse d'offrande (généralement plus importante) pour le bien espéré. Ainsi le sacrifice scande le temps: passé − avenir.

5.2.1.2 Visée optimiste

Aux yeux des narrateurs, c'est une évidence, les sacrifices sont efficaces; les dieux sont ‹doux›, ‹sincères›, ‹puissants ou durs comme jeunes hommes›. Bref «notre pays connaît la protection» (Cremer 1927: 92). C'est une sorte de Credo: «Ces

---

13 J. Cremer (1927: 25s.); voir p.14, 17, 18, 22, 39, 41, 43, 45, 62, 77, 152, 153. Comparer avec le récit cité plus bas.

sacrifices sont efficaces, guérissant les malades. Telle est la vieille coutume qui m'a été rapportée» (p.17). De fait, le corpus analysé ne livre que cinq ou six cas (sur plus d'une centaine) de sacrifices inutiles ou impossibles, ou se soldant par un échec. Il s'agit donc bien d'une ‹idéologie› ou d'un stéréotype. Mais quel est le mécanisme de cette foi?

5.2.1.3 La crédibilité du sacrifice

a) Elle s'enracine dans la confiance aux anciens et aux ancêtres. Le schéma est celui-ci: nos prédécesseurs ont sacrifié à telle puissance et ont été prospères, nous continuons, et nous avons la même prospérité. Quand le groupe est dans l'embarras, quand un jeune homme ou une femme a un problème, ils consultent les aînés, père, mari, chef, vieillards (Cremer 1927: 16, 26, 31, 85, 89, 150, 172). Ceux-ci ont l'expérience. Les informateurs scandent donc leurs récits: «Voilà ce que je sais, ce que j'ai vu... Nos pères en ont parlé, j'ai écouté...» Mais pour comprendre le bien-fondé de cette tradition, il faut considérer la structure de l'expérience bobo.

b) La logique du ‹trial›, ou méthode des essais et des erreurs:

> Les gens de Biri ont fait alliance avec les arbres. Les vieillards assemblés disent que des arbres, ainsi réunis et serrés, sont des dieux, qu'il faut leur offrir des poules, leur parler. Leur nombre n'est pas une chose dont on peut plaisanter. Ils sont à craindre. Le village va se confier à ces arbres qui seront son Lobwa.
> Les vieillards ramassent une poule, la sacrifient, en immolent une autre. Si la puissance de ces arbres est véritable, ils seront leur Lobwa. Ils désirent la descendance. Un des assistants derrière demande si c'est ainsi qu'on obtient des enfants. Ils veulent des femmes, et ils en auront si la puissance des arbres est véritable. La poule est égorgée pour que les gens du village reçoivent des épouses.
> Les mariages ont lieu. Les anciens s'approchent avec leurs poules, disant que ce Lobwa est fort comme un jeune homme, ils le saluent, le remercient pour les femmes, et maintenant ils attendent les enfants, car un homme marié, recevant la descendance, reçoit un bienfait.
> Ils ont sacrifié la poule du remerciement, puis celle des enfants. Il reste enfin la nourriture, car la personne qui a la descendance doit lui donner à manger. Voici la poule afin d'obtenir du grain: [suit l'évocation du défrichage, de la chasse, des semailles et des récoltes]. Le mil est mûr, on le coupe, les gens disent que leur Nyiule et leur Lobwa sont bons (Cremer 1927: 22-24).

Il s'agit donc d'expérience à tenter: que ce soit une installation de village (p.18), l'installation d'une «pierre de terre» (p.23); la lutte contre une épidémie (p.16); contre la sécheresse (p.20); la chasse ou la pêche, une alliance avec les génies Dondorya: ou même une entreprise d'empoisonnement (pp.194, 197). Le schéma est toujours le même: un désir est exprimé face à une puissance, un sacrifice est offert en remerciement et un autre pour exprimer le désir suivant, et ainsi de suite. Les succès s'ajoutent les uns aux autres, apportant la démonstration de la puissance et de la ‹sincérité› des invisibles. «Le pays connaît la protection.» Il s'en suit que des voisins ou de nouveaux venus seront attirés par cette prospérité et emboîteront le pas.

Les récits que nous analysons développent une idéologie du sacrifice – efficace, ils n'insistent donc guère sur les échecs du système. Ceux-ci sont pourtant perceptibles.

Nankwa est le dieu des chasseurs qui poursuivent les porcs-épics dans leur trou. Chasse fructueuse pendant longtemps. Mais un jour il y a un grave accident: un chasseur meurt dans un trou, un autre est blessé.

Cependant la jambe de Kaza ne guérit pas. Les vieillards se consultent, s'approchent de Nankwa avec des poules, lui parlent. Ils ont pris ce Nankwa pour dieu, l'ont interrogé pour connaître les choses bonnes à faire, lui ont demandé la permission d'enfumer les trous. Nankwa a accepté les poules. Or les hommes sont partis aujourd'hui, ils ne sont pas tous revenus, l'un d'eux a péri dans le trou. Voici une nouvelle victime, que le dieu indique par elle s'il ne faut plus retourner enfumer les terriers. Nankwa a répondu, et depuis les chasseurs ne sont plus allés enfumer les terriers (Cremer 1927: 70; cf. p.104).

De cette façon, le sacrifice a toujours une efficacité. Un échec signifie: le dieu ne veut plus telle ou telle chose. Voici un chasseur qui s'est procuré un *lombo* (disons un fétiche) espérant de bonnes prises.

Il se dirige vers la colline de Dankui, aperçoit un terrier, coupe du bois, le dispose, y enfonce son Lombo, et frappe le silex. Or ce trou est celui de Kani (le dieu des trous, hostile à la chasse), à peine la fumée s'élève, et le cri est entendu. Les gens voient Byoman (le chasseur) se sauver, courir, car les morceaux de bois placés dans le terrier se sont retournés, renversés sur lui; il a abandonné son Lombo. Il arrive au village.

Tout cela est l'œuvre de Kani qu'on a tenté d'enfumer pour le faire mourir. Le Lombo est perdu et Byoman renonce à chasser dans les trous. Cette colline de Dankui est mauvaise, on n'y approche pas des terriers. L'homme qui fait cela est mis en fuite, même s'il possède des dieux puissants (Cremer 1927: 33).

Quelque temps après le fils de Byoman tente de défricher autour de la colline, mais en mettant le feu à l'abattis «les petits génies sont atteints par la flamme et se lamentent». Or ce cultivateur n'a pas encore ensemencé cette place qu'il meurt. «Ses fils préparent la bière, offrent un bœuf pour propitier la colline, elle n'accepte pas.» Alors tout le monde abandonne cette colline comme un lieu mauvais (p.33). Les Bobo pensent ainsi qu'il y a des lieux, notamment les mares et les rivières qui sont inexorables (p.99s.); il est bien inutile dès lors d'entreprendre de leur ‹parler› et de leur offrir des sacrifices; elles tuent au contraire quiconque s'approche; malheur à qui n'écoute pas l'expérience des anciens à ce sujet.

La réussite d'un rituel sacrificiel engage les gens à le répéter. C'est parce que l'on voit les bons effets du masque *do*, que l'on entend en procurer l'initiation aux jeunes (cf. p.140). Une femme voleuse a accusé faussement son chien d'avoir mangé la pintade destinée au repas familial. Le chien est battu, s'enfuit, puis revient déposer un bouchon d'herbe dans le récipient à eau. La femme en boit; au matin elle est morte. Interrogé, le cadavre désigne le chien comme auteur de sa mort. Tout le monde comprend: le chien innocent s'est vengé. De là l'origine d'un nouveau rituel: «Depuis ce moment, quand un voleur est accusé d'avoir soustrait quelque chose, et qu'il nie, on lui pose la tresse (d'herbes) dans la main pour que ce Yaro le tue, s'il ment» (p.54; cf. 192-194).

Nous verrons plus loin qu'il y a d'autres façons d'expliquer les échecs: par exemple des fautes importantes ont été commises, les ancêtres et les dieux le savent et bloquent les mécanismes sacrificiels; ou bien un dieu plus fort s'oppose à l'activité bénéfique du dieu protecteur, etc.

Bref la crédibilité du sacrifice s'enracine dans l'expérience individuelle et collective des vivants et de leurs ancêtres.

Le logicien pensera: cette crédibilité repose sur un sophisme: *post hoc, ergo propter hoc*. En réalité ce n'est pas si simple! le philosophe ne doit pas facilement dénoncer l'illusion sans expliquer d'abord comment l'illusion est possible. La meilleure méthode consiste ici à soupçonner derrière l'apparence du sophisme, un mécanisme réellement efficace. Mais lequel?

5.2.2 La structure dramatique des séquences rituelles

La plupart des récits bobo pourraient être mis en synopse, ce qui fait apparaître une structure-type. Notre attention retiendra d'abord ce qui, dans ces narrations, apparaît comme plus développé donc plus important aux yeux des informateurs. Nous verrons ensuite ce qui est laconique, peu explicite ou passé sous silence.

Nous disons structure dramatique parce que chaque récit raconte une crise.

5.2.2.1 Mobilisation ordonnée du groupe

Lorsqu'une épidémie se déclare, que femmes et hommes tombent malades, le chef réfléchit, appelle les griots, leur ordonne de monter sur les terrasses, d'appeler les vieux, de proclamer que tous doivent sortir le lendemain à l'aube, se réunir au lieu où s'assemblaient leurs pères pour obtenir la paix. Les griots descendent. A l'aurore le chef envoie le forgeron faire sortir les vieillards. Tous arrivent.

Le chef prend la parole. Il les commande, ses grands-pères se sont assis à cette place, et aussi ses pères. Ceux-ci ont indiqué autrefois la chose bonne à accomplir pour le maintien de la paix. Le vieillard qui est là, sait ce qu'il faut faire. − Les assistants crient: C'est vrai, le vieillard doit parler (p.15s.).

Dans une situation catastrophique que représente une épidémie, le village, on le voit, se tient bien en mains.

«Lorsque Dofini (Ciel-Dieu) demande un sacrifice, on fait une proclamation si la chose intéresse tout le village» (p.14). C'est normal! Mais même lorsqu'il s'agit de problèmes d'un groupe plus restreint, les récits notent fréquemment la réunion des anciens. Les femmes de la famille ou du village (dispersées chez leurs maris) sont convoquées ou doivent cotiser pour le sacrifice (pp.31, 34). Le principe est constamment affirmé.

Même lorsqu'un individu fait une alliance, en somme personnelle, avec des génies de la brousse, sa bonne fortune sert aussi aux autres villageois, et tout en affirmant que seule la famille et les assistants peuvent manger des viandes sacrifiées, il est précisé «mais les vieillards en reçoivent une part» (p.92).

Parfois il est procédé à une consultation en règle des ancêtres. Des jeunes gens ayant rencontré une chose extraordinaire (cinq houes dans un fourré non détruit par un feu de brousse), un adulte puis son père sont mis dans le coup, enfin «le lendemain à l'aurore le vieillard attrape une poule, s'approche des ancêtres pour leur raconter l'affaire» (p.88; cf. p.32; comparer avec B. de Rasilly 1965: 105).

Autrement dit, le culte n'est jamais présenté comme strictement personnel ou individuel. Le sacrifice suppose un groupe en état de mobilisation, mais dans l'ordre. Mobilisation parce qu'il y a crise. Quelle sorte de crise?

5.2.2.2 Le désir des hommes

Dans le corpus rituel que nous étudions, il n'y a aucun indice d'un culte désintéressé qui aurait pour but la pure louange du dieu ou la contemplation de sa perfection. Par contre chaque séquence rituelle est mise en rapport avec des désirs anthropocentriques précis.

a) L'inventaire en est facile. Les Bobo demandent la santé, des femmes, des enfants à naître, des récoltes abondantes, le succès à la chasse et à la pêche. En cas de maladie, de sécheresse, de stérilité, c'est la guérison, la pluie, la fécondité qui sont demandées. On implore d'échapper aux accidents quand on défriche, quand on coupe les arbres, quand on part à la chasse. Si l'adultère, le voleur et l'empoisonneur abritent leurs mauvais désirs sous le couvert de quelques dieux, le mari bafoué, le propriétaire légitime, les parents de la victime poursuivent le criminel de leur vengeance et un autre dieu les y aide. Le désir prend parfois une forme globale: on demande la paix, ou «Que Dofini les aide, que Nyu-Dofini les aide, que la place de la paix les aide» (p.17).

Un désir va rarement sans s'additionner de tout ce qui est fondamental pour la société bobo. En cas d'épidémie, le rituel demande évidemment la santé, plus exactement la paix (cf. p.16), mais aussi des femmes et du mil (p.17). Cependant il y a des désirs contradictoires: Kani est le dieu des cavernes et, à ce titre, procure des enfants aux femmes stériles.

> Il existe un autre village possédant un dieu protecteur qui permet d'entrer dans les trous de Kani pour tuer les porcs-épics. Les fidèles de Kani n'admettent pas cela, ils disent que leurs enfants sont sortis de la demeure de Kani, ils ne veulent pas qu'on coupe du bois pour l'entasser à l'entrée, qu'on allume ce bois pour enfumer le trou, car alors les êtres qui sont là vont mourir. Si les *managa* (doubles) des enfants nés de Kani se trouvent là-dedans, ne vont-ils pas périr? C'est pour cela que les fidèles de Kani n'autorisent personne à pénétrer dans sa demeure (p.29s.; cf. p.72).

b) Les désirs qui s'expriment dans ces rituels sont tout à fait normaux, sains et fondamentaux pour ces hommes. Mais il faut en préciser la structure: ils sont éprouvés évidemment par les individus, mais à l'intérieur d'une collectivité qui les partage. La formulation rituelle et sacrificielle des désirs passe toujours par le truchement du mari (pour une femme), du père, des anciens, voire des ancêtres. Ils suscitent une attente, une anxiété: se réaliseront-ils? Le rituel, avons-nous dit, est une expérimentation: un désir est formulé, un sacrifice accompli, joint à une promesse: on attend le résultat. On sent bien que les chefs, les anciens, les pères de familles ont la responsabilité de satisfaire les désirs des leurs: procurer des femmes à leurs enfants, et une descendance aux femmes, donner à tous les vivres nécessaires.

Autrement dit, le désir, tout inévitable et légitime qu'il soit, est *dangereux*. Non seulement il peut provoquer jalousie et rivalité, mais l'anxiété qu'il produit peut dégénérer en violence et mettre le groupe sens dessus dessous.

La société est en émoi; on y sent une effervescence, une sorte d'‹entraînement› collectif. Cet aspect des choses est compensé, certes, par l'ordonnance persistante de la société; celle-ci donne l'impression d'être suffisamment maîtresse d'elle-même pour ne pas craindre le déchaînement d'une violence extrême. Cependant l'anxiété est bien là: qu'arriverait-il si tout le groupe, exacerbé par le désir, se mettait en branle comme un seul homme en furie?

Nous avons peine à imaginer un tel déferlement. Il n'est pourtant pas chimérique. Nous verrons plus loin des séquences rituelles incluant un quasi-lynchage. Les narrateurs bobo reviennent souvent sur l'indication: il y a danger de mort[14]. De plus les bienfaits demandés rituellement ne sont pas strictement individuels, ils concernent le groupe, la famille étendue, le quartier, le village; si la crise se résoud dans la paix et le contentement général, c'est aussi qu'elle commence par l'anxiété de tous[15]. L'unanimité du désir et de l'anxiété n'a ni le même sens ni le même effet psycho-sociologique que l'unanimité de l'adhésion aux valeurs du groupe.

5.2.2.3 Le visage des ‹dieux›[16]

a) Si l'on regarde de près le présent corpus, on est obligé d'arriver à la conclusion: *le dieu n'est pas autre chose que l'expression du désir humain.* Le dieu prié et donateur c'est le désir qui attend sa réalisation. Le dieu est aléatoire comme le désir lui-même, la représentation que l'on en a, est la traduction même des désirs ressentis. Les rivalités des dieux sont des conflits de désirs. Les génies de la brousse ou de l'eau c'est l'incertitude même dont est frappée toute activité de l'homme dans l'En-dehors non-humain. Enfin, de même qu'il y a de bons et de mauvais désirs, il y a des dieux bons et mauvais: à chaque désir correspond une ‹puissance›. Soit le dieu Kani:

---

14 On a l'impression que la sanction atteint davantage un individu que le groupe entier. Cependant cette sanction est diffuse: quand une faute grave est commise, ce n'est pas forcément le coupable qui meurt, mais n'importe qui; une épidémie peut s'en suivre. On comprend donc l'anxiété du groupe.

15 Si le récit (pp.15-16, cité plus haut) explique de façon si solennelle le rassemblement de tous sous l'autorité du chef, c'est que l'épidémie cause une énorme angoisse: les femmes et les hommes meurent, indistinctement.

16 Nous gardons ce mot, tel qu'il se trouve dans J. Cremer (1927). On peut en discuter la pertinence. On pourrait parler d'esprits, de puissances.

Le chef d'ici a fondé le village. Un jour une femme part couper du bois, entre dans le fourré, aperçoit un trou, entend des pleurs, comme si des enfants étaient au fond. La femme s'enfuit, court chez le chef, lui raconte comment elle a pénétré dans la brousse, ce qu'elle y a vu, c'est un trou qui se lamente. Le chef se lève, part examiner cette chose-là, dit: Hé! la femme a dit vrai. Il attrape une poule, l'apporte, jamais il n'a vu de chose pareille, il fait un sacrifice.

Ce chef s'en va, se promène, et voici qu'une de ses femmes ne peut avoir d'enfants. Le chef ramasse des cauris, les pose devant le Diseur de Choses Cachées. Celui-ci se baisse, examine, s'écrie: Hé! Il y a quelque chose dans le bois, on l'appelle Kani, le chef n'a qu'à aller là-bas avec une poule, poser la confiance, et ce Kani donnera un enfant à la femme stérile (p.26s.).

Ce qui est fait et la femme accouche d'un enfant à la tête rouge. Puis ce Kani se révèle un heureux protecteur: les nombreux enfants qu'il a enfantés grandissent, il est temps de leur procurer des épouses. Tout le monde a la santé. Chaque bienfait est marqué par un sacrifice de remerciement et d'attente du bienfait suivant. «Quiconque désire en vain quelque chose, s'approche de Kani, lui parle, l'implore. S'il s'agit d'une femme qui veut obtenir un bienfait, le propriétaire de cette femme parle, explique à sa place. C'est ainsi qu'on est exaucé» (p.28).

Kani, dieu des cavernes et des enfants à naître, s'oppose à Nankwa le dieu de la chasse dans les trous (cf. ci-dessus). Sa spécialisation n'est cependant pas rigoureuse; le désir des hommes passe comme nous l'avons dit, des femmes aux enfants, aux récoltes et à la santé; Kani qui donne des enfants à ceux qui ont fait alliance avec lui, leur donnera aussi le reste, dans sa ‹sincérité›. Inversement, il semble relativement rare qu'un seul dieu-protecteur soit invoqué, la plupart du temps il y en a plusieurs, associés entre eux et aux ancêtres. Bref le dieu est multiple comme le désir; il glisse d'un objet à un autre.

b)   Ces dieux-désirs ont le caractère de *doubles*. Non seulement ils sont liés à des supports matériels (arbres, bosquets, grotte ou caverne ferrugineuse, forge ou tige de fer plantée en terre, pierre enlevée d'un champ, masques)[17]. Mais encore ils sont l'objet de manifestations hallucinatoires: le dieu de la fécondité Kani fait entendre des vagissements de bébé; mais en tant que dieu interdisant la chasse au porc-épic, il a le comportement d'un animal furieux (cf. ci-dessus). Le Sopé de Dampan est un morceau de fer très long, enterré près du haut-fourneau des forgerons et recouvert de scories. «Un jour un... forgeron aux yeux clairs... aperçoit le Sopé qui s'élève, monte, grandit tout brillant. Il pense que pareille chose n'est pas bonne.» Un vieux est mort récemment, c'est peut-être lui, «le vieux forgeron annonce que, le piquet en fer est sorti, cela n'est pas bon» (p.21). Un village ne se rend pas compte que ses nombreuses naissances sont dues à Kani, mais, quand il fait noir, les fils de Kani se changent en chiens errants et en enfants du quartier, vagabondant dans les rues et demandant des gâteaux de mil (p.30; cf. p.35). Un

17   Le corpus de Cremer ne contient pas toutes les indications voulues pour se faire une idée parfaitement claire de tous les supports-fétiches nommés (cf. le résumé donné par H. Labouret, pp.4-7).

petit village est doté d'un *do* fort puissant, résidant dans le ruisseau. Un jour, un griot vient faire sa musique. En s'en retournant,

> Il se dirige vers le ruisseau, met le pied dans l'eau pour traverser, soudain un masque surgit, le menace de son couteau. Le griot attrappe son petit tambour, le fait résonner, danse dans l'eau, en frappant son instrument et avance ainsi à reculons. Parvenu sur l'autre rive il se sauve. Le masque regarde le griot fuir, puis rentre dans le ruisseau (p.153s.).

c) La structure du double se retrouve sous forme de la *mauvaise conscience*: on a négligé le dieu qui envoyait les nombreuses naissances (cf. pp.31, 36). Il faut évidemment qu'un malheur se déclare pour qu'on s'en apercoive:

> Dans un quartier de Samberekui deux fromagers gigantesques abritaient l'autel de Lobwa. Ils moururent. Les habitants, par indifférence, négligèrent de célébrer leurs funérailles. Aussitôt une épidémie d'origine mystérieuse décima le village. Elle ne cessa que lorsque le chef, prévenu des deux inconnus, probablement envoyés par Lobwa, se décida à accomplir la cérémonie oubliée (p.35).

d) Enfin le dieu n'agit que sur la prière de ses fidèles: il faut lui parler, lui expliquer ce que l'on veut. Il n'est pas l'omniscient devant qui l'expression du désir serait superflue.

On est donc contraint à reconnaître que ces dieux n'ont pas d'autres traits distinctifs, d'autre consistance, que les désirs humains et leur caractère aléatoire.

5.2.2.4 *La crise et sa résolution*

La crise, c'est l'unanimité anxieuse du désir mobilisant tout le groupe, supérieurs et inférieurs. Sa résolution, c'est le sacrifice: on a fait quelque chose: le groupe est rassuré, rasséréné. Le devin a expliqué, par exemple, quelle était la cause du mal, quel dieu était en colère, et quel genre de sacrifice il fallait faire (cf.pp.35-37, 31 etc.). Encore faut-il laisser le temps s'écouler pour juger de l'efficacité du remède. Lorsque l'attente est comblée (maladies guéries, épidémies stoppées, femmes obtenues, naissances nombreuses d'enfants en bonne santé) il n'y a plus qu'à remercier par un nouveau sacrifice, ce qui apaise tout à fait la conscience du groupe. Si on ne le faisait pas, si on perdait de vue que les biens obtenus sont aléatoires, on s'exposerait à la vengeance du dieu, c'est-à-dire qu'on rendrait ces biens encore plus aléatoires. Rasséréné donc par cette bonne expérience, le groupe peut formuler un nouveau désir.

Evidemment nous ne comprenons pas encore pourquoi le sacrifice obtient cette rémission de l'angoisse. Nous constatons seulement, que dans la bouche des narrateurs bobo, il y a apaisement. On peut donc conclure que la société va de désirs angoissés en désirs angoissés, avec entre les deux un temps de rémission suivant le sacrifice, et durant plus ou moins longtemps.

Comment les informateurs bobo traduisent-ils cet apaisement? Ils n'insistent guère sur les souhaits de paix[18]. Le repas sacrificiel n'est pas présenté d'une manière très claire, comme un geste de «communion». Il y a une certaine attention portée au partage équitable des victimes, mais on n'explique jamais pourquoi tel groupe reçoit tel morceau, ni pourquoi telles personnes consomment le repas à l'exclusion d'autres. Cependant on sent qu'il se produit quelque chose: on boit la bière (dont une partie a été offerte en libation), pendant que les femmes font cuire les viandes et préparent la bouillie de mil; les narines se dilatent, les langues se délient, le temps passe tranquillement... les hiérarchies sont respectées[19].

Le lecteur est un peu déçu! On aurait aimé que les Bobo expriment ce qu'ils ressentent au moment de l'immolation. Ils disent seulement d'un mot: «On tue la victime, on fait des libations...» Parfois un détail est noté: «On déchire la gorge de la poule en tirant sur les deux parties du bec» (p.189). «Il puise de l'eau avec une calebasse à manche et la verse sur le Sopé» (p.20). Par contre il est très souvent dit que la poule tombe sur le dos en tendant les pattes, signe qu'elle tombe bien et que le sacrifice est accepté.

Pas beaucoup d'indications sur le choix de la victime. C'est une poule, un coq, un mouton, un bœuf. Parfois un détail: «cet animal-là (un mouton) n'est ni acheté ni payé, on l'attrappe pour immoler...» (p.20), il faut une chèvre rouge (p.27), ou une poule noire (p.51), ou un poulet sans plume (p.55).

Concluons que ces récits se présentent pour la plupart comme une multitude de variations sur un thème. Le sens précis de certaines variations nous échappe. Mais le thème est unique: l'immolation d'une victime et sa consommation apaisent une société en crise. Chaque sacrifice est différent et c'est pourtant toujours la même chose. Pour tenter de comprendre le mécanisme d'un tel apaisement, il nous faut considérer avec plus d'attention la résolution de crises bien définies.

5.2.3 La résolution de quelques crises spécifiques

5.2.3.1 Epidémies

Nous avons vu plus haut comment un village, décimé par une épidémie, se rassemble pour interroger un vieillard. «Ce qu'il sait, lui, c'est qu'à côté du grand Dieu Dofini il y a autre chose, autre chose de différent, nommé la tête de dieu, Nyu-Dofini» (p.16)[20].

---

18 B. de Rasilly (1965: 142-143) donne les indications suivantes. Le sacrificateur dit: «Merci à vous, et que ce sacrifice soit accepté»; les autres répondent: «Merci à toi et que ce sacrifice soit accepté.» «Alors celui qui a offert les victimes du sacrifice va maintenant vivre en toute confiance et assurance; dès à présent, quelque soit ce qui peut l'atteindre, il dit: «Que Dieu et nos ancêtres me viennent en aide.»

19 «Les femmes préparent la viande, quand celle-ci est cuite le prêtre sort un gigot, l'offre aux gens du quartier du chef du village, c'est à eux. Personne ne peut toucher à cette viande si le vieillard n'y a goûté le premier, car c'est ce vieux qui possède le village» (p.76).

20 D'après H. Labouret, *Dofini* signifie ciel ou Dieu-ciel, ou dieu d'en haut (Cremer 1927: 4). Sur la notion de Dieu chez les Bwa, voir B. de Rasilly (1965: 110).

On ne voit pas très bien ce que ce dieu a de spécial, faut-il y voir une sorte de «quintessence» de Dieu (tête de Dieu)? En tout cas il est présenté comme «autre chose», et c'est sans doute ce qui compte. A situation extrême il faut un moyen différent. Ensuite le vieillard propose la mise en œuvre d'une coopération généralisée:

> On va fixer un jour où la bière sera prête, et, ce jour-là, les habitants se réuniront. Le pauvre achètera une poule, noire ou blanche, c'est la même chose, le riche achètera avec ses cauris un bélier, ces victimes serviront à marier le sacrifice à Nyu-Dofini[21]. Ces offrandes faites on ordonnera aux femmes de piler le mil pour faire des beignets, chaque chef de famille en remettra trois au prêtre (Cremer 1927: 4).

Tout le monde accepte. Chacun sait qu'il faut un délai de plusieurs jours (au moins trois) pour préparer la bière de mil et qu'il y faut une bonne somme de travail, c'est la tâche des femmes.

La cérémonie elle-même se déroule pendant une bonne partie de la journée. Quand les gens sont réunis

> le chef salue Nyu-Dofini, lui dit bonjour. Le dieu possède le village, si un homme y meurt, ce n'est pas bon, il vaut mieux que cette personne s'approche de lui avec une offrande agréable. Que Nyu-Dofini pardonne, accepte ce bélier, rende la santé aux habitants. — On tue la victime, on fait des libations de bière, on prononce des prières, des promesses. Les assistants se lèvent, se réunissent aux femmes pour boire le reste de la bière de Nyu-Dofini.
> Quand les assistants ont fini de boire, le soleil est haut. Le gâteau de mil est présenté avec la viande, on en coupe une parcelle pour faire une offrande au dieu puis on mange le reste.
> Il y a encore les beignets. Les femmes reçoivent du mil, le font frire, chacune sort trois beignets qu'elle porte dans la maison du chef. Alors les vieux s'appellent, vont s'asseoir au lieu des réunions, les enfants les rejoignent, à l'exclusion des femmes et des hommes.
> Le chef parle: Huya! en vérité leurs grands-pères se sont assis à cette place pour la paix. Les vieux ont expliqué le sacrifice à offrir à Nyu-Dofini, tout a été accompli, voici maintenant les beignets pour obtenir les femmes et le mil. — En même temps il fait une offrande à Nyu-Dofini. Les vieux mangent les premiers, les enfants achèvent le reste des beignets puis tous se lèvent et remercient: Que Dofini les aide, que Nyu-Dofini les aide, que la place de la paix les aide. Merci! Merci! — Ils s'en vont (p.16-17).

On reste surpris: comment une cérémonie aussi simple, aussi limpide peut-elle être présentée et acceptée comme remède extraordinaire à une épidémie déplorable. L'informateur (comme s'il partageait notre surprise) termine sa relation par cette affirmation: «Ces sacrifices sont efficaces, guérissent les malades. Telle est la vieille coutume qui m'a été rapportée.»

Quel est donc le mécanisme sacrificiel et quelle est exactement son efficacité? Nous discernons trois lignes de rapports: les rapports des participants entre eux

---

21 L'expression «marier le sacrifice», très usuelle dans le recueil, n'est pas expliquée.

avant et après le sacrifice, les rapports des villageois au dieu, et enfin leurs rapports à la victime.

a) Nous avons dit plus haut que la séquence sacrificielle se déploie sur un fond d'ordre social et en même temps sur un fond d'anxiété généralisée mettant le groupe en péril de violence.

La première impression que donne le présent récit, c'est le sentiment de l'ordre: le village se tient bien en mains. Point de confusion; les hiérarchies sont affirmées; les tâches réparties; les groupes distingués. Après le sacrifice, l'atmosphère semble détendue: dans un premier temps, hommes et femmes sont réunis pour boire ensemble la bière; on prend son temps puisqu'il est noté que le soleil est déjà haut quand on a fini de boire. Le repas vient plus tard encore; quand on sait que la préparation de la bouillie de mil se fait habituellement le soir, on peut penser qu'une bonne partie de la journée est occupée à cette célébration.

Pourtant l'ordre affirmé dans ce repas sacrificiel n'est pas du tout l'ordre coutumier de chaque jour: il est étrange que hommes et femmes soient réunis pour boire ensemble (et peut-être pour manger, le texte est moins explicite); d'ordinaire, en Afrique, hommes et femmes mangent et boivent séparément. Ensuite le deuxième repas aux beignets qui réunit vieillards et enfants est inhabituel. On a l'impression d'un repas simplifié et en quelque sorte misérable à côté du plat de mil à la viande. Les convives sont séparés artificiellement des adultes, comme si l'on mimait une situation de catastrophes où ces derniers font défaut: d'où la prière pour obtenir des femmes et du mil.

Nous pensons donc pouvoir affirmer qu'après le sacrifice il y a un ordonnancement du groupe en quelque sorte exagéré, ou inhabituel accentuant certaines oppositions (adultes engendreurs/vieux et enfants), réunissant de plus près des hommes et des femmes qui d'ordinaire sont mieux séparés. Nous pensons que ces distinctions s'opposent à la situation précédente faite d'une tension unanime, d'une angoisse généralisée; dans l'épidémie, les différenciations sont brouillées: «femmes et hommes tombent malades», tout le monde peut être atteint indifféremment; dans la préparation du rituel: tout le monde va dans le même sens; au moment du sacrifice, tous se retrouvent derrière le chef. Il importe de sentir que cette unanimité est violente et dangereuse[22] parce qu'elle ne respecte plus les distances normales entre les personnes. Cette mauvaise unanimité se détend dans l'acte sacrificiel comme si tout le monde précipitait la victime dans la mort, d'un même geste angoissé. Après, le groupe se retrouve, détendu, comme désarticulé, dans un ordonnancement accentué.

---

22   Le mot unanimité est gênant parce qu'il connote un accord bienfaisant, apaisant des disputes qui éloignent les gens les uns des autres. Ici nous le prenons en sens inverse: dans la vie courante, les gens sont à distance les uns des autres par leurs statuts, leurs rôles, leur subjectivité, ce qui ne les empêche pas de communier aux mêmes valeurs; dans une situation de catastrophe: tous les gens, dans leur angoisse, foncent ensemble dans la même direction, affolés. C'est une mauvaise unanimité, dangereuse et violente. Pensons par exemple aux personnes qui se mettraient toutes de même côté d'une embarcation et ainsi la feraient chavirer.

b) Interrogeons maintenant la figure du dieu en nous appuyant sur ce qui a déjà été dit du dieu-désir. Nyu-Dofini c'est au fond la maladie qui possède le village, l'anxiété généralisée qu'elle cause, et la possibilité de santé souhaitée de tous; c'est un dieu à qui on ne pense pas d'habitude puisque le vieillard en révèle l'existence; il est vraiment ‹autre chose, autre chose de différent›, comme l'épidémie même; la parole du chef laisse entendre que le dieu est en faute: «Le dieu possède le village, si un homme meurt, ce n'est pas bon», ou qu'il est mécontent, il y a peut-être faute du côté des hommes («Que Nyu-Dofini pardonne»): sans que le chef précise de quelle faute il s'agit; d'ailleurs le rite a été décidé d'un commun accord, sur les conseils d'un vieillard, sans qu'on ait consulté un devin qui puisse indiquer les fautes possibles. Bref on est unanimement dans une anxiété profonde, avec le désir intense de la santé retrouvée. Face au chef et à la population, Nyu-Dofini c'est le double, image de ce que les gens craignent et espèrent. Nous serions tentés de dire: le trou béant dans lequel tous risquent de s'abîmer (la mort) et l'espoir d'être retenus au bord[23]. Aucune indication n'est donnée concernant ‹l'autel› ou le support matériel du dieu; on dirait qu'il n'y en a point; et puisque les gens se déplacent et font les offrandes là où ils se trouvent, on a l'impression que ce dieu est partout et localisé nulle part. C'est peut-être cela la différence de cet autre dieu, aussi mystérieux que l'épidémie même.

Le remède: «Il vaut mieux que cette personne (qui meurt) s'approche de lui avec une offrande agréable.» Ce qualificatif indique que le dieu doit être apaisé. Et le chef prie: «Que Nyu-Dofini pardonne, accepte ce bélier, rende la santé aux habitants.» Nous dirions: il vaut mieux envoyer vers ce dieu mystérieux et dangereux ce bélier, plutôt que d'y aller nous-mêmes (en mourant). L'anxiété générale est apaisée parce que tous ensemble (par le truchement du chef) précipitent dans la mort, un animal au lieu de se laisser happer par elle.

Le geste accompli, le village se retrouve en ces groupes distincts. La tension unanime fait place à la différenciation accentuée des groupes (non pas forcément la différenciation coutumière). L'essence de la démarche sacrificielle se trouve là. L'efficacité du sacrifice n'est pas qu'il rende la santé: cela ne se saura que plus tard, quand on en aura fait l'expérience. L'efficacité c'est que l'angoisse intolérable a disparu, comme le dieu lui-même, auquel il n'est plus nécessaire de penser dans l'immédiat: après le salut: «Que Dofini les aide», etc., le texte ajoute: «ils s'en vont». Il ne reste plus que la paix, la satisfaction d'avoir agi, l'attente apaisée de la santé. Ou, si l'on préfère, le dieu change de visage, à l'image du groupe dont il est le double: il devient espoir favorable. Après le vertige du danger, on respire, assis et calmé.

c) Le rapport du village à la victime (ou aux victimes) est bien explicité. Tout le monde, unanimement, doit se procurer un animal, et les femmes doivent faire chacune trois beignets, et préparer la bière. Face aux offrandes, il y a donc du côté

---

23 Nous pensons à l'expérience du vertige: la personne retenue par un parapet au-dessus d'un gouffre. Parapet et gouffre sont inséparables et fonction l'un de l'autre.

du village une effervescence, un déploiement unanime d'activité. Nous dirons là encore que la victime représente l'état du groupe, dont les différences ordinaires et légitimes sont brouillées par l'épidémie et l'anxiété générale. La victime est comme le dieu, un double-image. En basculant dans la mort, l'animal égorgé emporte ce double-contagion. Les libations et offrandes de nourritures prolongent ce geste fondamental.

Si le repas sacrificiel est communion-participation, il faut bien voir en quel sens. Nous pensons que le repas est rémission de la tension angoissée de tout à l'heure, dans une différenciation retrouvée des personnes (même si cette différenciation n'est pas la différenciation coutumière) plutôt que l'affirmation paisible de la vie relationnelle ordinaire.

5.2.3.2   Adultère[24]

a)   Interrogeons d'abord la *figure* des dieux spécialisés.

> Quand vous vous apercevez qu'une femme s'est sauvée pour venir dans votre quartier, n'avertissez pas le mari, car le dieu Boyantin s'irrite. Il sait bien ce qui se passe, c'est lui qui permet cela, pourquoi en parler? Il vous envoie une maladie si vous bavardez. Il faut consulter le Diseur de Choses Cachées, celui-ci explique le sacrifice à faire pour que le ravisseur périsse. Alors la femme revient à son mari (p.48).

Autrement dit l'adultère est un crime, qui même secret, a ses mauvais effets; le dieu représente l'irritation de l'homme trompé et en même temps l'anxiété dans laquelle va se trouver le quartier qui abrite les amants (on en verra plus loin les effets). Le secret ou plutôt la discrétion marque aussi la démarche du mari trompé:

> L'homme dont la femme s'est sauvée ne dit rien, il reste tranquille un ou deux mois, jusqu'à ce qu'il connaisse le village du ravisseur. Alors il part, entre dans la maison de celui-ci, enlève une des lattes du plafond, et la place sous la poterie qui sert à cuire le gâteau de mil. Si on allume ce bois pour préparer la nourriture, et que le ravisseur mange ce gâteau, il meurt. Il arrive que la femme volage parte encore avec un autre homme, son mari fait de même pour celui-là, met une latte de plafond sous le vase, le nouvel amant meurt. La femme se fatigue d'errer chez des hommes qui périssent successivement, elle rentre chez son mari (p.48).

Cette discrétion dans la démarche signifie, semble-t-il que le mari veut surtout la mort de ses rivaux, plutôt que celle de sa femme, bien trop précieux pour le perdre[25] et que le mari doit faire attention à ce que sa vengeance n'aboutisse pas à une violence généralisée.

Le dieu contre l'adultère se confond avec l'intérêt même de celui-ci: «Le fidèle de Boyantin qui part dans un autre village ne mange pas la fleur du kapokier,

---

24   Quatorze péricopes sur l'adultère dans le corpus de J. Cremer (1927).

25   Un autre informateur dit: «Il arrive qu'une femme de chez nous se sauve, se marie ailleurs; on supplie dans ce cas le Sopé de la tuer parce que sa descendance sort ainsi de chez nous et cette descendance appartient au Sopé» (p.20).

n'enjambe pas le pilon à mil, ne s'assied pas sur une chaise de femme, s'il le fait il ne peut se marier» (p.48)[26].

En tant que représentant l'interdit, ce dieu fonctionne dans le secret, sans qu'on ait besoin de le prier, et quelles que soient les précautions prises: «L'homme qui prend la femme d'un autre peut agir en secret sans que personne le sache, mais le dieu le voit, et cela n'amène pas la paix» (p.50).

Un autre interdit-dieu, appelé Kiro, se révèle bien gênant.

Lorsqu'on ravit une femme pour la donner à son mari, les camarades de celui-ci n'approchent pas la fiancée pour passer la nuit avec elle. Celui qui fait cela meurt. Les gens apprenant cette coutume demandent si ce Kiro là est un dieu: on leur répond que oui, il appartient aux forgerons. Ils conseillent d'abandonner cet usage (p.48s.).

Si le Kiro est un interdit, on peut s'entendre sur sa levée. C'est ce que raconte un amant qui voudrait vaincre les résistances d'une femme. «...il n'y a pas de danger, dit-il, puisque l'autre jour les chefs ont marié le sacrifice pour lever l'interdiction de ce Kiro» (p.49). La femme consent, mais se retrouve effrayée quand on lui apprend que cette levée d'interdit n'a jamais été faite, c'était un mensonge. Les gens remarquent que le cœur de la femme bat (p.50). Le Kiro c'est donc à la fois l'interdit, l'anxiété qui atteint les coupables, et le malheur qui va se répandre: «Deux mois se passent. Les œufs se gâtent sous les poules, et toutes les femmes avortent... ces malheurs proviennent du Kiro. La maladie va frapper ceux qui ont transgressé sa défense, ils mourront, s'ils gardent le silence, le quartier va être décimé» (p.50s.). Mais personne ne bouge[27]. Le coupable est inquiet.

Le coupable se couche, descend en lui-même, pense, s'il se tait, ne va-t-il pas mourir? Mais cependant s'il n'est pas malade? Il délibère longtemps, et décide de ne parler que si la maladie s'abat sur lui. Or le jour du marché il est indisposé, prend peur, appelle le chef, et lui avoue sa faute en le suppliant de n'en parler à personne, car c'est la honte pour lui (p.51).

Quand le vieux aura tout dit au chef des forgerons possesseurs du Kiro, ils penseront: «Ce Kiro est vraiment fort.» Plus tard les forgerons diront aux gens: «Kiro qu'ils ne connaissent pas est terrible on ne l'aborde que l'échine courbée, en suppliant, pendant le sacrifice personne ne doit parler. Celui qui n'obéit pas à ces prescriptions, meurt. Ont-ils compris?» (p.52).

Nous comprenons très bien... Ce dieu n'est que le double: l'interdit objectivé que la société se donne à elle-même et sans lequel elle ne peut que s'abîmer dans la violence et le malheur.

---

26 Ces interdits signifient le respect de la femme d'autrui. Le chasseur placé sous la protection du dieu de la chasse Yaro ne doit pas «s'asseoir sur une autre chaise que celle de sa femme» (p.73); enjamber le pilon, outil de la femme, peut signifier dominer une femme, la fleur rouge du kapokier sert à faire une sauce filante.

27 Rappelons ici la consigne du silence – discrétion. Les gens savent qui sont les coupables. Mais une dénonciation amènerait sans doute des vengeances, accroîtrait la tension entre les familles (celle de l'offensé et celle du coupable). Comparer avec V.W. Turner (1971: 303).

Mais il y a d'autres procédés pour empêcher une femme de fuir et d'autres visages de dieu. Un village possède dans son marigot un masque qui surgit dès que quelqu'un prétend traverser la rivière, le menaçant de son couteau:

> Maintenant encore aucune personne n'approche de ce ruisseau, sous peine de mort, et tout le monde en a peur.
>
> La femme de ce masque se trouve dans un petit village nommé Zenwiri, elle se tient là et en sort la nuit pour se promener. Aussi personne ne se hasarde dehors. Lorsqu'on épouse une jeune mariée on la confie à ce masque femelle pour l'empêcher de joindre un autre homme (p.154).

Ou bien on attache le *boni* (le double) de la femme, sous forme de paille, dans la maison du prêtre de Nazi (p.175). Rien de plus fragile que cette paille, rien de plus tentant que le désir d'une aventure, mais rien de plus solide que le sentiment de la faute. Ici d'ailleurs un ‹contre-dieu› peut intervenir.

> Un mari maltraite sa femme, qui décide de fuir, elle prend dans le carquois de son époux une flèche, en casse la hampe qu'elle jette, et emporte le dard. Elle le remet à ses nouveaux maris, parle avec eux, leur dit de prendre cela, de le porter sur leur dieu, d'expliquer qu'ils ont une femme dont le Boni est attaché, on ne peut le délier. Mais voici une flèche sortie du carquois de l'ancien mari. On n'a qu'à s'en servir pour pratiquer l'ancienne coutume d'avant sa naissance, autrement sa vie est perdue (p.175s.).

Cette coutume consiste à transformer le dard en bracelet que la femme portera constamment sur elle. Car de même que son *boni* est liée à son mari quelque part dans la maison de ce dernier, de même le *boni* de son mari lui est lié par le bracelet. Si la femme meurt par suite de la vengeance de son époux légitime, elle entraîne celui-ci dans la mort. Ce ‹lien› se fait moyennant un sacrifice. Dès que la femme est en possession du bracelet de fer (que le forgeron a appelé «cela c'est la vie»):

> Ce jour-là même, sans attendre la nuit, le nouveau mari saisit une poule, et emmène la femme près du dieu. Ce dieu-là est un protecteur, c'est lui qui leur donne des épouses. Celle-ci est venue vers eux, mais son Boni est resté chez ses anciens maris, elle n'a pu s'en emparer. Mais la flèche tirée du carquois de l'autre homme a servi à faire un *bakin* [bracelet] la fugitive le portera au bras. Le corps du dieu va se refroidir, la poule sera acceptée, des rêves favorables visiteront la femme durant son sommeil, sinon elle mourra. Le dieu la protègera... qu'elle se rassure, ne permette pas à son cœur de bouillir, car le mal est fini. La femme se lève (p.176).

On saisit très bien que ce nouveau-dieu est à la fois l'anxiété de la femme et le désir de l'amant. Le résultat du sacrifice est l'apaisement de la femme, la tranquillité du nouveau ménage. Ce que comprend très bien l'ex-mari. S'apercevant qu'il ne parvient pas à faire mourir la femme, il dit:

> Hé! Cette femme connaissait le secret, elle a sorti une flèche du carquois. Il s'informe, demande si on a vu un *bakin* à son poignet; les gens répondent qu'ils ont aperçu cela mais n'en parleront pas. La flèche a été sortie sinon la personne n'aurait pas vécu ce temps-là (p.176).

On pourrait dire que le visage de ce dieu signifie à la fois l'affirmation du lien de la femme avec son époux légitime, en même temps que la nouvelle union, quasi régularisée, en tout cas ne produisant plus de malheur[28].

b) *Le processus sacrificiel*. Reprenons le cas de l'homme adultère, qui après beaucoup d'hésitation a fini par avouer sa faute, au moment où il sent la maladie s'abattre sur lui (p.51s.). La séquence sacrificielle comprend plusieurs phases, qu'il faut saisir dans leur unité dramatique. D'abord les vieillards se rassemblent, discutent et décident d'agir au plus vite. «Il faut dès aujourd'hui attraper la poule noire, laisser passer la nuit, et attendre le lendemain pour manger le Kiro»[29]. Le lendemain les vieillards donnent la poule au forgeron, maître du dieu, «pour qu'il pardonne, cesse de frapper les jeunes gens et les enfants. Plus tard on immolera une vache noire, adulte, ayant déjà porté son veau. La poule est égorgée, on en coupe une aile pour les gens de notre quartier» (c'est-à-dire le quartier du mari trompé). Cette première cérémonie est destinée à montrer la bonne volonté de tout le monde. Mais il faut aller plus loin, car la tension n'est pas du tout résolue. En effet la vache est réclamée aux habitants du quartier de l'homme adultère. Les gens refusent, c'est au coupable de payer. Ils prétendent ne pas le connaître, et que l'affaire ne les intéresse pas. On voit bien ici comment l'adultère engendre un conflit qui tend à se généraliser, à monter deux quartiers l'un contre l'autre, au nom

---

28 Il peut être utile de réfléchir sur la nature du *boni*. Plusieurs récits racontent que, quand une personne est malade et va mourir, son double *boni* ou *managa* se promène effrayant les gens. Si quelqu'un ose lutter avec lui et le défait, le double se change en paille ou quelqu'autre objet et tombe à terre; il n'y a qu'à le ramasser et le ranger dans sa maison. L'homme dont le double est ainsi mis à l'abri, ne meurt pas, il vit très vieux. Le double d'une femme se transforme parfois en panier à bois; la femme ne meurt pas. C'est donc rendre service à quelqu'un que d'affronter son double terrifiant (pp.167-178), et de le ramener à la vie. On ne peut s'empêcher de voir dans cette croyance: la peur de la mort, la conviction que les parents, amis et connaissances du malade ont à entreprendre des choses difficiles pour retenir le moribond, que frôler ainsi la mort est dangereux et effrayant. «Quelqu'un va mourir, il est tombé malade, s'est fatigué, va passer. Ses parents appellent le forgeron, lui racontent que leur frère va mourir, il faut attraper son *managa*. Le forgeron arrive, quand les gens dorment, s'assied à côté du mur, se cache, tout le village repose. Le *managa* du malade sort, gronde. Si le cœur du forgeron est ferme il saisit ce *managa*, lutte avec lui, le tient, s'empare de lui. Mais le *managa* glisse, tombe, se change en un petit arc courbé. Le forgeron prend cela dans sa main, l'emporte dans sa maison, envoie chercher une poule noire, se rend dans la brousse, y coupe du bois de Kanjabani (?) qui est dur, et le lie avec l'arc courbé, puis attache cela soigneusement avec une corde à la fourche de soutien du toit. Le forgeron tue la poule en disant que ce *managa* a été attrappé, fixé là, qu'il ne peut partir dans un autre endroit. Quand tout est fini l'homme en danger ne meurt pas, il restera en vie» (p.177). Le sacrifice ici est fait sans être offert expressément à personne; d'autres récits le disent offert à Nazi protecteur du quartier ou à Dieu-ciel (p.174): Un rituel montre le sacrificateur attachant une flèche à la poutre de sa maison, une flèche dérobée au malade, y attachant le *boni* changé en fétu, et l'y collant avec le sang d'une pintade aux ailes de laquelle il a arraché trois plumes (geste ordinaire pour empêcher une pintade de s'envoler), qu'il insère dans le lien. Le mécanisme de ce sacrifice est qu'au moment où quelqu'un risque de basculer dans la mort, le groupe anxieux et unanime dépasse sa frayeur en retenant sur le bord du gouffre la personne en train de trépasser et en envoyant à sa place un animal.

29 Remarquer l'expression. Plus loin on trouvera l'expression ‹manger la maison d'un criminel› , pour dire détruire. Manger le Kiro c'est détruire ce qu'il représente comme menace. — Remarquer aussi que le Kiro est hors du village, assez loin des maisons, près d'un bosquet. Le Kiro est donc aussi un lieu. Le récit précisera encore que le dieu n'est pas sur la terre nue, mais sur un rocher, il est donc une effigie. Il faut tenir ensemble cette constellation sémantique.

de la solidarité qui lie les gens entre eux. Pour augmenter l'anxiété, «on leur fait remarquer que... [si le Kiro reste longtemps sans victime] le dieu va s'irriter et les tuer, ne le savent-ils pas?» De fait,

> les gens de Zakui sont inquiets, s'appellent, se réunissent, discutent. Ce dieu-là appartient aux forgerons et maintenant on leur réclame à eux une vache noire. Celui qui a offensé le Kiro devrait se procurer l'animal, mais si sa recherche dure longtemps, et qu'ils meurent tous avant qu'elle ne soit finie? Ne vaut-il pas mieux que chacun apporte sa part de cauris pour acquérir la victime, afin de marier le sacrifice? Tous acceptent, se lèvent et reviennent chacun avec 300 cauris (p.52).

La bête est achetée et amenée aux sacrificateurs. Cinq vieillards sont là, dont les forgerons, et les chefs de trois quartiers. Il est précisé qu'aucun jeune homme ne les accompagne. De plus les gens de Zakui et le coupable restent dans les maisons: «La honte les mange.» Des recommandations sont faites aux assistants: «Kiro qu'ils ne connaissent pas est terrible on ne l'aborde que l'échine courbée, en suppliant, pendant le sacrifice nul ne doit parler. Celui qui n'obéit pas à ces prescriptions, meurt. Ont-ils compris?» Ils approchent donc, en pliant le dos. «Le prêtre offre la victime: Voici la vache noire, que le Kiro l'accepte et permette aux enfants de grandir. Si une nouvelle offense est faite une autre victime lui sera présentée. En même temps le prêtre cogne l'effigie de sa main remplie de cauris.» Les morceaux de la bête sont partagés entre plusieurs quartiers dont celui de Zakui.

Ce n'est pas encore fini: les coupables doivent payer de leur personne. Avant le sacrifice, le mari est allé chercher sa femme retournée dans son village natal.

> Elle refuse de l'accompagner car la honte la tue mais il insiste, discute, l'insulte; elle n'avait qu'à éconduire son amant, l'opprobre ne l'accablerait pas aujourd'hui. Maintenant les chefs et les forgerons sont réunis, la vache noire est là. La femme suit (p.52).

Il faut aussi appeler le coupable. Car les deux amants doivent manger ensemble une portion de la fesse de la vache immolée.

> L'homme arrive chez le prêtre, reçoit sa part, il doit la manger toute entière avec la femme. Mais la honte le tue, il se couche par terre. La viande est abandonnée à cet endroit, les forgerons recommendent de ne pas y toucher, quiconque y touchera mourra; elle reste là jusqu'à ce qu'elle soit pourrie.
> Personne ne peut insulter le coupable, lui reprocher sa faute et l'offense au Kiro. Qui ferait cela, périrait (p.53).

La dernière phase du rituel montre à l'évidence, croyons-nous, que le résultat le plus clair de l'adultère devrait être la mort des deux coupables. Ils devraient en pourrir comme la viande qu'ils n'ont pas le courage de manger. Or c'est précisément cela qui est soigneusement empêché: non seulement ils ne sont pas punis, mais on ne doit même pas les insulter. La femme a été houspillée par son mari, mais non pas molestée. En effet la tension causée par l'adultère et les malheurs accumulés, ne ferait que s'envenimer si les quartiers respectifs de l'homme trompé et de l'adultère en venaient aux mains. Il suffit qu'il y ait la honte, et la crainte, que tout le monde marche en pliant le dos. Le dieu qui interdit l'adultère interdit aussi d'insulter les coupables. Il suffit que tout le monde le reconnaisse[30].

c) *L'efficacité* du mécanisme sacrificiel. Il ne suffit point de dire: autrefois les coupables étaient tout simplement lynchés, maintenant on leur substitue une victime. Il s'agit de comprendre pourquoi le rituel actuel tel qu'il est, est ressenti par tous comme efficace.

Considérons d'abord le rapport des *gens entre eux* avant et après le sacrifice. Avant, nous pouvons parler d'unanimité dans l'anxiété et la réprobation. Le rituel a fait monter l'angoisse chez tout le monde, la honte chez les coupables, la responsabilité du quartier de Zakui; il pourrait y avoir violence entre les quartiers, puis violence de tous contre les coupables: au lieu de continuer à faire corps dans la colère, les gens se séparent[31]. Le repas sacrificiel ne signifie guère la communion, mais plutôt, puisqu'il y a un partage précis, le positionnement des partenaires à distance respectable les uns des autres, sans confusion. Un accord se retrouve à la fin: c'est celui de la reconnaissance d'une valeur commune, l'interdiction de l'adultère. Cette unanimité n'a pas du tout la même signification ni le même contenu que la précédente unanimité, mauvaise et dangereuse, faite d'angoisse et de réprobation généralisée.

Le rapport au *dieu*. Kiro est le double, aditionnant en lui la complexité de la situation (interdit, punition, anxiété, violence et répression). Réalisons qu'il est comme une sorte de gouffre où le groupe risque de s'anéantir, ou comme une masse ‹terrible› qui risque d'écraser. Au moment du sacrifice, le double disparaît: le prêtre cogne l'effigie de sa main remplie de cauris. Ce qui reste à la fin du rite, c'est seulement une maxime morale partagée par tout le monde: si on prend la femme d'autrui, on meurt... Entre-temps, la situation qui comprenait la violation effective de la règle, l'angoisse de tous devant la mort qui rôde, la vengeance contre les coupables, est stoppée et détruite.

La *victime*, bien qu'elle émane du quartier de l'adultère, et que sa couleur noire représente les ténèbres d'une mauvaise conscience, n'est pas seulement le substitut des coupables. Elle représente tout le monde: les coupables certes et leur famille, mais aussi tout le village, par le truchement des vieillards et des forgerons. La

---

30   Le récit se termine d'ailleurs par cette affirmation péremptoire: «Dieu a mis ceci sur nous. Celui qui ne possède pas de femme ne doit pas attraper celle d'autrui pour passer la nuit avec elle; le châtiment c'est la mort du coupable, celle des enfants du quartier» (p.53).

31   Des précautions sont prises: aucun jeune homme n'accompagne les vieillards. La qualité des assistants n'est pas précisée. Mais un autre récit dit: «Lorsqu'on offre des sacrifices (à Boyantin) les petits garçons, les jeunes célibataires n'approchent pas, ne goûtent pas la chair des victimes, on ne leur donne que des viscères et les gens mariés ne touchent pas à cela. Les personnes qui n'ont pas sacrifié à ce dieu ne participent pas au repas, même si elles sont mariées; par contre les filles y assistent le jour où l'on immole le bœuf» (p.47). Ces dispositions semblent avoir pour but d'inculquer aux filles la crainte de l'adultère, de mettre à l'abri les plus jeunes, et d'éloigner les gens mariés qui ne sont pas directement impliqués dans l'affaire. Quant aux viscères abandonnés aux enfants, il faut peut-être y voir simplement les habitudes enfantines du pays: quand un adulte tue un poulet et le nettoie, il abandonne les boyaux qui sont immédiatement récupérés par les enfants, grillés sur la paille et consommés sur place.

victime est tout autant que le dieu, le double de la situation. En mourant elle entraîne avec elle la mauvaise conscience générale. La formule «que le Kiro l'accepte
et permette aux enfants de grandir» pourrait se traduire: que dans le gouffre de
la mort s'engloutisse la terrible situation où nous sommes, et que la vie tranquille
et prospère revienne.

d) Le rituel décrit a été retenu parce que plus détaillé. Il y en a d'autres. Le sacrifice intervient à tous les moments de la crise provoquée par un adultère. Un devin
peut expliquer au mari trompé le sacrifice à faire pour que le ravisseur périsse
(p.48). Un quartier de village qui pratique des mœurs faciles, mais constate que
les enfants sont peu nombreux, délègue ses chefs auprès du forgeron pour offrir
une poule au dieu «afin qu'il permette d'échanger les femmes» (p.49) ou pour ‹ré-
gulariser› une situation (p.176). Pour comprendre cela il ne faut pas que le sacrifice signifie expulsion d'une faute ou d'une souillure, ou substitution d'une victime à un coupable, il faut et il suffit que le sacrifice soit l'expression d'un désir
posant un double face aux intéressés. Le double détruit, l'anxiété disparaît, la certitude que le ravisseur va périr est acquise, etc. Le sacrifice est ainsi résolution de
l'angoisse.

Le mécanisme fonctionne toujours même si, plus tard, les événements démen-
tent la certitude acquise.

Les gens de Bankouma ont entouré leur Do d'une barrière. Lorsqu'ils se réunissent,
s'approchent du Do pour marier le sacrifice, ils disent: Hey! Si les hommes d'un
autre village veulent séduire les femmes d'ici, que le Do les tue, et on lui offrira
un bœuf.
Un étranger arrive à Bankouma pour une affaire, la traite, se retire. Les gens l'accompagnent, le reconduisent un peu sur le chemin puis font semblant de regagner
le village. Mais ils reviennent, ramassent la poussière recouvrant la trace de l'étranger, la déposent dans le vase du Do, promettant un coq au dieu, si celui-ci tue
l'étranger. Ils attendent. Le bruit du décès ne parvient pas, et tous disent que les
protecteurs de cet homme sont forts, plus forts que leur Do. Ce Do a tué jusqu'à
ce jour, mais cette fois il n'a pas réussi. C'est que les dieux de l'autre sont plus puissants (p.147).

Voilà des gens méfiants, barricadés, comme leur dieu, contre les étrangers. Les
sacrifices les rendent confiants. Pourtant leur attente est finalement déçue. L'expérience ne les convainc pas de l'inanité du procédé, mais que le dieu de l'autre est
plus fort que le leur. Autrement dit l'efficacité du sacrifice se situe au niveau de
la résolution d'une crise, non au niveau de l'obtention de tel ou tel bien demandé.

La suite du même récit est exemplaire. Un jeune homme de Kani est venu cour-
tiser une fille de Bankouma. Quand ils se quittent, un garçon ramasse de la poussière des traces du jeune homme. La fille proteste: elle ne veut pas qu'on empoisonne son ami. Le garçon met tout de même de la poussière dans le vase de Do.
La fille jure qu'elle va avertir les gens de Kani. Le père du jeune homme, prévenu,
rassemble les gens: «Les deux villages sont ennemis, qu'on se hâte! Si Bankouma
est plus fort Kani tombera en ruines.» Kani défie donc son rival. «Le père du jeune

homme attrape des poulets, s'approche du Do de Kani, qui est fort. Il explique comment le Do de Bankouma tue les personnes par l'empoisonnement et voici les victimes pour que le village de Bankouma soit détruit» (p.148). Même chose de l'autre côté. Finalement Kani est vaincu; mais ses habitants refusent d'aller à Bankouma demander pardon et s'enfuient ailleurs.

5.2.3.3 Les maléficiers[32]

a) Le *drame* social causé par l'empoisonnement est celui de l'enchaînement des meurtres.

Au départ il y a la mauvaise volonté[33] d'un individu: «L'empoisonneur qui veut nuire à une personne cherche le secret du nom de celle-ci, ou la protection qu'elle porte sur elle, et quand il l'a découvert, il s'en empare, et dépose cela sur son dieu» (p.182s.). Ce dieu se trouve en brousse. Il faut prononcer devant lui le nom de la personne à tuer. On tue un coq: «...c'est pour le dieu, afin qu'il aide ses fidèles à tuer des gens dont ils grilleront la chair pour la manger» (p.194s.). Il est facile à comprendre que ce dieu est la représentation du mauvais dessein de l'empoisonneur. Certains villages n'en veulent absolument pas (p.190). Le mauvais désir du criminel est associé à la conscience du risque qu'il court: «Quand l'homme est mort, les dieux des empoisonneurs ne chassent plus ceux du Diseur [devin], et celui-ci révèle que ce sont les empoisonneurs qui ont tué» (p.195): ce qui n'empêche pas le criminel de faire un sacrifice «à son dieu pour qu'on ne le tue pas au cours de la cérémonie» (p.185).

C'est donc le cycle infernal des vengeances qui va commencer. Aux funérailles de la personne tuée par l'empoisonneur, il est procédé à l'interrogation du cadavre. Celui-ci désigne son meurtrier. L'empoisonneur est rapidement exécuté. Mais son ‹double› s'attaque immédiatement à ceux qui ont porté la main sur lui.

Les empoisonneurs sont difficiles à tuer même après leur mort. Ils sont nombreux et abîment le village.
Tout le monde sait que la destruction de ces empoisonneurs est dangereuse, ils vous déciment une famille. Celui qui fait périr l'un d'eux part dans la brousse, se met à cultiver son champ, lève sa houe... la fait tomber sur le pied de la personne, le sang coule. Quoi qu'on fasse, ce Managa est toujours à ses côtés, l'accompagne. Les dieux s'ils sont forts, vous défendent, s'ils vous abandonnent, le Managa de l'empoisonneur vous tue (p.188)[34].

---

32   Une quinzaine de péricopes dans le corpus. J. Cremer, emploie le terme d'empoisonneur. Un récit distingue empoisonneur de mangeurs d'hommes (1927: 199). Il semble que le premier utilise des substances dangereuses (cf. p.195).

33   Un des récits rationalise en disant: «Quiconque n'offense pas ses ancêtres n'a rien à craindre des empoisonneurs. Mais celui qui mange quelque chose sans en offrir aux ancêtres, fait brûler le cœur de ceux-ci, qui le maudissent, et l'empoisonneur le tue» (p.184).

34   L'empoisonneur et son double persécuteur est comparé au chat (p.188s.).

Une anxiété intolérable tend à envahir la société. Elle s'invente donc un nouveau dieu pour arrêter cette violence, Nyaganyaga (cf. p.186, 188). C'est dans cette ambiance dramatique qu'il faut saisir la séquence rituelle, qui comprend après la cérémonie d'envoûtement, l'interrogatoire du cadavre de l'envoûté, l'exécution de l'empoisonneur, la protection des exécuteurs, enfin le prix du sang.

b) La *séquence* rituelle. L'exécution de l'empoisonneur ressemble tout à fait au lynchage. Dès qu'il est désigné:

L'un des jeunes gens assis se lève, frappe l'empoisonneur à la tête avec son siège de bois. L'homme tombe. Tous les autres l'entourent, tapent en criant. Mogo, Mogo Hé! Les griots eux-mêmes frappent avec leurs instruments. Quand tout est fini, on tire à l'écart la dépouille de l'empoisonneur (p.183).

Un autre récit donne cette description:

La nuit les jeunes gens s'appellent, descendent au quartier de l'empoisonneur. Quatre personnes sont désignées, pénètrent chez l'empoisonneur qui dort, chacune d'elles frappe celui-ci sur la tête avec un bâton tenu à deux mains, elle ne frappe pas deux fois. Les meurtriers rejoignent les jeunes gens qui les attendent sur la place du quartier et annoncent que la chose est faite. Une clameur est alors entendue: les uns crient *mize mize*; et les autres répondent Hé! En même temps les grands sifflets sont déchaînés. A ce signe les griots saisissent leurs instruments, les font retentir, et les habitants du village accourent en foule brandissant qui un couteau, qui une hache, qui un gourdin, pour frapper le cadavre tiré hors de sa maison. Si la femme de l'empoisonneur ne s'enfuit pas au moins pendant trois jours, sa vie est menacée (p.185).

Puis le corps est traîné autour du village jusque sur la tombe de l'empoisonné. Le vieux griot parle: «que la victime contemple son meurtrier... On l'a tué à son tour, la dette n'est-elle pas payée?» Le lendemain matin la foule revient auprès du cadavre exécuté. Il s'agit de l'expulser avec tout ce qui peut rester de lui: toutes les pailles (qui peuvent être des doubles de l'empoisonneur) trouvées dans sa maison, sont mises sur son cadavre: «Que ces pailles entraînent ton Managa, qu'il descende vers le couchant avec ton odeur mauvaise. Au couchant que le soleil te chauffe» (p.186). Le cadavre est pris par les prêtres du Nyaganyaga, ils lui ouvrent le ventre, sortent le foie, et le mangent ainsi sans le griller. Le mort est posé sur les pierres du Nyaganyaga, on y accumule du bois et on brûle le tout. Après quoi «on puise de l'eau pour refroidir les pierres du Nyaganyaga» (p.186). Tout a l'air terminé, pourtant on fait entendre une proclamation: «que toute personne ayant vu l'empoisonneur le dénonce, la nuit même on ira le tuer. — L'empoisonneur présent a peur, se sauve dans la brousse pendant trois jours, à son retour il ne fait plus de mal»[35].

Avec ce lynchage rien pourtant n'est achevé. Ce sont les meurtriers du meurtrier qu'il faut maintenant protéger. Voici comment l'on peut faire.

---

35 Il n'est pas facile de décider si cette proclamation vise les complices de l'empoisonneur ou d'autres empoisonneurs possibles, voir ‹le double› de l'exécuté qui pourrait réapparaître, comme tous les doubles.

On ramène le cadavre de l'homme empoisonné, on apporte un chien. Avec cet animal on frotte le corps de celui qui le premier frappe l'empoisonneur, puis on enterre le cadavre après avoir sacrifié le chien. La viande est préparée sur une terrasse. Le dos est pour le premier agresseur qui le mange (p.184).

Un autre texte dit: «Le Managa de cet empoisonneur [lynché] se lève, suit le premier qui a frappé le corps, et si cette personne ne se hâte pas de faire le nécessaire, le Managa la tue» (p.187). Différentes précautions sont prises: l'exécuteur sacrifie une poule à Do «pour que la vengeance ne l'atteigne pas», une autre aux ancêtres, promettant des victimes plus importantes encore. La nuit, l'exécuteur change sa natte de place, la dressant contre un mur, de façon à ce que l'agresseur-fantôme s'y heurte. Pendant quinze jours, il se garde bien d'aller en brousse, il s'y ferait tuer par le double. A la longue «le Managa ne voit personne, se décourage, s'en va» (p.187). Ou encore:

> Celui qui a pris le corps de l'empoisonneur pour le brûler sur le Nyaganyaga qui a mangé son foie, doit se dépêcher d'agir s'il veut rester en vie. En arrivant à la maison, le vieillard prend le médicament de Nyaganyaga, le lui fait absorber. S'il refuse, son ventre gonfle, il meurt; s'il accepte il ne lui arrive rien. On ne mange pas impunément la chair humaine, quiconque le fait sans prendre ensuite le Nyaganyaga meurt.
>
> Le prêtre du Nyaganyaga ne redoute rien. Lorsque le Managa de l'empoisonneur se présente pour le tuer, le Nyaganyaga ferme la porte, et le Managa ne peut pénétrer dans la maison (p.187s.).

Rien n'est donc plus grave que cette violence, déchaînée pourtant comme par légitime défense. C'est toute la société qui risque de s'y engloutir; l'anxiété couve. Maintenant ce sont les parents de l'empoisonneur qui doivent intervenir.

> Alors les parents de l'empoisonneur sollicitent le pardon des meurtriers[36] et l'autorisation d'enterrer la dépouille; autrement celle-ci abandonnée sera dévorée par les chiens, et cela n'est pas bon. Les chefs accordent la permission mais on ne célébrera pas de funérailles (p.184).

Le défunt empoisonné au contraire a des funérailles solennelles mais tout de même très spéciales: les griots reçoivent du grain de la part de la famille du défunt, et s'en vont sur le sentier conduisant à ses champs; puis les filles du village rassemblent des cauris, attrappent des chèvres, conduisent ces animaux sur le même sentier, et les égorgent là. Elles donnent la viande aux griots. Ces cérémonies terminées, les filles du village creusent la glaise ferrugineuse, la préparent, ferment et dament la tombe de l'empoisonné (p.184).

On dirait que l'empoisonné est évacué hors du village vers la brousse, comme si son souvenir était dangereux. Pour finir, le paiement du prix du sang:

> Les parents de l'empoisonneur mis à mort préparent de la bière, comptent 8 000 cauris, attrappent un bœuf, offrent tout cela aux chefs et aux forgerons, maîtres du village. Car toute personne qui s'est battue avec une autre, a pris son arc, a tiré

---

36 Double sens: demandent au cadavre de l'empoisonneur le pardon pour ses meurtriers, ou demandent aux meurtriers le pardon pour eux-mêmes.

une flèche même sans résultat, doit payer cependant 8 000 cauris, et la bière. L'empoisonneur a tué, ses parents demandent à l'enterrer, on leur fait ajouter un bœuf (p.184).

Il s'agit bien d'un sacrifice. Dans un autre récit on lit:

> Les enfants du défunt déclarent que leur père a empoisonné; ils apportent ce bœuf et la bière et ajoutent en plus 8 000 cauris.
>
> Les assistants absorbent la bière, puis immolent, débitent le bœuf en réservant la part de nos quartiers. Le dos est réservé aux forgerons (p.192).

La séquence étudiée laisse croire que le dépistage de l'empoisonneur était facile. Il n'en est pas toujours ainsi. Un informateur décrit l'ordalie employée à ce dépistage (p.191). Une ordalie peut être invoquée pour prouver l'innocence de quelqu'un désigné par l'interrogation du cadavre (p.193). Une personne a été lynchée; mais la caste des musiciens, dont elle faisait partie, entend se laver de tout soupçon. L'ordalie est concluante. Aux meurtriers maintenant de payer l'amende aux musiciens, sous les insultes des filles dansant le *yenyen*. L'épisode aura un bon résultat. L'objet de fer qui a servi pour l'ordalie victorieuse est installé, devant la porte du quartier, consacré par l'immolation de «30 et 30 poules»: il tuera l'empoisonneur. «Si quelque empoisonneur étranger arrive devant la porte du quartier pénètre... et qu'une personne le frappe, le poursuive, il ne pourra fuir, sera forcé de s'arrêter là» (p.194). Cette assurance contraste avec la tension et l'anxiété déchaînée par ces empoisonneurs.

c) Le mécanisme sacrificiel et son *efficacité*. Retenons de cet ensemble la polyvalence du sacrifice et des dieux: ils servent à tout, aussi bien du côté des empoisonnés, pour se préserver, pour attaquer, pour arrêter l'enchaînement fatal des violences que du côté des empoisonneurs. Les dieux sont aussi enchevêtrés et contradictoires que les désirs humains dont ils sont les doubles. Des sacrifices sont faits à n'importe quel moment de la séquence: chaque fois le désir est stabilisé et apaisé en assurance. Il faut alors attendre que les faits confirment la conviction[37]. Mais comme une violence entraîne une autre violence vengeresse, l'assurance produite par le sacrifice antérieur est vite tombée. Une nouvelle anxiété ressurgit qu'un nouveau sacrifice apaisera... Le cycle infernal des vengeances pourrait continuer indéfiniment.

Ce nouveau type d'anxiété généralisée a son dieu double propre: Nyaganyaga capable de tuer quiconque ‹mange de la chair humaine› aussi bien que d'arrêter le contrecoup vengeur du meurtre. Dès le début, les jeunes puis la foule qui lynchent l'empoisonneur, sont animés par la crainte de sa vengeance; ils voient son double partout. Il faut littéralement – lui fermer la porte au nez!

Enfin les parents de l'empoisonneur offrent aux chefs et aux forgerons maîtres du village, le bœuf du sang versé. Il n'est pas précisé à quel dieu il est offert; mais ce n'est pas nécessaire puisque la loi est énoncée: «Toute personne qui s'est bat-

---

37 Une expérience favorable aboutit donc à l'installation d'un nouveau culte qui sera renouvelé chaque année pour que des empoisonneurs continuent à être arrêtés (p.194).

tue... » La mauvaise anxiété qui naît du sang versé et bouleverse le village est évacuée par cette dernière immolation du bœuf, et fait place à l'apaisement: on boit la bière et on emporte la viande débitée de la victime.

d) *Confirmation*: la destruction du mauvais dieu. Un certain Dabé rapporte et installe hors du village un dieu. Anxiété: que vaut-il? Un sacrifice est fait; la poule tombe mal: «Les assistants déclarent que l'affaire de ce dieu n'est pas droite, on ne connaît pas sa bouche» (p.197). Anxiété grandissante. Les gens délèguent quelqu'un chez le devin qui répond: «S'ils ne se hâtent pas de laisser ce dieu, maintenant que sa maison est finie, personne ne subsistera.» Anxiété confirmée. Le devin indique un remède: déterrer une racine poussant dans l'espace inondé, la brûler avec la racine d'un arbre poussant sur une fourmillière et sacrifier une chèvre à la tête et aux pattes rouges ainsi qu'une poule à queue oblique[38]. Alors le dieu «comblera ses fidèles de bienfaits, de richesses». Dabé fait le sacrifice: «Ce que les gens cherchent, dit-il au dieu, c'est la santé non le mal.» La poule tombe bien. «Les assistants s'écrient aussitôt que la chapelle, mauvaise avant, est devenue bonne, leur destinée est là, le dieu est puissant, il arrangera les affaires. Ils se lèvent et s'en vont.» Anxiété apaisée.

Or une occasion se présente de voir ce que ce dieu sait faire. Nizon, le fils du vieux va trouver le devin et lui dit «qu'on ne sait encore rien de ce nouveau dieu, est-il solide? Sa femme s'est enfuie, si son rival est mort dans trois jours, on saura que ce dieu est puissant comme un jeune homme.» Le rival tombe malade. Les gens disent: «Hé! on ne peut encore rien dire, mais quand le séducteur sera mort on pourra affirmer que le dieu est fort.» L'homme meurt. Les parents du mari trompé immolent un coq, priant le dieu «de se hâter, de tuer toutes les femmes du rival, qu'il n'en subsiste pas une seule». C'est l'engrenage de la vengeance.

«Le dieu recommence. A chaque mort on lui immole un coq. Il ne reste que deux personnes.» Nizon demande alors au dieu, par l'intermédiaire de son père, d'arrêter; ça suffit comme cela. Un sacrifice est fait. «Il se passe un long temps puis le dieu recommence à tuer, achève ceux qui restent.» L'anxiété revient. Maintenant c'est au tour de Nizon de tomber malade. Le devin révèle que Nizon peut s'en sortir si son père meurt à sa place. Nizon ne veut pas de cette honte. «On va présenter une poule au dieu; que celui-ci frappe l'oncle maternel ou un de ses fils.» L'oncle meurt.

Aux fils de ce dernier d'entrer en lice. Ils veulent laver le sang de cette mort. Et comme ce dieu-là empoisonne les gens, qu'on immole une poule aux ancêtres pour qu'ils expulsent ce dieu, l'empêchent de tuer. Un bœuf est immolé (pour laver le sang), la poule est sacrifiée, on jette le dieu, on démolit le sanctuaire et on en brûle les bois (p.198). La violence est arrêtée, parce que tout le monde se retourne contre le dieu qui a accompli si bien sa tâche meurtrière. Le spectre du mal est expulsé en un même geste: la destruction du bœuf, la destruction du dieu.

---

38 On a l'impression qu'il y a une astuce du devin dans cette désignation de victime: chèvre qui n'a pas une couleur franche et unique, poule à la queue tordue... Victimes qui sont à l'image du dieu lui-même: faux et rendant service en tuant...

5.2.3.4 Crimes et châtiments

5.2.3.4.1 La montée de l'indignation

La pluie est nécessaire aux agriculteurs, son retard crée l'anxiété. Un récit montre un homme immolant des poules à la fois aux ancêtres, au Sopé (dieu représentant la fondation et la prospérité du village), à la forge ‹où sont les anciens dieux› : «Il réclame la pluie au nom des Bobo. Il tue l'animal afin que les anciens dieux parlent, parlent, obtiennent la pluie.» La pluie est tombée, l'anxiété est calmée. On retourne auprès des dieux «parce qu'ils ont bien agi. Les Bobo se lamentaient à cause de la sécheresse, de la récolte compromise. Sopé, les ancêtres, la forge ont accordé la pluie, cela est doux. Et voici la poule de salutation [de remerciement] car le cœur des Bobo s'est refroidi, ils peuvent cultiver.» On ne peut être plus éloquent sur les sentiments qui entourent le sacrifice... Et ça continue... car on pense maintenant à la récolte: «S'ils obtiennent beaucoup de mil, ils reviendront saluer les dieux pour que ceux-ci les aident à manger en paix» (p.20s.).

Mais les choses ne se passent pas toujours aussi simplement. Une année la sécheresse n'en finit pas. Une série de questions est posée, chacune marquée par un sacrifice divinatoire. La cause du malheur n'est ni les ancêtres, ni Do, ni Nyule. Mais ceci: il y a eu dans la brousse des relations sexuelles interdites. Nouvelle série de poules pour déterminer le quartier des coupables et leur famille. L'anxiété causée par la sécheresse s'aggrave de l'anxiété causée par l'ignorance où l'on est de ce qui la provoque (p.158). La divination procède comme au *jeu des vingt questions* auxquelles on répond par oui ou non, suivant que la poule tombe sur le dos ou sur le ventre. La désignation des coupables (vérifiée par une contre-épreuve p.158) ne diminue pas l'anxiété. Un informateur raconte: «Il y a une grande foule, on désigne les deux personnes. Les habitants entourent leurs parents, les insultent, réclament d'eux un sacrifice pour la faute commise dans la brousse. Le garçon donnera un bouc, la fille une chevrette.» Le sentiment d'indignation devant l'interdit rompu, et le mécontentement de la Terre est exprimé. «On cherche un fruit de kapokier... on pose la bourre sur le ventre du bouc, on fait de même sur le ventre de la chèvre. On allume cela. Quant tout est consumé les assistants s'écrient qu'ils ont trouvé les coupables, les ont brûlés. Ils réclament la pluie. Puis les victimes sont partagées et mangées par les anciens»[39].

5.2.3.4.2 Le mécanisme sacrificiel

Le rite évoque incontestablement le lynchage des coupables par la foule; l'atmosphère est à l'effervescence. L'immolation d'animaux-substituts fait doublet tout en

39 Une variante encore plus claire: «On... emmène [les coupables] dans la brousse du côté du cours d'eau, les gens confectionnent des petits arcs et flèches en paille, ramassent de la bourre de kapokier. On fait coucher l'homme et la femme, on pose sur leur pubis de la bourre enflammée pour griller leurs poils. Les coupables se lèvent, s'enfuient vers la rivière et les assistants les criblent de flèches sans dards. Lorsqu'il n'y a pas de paille pour confectionner les projectiles, on lance des cailloux sur les deux amants jusqu'à ce qu'ils soient entrés dans l'eau, on les abandonne à ce moment. Ensuite le sacrifice est marié» (p.162).

allant plus loin: jusqu'à la mort. Alors il y a rémission de l'angoisse. Ce n'est plus la mauvaise unanimité, mais la dispersion: «Les victimes sont débitées, coupées, la viande est préparée, partagée, les anciens mangent, puis s'en vont, annonçant que leur affaire est terminée, le reste regarde la Terre et le dieu de la brousse...» (p.160); on ne peut mieux dire: le repas sacrificiel n'est une communion que dans un partage, une séparation, une différenciation. Et c'est là le bénéfice essentiel du sacrifice.

Quant au résultat palpable: la pluie, il faut attendre. «Au bout de trois jours, quand la pluie n'est pas tombée, on dit que les choses n'ont pas été bien faites. Il faut chercher encore la vraie cause qui écarte la pluie» (p.160). L'anxiété renaît.

Le dieu invoqué est la Terre et (ou) le dieu de la brousse (p.160). Il désigne à la fois le besoin d'eau et l'empêchement de la pluie, la loi du groupe (la relation sexuelle humanisée ne s'accomplit pas dans l'En-dehors non-humain) sans laquelle le groupe ne serait pas un groupe humain, et le bouleversement provoqué par la rupture de l'interdit, le caractère aléatoire de la pluie, réalité de l'En-dehors, enfin la surexcitation du dieu en colère. Quand le sacrifice est fait, le mauvais double est expulsé: il reste à l'En-dehors à agir. D'où la réflexion: «Si la pluie ne tombe pas c'est qu'il (le dieu de la brousse) n'est pas fort.»

5.2.3.4.3 Le rituel sacrificiel remplace le rituel judiciaire

«Une personne commet une mauvaise action (meurtre, ou vol) à l'intérieur du village. On dit que cela n'est pas bon qu'il faut arranger l'affaire, sinon la mort va frapper» (p.208). Comme on le voit, dans toutes ces séquences rituelles, la mort est toujours présente à l'horizon: c'est-à-dire une immense anxiété; dans cette ambiance le moindre malheur est mis en corrélation avec le crime et les maux qu'il produit. Dans une société qui aurait un pouvoir judiciaire, le criminel serait remis à la justice, il y aurait enquête, condamnation, peine; la société se trouve dispensée de procéder elle-même à ces tâches. Chez les Bobo, c'est le village tout entier qui va procéder à l'exécution des ‹hautes œuvres› par le truchement d'un lynchage sacrificiel.

Lorsque le coupable se rend compte que l'on va sévir contre lui

> ...il met aussitôt à l'abri ses provisions, ses animaux domestiques, les objets qui meublent sa maison, sinon les gens viendront enlever ses provisions, ramasser ses animaux... et gâter ce qu'il possède; puis ils prendront un balai pour nettoyer la maison et expulser les choses mauvaises qui y sont.
> Le coupable lui-même remet aux gens une chèvre et une poule. Les exécuteurs pénètrent dans l'habitation, invoquent la terre, parlent de cette action mauvaise, qui a été commise. Pour cela ils ont mangé la maison du coupable, il n'en reste rien. Le coupable leur a remis une chèvre et une poule, les chefs vont les sacrifier. — Ils remettent la poule au forgeron qui se met à balayer avec cet animal les coins des pièces, les fenêtres, les poutres, aussi haut que sa main peut atteindre. Puis il monte sur quelque chose, balaie encore au-dessus, et reste le dernier après que les assistants sont sortis. Enfin il soulève sa main de terre, et annonce qu'il a chassé au

dehors les choses mauvaises. Si quelqu'un entre dans cette maison, elles ne pour-ront coller après lui, ni tuer les animaux domestiques, passant devant la porte. Si l'on n'agit pas ainsi, tout le quartier sera contaminé par la nourriture que le cou-pable donnera aux gens, par les animaux domestiques que ceux-ci achèteront chez lui, et qui iront faire leurs petits partout (p.208s.).

Le texte continue par cette variante (ou supplément rituel):

Quand on a fini, on tue toutes les poules, toutes les chèvres, tous les chiens du quartier, sinon ils propageront le mal entre eux. On pousse le cri et les gens du quartier voisin accourent, poursuivent poules, chèvres, chiens, prennent la nourri-ture et personne ne peut s'y opposer, sinon c'est la mort (p.209).

Il y a donc branle-bas général; que signifie-t-il? On discerne d'abord une tenta-tive de lynchage du coupable et de destruction de tous ses biens, qui fait dire aux exécuteurs, non sans exagération, qu'ils ont ‹mangé› la maison du coupable et qu'il n'en reste rien. Cette violence unanime est typique des situations sacrificiel-les. Lorsque le coupable donne chèvre et poule pour être sacrifiées, il ne se fait pas simplement remplacer par ces animaux, il se met du même côté que tous les autres pour que le mauvais double soit expulsé par cette immolation.

Mais quel mauvais double? Le récit parle manifestement de contamination, de choses mauvaises qui infestent la maison et tout ce qu'elle contient, de quelque chose qui collerait à qui y entrerait ou passerait devant la porte. La dernière péri-cope, placée là par association d'idées, pousse même plus loin: les gens du quar-tier voisin viennent tuer tous les animaux errants du quartier du coupable. Si l'on croit au ‹prélogisme des primitifs› on dira: ils conçoivent la faute, matérielle-ment, comme une substance délétère qui poisse tout et qu'il faut expulser en ba-layant les lieux. Nous pensons qu'il s'agit d'autre chose.

Remarquons l'unanimité violente: «personne ne peut s'y opposer sinon c'est la mort» et c'est vrai, tout le monde se porterait contre cet opposant pour le tuer. Il faut donc d'abord observer que tout le monde (y compris le coupable) se trouve du même côté, sans différenciation. Tout le monde comme un seul homme se porte sur un lieu précis: la maison du ou des coupables. La chose mauvaise, c'est le double, ou la situation objectivée dans l'imaginaire unanime du village, c'est-à-dire et la faute commise et le danger de mort qu'elle produit et la réprobation una-nime qu'elle suscite, sans dissociation de l'un ou de l'autre. Et c'est tout cela en-semble qui se trouve évacué en même temps dans l'immolation des animaux.

La description rituelle est d'ailleurs obvie: le forgeron avec sa poule, ayant ‹ba-layé› la maison, pousse tout le monde devant lui, sortant le dernier. Tout le monde, unanimement, s'est précipité sur et dans la maison (affirmant y avoir tout mis en sac). Ensuite tout le monde est poussé dehors. Après quoi, et le sacrifice étant offert, c'est la paix revenue, de nouveau on peut entrer et sortir, les animaux peuvent se promener tranquillement. Nous pensons donc que ce qui contamine le village c'est la mauvaise violence unanime suscitée par la faute d'un individu.

Le narrateur insiste: «Si l'on n'agit pas ainsi le quartier sera contaminé par la nourriture que le coupable donnera aux gens, par les animaux domestiques que ceux-ci achèteront chez lui et qui iront faire leurs petits partout», bien sûr! Si le village ne passe pas par l'épreuve sacrificielle, cela veut dire qu'il fait comme si aucune faute n'avait été commise: on feint de croire que la vie relationnelle ordinaire faite d'échanges (don de nourriture, achats d'animaux), peut continuer alors qu'il n'en est rien; la faute grave produira la mort dans le groupe, et cela engendrera l'anxiété générale et il faudra bien tôt ou tard crever l'abcès. . .

Le présent rituel, avons-nous dit, remplace le pouvoir judiciaire, mais moyennant un jeu dangereux: celui de la violence unanime. Mais celle-ci trouve toujours son remède dans son aboutissement: le sacrifice sanglant.

5.3 Théorie du sacrifice africain

Nous avons seulement analysé un corpus rituel. C'est peu si l'on considère l'ensemble du continent africain. C'est suffisant si ce corpus permet de pénétrer au cœur des choses. Nous avons voulu cerner de près les moindres notations du texte, mais cela ne pouvait se faire sans porter en nous une hypothèse de travail qu'il nous faut maintenant présenter en forme de théorie.

5.3.1 Remarques préalables sur les théories du sacrifice

1. A aucun moment de notre analyse nous n'avons rencontré dans les récits bobo la moindre allusion à quelque théorie des *forces*. Nous récusons donc des explications comme celle-ci:

> Le sacrifice a pour mission d'assurer un circuit de forces mystiques à travers l'autel, par l'intermédiaire de la victime, ce qui permet aux génies de ‹se nourrir› de l'âme de l'objet consacré. Le génie perd de sa force en intervenant dans l'existence humaine, en fécondant le ventre de la femme, en assurant la réussite de la récolte, ou en protégeant l'homme contre les méfaits de la sorcellerie. Aussi est-ce un devoir de reconnaissance et surtout de justice pour le fidèle de restaurer l'énergie perdue à son intention[40].

C'est une explication aussi magique que la magie prêtée au rite! Rien de ces forces et de ces circuits n'est observable et leur rationalité n'a aucune consistance.

---

40 L.V. Thomas et al. (1969: 155 et le schéma p.157). Cf. M. Griaule (1940: 127): le sacrifice est une action ayant pour but de diriger le *nyama* des êtres dans un sens voulu par l'homme; ce n'est pas une création de forces, mais un déplacement de forces à l'intérieur d'un circuit utile par le déclenchement en un secteur contrôlé par le sacrificateur. On dirait un centre de *dispatching*. — Autre théorie dans J.C. Froelich (1964: 125): «Le but du sacrifice est de créer un rapport de contiguïté par identités successives, du sacrifiant au sacrificateur, du sacrificateur à la victime, de la victime sacralisée à la divinité, et retour en sens inverse. Le rapport établi est rompu par la destruction de la victime, il se produit un vide dans la chaîne de continuité que le dieu remplit en libérant le bienfait escompté.» Le sacrifice agirait ici comme une *pompe aspirante*! On nage en pleine magie. — Voir encore: B. Holas (1968d: 262) et L.S. Senghor (1964: 204).

2. Il importe aussi de prendre ses distances vis-à-vis de la conception biblique et chrétienne du sacrifice. Dans le rituel bobo il n'est jamais question de sacrifice spirituel, ni du sacrifice latreutique. De plus le sacrifice y est toujours lié à une crise, il n'a donc pas de périodicité fixe si ce n'est la périodicité des crises. Même les sacrifices annuels de prémices sont liés à une tension: le désir de consommer une récolte si nécessaire, et le désir de la manger en paix sans que des ennemis viennent semer la discorde. Dans la liturgie biblique et chrétienne au contraire, le sacrifice est avant tout lié au temps, (sacrifice du matin et du soir, messe quotidienne ou hebdomadaire) qu'il y ait crise ou non. Enfin, (si du moins notre théorie est exacte) le sacrifice bobo se déploie toujours comme résolution d'une mauvaise et dangereuse unanimité, vers un retour à une distanciation convenable des participants, dans la liturgie chrétienne c'est plutôt le contraire qui a lieu: la communauté dispersée s'assemble, pour produire une unité, une ‹communion›, (non violente certes, mais qui se situe à un niveau qui n'est point celui de la vie courante)[41].

3. Enfin le sacrifice africain ne paraît pas devoir être rapproché du geste de Polycrate jetant son anneau à la mer pour conjurer le sort ni du geste individuel de quelqu'un qui fait ‹un sacrifice› en se privant momentanément de quelque chose d'agréable (cf. Gusdorf 1948: 260s.). Le sacrifice africain se déploie dans une forme de pensée relationnelle et non pas cosmocentrique ou individuelle.

5.3.2 Rappels méthodologiques

1. Nous avons tablé sur l'unité du sacrifice bobo. Il est toujours identique à lui-même, quelles que soient les variations de détails. Point besoin de distinguer propitiation, expiation, purification ou demande.

Nous posons aussi l'unité des séquences rituelles: qu'il s'agisse d'offrande de prémices, d'expiation d'un crime, de demande de la pluie, d'initiation à des masques ou de funérailles, etc., du moment que le noyau en est un sacrifice.

2. Nous visons une explication de sacrifice qui permette de comprendre d'une manière homogène et au moindre frais, la genèse, la fonction, et la structure du sacrifice quel qu'il soit. Réalité sociale vécue en groupe et par chacun des individus y appartenant, le sacrifice doit reposer sur un mécanisme à la fois psychologique et sociologique. Et ce mécanisme n'existe pas seulement une fois, à l'origine, au moment (insaisissable) où le sacrifice est fondé pour la première fois, mais à chaque réalisation nouvelle du rite, tant du moins qu'il reste vivant et ne dégénère pas en vulgaire superstition.

---

41 D'autres considérations pourraient être faites qui intéresseraient le philosophe et pas seulement l'agent pastoral. Le sacrifice chrétien n'est pas sanglant et suppose la mémoire du Christ, victime sanglante, qui dénonce la mauvaise violence. On sait que le chrétien africain est généralement insatisfait devant la liturgie chrétienne et qu'il ne répugne pas à revenir aux sacrifices ancestraux. Par contre M. Sinda (1972), s'étonne que l'Eglise kimbanguiste, qui se veut africaine, refuse le sacrifice sanglant; serait-ce parce qu'elle fait, elle aussi, la mémoire de Simon Kimbangu, victime sanglante de la mauvaise violence coloniale qu'il dénonce?

5.3.3 Théorie proposée

Nous distinguerons l'effet sacrificiel et le mécanisme sacrificiel. C'est l'effet qui donne le sens au mécanisme. L'effet oblige à considérer le sacrifice sur l'axe du temps, selon l'avant et l'après, comme événement. L'effet n'est saisissable que dans un récit qui retrace l'ambiance émotionnelle du groupe en crise; les ‹rubriques liturgiques› ou la seule description de la chaîne rituelle, en ce qu'elle a de stéréotypé, ne saurait livrer que le vague souvenir de crises antérieures refroidies.

5.3.3.1 L'effet sacrificiel

Il consiste essentiellement dans la résolution (ou rémission) d'une mauvaise unanimité du groupe, provoquée par un événement dramatique, en la re-position des personnes dans leur différenciation relationnelle ordinaire. Le sacrifice conduit de l'effervescence unanime et dangereuse du groupe vers le repos apaisé des hommes.

5.3.3.1.1 La mauvaise unanimité

Il s'agit d'une émotion d'effervescence, d'une angoisse, d'une peur, d'un désir impérieux, atteignant tout un groupe à la fois (famille, quartier, association, village,...) et le dressant comme un seul homme, unanimement.

Nous avons parlé de *mauvaise* et dangereuse unanimité. En effet celle-ci ne doit pas être confondue avec la communion d'un groupe aux mêmes valeurs. Tout le monde peut reconnaître à froid que l'adultère est interdit sous peine de mort ou qu'il faut respecter les vieux et les ancêtres, toujours sous peine de mort. Dans la crise qui mène au sacrifice, il y a autre chose: un événement réel, par exemple, un adultère a été commis, on enregistre une épidémie de morts. L'angoisse qui s'en suit est faite d'indignation, et donc de reconnaissance de la valeur commune, mais un événement est produit: la mobilisation générale du groupe, son surgissement. Nous disons que cette unanimité est mauvaise, non pas quelle serait immorale, mais parce qu'elle brouille les distances entre les personnes, réunit tout le monde (souvent physiquement) et risque de mener au déchaînement de la violence. Certes il y a toutes sortes de degrés dans ce soulèvement: depuis le délire collectif qui aboutit au lynchage réel de quelqu'un, jusqu'au simple murmure qui passe de bouche en bouche, depuis l'exaspération angoissée d'un village qui attend la pluie pendant de longs jours jusqu'à l'impatience de jeunes hommes qui attendent qu'on les marie.

Cette unanimité est mauvaise parce qu'elle met en péril la vie relationnelle ordinaire, ou qu'elle l'agite comme une tornade. Dans la vie relationnelle de tous les jours, les personnes sont positionnées les unes par rapport aux autres; la diversité des statuts et des rôles les distancient les unes des autres sans les séparer; les échanges les rapprochent sans les confondre; les subjectivités sont diversifiées: chacun a ses pensées, ses préoccupations; les activités sont diverses. Dans la crise sacrificielle, cette différenciation cesse, tout le monde pense à la même chose, les activités diversifiées sont abandonnées, on se réunit pour discuter du problème, on accourt au lieu du drame... La vie relationnelle ordinaire serait ruinée si l'effervescence unanime n'était pas calmée.

Cette mauvaise unanimité n'est pas forcément désordre. Nous avons relevé maintes fois dans le corpus bobo qu'elle se déployait sur un fond d'ordre social: les hiérarchies restent affirmées, les chefs prennent leurs responsabilités, des tâches diversifiées sont distribuées. Mais cet ordre social n'a pas exactement le même sens en période de crise sacrificielle de mauvaise unanimité et en période ordinaire. Les chefs agissent comme chefs, mais à l'intérieur de l'inquiétude commune, ils prennent des décisions, non pour calmer l'angoisse, minimiser les dangers mais pour mener tout le monde au sacrifice. Ils cristallisent en eux, ils portent les premiers l'anxiété de tous, parce qu'ils sont les maîtres de tous.

Cet émoi généralisé n'est pas inventé par nous. Les informateurs bobo en parlent à chaque instant. Il est remarquable qu'ils ne disent jamais: un tel, dans le groupe, fait bande à part, ne partage pas l'angoisse générale, minimise les dangers, apaise les craintes[42].

L'avantage de cette notion de mauvaise unanimité c'est qu'elle est à la fois psychologique et sociologique. Chaque individu l'éprouve; en même temps l'émotion est partagée socialement par tous et provoque une transformation socialement repérable dans le groupe qui passe, comme nous l'avons dit, de la différenciation au brouillage. La notion indique que le péril où se trouve la société est celui d'une sorte d'*implosion*, tandis que le danger créé dans un groupe par l'éloignement individualiste d'un non-conformiste serait plutôt l'*explosion* du groupe. Enfin la notion a l'avantage d'entrevoir l'unité des crises sacrificielles: depuis le lynchage réel d'un homme, victime émissaire, jusqu'à l'offrande d'une poule parce qu'on a fait un bon voyage...

5.3.3.1.2 La résolution de la crise

Le sacrifice ‹vide› la mauvaise unanimité (comme on vide une querelle). Celle-ci fait place (en jouant sur les mots) au repos et re-pose les gens dans leur différenciation antérieure, normale ou à peu près normale. L'anxiété est apaisée, la certitude du danger écartée; les gens peuvent partir, se disperser, reprendre leurs occupations. Le repas qui d'ordinaire suit le sacrifice est en soi quelque chose de paisible: les gens sont assis; d'ordinaire, des groupes distincts sont formés; on boit tranquillement, en prenant son temps, cependant que les femmes préparent les viandes et les plats de bouillie de mil; le fumet qui se répand prépare les estomacs... Les récits bobo insistent sur le partage de la victime, la distribution aux ayants droit; ce n'est manifestement plus le temps de la colère ou de l'effervescence qui brouille les différences, au contraire chacun a littéralement repris ses esprits...

---

42   Un récit (p.100) raconte l'imprudence de deux jeunes qui, contrairement à l'avis de tous, s'en vont narguer la rivière méchante. Ils sont happés par elle et meurent. L'*outsider*, bien loin de calmer l'appréhension unanime, risque au contraire d'être l'objet des fureurs de tous.

Nous l'avons maintes fois répété: l'efficacité du sacrifice n'est pas dans l'obtention immédiate de tel ou tel bien demandé ou le renvoi instantané de tel ou tel danger. Les textes bobo notent fréquemment qu'il faut attendre pour voir; c'est l'aspect expérimentation, nécessairement lié à toute crise sacrificielle. Mais le sacrifice apaise, certifie; la mauvaise unanimité est arrêtée; c'est le retour à la vie relationnelle ordinaire.

5.3.3.1.3 Objection et remarques

Peut-on parler d'unanimité dangereuse quand le sacrifice est offert par un seul? En Afrique, le sacrifice n'est pas une activité individuelle, à moins peut-être qu'il s'agisse d'un maléficier (et encore celui-ci peut avoir derrière lui sinon sa famille, du moins quelque association de sorciers...). Quand un père de famille sacrifie, il le fait en tant que tel, au nom de toute sa famille, parce que le besoin s'en fait sentir. S'il ne le faisait pas, il sentirait la pression des siens. On peut donc parler d'anxiété sinon générale du moins généralisable (dans le groupe)[43].

La mauvaise unanimité suppose un drame, un événement embarrassant, conflictuel comme une sécheresse, une épidémie, une stérilité, une menace de guerre, une maladie. On peut encore la comprendre quand il s'agit de préparer un avenir incertain: anxiété de jeunes qui cherchent femmes, anxiété des cultivateurs qui partent défricher un nouveau champ, départ à la chasse, imprévisibilité de la pluie, voyage, etc. Mais peut-on encore en parler quand il s'agit de remercier, par exemple, après un succès, une bonne récolte?

Certes! d'abord le remerciement pour le passé ne va jamais sans l'attente de quelque chose pour l'avenir. Les rituels de prémices supposent que tout le monde est dressé unanimement dans l'attente de toucher à la nouvelle récolte − situation dangereuse: qu'arriverait-il si le groupe se débandait, pillant les greniers? La rémission consistera dans l'affirmation des hiérarchies: si l'on goûte à la nourriture nouvelle avant les ancêtres et le chef, on mourra. Ensuite ces mêmes rituels rappellent les dangers que peuvent toujours créer les ennemis: on demande donc de manger la nouvelle récolte, en paix[44]. Enfin il ne faut pas oublier le caractère

---

43 Exemple mossi recueilli près de Ouagadougou: Un homme d'âge mûr dans sa cour. Tandis qu'il songe, un épervier fond sur des poussins; il rate sa proie, mais l'homme pense que c'est peut-être un mauvais présage. Voici quelque temps qu'il n'a pas offert de sacrifice au *kwilga* (marigot) ce qu'il avait l'habitude de faire tous les ans; ce peut être un avertissement. L'homme s'en va donc consulter le devin qui confirme l'intuition, puis il se rend auprès du sacrificateur, et tous les deux se rendent au *teng kugri*, une pierre dans les racines d'un gros arbre au bord du marigot. La formule comprend à la fois des salutations à Dieu, une demande de santé et de biens au marigot et affluents, aux ancêtres de l'homme, et à divers symboles de la fécondité: tortue, grenouille, crapaud. L'homme retourne chez lui, rasséréné.

44 Par exemple, ce rituel mossi des prémices: quand la poule est morte, un fils lui arrache des plumes, les colle sur la pierre-autel et dit: «Je colle la bouche de la langue mauvaise, et la bouche de celui qui a des lèvres mauvaises»; puis il casse ses pattes: «Je casse les pieds de mes ennemis», puis une aile: «Je casse les mains de mes ennemis», puis il replie le bec en disant: «Je replie la bouche de l'homme aux lèvres mauvaises» (P. Alexandre 1953b: 39). A certaines funérailles, on verse de l'eau mélangée de farine et de la bière aux ancêtres... «Levez-vous, recevez votre bière de l'année et donnez-nous la santé, des femmes et des enfants nouveaux.» Et quand tout le monde a bu on se salue:«Que Dieu fasse aller de l'avant; que Dieu nous accorde d'arriver à l'an prochain» (P. Alexandre 1953b: 39-40; voir aussi G. Dieterlen 1965: 59).

aléatoire des biens obtenus; dans la pensée des gens cet aléa est lié à une entité invisible douée d'intention (ancêtres, esprits, Dieu); si on ne la remercie pas, on risque de l'indisposer, de faire tourner la chance: il s'agit donc bien, là encore, d'une anxiété (peut-être d'un degré moindre puisqu'elle s'appuie sur une expérience favorable)[45].

5.3.3.2 Le mécanisme sacrificiel

Le sacrifice en tant qu'immolation sanglante d'une victime est la disparition du ‹double› formé par la mauvaise unanimité. Nous devons donc expliquer cette formation et cette disparition.

5.3.3.2.1 L'apparition du double

La nature de ce double est fondamentale pour notre théorie. Nous en trouvons la racine dans la nature même du désir. Tout désir (toute crainte) est représentation, intentionnalité vers ‹quelque chose› d'indéfini ou de très précis. C'est une présence et une absence de quelque chose dont on ne peut pas dire qu'elle adviendra à coup sûr, qui est donc aléatoire.

La mauvaise unanimité apparaît comme un événement parce que les membres d'un groupe (relativement restreint) ressentent non pas un désir lointain, latent ou vague, mais une urgence: le danger de mort est là, proche, menaçant, et de fait on meurt déjà; il faut éloigner la mort. Ou bien (comme dans le rituel des prémices) le rappel de l'année écoulée, de ses tracas et de son heureux aboutissement dans la nouvelle récolte, suscite une appréhension globale pour l'année qui vient où tout est à recommencer. Les participants, unanimes dans la même anxiété, ont donc en face d'eux un ob-jet, que nous appelons *double*, parce qu'il est comme le portrait du groupe en état de crise.

a) La meilleure et la plus simple re-présentation de ce double est le *dieu* même. Nous avons déjà dit comment le désir devenait animisme (Chap.ɪv); nous avons montré dans les pages précédentes des exemples précis qui obligent à admettre que le dieu prié dans le sacrifice n'a pas d'autres traits que ceux du désir exacerbé: dieu devenu menaçant qui a commencé de tuer, ou bien il y a urgence qu'il agisse, il y a anxiété devant l'aléa devenu insupportable.

L'objectivation du désir dans un dieu se comprend d'autant plus, que le désir ne peut être comblé que par quelque chose que l'homme ne se donne pas à lui-même, mais qui lui vient d'ailleurs, de la bonne volonté d'autrui (recevoir une épouse) ou de la nature extérieure (pluie, récoltes, fécondité, santé). Le désir voit se dresser devant lui l'obstacle ou l'aléa; la plupart du temps cela se concrétise dans une représentation de l'En−dehors non-humain, désignant ainsi ce qui est

---

45 Voir la description détaillée d'un sacrifice des Bobo-Fing à l'ouverture de la saison des cultures et à la clôture: L.V. Thomas et al. (1969: 283, 285).

aléatoire, fantasque, fantaisiste, ce sur quoi l'homme n'a pas réellement de pouvoir contraignant[46].

Dans ces conditions, l'homme ne peut aborder ce double extériorisé que dans la prière (déférente, ou impatiente) et le don.

b) L'objectivation du double au niveau de la *victime* offerte est sans doute moins facile à expliquer. La victime n'est pas un substitut mais le double même du groupe en état d'unanimité effervescente. Tout le groupe se fait corps livrant l'animal.

Il faut d'abord remarquer ce geste: les informateurs bobo le répètent presque à chaque page: «Ils attrappent une poule.» N'insistons pas sur le fait que les animaux courant en liberté ont réellement besoin, d'être attrappés, mais sur le fait qu'il s'agit bien de poser une action, la victime n'est telle que parce prise et placée devant le groupe unanime. L'animal est parfois quelconque (une poule, un chien, un bœuf), parfois il est choisi avec précision; la symbolique imaginaire liée à ce choix renforce l'impression de double. La victime est un animal domestique, et cet animal n'est jamais dangereux à tuer, ce qui contraste avec la crainte qui entoure le meurtre d'un homme ou d'un fauve: dans ces deux cas, en effet, il y a risque, l'homme et le fauve peuvent se défendre, contre-attaquer, tuer avant d'être tués; pour l'homme, il y a le risque d'encourir la vengeance des siens[47]. La victime ne se pose donc pas en ad-versaire, face aux sacrificateurs. Quand on tue un animal plus important qu'un poulet, chèvre, mouton, un bœuf, l'animal est solidement maintenu par les assistants plutôt qu'entravé, ce qui renforce l'impression de participation.

5.3.3.2.2 La disparition du double

Elle coïncide avec la rémission de l'effervescence qui suit l'immolation. Le double disparaît dans le dieu, et dans la victime.

En effet après le sacrifice le dieu n'a plus la même figure qu'avant. Avant il était gros de toute l'angoisse du groupe; il représentait non seulement l'interdit, mais l'interdit violé, donc la réprobation générale, le châtiment suspendu sur le groupe, l'aspect aléatoire du désir se trouvait renforcé par le fait même de l'exacerbation du désir. Les informateurs bobo parlent parfois de la ‹chaleur du dieu› ou de sa colère. Après le sacrifice, le dieu ne représente plus qu'une attente apaisée et confiante; ou bien encore il n'est plus que la réaffirmation de l'interdit en soi: «Celui qui prend la femme d'un autre, meurt.» Le dieu est refroidi.

---

46 Cette conception ‹athée› permet de mieux montrer la différence fondamentale que l'Afrique met d'ordinaire entre le Dieu transcendant et les ‹puissances›: ancêtres, esprits, génies, etc.; précisément le sacrifice est rarement offert à Dieu et quand il l'est, on peut se demander alors si la transcendance divine est entièrement respectée. Nous réservons cet important problème pour un autre ouvrage.
47 C'est ce risque qui est la base de la croyance que le double de la personne ou du fauve tués s'attache à l'homicide ou au chasseur et le poursuive de sa fureur. Ce danger passerait par le regard de la victime sur son meurtrier. Rien de tel dans le sacrifice.

Alors que la crise avait en quelque sorte réactivé le dieu; la détente renvoie le dieu à son réduit; on n'y pense plus du tout, on s'en va; ou en tout cas on y pense beaucoup moins, il n'est pas objet de contemplation. Quant à la victime sa disparition est évidente: elle est tuée, débitée, partagée et mangée. Et nous avons dit ci-dessus l'atmosphère de rémission qui entoure le repas sacrificiel. La bière et la bouillie de mil ne sont pas une nouvelle expression du double, mais le signe de l'apaisement post-sacrificiel. La bière répandue, la bouchée de nourriture donnée au dieu, le morceau de viande qui lui est abandonnée n'a pas, à notre avis, la même signification que la victime proprement dite. La bière et la bouillie de mil ne sont pas une nouvelle expression du double, mais le signe de l'apaisement post-sacrificiel: le partage et la consommation de ces nourritures et boissons expriment la remise en ordre de la société. Souvent la libation d'eau s'accompagne de paroles où il est question de fraîcheur: le dieu n'est plus en colère, le groupe n'est plus en effervescence.

5.3.3.2.3 L'immolation

C'est le centre du problème. Pourquoi l'immolation abolit-elle le double? Il faut d'abord rappeler le fait qu'une foule déchaînée dans une mauvaise unanimité, se décharge et se défoule en détruisant ce qui lui tombe sous la main, en lynchant un coupable ou quelqu'un qui en fait figure. C'est le mécanisme de la victime émissaire (cf. la thèse de R. Girard).

C'est le même mécanisme − quoiqu'affaibli − qui se retrouve dans le sacrifice africain. Mais constater un fait n'est pas l'expliquer.

L'explication par le principe *do ut des* est fallacieuse. Sans doute le langage du sacrificateur est-il limpide: «prends, accepte, bois, mange... et donne nous... » Mais il suppose l'objectivation du dieu comme réalité indépendante de l'homme. Puisque nous avons réduit le dieu au désir et au double, nous ne pouvons plus le considérer comme quelqu'un qui reçoit et donne. D'ailleurs l'explication par l'échange (donner pour recevoir) n'explique pas pourquoi il faut tuer la victime[48]. La formule de l'échange se comprend au niveau de la prière; la parole qui objective le désir, étant elle-même, dans l'expérience quotidienne, un échange, ne peut guère s'exprimer autrement que par ce ‹reçois et donne› . Dans l'unanimité violente et mauvaise, la parole ne peut être que clameur, non échange entre partenaires. Au moment de l'immolation, c'est le silence qui se fait et le sacrificateur peut dire une parole qui est déjà apaisement, positionnement de partenaires distincts: reçois et donne-nous...

L'immolation est l'action par laquelle le groupe précipite la victime dans la mort pour se garder d'y tomber lui-même. Pas de sacrifice sans ambiance de mort, sans imminence de mort. En effet le drame qui engendre l'unanimité violente

---

48   Il existe, ça et là, des formes sacrificielles où l'animal est seulement voué à la puissance, sans être tué, il est chassé, court où il veut, et on le laisse mourir de sa belle mort (cf. V. Guerry 1970: 120; Mgr. Van Sambeek 1949/I: 19-20).

comprend toujours la conscience, plus ou moins aiguë, du danger de mort, de la mort présente, intervenant ou prête à intervenir. Le double comporte cet aspect de mort[49]. La mauvaise unanimité, si elle se déployait totalement en violence réelle aboutirait vraisemblablement à la mêlée unanime où l'on s'entretue; certes on ne va jamais jusque là (encore que certains rites semblent bien mimer de tels déchaînements) mais la société a sans doute une obscure conscience que cette mauvaise unanimité est de toute façon la mort de la société comme telle; celle-ci n'est réellement vivable que dans la différenciation et la distanciation des personnes. L'*implosion* de la société est aussi mortelle que son explosion.

Ce n'est donc pas sans raison que le sacrifice dénoue la crise en précipitant unanimement dans la mort quelque victime et en retenant le groupe d'y tomber lui-même. Geste d'effroi ou d'émoi dans lequel le groupe unanime se dégrise pour revenir au repos.

5.3.3.3 Fécondité de la théorie

a) En situant le rituel sacrificiel dans la ligne de la violence unanime qui s'apaise dans la victime émissaire, on retrouve l'exigence génétique, structurelle et fonctionnelle que nous avions posée au début.

b) Certains éléments bizarres des rituels peuvent s'expliquer comme survivances de crises sacrificielles plus aiguës. Citons-en quelques-uns:

– le simulacre de bataille reproduisant par métonymie une mauvaise violence unanime[50];
– la victime humaine lynchée, piétinée, dans les abreuvoirs royaux ou au seuil du palais (cf. Rodegem 1971: 235-236); victimes substituées aux rois;
– les victimes animales tuées à coups de poing ou par d'autres procédés violents, ou écartelées par les assistants, ou balancées plusieurs fois par dessus une maison ou la tête fracassée contre une pierre... ou éventrées et mangées quasi crues...[51];
– l'immolation d'une victime prise au hasard dans un quartier et par force[52].

49 C'est évidemment bien autre chose que la proclamation d'un interdit sous peine de mort; du moment qu'il y a violation de l'interdit, la mort est là à l'œuvre ou qui va agir.
50 R. Girard (1972) donne l'exemple du sacrifice dinka, des rituels d'intronisation des rois sacrés africains. Citons le rituel Yuné des Guro, décrit par A. Deluz (1970: 141s.). Le rituel de la cérémonie du solstice chez les Pokot du Kénya–Uganda, décrite par F.P. Conant en J. Huxley (1971: 390s.).
51 Un exemple mossi: à certaines funérailles, on immole une chèvre, mais «avant même qu'elle ne soit morte, on lui arrache une épaule, qui, au bout d'un bâton pointu, est plantée sur le toit, les convulsions de la bête lui ont fait donner le nom de *bu saodga* (chèvre dansante)» (J. Ouédraogo 1950: 441s.).
52 Une personne haut située racontait naguère à Ouagadougou que jadis il n'y a avait jamais de sécheresse, parce qu'on pouvait toujours offrir le sacrifice convenable. Celui-ci consistait dans l'immolation d'un bouc noir pris au hasard dans le quartier avoisant le palais du Mogonaba. Le propriétaire ne pouvait pas protester. Mais maintenant, il proteste, la police intervient, et on ne peut plus faire le sacrifice requis.

Certains rituels semblent garder le souvenir de quelque événement catastrophique. Tel cet exemple bobo:

> En vérité mon village s'est fondé [sic], il s'y trouve un serpent. Quand il sort la nuit il fait périr toute personne dont l'œil s'est posé sur lui. Jusqu'à maintenant on lui fait des offrandes: un bélier à tête rouge, un poulet sans plumes.
>
> Le lendemain de ces sacrifices, six jeunes filles dont les seins sont apparents, et six enfants, sont réunis pour préparer la viande des victimes et le gâteau de mil. On prend ce gâteau on en donne avec de la sauce, au vieillard... [et] à la vieille femme, et quand tout est consommé, les jeunes filles et les enfants reviennent s'asseoir, restent six jours. La fille qui dans cet intervalle part chez un jeune homme, meurt[53].

c) Enfin la théorie proposée permet de comprendre l'efficacité actuelle du rituel sacrificiel; peu importe qu'il soit ou non la répétition inconsciente d'un événement grave antérieur dont on camouflerait la mémoire; il peut toujours fonctionner actuellement parce qu'il réalise réellement – tantôt d'une manière plus aiguë, tantôt d'une manière très atténuée – la rémission d'une mauvaise unanimité et qu'en vivant cela, le groupe fait en même temps l'expérience de ce qui peut le détruire et de ce qui le fonde comme groupe vivable. Ensuite, il est vrai, le sacrifice peut devenir une mécanique morte, magique et superstitieuse, que l'on fait parce qu'on l'a vu faire, mais sans en réactiver la démarche authentique; à ce moment là, n'importe qui peut faire n'importe quelle immolation pour n'importe quoi.

5.4 Rituel et vie relationnelle

Deux questions se posent:

– La recherche précédente axée sur le rituel sacrificiel postulait l'unité des rites de sacrifice; en même temps, elle se demandait si tous les rites africains, en tant qu'ils comportent un sacrifice ne sont pas réductibles aussi à l'unité. Nous ne prétendons point avoir démontré cette unité; nous pensons seulement qu'un certain type d'analyse mettant en relief le phénomène psycho-social que nous avons appelé ‹mauvaise unanimité›, permettait de poser une hypothèse explicative unitaire. Le problème reste de savoir si ce type d'analyse en empêche une autre, qui serait fondée non pas sur ce que nous avons nommé ‹implosion› [54] de la société, mais plutôt sur son ‹explosion›. Nous aurions alors deux types de rites; ou, peut-être, le même rite pourrait servir dans les deux cas selon l'état de la vie relationnelle.

---

53 Ce récit semble évoquer un événement terrifiant qui a décimé la population au point qu'il ne reste plus au village qu'un vieux couple et ces douze jeunes (J. Cremer 1927: 55).
54 Ce néologisme n'a de sens que par rapport à ‹explosion›; ce terme-ci, appliqué à la vie relationnelle, désigne tout phénomène centrifuge, toute tentative de séparation aboutissant, si l'on n'y prend garde, à la scission du groupe. L'implosion, ou mauvaise unanimité, implique un mouvement en sens inverse, en quelque sorte centripète. L'équilibre de la vie relationnelle ne se trouvant ni dans la fusion, ni dans la scission, mais dans une distanciation et une différenciation convenables des partenaires.

– La recherche précédente en mettant en évidence ce phénomène d'implosion provoque le philosophe à le situer par rapport à la vie relationnelle. Dans quelle mesure cette implosion se concilie-t-elle avec l'analyse en quatre moments de la dynamique relationnelle (Chap.III)?

5.4.1 Deux lectures du même rite[55]

Tous les membres de la grande famille se retrouvent avec les intéressés qui ont été en contestation. Autour de l'autel de famille ou à une place convenable, le silence se fait. Il y a parfois une branche verte, parfois un animal à immoler, ou tout simplement l'eau et la cendre toujours blanche.

Le chef demande à chacun de s'expliquer brièvement pour mettre le litige au clair au su de toute la communauté présente. Puis il en fait un résumé et relate les conséquences fâcheuses qui en sont découlées. Ensuite, il redemande aux intéressés leur sentiment actuel: sont-ils décidés vraiment à la réconciliation? Sur leur réponse affirmative, les femmes âgées, commencent des invocations à haute voix, encourageant les coupables au sentiment de paix, les félicitant, leur rappelant leur passé personnel ou celui du lignage.

Le chef de famille poursuit:

Ancêtres [parfois Dieu],
Nous étions ici ensemble [vivant en communauté].
Vivre ensemble dit soutien mutuel.
Comme un tel N... et un tel N...
n'ont pas eu leurs actions et leurs paroles emboîtées dans l'accord, du mauvais en est sorti, et des mauvais propos ont devancé leur bouche.
Comme conséquence à cela d'autres malheurs nous ont frappés.
Eh bien, que ce soit calme sur calme,
Voici l'eau aujourd'hui pour calmer cela
Paix simple, que cela nous arrive.

Pendant que l'eau est répandue ou la victime égorgée, les vieilles femmes battent des mains – surtout si des griotes sont présentes – elles lancent des invocations. Il arrive aussi que les intéressés fassent un geste d'acquiescement ou se saluent en disant: *ngwon wè* ‹cela est fini›.

L'impression que laisse ce très beau texte est celui d'un rite parfaitement apaisé. On n'a point l'impression d'une mauvaise unanimité dressant toute une famille contre les deux coupables. Le groupe est parfaitement ordonnancé. Le calme est tel que les deux intéressés peuvent expliquer leur litige devant toute la communauté, sans susciter d'animosité ni entre eux, ni chez les autres; le groupe encourage à la fois à la réconciliation et à la paix, en raisonnant les deux coupables. La prière explique fort bien ce qui s'est passé: deux individus ont rompu la vie relationnelle, leurs disputes ont cassé le groupe, les conséquences ont été fâcheuses (on ne précise pas lesquelles, mais on peut penser à quelques maladies ou

---

55 Rite de réconciliation familiale chez les Bobo-Fing de Haute Volta: L.V. Thomas et al. (1969: 328s.), texte recueilli par A. Sanon.

accidents que l'on interprète généralement comme punition-avertissement envoyé par les ancêtres aux vivants pour les ramener dans le droit chemin). La réunion rituelle a pour but de refaire la réconciliation: la querelle est vidée par l'aveu, la communauté encourage à la paix, le chef déclare: maintenant tout est terminé. L'eau versée signifie la fraîcheur de la bonne entente. La couleur blanche des cendres signifie la bonne intention. Le tout est passé sous le regard des ancêtres, gardiens de l'ordre familial. Le sacrifice final n'a plus alors le sens que nous lui avons donné précédemment: il ne fait pas passer d'une émotion généralisée à la rémission-repos, il est seulement envoyé dans la mort un animal parce que le groupe réconcilié se tire du ‹mauvais›.

Cette lecture nous paraît tout à fait légitime: elle reconnaît que le rite (y compris le rite sacrificiel) peut avoir un rôle important dans la vie relationnelle menacée d'émiettement[56], ou de dissension. Un tel rite consacre l'unité retrouvée. On peut imaginer que le rite vient après quelques démarches effectuées par les responsables du groupe auprès des deux fautifs; car dès le début du rituel, on a le sentiment que la réconciliation est déjà acquise; autrement dit, le rite n'est pas vécu à chaud, dans l'unanimité mauvaise d'une indignation soulevant ensemble toute la communauté contre deux de ses membres.

On peut maintenant imaginer tout le contraire: une assistance silencieuse, mais lourde d'indignation; des coupables épouvantés par ce qui arrive au groupe à cause d'eux; leur explication du litige devenant un simulacre de bataille; les vieilles femmes invectivant; les ancêtres prenant la figure du double: colère, ressentiment, menace de mort planant sur le groupe, interdits proclamés et interdits rompus... enfin le chef prenant ses responsabilités et rassemblant derrière lui toute la communauté, poussant dans la mort la victime: «que ce soit calme sur calme».

Le corpus rituel bwa présenté de J. CREMER, ne pouvait guère être lu que dans ce second régistre, étant donnée la multitude des notations émotionnelles violentes faites par les narrateurs. Il n'est pas exclu que certains rites bwa soient vivables et vécus de fait dans le régistre d'une émotion de type différent où les conflits, tout ressentis qu'ils soient, n'entraînent point d'unanimité violente, mais un traitement discipliné, du type palabre.

Nous conclurons donc que les deux interprétations du rite sont possibles. Tout dépend des sociétés où il a lieu[57].

---

56 La dynamique relationnelle décrite au Chap.III plaçait le rite dans cette perspective.
57 V.W. Turner (1972: 303) note à propos des rituels ndembu: «Lors de la séquence rituelle existe le risque de querelles si violentes qu'on ne peut toujours les contenir.» Lorsque les Mossi se félicitent après une fête qui réunit beaucoup de monde qu'il n'y a pas eu d'histoires, ou lorsqu'ils prévoient avant ces rassemblements un rituel de malédiction à l'égard de qui sèmerait la discorde, c'est sans doute que l'expérience les instruit que la violence unanime est toujours possible. Et pourtant, les Mossi paraissent tellement disciplinés qu'on voit mal comment une telle éventualité pourrait se produire.

5.4.2 La vie relationnelle entre deux extrêmes

Nous avions fondé notre philosophie sur la constatation qu'en Afrique l'individu isolé est estimé voué à la mort. La personne seule est labile. La vie relationnelle réussissait donc à unir les personnes malgré les tendances centrifuges de la subjectivité; les relations, disions-nous, impliquaient la différenciation et la multiplicité des personnes; elles excluaient la fusion-participation; quand une personne s'isolait elle tendait vers la sorcellerie qui tue les autres; quand un groupe était travaillé dans des clivages ou des conflits, il fallait un effort de réconciliation pour ramener à l'unité. Nous insistions sur la bonne volonté que chacun doit apporter pour vivre la vie relationnelle droite selon la règle des ancêtres. La jalousie qui n'accepte pas les différences et provoque les divisions était le grand mal.

Au fond, cette vision des choses, située pourtant sous un horizon de pensée anthropocentrique-communautaire, restait encore assez individualiste. Le point de départ délibéré en était le sujet. Pour un peu, on aurait dit que la vie relationnelle résultait d'un ‹contrat social› par lequel des subjectivités individuelles se liaient entre elles pour survivre parce qu'il n'y a pas moyen de faire autrement. Nous aboutissons à un ensemble ordonné, où les partenaires sont positionnés les uns par rapport aux autres, à distance convenable.

La découverte de l'unanimité mauvaise que le rituel nous a contraint de faire, place la vie relationnelle devant une autre menace, et donc devant une autre source. Non plus seulement l'*isolement* mortel à vaincre mais la *confusion* mortelle; au lieu de la réaction centrifuge: «mettre la forêt entre nous», donc la scission, la réaction inverse: «en venir aux mains» dans une violence unanime; au lieu de l'explosion, l'implosion. Entre ces deux extrêmes, la valeur de la vie relationnelle consiste à réaliser un équilibre. Le rituel fonctionne donc vraisemblablement des deux côtés; ramenant à la différenciation convenable un groupe survolté en effervescence unanime dangereuse; ramenant à l'unité différenciée, les individus ou les sous-groupes en instance de dispersion[58].

Une seconde lecture de nos six catégories pourrait être faite. Par exemple, l'imaginaire du corps monstrueux dans lequel nous avons vu le sorcier mangeur d'hommes, pourrait aussi être lu comme le signe du chaos paroxysmique de la violence qui pourrait engloutir une communauté. La manipulation conçue comme activité des personnes sur d'autres personnes pour les plier à la relation et en obtenir son bon effet, pourrait être vue comme tentative d'empêcher l'éclosion d'une mauvaise unanimité. Le conte bobo (Chap.II) dans lequel nous voyons l'opposition entre l'intelligence relationnelle civilisée et la bêtise de l'en-dehors incivile,

---

58 Il serait injurieux pour l'Afrique de penser que les sociétés africaines sont si fragiles qu'elles sont sans cesse sur le bord du chaos, ou sur le bord de la division. Ce serait revenir à l'idéologie colonialiste selon laquelle la colonisation était nécessaire pour mettre la paix sur le continent. Il serait illusoire et puéril de feindre de croire que, tout en se tenant bien en mains, les sociétés africaines ne sont pas traversées par des crises, conflits qui divisent ou soulèvements unanimes.

pourrait être vu comme la rivalité réciproque de deux compères désirant la même fille, rivalité qui tourne au chaos où tout le monde est englouti.

Cette seconde lecture est sans doute plus difficile à faire que la première, parce que nous ne faisons à peu près jamais (heureusement) l'expérience de l'unanimité chaotique et violente tandis que les conflits qui divisent et émiettent sont pain quotidien.

6 Les coûts économiques de la vie relationnelle et les changements civilisationnels

Le philosophe a la réputation de marcher sur la tête et de se mouvoir dans les nuages des superstructures. L'idéal relationnel que nous avons étudié et critiqué comme exprimant l'expérience vitale africaine, ne constitue pas un humanisme ou un système de valeurs gratuit, sans conditionnements physiques et économiques, sans impacts dans la vie matérielle. Le philosophe doit donc faire entrer dans son étude critique et rationnelle une évaluation des effets historiques et économiques de la relation, comme fondement d'une manière humaine de vivre. Autrement, le philosophe manquerait son engagement dans la cité des hommes en les berçant d'illusions.

Or les questions qui sont posées le plus souvent en Afrique maintenant, d'une façon lancinante et douloureuse, sont des questions historiques et non pas métaphysiques: pourquoi le retard technique et économique de l'Afrique, par rapport au monde occidental? pourquoi cette pauvreté, cette domination esclavagiste, coloniale puis néo-coloniale qui n'en finit pas? On comprend alors qu'il y ait une façon de philosopher qui soit une fuite. «Le Bantu n'a que des besoins métaphysiques» raillait un film documentaire sur le Festival Panafricain d'Alger de 1969 (reprenant un mot d'Aimé Cesaire, sauf erreur).

Naguère le professeur Mudimbe dénonçait le ‹mythe absurde› de la solidarité africaine, cette manie d'ériger en vertu «ce que dans l'Afrique d'hier était une conséquence exigée d'une structure socio-économique, celle du mode de production lignager» (dans l'*Afrique Chrétienne* 45.1971: 33). Il y a donc une question politico-économique adressée au discours philosophique. Comment le philosophe va-t-il répondre?

6.1 A la recherche d'une problématique

Notre démarche s'est efforcée de respecter et les exigences d'une philosophie véritable, et les acquisitions scientifiques éprouvées, et l'originalité africaine. En matière économique et politique c'est-à-dire devant les choix faits ou à faire, le philosophe étranger doit respecter l'indépendance des Africains. Ces exigences diverses se conjuguent dans les prises de position suivantes.

6.1.1 Approches invalidées

Certaines positions du problème ou certaines explications sont irrecevables. Encore faut-il, quand on les refuse, saisir la part de vérité qu'elles recèlent.

Expliquer la stagnation technique africaine par le traditionalisme, est une lapalissade. En rejeter la faute sur l'esclavagisme occidental ou islamique, ce n'est pas expliquer la faiblesse ou la fragilité inhérente aux civilisations africaines qui leur ont valu précisément cette domination. Protester: «La faiblesse technique est moins un signe de barbarie que la force créant le droit» tend à enfermer l'Afrique dans un humanisme sans efficacité concrète. Scruter le passé «l'Afrique a été le berceau de l'humanité, le lieu où se sont créées les techniques fondamentales et la civilisation» est une mince consolation, l'important n'étant pas d'avoir été en tête autrefois, mais de n'être pas en retard aujourd'hui. Il est loisible de faire l'inventaire des cruautés et dévastations européennes «le poids de l'homme blanc», il reste que l'Occident a développé des qualités qui manquaient précisément à d'autres: C'est l'Européen qui a parcouru les mers, fait la découverte du monde, rapproché ce qui était isolé; c'est lui qui est venu en Afrique et non l'Africain en Europe: faits historiques qu'il est préférable de regarder en face.

Une autre façon de fuir c'est le dithyrambe. Certes, nous pensons que l'exaltation de la Négritude a été un moment dialectique nécessaire face aux mépris occidentaux. Mais il faut aller plus loin, et spécialement prendre une attitude critique et rationnelle devant la pensée africaine, et l'expérience qu'elle exprime. Nous pensons particulièrement à cette façon de voir l'Africain comme un être du sentiment, de la communion, ou de la fusion, qui permet de dire au fond n'importe quoi du genre: la civilisation africaine a pour origine «la connaissance sacrale de l'univers» (*Les religions africaines comme source de valeurs de civilisation* 1972: 68), qu'est-ce qu'une connaissance sacrale, face aux nécessités de la vie? ou encore: «chaque ethnie a fondé sa vie sociale sur le socle de la religion» (*ibid.*: 104), est-ce bien sûr, car la religion ne donne pas à manger? Il y a un spiritualisme qui est une mystification. La religion n'est pas un principe d'explication pour la philosophie, mais une réalité à expliquer. La thématique commode de la participation cosmique des hommes et des choses doit céder la place à l'analyse précise des rapports réciproques: milieu physique et action de l'homme; ainsi mesurera-t-on les effets d'une certaine conception de l'existence humaine. Autrement dit la philosophie africaine ne doit pas partir de la connaissance des mythes, ou des systèmes religieux, ou des animismes (choses beaucoup trop obscures, à l'interprétation trop incertaine) mais de l'analyse des rapports réels des hommes entre eux et des hommes avec leur milieu; ensuite il faut se demander comment ces expériences de base s'expriment dans les mythes, la religion etc.; ce qui donne une clé d'interprétation moins subjective.

Il reste que ces approches intenables sont révélatrices de la profonde insatisfaction des Africains et de leur volonté de secouer les tutelles qui les ont asservis, en affirmant leur spécificité culturelle. Mais le relationnisme africain peut-il s'adapter aux changements civilisationnels modernes?

6.1.2 Le cercle des ‹options culturelles historiques›

Ce genre de recherche est particulier parce qu'il embrasse des périodes si longues et des faits si complexes qu'il est difficile de les dominer. Telle est par exemple, la recherche de l'origine du ‹miracle grec› , comme on dit[1], ou l'origine du capi-

---

1 Cf. J.P. Vernant (1965), M. Detienne (1967), Masson-Oursel (1969: 5-14).

talisme (J. Baechler 1971; J.P. Rioux). Evitons d'abord le piège de l'explication par un seul facteur prédominant. Mais si loin que l'on remonte, on trouve toujours des faits ou des antécédents qu'il faut qualifier déjà de grecs ou de capitalistes, c'est-à-dire marqués de ce que l'on veut expliquer. Même si la Grèce est influencée par l'Inde, il reste toujours ceci: pourquoi la Grèce s'est-elle ouverte à cette influence, y a-t-elle réagi positivement? Et si Max WEBER écrit 'l'Ethique protestante et l'esprit du capitalisme', il ne démontre pas «une théorie de l'émergence du capitalisme à partir du protestantisme», mais que capitalisme et protestantisme ressortissent d'une même mentalité: la rationalisation; rationalisation des activités économiques d'un côté, rationalisation de la vie morale de l'autre (J. Baechler 1971: 52). Autrement dit: le même engendre le même. «Tout ce que l'on entend par conditions d'un système économique fait partie de ce système et ne peut donc l'expliquer... Les particularités psychologiques sur quoi repose un système économique lui sont conséquentes et non antérieures» (*ibid.*: 58). Nous sommes enfermés dans un cercle. Nous sommes placés devant des ensembles structurés, et s'autoréglant, tels qu'on ne voit pas comment on peut en sortir.

Examinons la démarche de l'historien africain Ch.A. DIOP. Il brosse une histoire de l'humanité indo-européenne et africaine, en distinguant deux grands berceaux originels, où se sont formés deux tempéraments, deux philosophies, deux histoires parallèles et opposées: le bassin indo-européen, nordique, et le bassin négro-égyptien méridional. Ces deux mondes présentent leur cohérence propre que l'on peut schématiser comme suit[2]:

indo-européen	*négro-égyptien*
climat froid	climat chaud
clans exogames nomades	clans exogames sédentaires
patrilinéaires	matrilinéaires
infériorité de la femme	importance de la femme
propriété privée	propriété collective
pratiques malthusiennes	fécondité désirée
individualisme	collectivisme et solidarité
populations subjuguées, exclues de la propriété, opprimées, prolétaires	fédération consentie des peuples; l'autochtone garde ses droits, la propriété du sol
aliénation absolue	aliénation compensée
morcellement des territoires et des cités, lutte des classes et des états	différenciation endogène des fonctions, castes
mouvements révolutionnaires	revendication limitée
idéal de guerre, violence, conquête	idéal de paix, justice, bonté
complexe de culpabilité	désir d'harmonie
logique de détresse	logique d'optimisme
morale austère, pessimiste, répressive	morale traditionnaliste, égalitariste, sécurisante
rapidité de l'histoire	lenteur des cycles évolutifs
tragique du destin	harmonie de l'homme et de la nature

2 Nous reprenons la plupart des termes utilisés dans l'étude de Th. Obenga (1970). Noter que Frobenius opposait aussi les agriculteurs équatoriaux, acceptant la mort sans révolte, parce que condition de résurrection, soumis à la nature, obéissant aux rythmes du cosmos et aux dieux, aux peuples ‹hyperboréens› cherchant à forcer la nature, à soumettre le monde.

Ce parallélisme en rose et en noir est à la fois irritant et envoûtant. Il est certes largement hypothétique. En tout cas, il ‹n'explique rien› , sinon que l'Occident se meut à l'intérieur d'un système de violence, d'agressivité, d'esprit de risque et de conquête, tandis que l'Afrique, ‹la Mère Afrique› , est un chez soi harmonieux et paisible. L'impérialisme actuel de l'Occident continue sous une forme nouvelle ce qui a toujours été. Et l'Afrique va-t-elle aussi continuer sur sa lancée?

C'est qu'en effet cette manière de voir les choses, cette théorie de la cohérence socio-économique et idéologique, enferme nations ou continents dans leur logique propre. On peut alors se demander comment Ch.A. Diop peut parler de ‹révolution totale› , ce qui serait un comportement bien nouveau en Afrique. Il pense qu'en se libérant du joug colonial et impérialiste, les sociétés africaines deviennent ‹prométhéennes› . En se révoltant, l'Afrique rénove sa culture méprisée, elle se pose comme civilisation totale s'opposant radicalement à l'autre civilisation totale. Mais alors ne retrouve-t-elle pas sa structure communautaire et harmonieuse, où précisément l'exigence révolutionnaire est limitée? Comment préviendra-t-elle d'autres agressions? «Seule une révolution culturelle peut, maintenant, engendrer des changements qualificatifs notables... Elle fera bouger et muter et le politique et l'économique... » (Th. Obenga 1970: 21).

De deux choses l'une, ou bien l'Afrique retourne ‹révolutionnairement› à ce qu'elle fût et donc ne change rien; ou bien elle change radicalement mais en sortant de la logique de son système antérieur, c'est-à-dire en n'étant plus ce qu'elle a été. Si changement il doit y avoir, ce changement ne peut pas sortir du même, mais de l'autre. En ces matières économico-sociales, l'autre nous paraît être l'historique, c'est-à-dire l'événement qui fait que deux mondes se rencontrent. Mais l'histoire ne renvoie-t-elle pas à la politique, c'est-à-dire aux décisions humaines, finalement à une philosophie de l'intelligence et de la liberté? Nous pensons qu'une telle conception est insuffisante: les libertés et les projets se meuvent à l'intérieur de contraintes civilisationnelles qui sont celles du déploiement planétaire de l'humanité.

6.1.3 Choix sociaux et diversités des paysages africains

Le géographe[3] rend sensible à la diversité des paysages humains africains. Mais comment l'expliquer? P. GOUROU répond:

> Les éléments humains des paysages, dans quel rapport sont-ils avec les techniques dont ils sont des manifestations? Bien sûr, ces éléments humains ne sont pas déterminés par leur cadre physique; mais sont-ils déterminés par la civilisation? Ainsi posée, la question est sans issue. Les éléments humains des paysages ne sont pas plus déterminés par une civilisation que par un cadre physique; ils sont, certes, modelés par les techniques; mais celles-ci opèrent de façons diverses selon la densité de la population, selon le niveau atteint par les diverses catégories de techniques, selon la durée de l'occupation humaine, selon les conditions physiques. Rien,

---

3 Nous suivons P. Gourou (1971) et Pierre George (1968).

en tout cela, n'est déterminant. Les paysages humains résultent d'un équilibre de facteurs contraignants mais se limitant et s'orientant les uns les autres (p.113s.).

Pour concrétiser notre problème, considérons deux exemples précis.

L'île d'Ukara (lac Victoria, Tanzanie) 76 kilomètres carrés, 16 000 habitants, 213 au kilomètre carré de surface générale, 270 par kilomètre carré cultivé... Sols quelconques provenant de la décomposition des granites; la partie non cultivable correspond à des affleurements de roche nue; climat équatorial. C'est un refuge insulaire; la population venue de tous les rivages du lac, avec prépondérance des Haya de Bukoba, est homogène aujourd'hui. Les habitants, sensibles à la forte densité du peuplement, l'expliquent comme un heureux résultat de l'absence des chefs. Unies par des liens de parenté, les familles réglaient leurs rapports dans le respect des coutumes, avec des conciliabules d'anciens pour les questions délicates. Pour les gens d'Ukara, les chefs sont nuisibles par leurs exigences, et par les guerres que provoquent leurs rivalités. Ukara, refuge de petite étendue, a effectivement échappé aux ravages des tribus migratrices et des négriers. Ce fut une chance et non un avantage géographique durable; il eût été facile à des chasseurs d'esclaves d'aborder en pirogue une île aux rivages aimables, et de capturer une population mal organisée pour se défendre, et incapable de se réfugier dans des forêts, inexistantes sur l'île.

Malgré sa forte densité, Ukara vend des produits vivriers (80% du riz récolté) et n'en achète pas. Pour en arriver là, les gens d'Ukara ont dû choisir des techniques permettant une agriculture intensive et les ont remarquablement perfectionnées. Agriculture sans jachère, avec deux récoltes par an; un champ rapporte en trois ans, 4 récoltes de millets, une de voandzou, une de fourrage et d'engrais vert, soit 6 récoltes; cultures sèches intensives (houages soigneux et fumure); rizières inondées (6,6% de la surface). Comme le travail est minutieux et exclusivement manuel, un homme adulte exploite seulement 0,8 hectare (divisé en parcelles de 2 ares); minuscules exploitations, parcelles microscopiques, propriété privée, partage égal des héritages, possibilité de vendre la terre. De plus, élevage intensif de 10 000 bovins qui fournit le fumier nécessaire à une exploitation sans repos. Les gens d'Ukara tiennent les bêtes à l'étable, sur une litière renouvelée deux fois par jour. Donc nourri par le paysan: crotalaire, fanes de patates, voandzou, manioc, chaumes, fourrage vert spécialement produit dans des fosses creusées près du lac ou d'un ruisseau (véritable culture inondée de diverses graminées). Les bovins reçoivent les feuilles de 32 sortes d'arbres plantés tout exprès. Un bovin laisse 3 000 kgs de fumier par an; avec le fumier de chèvre (4 800 dans l'île), une exploitation de 0,8 hectare dispose de 7 000 kgs de fumier. Un élevage intensif est donc associé à une agriculture intensive. Des Wakara font produire à l'hectare cultivé 510 shillings par an (contre 179 dans l'île voisine d'Ukerewe), mais au prix d'un travail lourd et sans relâche; ces ‹bouseux› (comme disent leurs voisins faisant allusion à la manipulation du fumier) n'ont guère de répit entre 6 heures et 18 heures; le paysan adulte d'Ukerewe donne au travail agro-pastoral 365 heures par an; celui d'Ukara 1 800 heures. Par comparaison encore, l'île d'Ukerewe a 24 habitants au kilomètre carré, et ne pratique ni fumure, ni irrigation, ni pratique anti-érosive. Toute l'activité agricole tourne vers la culture alternée du vivrier et du coton commercial. En un cycle de 14 ans, le paysan obtient 4 récoltes de coton et 2 de manioc; le reste, jachères. Rendements modestes. Dès maintenant, l'augmentation de la population oblige à accroître la part du manioc dans la rotation et à raccourcir les jachères. Les habitants ne sont pas plus prospères que les Wakara et sont plus mal nourris. Leur ‹avantage› est de travailler beaucoup moins.

Habiles à obtenir du fumier, les Wakara ignorent le lait. Ils abattent en juillet-août les bovins en excédent, et consomment alors leur viande; le reste de l'année, ils en mangent peu. Ils ne sont pas des maniaques pastoraux; le seul aspect émotionnel de leur élevage apparaît à l'occasion de combats de taureaux, et de la joie qu'éprouve le maître du vainqueur; ils marquent aussi une préférence pour les bœufs de pelage noir. Ces Wakara, si remarquables par certaines de leurs techniques, ne sont pas supérieurs aux autres populations du Lac Victoria par les aspects intellectuels de la civilisation. D'autre part, s'ils vont défricher les rives désertes du lac, ils abandonnent leurs techniques intensives pour cultiver par la hache, le feu, et la jachère; ils semblent penser que l'extensif est plus productif[4].

Cette analyse dépourvue de mysticisme manifeste deux attitudes très différentes, en deux lieux voisins (Ukara et Ukerewe), chez deux peuples bantu. Le rapport à la nature n'apparaît pas plus chez l'un que chez l'autre, une communion mystique au cosmos, mais la conséquence d'une certaine volonté de travail et d'invention, s'exerçant d'ailleurs à l'intérieur d'une organisation sociale bien traditionnelle. Les résultats sont très différents sur les deux îles, tant au point de vue densité de la population, qu'au point de vue nutrition.

Nous prendrons notre deuxième exemple au Mali, le delta intérieur du Niger, que P. Gourou appelle un «scandale géographique où les conditions favorables du relief, du sol et des eaux ne sont pas exploitées».

Ce delta comprend 30 000 kilomètres carrés. Ce pourrait être une autre Egypte; qu'en ont fait les hommes? rien ou presque. Il porte 500 000 habitants, soit 16 au kilomètre carré; en 1958 le revenu moyen annuel du paysan était d'environ 12 000 anciens francs. Comment des conditions propices n'ont-elles pas fait naître un paysage de population dense et d'agriculture intensive?

Le delta est une nappe de sédiments étalée dans des conditions structurales et topographiques créatrices d'une platitude générale; un obstacle dunaire ralentit encore l'écoulement des eaux. Or ce delta naturel n'a reçu aucun aménagement important; l'homme s'est plus ou moins adapté aux conditions physiques, sans les modifier à son profit. Il en était pourtant besoin, le régime du fleuve posant des problèmes d'utilisation. Hors des cultures de décrues, la seule culture vraiment adaptée est celle du riz inondé ou flottant. La crue doit inonder les rizières seulement quand le riz est assez fort pour s'élever aussi vite que les eaux. Quatre mois d'inondation assurent un bon rendement; la moisson se fait souvent en pirogue. Voilà le cycle agricole idéal; mais que de traverses! Les préciser mesure la distance qui sépare une adaptation d'un aménagement. Le riz prenant son premier développement par les pluies, il faut que: 1. la pluie tombe assez tôt avant la crue pour que le riz ne soit pas noyé par elle; 2. le riz doit être assez fort pour résister aux poissons rizophages; 3. la pluie ne cesse pas après avoir assuré le premier départ, sinon le riz mourrait ou dépérirait avant la crue; 4. le riz flottant ait bénéficié de quatre mois, de pleine eau: une rizière trop élevée risque de ne pas

4 D'après P. Gourou (1971: 160-162, 258-259); j'ai combiné les deux textes dont l'un est de 1960, l'autre de 1969.

bénéficier de ces quatre mois; trop basse, d'être submergée et détruite par la crue. Le paysan fait un pari. Si la crue n'est pas précoce, ni haute, ni prolongée, le paysan perd travail et semis. Il vit donc dans l'insécurité; ses techniques, plus ou moins adaptées aux conditions naturelles, ne donnent aucune sécurité aux récoltes. Les aménagements sont insignifiants.

Voilà donc un delta faiblement peuplé, non amenagé, à peu près sauvage; il s'y forme même un centre de multiplication et de dispersion de criquets... Dans ce delta sans obstacle, une grande variété ethnique, ce qui signifie que ce pays original et bien délimité n'a pas été le cadre d'une nation. Les vides du delta ont attiré, à travers l'histoire, des groupes divers. La seule tentative cohérente de créer un Etat fondé sur le delta fut celle de Chékou Ahmadou... Les techniques d'aménagement hydraulique d'Egypte ou du Maghreb n'ont pas été transmises au delta intérieur du Niger. Enfin et surtout le delta a été, depuis plusieurs siècles, sous le contrôle de pasteurs qui l'ont exploité conformément à ce qu'ils considéraient comme leur propre intérêt et qui étaient incapables de désirer, de concevoir et de réaliser un aménagement. Les Peul étaient attirés par le ‹bourgou› pâturage inondé en hautes eaux, tendre et comestible jusqu'en juin. Le delta sauvage convenait aux Peul; il améliorait leur condition en permettant de surmonter la disette que les troupeaux subissent au Sahel en fin de saison sèche. Un troupeau de 200000 à 300000 bovins, dont à peine 30000 têtes vendues hors du delta par an.

Faiblesse de l'agriculture malgré l'eau qui ne manque pas et la nappe phréatique non utilisée. Les paysans, bons manieurs de houe, ne peuvent cultiver que des surfaces trop petites; rendements faibles et souvent déprimés par les fantaisies des pluies; 6,6% du delta cultivé. Pour cultiver une surface plus grande, il eût fallu des aménagements (digues), des techniques hydrauliques (noria, dalou, moulin à vent?), des appareils attelés de bœufs (charrue, semoir, sarcleuse, charette). Sous-emploi du paysan (120 jours par an).

L'auteur analyse ensuite les cultures qui conviendraient le mieux: le delta gagnerait à valoriser sa production végétale en la transformant en viande et en lait. Les 3 millions d'hectares du delta pourraient tenir 3 millions de bovins. Il étudie ensuite la pisciculture[5].

Comme on le pressent, ces analyses manifestent autre chose que la mystique énoncée dans A.H. BA et G. DIETERLEN (1961), sans pourtant l'annuler.

L'Afrique a connu des agricultures intensives et perfectionnées[6]. Certaines populations se réfugièrent dans les lieux faciles à défendre pour se protéger des invasions ou razzias; encore leur fallut-il la volonté de survivre malgré d'énormes difficultés: mise en place d'inventions combinant agriculture et élevage et organisation suffisante pour l'adoption et le maintien de ces moyens de survie[7]. Quelle que

---

5 P. Gourou 1971: 208-216 (je résume). L'auteur écrit en 1960/1961.
6 Outre le cas d'Ukara, voir J.C. Froelich (1968); P. Gourou (1971): les Kabrè du Togo, p.89; pays Guider au Cameroun, p.98; les refuges du mont Usambara en Tanzanie, p.259; la bananeraie Haya en Tanzanie, p.260; le plateau Koukouya comparé au plateau de Mbé (Congo, Brazzaville), p.262. Comparer aussi avec la culture sous *faidherbia albida* (J.P. Hervouët 1981).
7 Comparer avec le cas des Ik, aux confins de l'Uganda, du Sudan et du Kénya: C. Turnbull (1973).

soit la variété des techniques, le niveau technologique est fondamentalement partout le même; identique aussi, semble-t-il, la conception profonde de l'existence. Pourtant la diversité des comportements socio-économiques est très variable:

> si la comparaison Lélé – Kuba [Zaïre] était captivante, parce qu'elle faisait ressortir admirablement combien de légères modulations d'une civilisation commune aux deux peuples entraînaient de conséquences pour la géographie humaine, cette comparaison ne permettait absolument pas de mettre ces modulations au compte de la forêt ou de l'absence de forêt. Les Kuba ont plus d'acharnement et de soin au travail que les Lélé, qui sont d'une charmante négligence; cela se répercute sur la densité de la population, la prospérité de la population, l'abondance et la variété des récoltes, l'agrément des maisons. Pourtant les techniques sont fondamentalement les mêmes; et la forêt ou l'absence de forêt n'a rien à voir dans l'application plus ou moins soigneuse des techniques (P. Gourou 1971: 80).

Les sociétés font des choix. Considérons les choix économiques inclus dans les habitudes d'une société précise.

> Au Cameroun septentrional britannique, l'excellent livre de P.M. Kaberry [1952] montre que les Bamenda poussent à son maximum l'aversion masculine (caractéristique de nombreuses populations africaines) pour les travaux agricoles. Dans le groupe nsaw, l'homme donne 10 jours par an à l'agriculture; la seule tâche agricole vraiment masculine est d'abattre les arbres: or le pays est rigoureusement déboisé; les hommes soignent négligemment kolatiers et raphias (ceux-ci pour le vin de palme), gardent les chèvres, se distraient à la chasse, apportent bois et chaumes, bâtissent les maisons (belle distraction en commun, avec un petit festin pour finir), administrent la chefferie, le village, le lignage, la société secrète (tout cela, agréable et reposant, s'accompagne de bière et de vin de palme), se livrent à des bricolages (comme de laver le linge; mais les Nsaw vont généralement nus); la grande activité des hommes est de colporter des noix de kola dans les pays du Nord; aventure, aimable distraction, un brevet de virilité, un peu, très peu, d'argent. Les femmes sont bêtes de somme. Pour cultiver 60 ares (bonne moyenne en pays nsaw) 190 jours pleins sont nécessaires; comme la saison agricole dure six mois, une femme ne suffirait pas à la besogne sans l'aide de ses filles. Le maïs a supplanté le sorgho (indéfendable contre les oiseaux depuis que les enfants sont retenus à l'école); le taro prend la seconde place. Les autres cultures sont peu importantes... Les femmes nsaw, cultivatrices soigneuses, mettent 30 jours pour aménager 20 ares de billons. Le désherbage, minutieux, se fait trop souvent en période de disette... Ces paysannes vigoureuses, tirent gloire de leurs succès agricoles. Tant de travail, fait de si bon cœur, n'assure pas contre la disette... Il en irait autrement si les hommes produisaient des vivres ou en achetaient... Malnutrition et maladies ne sont pas responsables de la nonchalance des hommes; ni mieux nourries ni plus saines, les femmes travaillent assidûment; l'économie des Nsaw fera un bond en avant le jour où les hommes, travaillant autant que les femmes pratiqueront une agriculture dont les conditions de la société nsaw et de l'économie générale disent qu'elle doit être commerciale et non vivrière (Gourou 1971: 198s.).

Le géographe pourrait relever d'autres causes encore de la diversité des paysages humains, comme les différences individuelles[8], les traditions locales ou ethniques[9], les événements historiques provocateurs[10]. Nous nous trouvons donc devant une constellation de facteurs réagissant les uns sur les autres; ce qui doit nous préserver des explications simplistes; mais ce qui nous ramène aussi toujours à la question fondamentale: la décision humaine.

6.1.4 La rationalité économique africaine

Le concept de rationalité économique est difficile à manier. Face aux contraintes objectives et aux événements, l'homme est acculé à faire des choix. Mais ces choix sont-ils rationnels? La rationalité suppose non seulement que les moyens soient proportionnés aux fins choisies, mais que les fins choisies soient elles-mêmes rationnelles. Par rapport à quoi peut-on juger cette rationalité ultime?

Un paysan africain est parfaitement rationnel, s'il refuse de s'assurer un revenu monétaire par la production commerciale ou le salariat parce qu'il ne saurait que faire des choses que l'argent lui permettrait d'acheter, ou si sa réponse au changement de prix est négative parce qu'il travaille pour un ‹target income›, ou s'il refuse d'augmenter sa production parce qu'il risquerait ainsi de créer des jalousies et d'être coupé de sa famille, de son clan ou de son village, et que ces biens ont une plus grande valeur à ses yeux qu'un certain niveau de revenu monétaire (G. Verhaegen 1968: 100; études de cas).

Ce texte montre qu'on ne saurait juger la rationalité du comportement économique africain à la seule aune de celle du capitalisme. Mais qu'est-ce qui permet de juger si le capitaliste a raison de faire le choix capitaliste, ou le paysan africain de faire le choix relationnel? La question de la rationalité économique renvoie donc en définitive à un problème beaucoup plus fondamental que nous appelerons: le déploiement planétaire de l'humanité.

Mais avant d'en traiter, il importe d'approfondir notre connaissance de la rationalité de l'économie et du relationnisme africains.

6.2 La cohérence économico-sociale du relationnisme africain

Nous distinguerons ici deux grands genres de vie, la vie agricole et la vie pastorale,

8 Ainsi avons-nous vu au pays mossi, des chefs et des particuliers dont les réalisations agricoles étaient bien supérieures aux réalisations communes. Différences des personnalités sachant utiliser des conditions peut-être plus favorables; en tout cas, conditions qui deviennent plus favorables parce qu'il y a des personnes capables de les saisir et de les mettre en œuvre.
9 Pourquoi telle ethnie préconise-t-elle le portage sur le dos avec courroie frontale, alors que sa voisine préconise le portage sur la tête?
10 Au temps de la traite esclavagiste, certaines populations côtières profitèrent de leurs situations contre d'autres et s'enrichirent à ce commerce, mais se retrouvèrent ruinées quand la traite fut abolie.

comme fondamentaux et plus largement répandus[11]. Il faudrait pouvoir étudier les systèmes des castes et des royautés centralisées, des grands empires; nous ne ferons que quelques remarques générales[12].

6.2.1 L'agriculture villageoise

6.2.1.1 Premier facteur: l'énergie humaine

a) Le fait massif que nous trouvons à la base de toute l'économie africaine c'est le travail à la main. L'homme est la seule source d'énergie utilisée dans l'Afrique noire traditionnelle: travail à la houe, portage sur la tête ou le dos, rame des piroguiers, navette du tisserand, doigts du potier. C'est la force de l'homme seul qui est utilisée aussi bien pour puiser l'eau de boisson ou d'arrosage, défricher la forêt, tresser une vannerie, porter un fardeau. La roue n'est pas utilisée, si ce n'est par l'enfant qui s'en amuse; la traction animale ne vient pas relayer la peine des hommes; ni l'eau, ni le vent: pas de moulin[13]. D'où la question fondamentale: pourquoi cet état de choses?

On ne peut répondre: l'invention a manqué. Car l'Afrique a inventé ses techniques, connaît des mécanismes ingénieux, par exemple dans le métier à tisser, dans les pièges de chasseur en forêt. Personne ne peut dire: ceci ou cela n'a pas été inventé; mais seulement: ne se sont répandus largement que certains procédés et pas d'autres.

On ne peut pas dire non plus que le contact a manqué avec d'autres peuples pratiquant, par exemple, la culture attelée, connaissant la roue ou la bâtisse en pierre. L'Afrique ancienne a été en contact avec l'Egypte, et depuis 1000 ans au moins avec les populations arabo-berbères qui connaissaient la roue, le charroi, l'irrigation à la noria etc. Les invasions arabo-berbères qui amenèrent l'Islam en Afrique noire et créèrent des empires prospères, auraient pu tout aussi bien amener et répandre des techniques nouvelles. Nous conclurons que si des techniques nouvelles n'ont pas été adoptées largement, c'est que l'Afrique noire n'en a pas senti le besoin; peut-être ces techniques ne sont pas apparues comme assez adaptées à l'environnement des savanes et des forêts, mais précisément l'adaptation est l'affaire d'un choix et d'une volonté. Tout simplement faut-il comprendre que l'Afrique avait des modes de production qui convenaient à sa pratique sociale: elle

11 Il existe d'autres genres de vie en Afrique, notamment la cueillette et la chasse; cf. J. Maquet (1962); Pierre George (1968: 9): «la géographie naturelle subie»; comparer avec L.R. Nougier (1970).
12 C'est l'économie traditionnelle que nous visons. M. Diop (1971: 75) pense qu'elle existe toujours: «Ici, la mentalité archaïque est encore celle qui gouverne les masses. Alors que l'on parle de 'décoloniser les mentalités', on ne songe plus aux mentalités précoloniales qui sont encore présentes. Comme toujours on met la charrue avant les bœufs...»
13 Notons quelques cas de voiles, notamment sur le littoral, de pirogues à balancier, de bœufs porteurs ici et là – (parfois l'âne et le chameau); parfois le chadouf.

n'avait pas besoin d'autre chose[14].

b) Quelle serait donc la cohérence intime entre la production à la main et une certaine organisation sociale? Ou bien l'homme travaille seul, sur une surface réduite, à la vitesse adaptée au temps utile dont il dispose: cela suppose une nature facile à exploiter, de hauts rendements[15]; cela suppose une sécurité acquise. L'Afrique semble ne pas permettre cette solution.

Ou bien l'homme doit travailler avec d'autres, unir ses forces de travail, au moins au niveau de la grande famille. C'est la solution retenue en Afrique. On peut estimer que le rendement est plus grand quand on s'associe pour travailler, surtout si on mêle le rythme et l'émulation. Les Kikuyu disent: «Un travail en commun rend la tâche plus légère» (J. Kenyatta 1967: 92). Ainsi pour défricher l'immense forêt, couper les arbres énormes, les hommes s'unissent; les femmes aussi pour semer, planter et désherber. La pirogue est manœuvrée par une équipe. La culture en savane, culture extensive, sur des étendues relativement grandes, favorise l'activité des associations de travail en commun[16].

c) Or pour faire travailler ensemble des équipes suffisamment nombreuses, il y a plusieurs solutions possibles. L'emploi de la force qui fait travailler des esclaves nombreux dans des exploitations ou de grands travaux, demande des encadrements ambitieux[17]. La solution africaine est l'idéologie de la vie – ensemble: l'entente du groupe, l'acceptation des mêmes techniques, des mêmes modèles d'organisation de l'espace, des mêmes règles, sous une autorité qui représente une tradition, c'est-à-dire ce qui a fait ses preuves depuis longtemps. Ce qui met en danger

---

14   La diffusion des techniques est difficile à saisir (cf. A. Leroi-Gourhan 1945: 321s.; H. Raulin 1962). La bicyclette est une technique largement acceptée sans qu'il ait été besoin de la moindre propagande. Mais c'est un moyen de locomotion qui s'adapte très bien à l'infrastructure d'un pays plat, peu sablonneux, aux pistes bien nettoyées par des milliers de pieds; il ne bouleverse pas les habitudes sociales: c'est un outil individuel, mais qui permet d'être avec d'autres (cf. ces longues files de cyclistes bavardant sur les pistes); un peu plus rapide, un peu moins fatiguant, permettant le transport d'objets plus lourds, relativement peu coûteux, facile d'entretien, bricolable à merci; il est nécessaire de suivre strictement l'itinéraire déjà tracé, sans écart, sinon on tombe sur une souche, un trou, une pierre, des gravillons. Outil masculin d'abord, le mari peut rouler sa femme, manifestant ainsi sa supériorité. Le vélo est la revanche de l'homme ordinaire qui ne pouvait disposer d'un vrai cheval, apanage des chefs et des riches et demandant beaucoup d'entretien. Le vélo-moteur a d'autres avantages, mais exigeant du carburant, il sort davantage la personne du système de l'auto-subsistance. — La cuvette émaillée a remplacé sans difficulté la calebasse végétale, et le seau galvanisé, le canari de terre cuite. Mais la cuisine se fait toujours sur un foyer à terre.

15   La fertilité des sols africains, en général, n'est pas très grande.

16   Un argument invoqué en faveur de la polygamie, c'est que la femme demande elle-même une co-épouse pour l'aider.

17   Les sociétés africaines ont largement utilisé l'esclavage. Ch.A. Diop (1960: 115-118) pense pouvoir minimiser le fait. M. Diop (1971: 17s., 72s.) le maximise: «l'esclavage domestique, patriarcal, avec ses captifs de case, dont on s'est plu à chanter les douceurs, n'était certainement pas une institution philanthropique!» (p.74). Mais un esclavagisme qui atteint des tribus entières, suppose des forces conquérantes, des encadrements importants, des royautés, donc des économies capables de dégager des surplus. Cet esclavagisme est donc second par rapport à une mobilisation des hommes par le consentement à la vie relationnelle lignagère.

l'effort de production du groupe, c'est la scission ou la mésentente, aussi bien que la mauvaise unanimité. Le travail à la houe combine à la fois les vertus de la subjectivité, l'individu est personnalisé dans l'exécution d'une tâche séparée (par opposition au travail à la chaîne, ou à la manœuvre d'un engin unique demandant un effort concerté), et les vertus de l'être – ensemble. Ainsi tout le relationnisme nous semble engagé dans ce travail à la main: place donnée au sujet et à la communauté, soumission des subjectivités à la tradition représentée par les chefs de famille; conviction que l'être – ensemble est la source unique du bonheur, de la réussite, que l'isolée ne peut être qu'un condamné à mort ou un sorcier malfaisant.

On peut penser aussi que cette façon de travailler et de vivre ensemble exige une certaine forme d'appropriation des terres lesquelles appartiennent non à l'individu mais au lignage, au clan: propriété collective à exploiter collectivement, pour que dans la consommation tout le monde ait sa part. Ce qui n'empêche pas le champ individuel, plus ou moins marginal, puisque la houe est un instrument individuel[18].

d) Or ce travail et cette organisation est assez efficace pour dégager quelques surplus, au moins dans les bonnes années. Des villes, des castes d'artisans non cultivateurs, des chefferies, des royaumes ont pu s'édifier sur cette base de production.

6.2.1.2 Second facteur: le temps du travail

a) Dans les savanes, le temps du travail agricole est court: la saison des pluies. Défrichage ou préparation des champs, semailles, désherbages, récoltes n'exigent guère que trois ou quatre mois de travail effectif. Le problème est donc de produire le maximum de surface (en système extensif, ne supposant pas de fumure par l'élevage), par le maximum de gens, dans un temps court. Le moment des cultures est donc une vie commune intense, mobilisation des énergies disponibles. La paresse est stigmatisée. L'individu qui prétend émigrer ou voyager, ou se mettre à part pendant ce temps-là est nécessairement mal vu[19]. Inversement les gens voient toute la noblesse de leur tâche par quoi ils peuvent se suffire à eux-mêmes. Aussi bien est-ce toujours une honte pour une personne que de laisser passer la saison des pluies sans semer quelque chose. Pendant la saison humide elle-même, une fois le désherbage terminé, il n'y a plus qu'à attendre la récolte; le paysan qui ne pratique pas d'ordinaire l'union bétail-culture, n'a pas à faire des réserves de fourrage[20].

---

18   Ajoutons que les manières culturales à la houe sont bien adaptées à la nature des sols et de leur fertilité.

19   Les Bwa sont des agriculteurs durs à la tâche. Que faire avec quelqu'un qui ne veut pas cultiver? «Un homme a un fils qui ne veut pas cultiver, même quand il est éveillé, il reste couché. Son père lui achète un fusil, le lui donne et le jeune homme prend l'arme, sort pour tuer du gibier» (J. Cremer 1927: 71). Procurer de la viande (donc de la sauce) à la communauté est une activité utile. Prévenu par la famille, un ancêtre proclame même que «son fils-(chasseur chanceux) vaut mieux que tous les autres» (p.74).

20   P. Gourou (1971: 261) pense que le paysan africain est sous-employé.

b) Nous constatons ici un choix de la société africaine: elle ne se lance pas, pendant le temps disponible, à de grands travaux d'aménagements (ponts, routes, digues, irrigation) ou d'embellissement (monuments, bâtiments somptueux, temples, tombeaux, pyramides): l'Afrique n'est pas travaillée par le besoin de la bâtisse: Zimbabwe est une exception[21]. Pendant le temps disponible, l'Afrique prend du bon temps. Cela peut s'expliquer en partie par le climat: la chaleur ne favorise pas le travail spontané; et comme l'homme peut vivre au dehors, sa maison peut se réduire à l'essentiel. Mais l'explication semble plutôt celle-ci: la vie–ensemble, les uns avec et pour les autres, demande aussi la réjouissance ensemble. Ainsi comprend-on que la vie africaine soit polarisée par la joie de cette détente, le plaisir de bien vivre, et la paix sans quoi rien de cela ne serait possible.

c) Puisque le travail doit être exécuté rapidement, il importe de réunir des groupes importants, d'animer le mouvement par le rythme, les chants, les tambours et de provoquer l'émulation des jeunes.

La principale force de travail étant la jeunesse, il importe de tenir en main cette force vive. Les rituels d'initiation, les organisations de classe d'âge, signifient, à ce point de vue, l'enrégimentement des jeunes dans ce système de production, de travail et de réjouissances en commun. Le jeune, apprend non seulement à respecter l'adulte et l'ancien, non seulement il découvre une tradition, mais encore il apprend à vivre avec les autres jeunes, jamais en individu qui pourrait se suffire. La saison des pluies, et la saison sèche, par leurs activités respectives intègrent les jeunes à l'idéologie commune.

6.2.1.3 Troisième facteur: l'attitude devant la nature

a) Il ne suffit pas de dire que la terre est sacrée, que l'Africain a l'âme cosmique ou qu'il est «poreux à tous les souffles du monde», il faut plutôt comprendre comment l'agriculteur a dû aborder historiquement la nature difficile des savanes et des forêts[22].

Il semble que le peuplement négro-africain se soit fait à partir du Sahara. Les peintures et tracés rupestres manifestent qu'il y a plus de 5000 ans, le Sahara était fertile et peuplé. Ce serait à partir de 2500 ans que le dessèchement du Sahara aurait poussé les peuples vers le sud. Les régions du lac Tchad sont pendant longtemps encore des régions très arrosées, rassemblant une forte population; leur dessèchement provoque de nouvelles migrations, notamment celle des Bantu. Si

21 «Le cultivateur des savanes africaines est disponible chaque année pour s'enrôler au service du chef. Ce réservoir des soldats explique en partie le caractère éminemment guerrier et conquérant des royaumes de la bande soudanaise de l'Afrique qui ne présente d'autre part aucune difficulté de communications majeure sur un territoire immense s'étendant entre Dakar et Khartoum» (R. Cornevin 1966-67/II: 19). M. Diop (1971) fait aussi remarquer que l'esclave devient soldat.
22 La notion de ‹milieux physiques hostiles ou favorables› est difficile à préciser, dit P. Gourou (1971: 89). C'est aussi une question de civilisation, ou de décision humaine.

ce schéma est exact, il semble que les populations nègres n'abordent les savanes et ne pénètrent en forêt que poussées par des phénomènes climatiques catastrophiques; de plus elles entrent en contact avec des natures inconnues, mystérieuses et déjà possédées (les premiers occupants, sans doute Pygmées, les fauves)[23].

Ce genre de pénétration entraîne une double attitude:

– Le nouvel arrivé ne se sent pas tellement propriétaire du terrain qu'il occupe; il trouve devant lui des possesseurs. S'il peut chasser les hommes, il reste les animaux. Peut-être est-ce là l'origine de l'idée qui veut que les ancêtres n'occupent un territoire qu'en vertu d'une alliance passée avec les ‹maîtres du lieu›. Les arrivées successives de conquérants ou de migrants reconnaîtront très souvent les autochtones ou premiers arrivés, comme ‹chefs de terre›, comme ayant des droits spéciaux à eux concédés par les Puissances des lieux. Faute de quoi il n'y a ni pluie, ni fécondité.

– Ensuite les nouveaux arrivés ont dû peu à peu, à tâtons, découvrir leur environnement, adapter leurs techniques. Ainsi s'est constitué un capital de connaissances en dehors duquel aucune sécurité vitale n'est possible. Ce savoir, ce sont les ancêtres qui l'ont constitué et transmis; il s'agit de le garder et de le transmettre aux générations à venir. Sans doute sommes-nous là devant une source du traditionalisme: il est dangereux de s'écarter de ce qui avait réussi[24].

Nous voyons ensuite, au cours des siècles, se constituer une véritable marqueterie de peuples, d'ethnies, de langues et dialectes. Ce morcellement est l'indice de nombreuses migrations, invasions et guerres. Si l'on n'a pu aboutir à un brassage uniformisant, c'est sans doute que les groupes ont tenu à se barricader dans leur spécificité. Morcellement et isolement sont aussi des faits de civilisation (P. Gourou 1971: 106). En tout cas, compte tenu de certaines variations du milieu, le principe technologique de base est le même partout, caractérisé par l'outil individuel.

b) Mais le mode de peuplement de l'Afrique ne peut pas rendre compte à lui seul de l'attitude de l'homme africain face à la nature. Pourquoi l'homme garderait-il indéfiniment ses attitudes du début, quand il abordait pour la première fois des territoires inconnus? Il faut donc maintenant considérer l'importance de certains phénomènes naturels persistants, à travers les siècles, tels que la pluviosité irrégulière, la récurrence des épidémies et endémies. Ajoutons à cette peur de la nature, en certaines périodes d'invasion, et de violences esclavagistes, la peur des hommes.

23   R. Cornevin (1966-67/I: 72) fait une place importante à l'expérience égyptienne. La formation de la plaine égyptienne s'est faite pendant que le Sahara était habité. La plaine est d'abord un immense marécage; les premiers occupants, réfugiés sur les éminences, à l'abri des inondations, ont dû lutter contre toutes sortes d'animaux sauvages lesquels ont pu leur apparaître comme les premiers maîtres du sol. Le panthéon animal de la vallée du Nil conserverait le souvenir de ces contacts difficiles.
24   Cf. L.R. Nougier (1970). Précisons que les populations africaines ont bien su intégrer à leur vie des cultures nouvelles importées d'Amérique et de Malaisie: manioc, maïs, bananes, etc. Voir dans B. Davidson (1971) une présentation du peuplement et de l'organisation en originelle de l'Afrique. Renvoyons à notre étude: Religions africaines: Les Paysans, *Vivant Univers* no 342, 1982. Comparer avec l'exposé de C. Meillassoux (1975).

C'est ce genre de contact avec l'environnement qui a déterminé l'homme africain à concevoir son espace humain comme un chez-soi de sécurité, de réussite acquise ensemble, bien distingué de la brousse et de la forêt, englobantes, menaçantes, à tout le moins non-humaines. C'est pourquoi nous avons cru devoir insister sur la catégorie En−dehors irréductible. Le village est une conquête difficile, encore précaire, qui peut s'éprouver souvent comme envahi par des forces hostiles. La solution préconisée en Afrique, c'est le renforcement de l'unité intérieure, le développement de l'art de vivre−ensemble, les techniques de l'entente mutuelle, des conflits ritualisés, des apaisements et réconciliations longuement façonnés par la parole. Or la parole, chose valable entre humains, est inefficace sur la nature. Il y a donc dans l'idéologie africaine, un renforcement de la distinction culture-nature, bien loin qu'il y ait fusion ou symbiose ou participation. Entre les deux domaines, les contacts sont épisodiques: alliances, tentatives de bon voisinage, excursion prudente des hommes dans le domaine sauvage, marchandages; parfois il y a rejet, fuite, maintien à distance, peur qui fait faire un détour.

Un autre indice de cette séparation village − nature, se retrouve dans les attitudes culturelles face aux Puissances; celles-ci ne sont pas humanisées dans des habitats construits avec les splendeurs de la grande architecture, mais simplement là où elles sont, dans un arbre, une pierre, un rocher, un bosquet; les aménagements sont extrêmement réduits. Ce n'est pas pour nous l'indice d'une fusion de l'homme dans la nature, mais la conscience d'une séparation irréductible[25].

c) L'incertitude que provoque un environnement mal maîtrisable oblige aussi le groupe à se resserrer sur lui-même pour prévoir et assurer l'avenir. Certains peuples de la savane soudanaise avaient toujours des greniers de surplus et l'on ne devait pas toucher à la récolte de l'année. Ce système de sécurité suppose une grande discipline intérieure, en même temps qu'une organisation défensive pour résister aux razzias des voisins démunis.

On a fait remarquer que l'Afrique a été sillonnée de routes commerciales. Cependant les produits échangés semblent avoir surtout été des produits précieux: kola, sel, métaux non pondéreux, mais pas d'énormes quantités de vivres. Le portage à dos d'homme ne le permettait guère; et les troupeaux d'ânes, de chevaux, de chameaux ou de bœufs n'étaient pas organisés pour cela. Si bien que l'autosubsistance devait être la règle. Les fluctuations des pluies, l'incertitude des récoltes ne pouvaient donc être surmontés que par le resserrement des parentèles et la solidarité villageoise.

d) Enfin l'attitude de l'homme africain devant la nature se comprend beaucoup mieux par la rationalité de son calcul économique que par le sentiment religieux.

---

25 Un récit bobo, rapporté par J. Cremer (1927: 88), montre une famille faisant alliance avec les génies de la brousse Dondorya. Des animaux sont offerts par les hommes, tués et cuisinés par eux. «Quand tout est prêt, ils s'éloignent des plats, vont s'asseoir à l'écart pour que les Dondorya viennent manger les premiers. Dès que ceux-ci ont fini, les vieux mangent à leur tour, puis les jeunes gens.»

L'essartage de la brousse ou de la forêt ne paraît pas s'inspirer d'un profond respect de la nature; si les recherches techniques ne sont pas plus poussées, c'est sans doute que telles quelles elles étaient estimées suffisamment rémunératrices; l'équilibre entre travail fourni, peine consentie, et résultats tangibles devait être estimé suffisant[26].

Bien entendu, la cohérence socio-économique que nous exposons ici, n'est qu'une épure. Il serait ridicule de vouloir en déduire tous les détails des organisations sociales ou des spéculations des diverses ethnies. Nous croyons tout de même, qu'il y a là une ligne générale représentant fidèlement ce que l'Africain pense idéalement et spontanément de son genre de vie. Je n'en veux pour preuve que le récit suivant de Iwiye KALA-LOBE (1961: 90-91)[27].

Nous trouvons dans ce texte, la conscience du paysan, comment il conçoit sa vie et sa prospérité: bref toute l'idéologie du Je — Avec.

J'avais deux plantations sur les deux rives du Mungo... Le commerce florissait... En ce temps-là, les Duala étaient une race travailleuse. Ces Bantu nomades, après s'être installé sur les berges de l'estuaire de la rivière Cameroun... livrèrent une bataille victorieuse à la forêt vierge du ‹Mungo› ... Les travailleurs de la terre étaient alors nombreux et persévérants. J'habitais mes plantations pendant toute l'année, ne venant à Douala que pour vendre mon cacao une fois tous les six mois.

La vie dans les plantations était idéale. Aucun problème particulier ne se posait pour le recrutement de la main-d'œuvre... Sur les immenses espaces défrichés, chacun avait un arpent de terre personnel où ses femmes faisaient de la culture vivrière...

La vie communautaire la plus harmonieuse régnait parmi les hommes. Nous ne connaissions pas les soucis des fins de mois. Chaque famille avait de quoi se nourrir — et vendre l'excédent de ses cultures vivrières à sa guise. Après la grande récolte, quand je revenais de chez ‹l'homme blanc› de Douala avec [toutes sortes de bonnes choses]... c'était fête au village!... Nous procédions au partage: on comptait avec des bouts de bambou le nombre de ‹lunes› de travail de chacun, on répartissait l'argent et la marchandise et on ouvrait les balles de tissus multicolores. Les femmes venaient alors faire leur choix selon la capacité d'achat de leur mari et des leurs propres, car

---

26   Aussi bien voyons-nous les paysans autrefois relégués dans des lieux de refuge où ils menaient une agriculture intensive très perfectionnée, mais exigeant beaucoup de travail, se livrer aux facilités d'une culture extensive, sans élevage, dès qu'ils sont redescendus en plaine (cf. J.C. Froelich 1968: 246). Une question précise: pourquoi les populations des villages A et B, au pays mossi, qui doivent souvent se visiter, participer à leurs marchés respectifs, ne construisent-elles pas un pont sur le marigot qui coupe la route entre A et B pendant au moins six mois? Ce n'est pas que les gens ne sachent pas faire un pont, au moins rudimentaire. Ce n'est pas l'encadrement autoritaire qui manque au pays mossi. Je ne vois qu'une explication: il leur est indifférent de se mouiller les pieds et de patauger dans la boue, de soulever leurs vélos sur l'épaule; le travail qu'il faudrait fournir pour la construction d'un ouvrage même rustique, n'entre pas en comparaison avec les désagréments suscités par l'absence de pont. Le calcul économique penche du côté des pieds mouillés. Quand une communauté sent vraiment le besoin de quelque chose qui lui paraît important, elle agit.

27   J'ai résumé et n'ai pris que la première partie de l'histoire; la suite raconte les démêlées du héros avec les colonisateurs. Le genre littéraire est celui de la nouvelle, non celui de la dissertation philosophique ou de l'étude historique.

ce sont elles-mêmes qui conservaient le prix de la vente de leurs produits vivriers...
On égorgeait alors des chèvres et des bœufs − et la fête durait des nuits entières...
Pas − ou presque pas d'ombre au tableau. Chacun palpait le fruit de son dur labeur... Les femmes... ramassaient des milliers de petits poissons... régal pour les hommes!... Les enfants gavés de nourriture, apprenaient à nager sur les bords du fleuve; ils n'avaient pas peur des crocodiles qui passaient, majestueux sur l'eau, ou somnolaient sur le sable...
De ma case principale, située en haut de la colline, je contemplais ce spectacle et remerciais... (le bon Dieu) de m'avoir appris la sagesse de ‹cultiver mon jardin›. De temps en temps, je consultais mon ‹N'galo› (mes amulettes) pour savoir si les forces du Mal n'allaient pas s'acharner sur mes champs, ou si mes frères, voisins de plantations, n'étaient pas jaloux de moi. Quand mon ‹N'galo› était ‹négatif›, je faisais un grand ‹sakala› (offrandes) aux crocodiles de la rivière et aux hommes de la terre. Mais quand mon ‹N'galo› était ‹positif›, alors c'étaient des grandes fêtes auxquelles je conviais tout le monde alentour.
Ma cour était docile. Les femmes rivalisaient d'ingéniosité pour être bien vues par moi. (La première femme) régnait avec clémence..., toutes les autres... la vénéraient, à cause de son autorité et de sa droiture... Pas une seule fois il ne m'est venu à l'idée de régner en despote sur cette grande famille qui m'apportait tout mon bonheur − après les belles récoltes de mes plantations... Je l'ai déjà dit: notre vie communautaire à tous était sans faille.

6.2.2 Le genre de vie pastoral[28]

Pourquoi un peuple choisit-il de vivre la vie pastorale plutôt qu'une autre? Pourquoi considérer la vache comme la valeur suprême d'une civilisation? Pourquoi cette symbiose de l'homme avec ses troupeaux, qui peut aller jusqu'au sacrifice de l'homme pour ses bêtes parce que la conservation et la permanence du troupeau est pour lui une question de vie et de mort? Pourquoi n'y a-t-il pas association étroite culture − élevage? Pourquoi un élevage appelant le nomadisme plutôt qu'un élevage sédentaire? Pourquoi aucun travail n'est-il demandé au bœuf? Efforçons nous au moins de saisir la cohérence intime qui doit exister entre l'organisation socio-économique et l'idéologie pastorale.

6.2.2.1 Premier facteur: la vache

a) La vie pastorale repose, du point de vue économique, avant tout sur le rendement en lait de la vache. Nourriture principale, valorisée à l'extrême, et si possible, nourriture unique, les autres nourritures étant conçues comme appoint. La vache laitière est donc primordiale; les mâles peuvent toujours servir aux échanges, voire aux sacrifices et aux repas de réjouissances. La vache laitière donne à la fois nourriture aux hommes et croît du troupeau, c'est-à-dire assure la substance future

---

28 Nos informations, trop lacunaires, sont tirées de M. Dupire (1970); J. Maquet (1962); E.E. Evans-Pritchard (1968); M. d'Hertefelt et A. Coupez (1964); P. Gourou (1971).

de l'homme et des siens; il est donc nécessaire d'élever tous les veaux, l'homme doit en conséquence partager le lait avec la bête.

Or le rendement en lait est très faible[29]. Pour suffire à une famille, il faut donc un nombre défini de vaches. Mais un troupeau trop nombreux pose des problèmes de pâturage et d'eau. Un troupeau trop concentré risque d'être décimé plus vite par les épizooties, et exige une surface riche en herbage[30]. Il y a donc un équilibre à garder entre ces facteurs: dimension du groupe humain, dimension de son troupeau, possibilités qu'offre le milieu physique.

b) Sur une telle donnée, il n'est pas concevable qu'une personne puisse vivre du rapport de sa vache. Le pastorat exige une vie ensemble développée. Par exemple, il faut être assez nombreux pour protéger le troupeau contre ses ennemis possibles; un père a besoin de bergers, qu'il trouve dans ses fils; un jeune marié sans garçon, même s'il a son troupeau, doit rester auprès de son père pour la garde des bêtes. Si l'on a besoin de s'absenter (visites, marchés) il faut pouvoir compter sur d'autres qui surveillent les animaux. Les hasards de la vie font qu'une famille peut voir son troupeau diminué; pour survivre, elle a besoin qu'une autre lui prête une vache. Les Nuer paient les compensations matrimoniales en vaches; un père qui marie son fils, diminue à ce point son troupeau, qu'il doit attendre, pour procéder à un autre mariage, que son troupeau soit reconstitué; pendant ce temps il ne peut vivre que de l'aide des autres familles. On peut donc dire que si les bêtes s'approprient facilement à un individu, la gestion d'un troupeau ne peut se faire qu'en commun.

De plus si la vie pastorale exige la transhumance et nomadisme, s'il est nécessaire de diviser le troupeau en fractions assez petites qui pourront paître à l'aise sur des surfaces présentant assez de nourriture, il faut que chaque fraction du troupeau soit gardée par quelqu'un en qui on ait confiance. Une vie commune, des relations étroites d'intérêt et d'encadrement sont donc nécessaires pour rendre viable ce pastorat.

---

29   E.E. Evans-Pritchard (1968: 40) estime la production ordinaire d'une vache entre 2,75 et 3,5 litres, chez les Nuer. Ce qui ferait, compte tenu de la population moyenne des familles, de la nourriture des veaux, environ un litre par personne. P. Gourou (1972: 21) dit: «Chez les Xosa, les vaches donnent en moyenne 1,5 litre de lait par jour; encore cèdent-elles leur lait seulement après avoir nourri leur veau.»

30   Selon P. Gourou (1971: 20s.): «Sans aucune amélioration due à l'homme, les pâturages spontanés ne pouvaient nourrir au Congo belge plus de 50 kilogrammes de poids vif par hectare; une bête de 300 kilogrammes avait donc besoin de six hectares de pâturage... Bien souvent, ces troupeaux de faible productivité détruisent plus de richesses qu'ils n'en produisent. Pour détruire les vieilles herbes incomestibles, pour hâter la sortie des jeunes pousses appréciées des bovins, pour empêcher la reconstitution de la forêt, les pasteurs allument chaque année, en fin de saison sèche, d'immenses incendies. La manie pastorale est telle que les prairies sont souvent surchargées et, de ce fait, rongées par l'érosion.»

c) Si le troupeau est insuffisant pour fournir la nourriture lactée convenable, force est de trouver un appoint dans la culture, la pêche ou la chasse. Autant d'activités qui, ajoutées à l'activité pastorale, ne peuvent être que collectives. Chez les Nuer:

> Les membres des petits groupes locaux vivent dans la plus étroite des dépendances: on pourrait dire qu'ils possèdent un stock de nourriture en commun; ‹l'habitude du partage› se comprend facilement dans une communauté où tout un chacun peut se trouver en difficulté de temps à autre (Evans-Pritchard 1968: 103-104).

d) La vie pastorale entraîne aussi une répartition des tâches. De purs pasteurs, ignorant toutes autres activités techniques que la vie pastorale, ont besoin de boisseliers, cordonniers, forgerons (M. Dupire 1970: 427). Un système de castes peut facilement s'édifier sur cette base. Un peuple pasteur puissant imposera sa manière de voir aux sédentaires et aux cultivateurs, exigeant des modes de cultures qui n'entravent en rien l'élevage tel qu'il l'entend. Une symbiose pourra se créer entre ces deux antagonistes: le pasteur et le cultivateur[31].

6.2.2.2   Second facteur: le temps

a) Le troupeau est dépendant des pâturages et des points d'eau, donc du régime des pluies. La trypanosomiase impose aux pasteurs de fuir les régions trop humides. Voici donc ces peuples renvoyés dans les pays où la pluie est primordiale. Il est facile de comprendre que la vie pastorale sera très différente suivant qu'il s'agit de la saison sèche ou de la saison des pluies. La saison sèche entraîne la mobilité, la transhumance, la dispersion relative des troupeaux vers les pâturages jamais très plantureux et les points d'eau dont l'épuisement est toujours à craindre. L'organisation des déplacements suppose la connaissance des lieux qui ne peut s'acquérir que sur la base d'une tradition, ou d'une prospection très prudente. Le partage des zones intéressantes doit être réglé. L'entraide est de règle: un point d'eau pouvant tarir il n'est pas question d'une appropriation exclusive, l'entraide suppose l'accès commun à l'eau. Bien entendu tout ceci donne lieu à réglementation, encadrement, organisation sociale, pour maintenir la paix, se défendre contre les razzieurs possibles, dirimer les conflits intérieurs.

b) La saison des pluies permet d'autres groupements. Les Nuer qui habitent dans une région qui devient très vite un vaste marécage, doivent se protéger de l'inondation en se réfugiant sur des tertres où ils pratiquent une petite culture de millet et de maïs. Ils doivent aussi lutter contre l'invasion des insectes qui pullulent et affaiblissent bêtes et gens: d'où certaines techniques d'habitat et d'enfumage. Pour les Peul du Sahel, la saison humide est l'époque des regroupements plus nombreux, eau et herbe ne manquent plus (mais il faut se tenir à distance des plantations des cultivateurs); ce peut être alors le temps des fêtes, des cérémonies, où les hiérarchies peuvent s'affirmer davantage.

---

31 Cf. l'analyse de la situation du delta intérieur du Niger, ci-dessus. Voir sur la symbiose agriculteurs Hutu et pasteurs Tutsi, l'ouvrage de M. d'Hertefelt et al. (1962).

c) Dans les climats plus favorables, surtout lorsque le pasteur peut s'assurer les services des cultivateurs, une aristocratie peut se constituer qui développe des activités de l'esprit tout à fait particulières: poésie, art de la parole, danse artistique. La vie pastorale prépare facilement à la vie guerrière: le pasteur est armé pour défendre son troupeau, au besoin pour razzier celui des autres. La vie pastorale offre aussi au berger de longs loisirs et une contemplation assidue de la vache qui broute et fait la belle; de là des spéculations sur les robes des bovins, les dispositions relatives des bêtes les unes par rapport aux autres, les généalogies d'animaux, les noms des bovidés jalousement conservés, les privautés en faveur du bœuf favori. Evidemment tout cela se conçoit dans un élevage au grand air; beaucoup moins s'il s'agissait d'un élevage dans l'obscurité d'une étable[32].

6.2.2.3 Troisième facteur: attitude devant la nature

a) La vie pastorale est en contact continuel avec les bêtes et la brousse. A première vue le pasteur fait l'effet d'une passivité totale devant la nature: il la subit et se déplace pour se protéger en protégeant son troupeau. On saisit par exemple, dans la vie des Peul, une vaste histoire migratoire, issue de l'assèchement progressif du Sahara, poussant les pasteurs vers l'Ouest, puis le Sénégal et la Guinée, ensuite vers l'Est[33].

b) Pourtant il s'agit là certainement d'un fait de civilisation. Nous voyons ici et là (cultivateurs montagnards, île d'Ukara) des gens inventant un élevage tout différent: bêtes à l'étable, conservation et utilisation du fumier pour réduire au maximum ou supprimer totalement les jachères, nourriture des bêtes par les hommes, culture de fourrage irriguée. Les bêtes elles-mêmes pourraient être utilisées comme au Maghreb à faire tourner des noria qui permettraient des cultures irriguées en saison sèche, là où il y a des réserves d'eau, ou des fleuves intéressants. Cependant lutter contre la sécheresse par des irrigations savantes, des prairies artificielles, supposerait, dans l'hypothèse d'une technologie n'utilisant que l'énergie humaine, de vastes concentrations de populations pour exécuter et entretenir des travaux difficiles et délicats. Il y faudrait un encadrement autoritaire, une discipline forte; à moins que les avantages économiques de ce système de production ne soient également répartis sur tous les ayants droit et que tous se sentent ainsi intéressés

---

32 «Dans l'ensemble, ces élevages bovins étaient plus inspirés par des préoccupations sociales et religieuses que par des mobiles économiques. Les Xosa de l'Afrique du Sud se lamentent quand le bœuf favori de la famille tombe malade: 'que deviendrons-nous si celui qui est le plus fort vient à mourir? Ce sera notre fin à tous'. Au Rwanda, les plus beaux animaux étaient des vaches sacrées, les inyambo, superbes bêtes à robe baie, froment ou brune, dont les cornes en lyre pouvaient atteindre une longueur de 1,75 mètres, avec un écartement de 2 mètres entre les pointes. Quarante-quatre noms différents précisaient au Rwanda la position ‹sociale› de la vache, c'est-à-dire celle de son maître» (P. Gourou 1971: 20). Cf. E.E. Evans-Pritchard (1971): Symbolique des noms de bœufs chez les Dinka Ngok (pp.232ss.). Voir la poésie pastorale rundi (F.M. Rodegem 1973).
33 Cf. A.H. Ba et G. Dieterlen (1961). Ce texte expose à la fois, dans un genre littéraire mythique, les migrations et l'idéologie pastorale peul.

et consentent librement à cette discipline, on se trouverait autrement très vite dans une atmosphère de camp de concentration.

Le pasteur a plutôt choisi la voie ‹suivre la nature›. Il ne s'agit pas de passivité ou de respect religieux. Il s'agit de profiter au maximum de ce qui est; il n'y a aucun laisser-aller. Le pasteur doit compenser sa faiblesse par une connaissance aussi précise que possible du milieu et de ses bêtes. Le Peul sait qu'il est utile, par exemple, de conserver de vieilles bêtes, parce qu'elles sont immunisées contre les maladies et peuvent donc dans une épizootie catastrophique, assurer le croît du troupeau[34].

Ce qui paraît plus énigmatique, c'est le manque de sélection des bêtes: disons plutôt que les races ne s'améliorent pas, mais elles résistent aux maladies ambiantes[35].

En tout cas nous nous garderons d'estimer que les critères de la vache belle et bonne, chez les pasteurs africains, relèvent d'un manque de calcul économique; ce serait vouloir juger ces pratiques pastorales à l'aune des pratiques occidentales modernes. Nous devons plutôt supposer une rationalité économique basée sur un délicat équilibre entre les ressources du milieu, les besoins des animaux et les besoins des éleveurs.

c) La vie des pasteurs nomades est difficile. Soumis aux privations, se faisant gloire de pratiquer un ascétisme très exigeant, obligés aux longues stations au soleil, aux marches incessantes, ces peuples ne sont nullement passifs; on comprend qu'ils aient développé des valeurs morales qui s'appellent patience, résignation, mépris de la faim et de la souffrance, fierté et indépendance.

---

34   P. Beck et P. Huard (1969). La vie des Téda du Tibesti manifeste une mobilité extrême des individus, qui font des longs trajets pour reconnaître les animaux en pacage libre et pouvoir donner de leurs nouvelles à leurs propriétaires, pour estimer l'état des pâturages et des points d'eau, et prospecter. Ils se livrent aussi à des délicates opérations chirurgicales pour soigner les bêtes malades ou blessées. Parlant des Kababish du Kordofan, P. Gourou (1971: 97s.) explique: «Les Kababish ne gaspillent pas l'eau et ne peuvent être remplacés par un groupe pratiquant une activité différente; il n'y a pas de troisième solution: ou les Kababish, ou le désert absolu, sans aucune exploitation. Les Kababish sont-ils misérables et gagneraient-ils à abandonner leur nomadisme pour devenir cultivateurs sédentaires? Il faudrait pouvoir proposer aux nomades démissionnaires une agriculture qui fût plus fructueuse que leur nomadisme pastoral. Or le Kordofan est bien loin d'offrir une telle issue. Tant que cette partie de l'Afrique relèvera d'un certain type de civilisation, abolir le nomadisme pastoral aura deux résultats fâcheux: l'appauvrissement de l'ancien nomade, et l'abandon des pâturages les plus septentrionaux, susceptibles d'être exploités seulement en saison des pluies. Le système pastoral des Kababish n'apparaît ni maladroit ni insuffisant, ni destructeur; pour tenir le maximum de chameaux et de moutons, le pasteur divise son cheptel en deux troupeaux dont l'un transhume avec des bergers et l'autre nomadise avec la famille; cette pratique évite la surcharge des pâtures et permet d'exploiter des herbages lointains qui ne pourraient recevoir la totalité du bétail et surtout pas les moutons. Les Kababish sont d'autant plus respectables qu'ils vivent en paix avec les sédentaires; au contraire, la tribu Rufa'a al-Hoi est souvent en lutte contre les paysans Mabaan... Les conflits naissent parce que les nomades arrivent trop tôt quand les récoltes ne sont pas rentrées.»

35   Il est frappant de comparer la vache peul avec le buffle sauvage beaucoup plus puissant, vivant en brousse des mêmes herbages. Pourquoi le buffle n'est-il pas domestiqué en Afrique, comme en Asie?

Mais ces vertus ont leur coût économique. Il faut d'autres vertus pour arriver à un autre calcul économique. Il faut réaliser, par exemple, ce que propose P. Gourou:

> Au contact du Soudan la zone sahélienne ouvre d'immenses pâturages extensifs qui prendront toute leur valeur s'ils peuvent en saison et en année sèches s'appuyer sur une base de sécurité donnée par les cultures fourragères irriguées de delta intérieur du Niger; un élevage laitier prospérerait à l'étable dans les zones fourragères; un élevage à viande, qui exploiterait les immenses possibilités sahéliennes, serait garanti contre les irrégularités du climat par les fourrages irrigués. Rêverie aujourd'hui, mais voie d'avenir (P. Gourou 1971: 196).

Mais ce serait sortir de la ‹manie pastorale›, et assumer une nouvelle ‹manie› ... celle du développement économique.

6.2.3 Chefferies, royautés et empires

Nous ne ferons que quelques remarques générales. L'Afrique n'est pas sans organisation publique, sans encadrement. Des royautés et des empires ont existé ou existent qui ne manquèrent pas de grandeur (cf. Ch.A. Diop 1960; Vansina 1965). Mais quelles furent leurs options politiques et économiques fondamentales?

Les sociétés ont le choix entre diverses orientations. Une fois assuré le minimum vital pour l'ensemble du peuple, et quelque surplus pour satisfaire aux diverses formes de prestige et dégager du peuple producteur des personnes spécialisées dans d'autres tâches, une société peut donner plus ou moins d'importance à divers types d'occupations: il y a l'option religieuse ou ritualiste, l'option politique (prépondérance donnée à l'admimistration des hommes), l'option militariste (la conquête), l'option culturelle (grands travaux d'art, embellissement des villes, monuments, ou travaux de l'esprit), ou l'option économique (accroissement de la production, du commerce et de la consommation et les aménagements territoriaux que cela suppose). On peut estimer qu'une activité humaine tend à se développer d'elle-même si des limites ou freins ne lui sont pas appliqués d'une manière ou d'une autre. La plupart du temps, les sociétés, tout en accentuant une option, font une synthèse plus ou moins réussie des diverses possibilités[36].

Or il ne semble pas que ces royautés africaines aient fait l'option économique. Le programme des universités sahéliennes, dont parle Ch.A. Diop (1960: 131s.), s'inspirait des études coraniques traditionnelles en pays musulman, non d'un souci de recherche scientifique et technologique; en tout cas cela n'a pas débouché sur un aménagement considérable du territoire ni sur une transformation des moyens populaires de production (voir G.A. Kouassigan 1966; St. Melone 1972).

Ce n'est pas que les pratiques d'encadrement fussent déficientes, elles étaient tournées vers d'autres réalisations: par exemple la manipulation des mariages et des parentés.

---

36 J. Baechler (1971: 91, 124). Les villes africaines anciennes du Sahel ou des Yoruba ont un faible équipement urbain: cf. P. Gourou (1971: 137).

Dans une société hiérarchisée, le positionnement des individus et des groupes selon l'échelle sociale, implique des multiples interdits qui limitent les ambitions productives et quelquefois la santé de certains individus. Les régimes fonciers ne sont pas tous favorables: par exemple quand les chefs s'approprient les bas-fonds sans les mettre en valeur pendant la saison sèche.

Les royautés et empires semblent avoir visé, du point de vue économique, une extension suffisante, englobant des peuples tributaires plus ou moins fortement rattachés au centre, et qui pratiquent la culture ou l'élevage extensif traditionnel. Le commerce et la traite des esclaves, avec les Européens ou les Arabes, en armant certains peuples mieux situés ou plus entreprenants, contre d'autres plus faibles, n'encourageaient pas la recherche d'une production accrue et améliorée. Les problèmes de succession, toujours difficiles dans ces royautés, ne permettaient guère non plus une recherche de longue haleine: la personnalité de chaque roi marquant son empreinte profonde sur l'histoire de leurs royaumes (Vansina 1965: 185-187).

Tout ceci est, bien entendu, trop lacunaire pour mettre au clair la rationalité socio-économique de ces idéologies royales ou impériales. L'essentiel était de poser le principe de cette rationalité et de tâcher de saisir la part que la vie relationnelle y prend. (Renvoyons à notre étude: 'Religions africaines: les Royautés', *Vivant Univers*, n° 346, 1983.)

6.3   Changements civilisationnels et déploiement planétaire de l'humanité

La forme de pensée Je–Avec et le mode de production lignager sont interdépendants; ils sont assaillis maintenant par la modernité, l'étatisme, les communications internationales, les religions universalisantes: vaste mouvement commencé au moins depuis le XVIᵉᵐᵉ siècle. Il importe autant au philosophe qu'à l'historien et au sociologue de réfléchir sur la portée de l'événement colonisateur qui a si profondément bouleversé l'Amérique, l'Afrique et l'Océanie.

Le choc fondamental est que des hommes qui s'étaient façonné des civilisations, compte tenu de leur environnement et de leur démographie, dans l'indépendance de leurs options, par le fait même de leur isolement continental et régional, se sont trouvés ‹forcés› dans leur isolement même dans leur autonomie. La traversée des océans par des hommes qui en avaient et les moyens technologiques et l'idéologie; l'unification forcée de nombreuses ethnies sous des administrations étatiques, religieuses et culturelles qui avaient les moyens de leur emprise; l'unification immunologique de l'humanité en même temps que la dissémination de germes inconnus ici et là; le transport et l'adaptation d'espèces végétales et animales hors de leurs territoires d'origine; la réduction des peuples chasseurs-cueilleurs-collecteurs au profit des agriculteurs, des éleveurs et des entrepreneurs industriels et miniers, puis la réduction des petites exploitations villageoises par la grande exploitation mécanisée; enfin le passage de plus en plus fréquent de l'autarcie (on ne mange que ce qu'on a cultivé soi-même) aux spécialisations et échanges commerciaux, − tout cela constitue les dernières phases d'un processus commencé par ce qu'on a appelé la révolution du néolithique (invention de l'agriculture-élevage) et la révolution des grands empires (invention des villes, des états, des grands travaux: en Egypte, Mésopotamie, et sur le fleuve Jaune). Il y a très peu de temps que les derniers survivants de l'âge de pierre découvraient en même temps le fer et la vie moderne. L'histoire de l'Afrique montre bien l'incessant refoulement des chasseurs-cueilleurs (Pygmées, Bushmen) par les agriculteurs et éleveurs; et actuellement des états africains sont préoccupés par leur intégration à la vie nationale; d'ailleurs leurs forêts et savanes se réduisent chaque jour davantage rendant leur genre de vie de plus en plus précaire et finalement impossible: «Quand la forêt mourra, nous mourrons avec elle»[37].

Que s'est-il donc passé depuis quelques millénaires? Ceci que l'humanité s'accroît en nombre et en complexité, en capacités civilisationnelles, en passant de la cueillette à l'agriculture − élevage − artisanat, puis à l'industrie. Pour l'agriculteur, les terres occupées par les chasseurs sont inemployées: il refoule ces ‹sauvages› et les contraint à disparaître comme chasseurs. L'homme en est-il plus heureux? on peut en discuter indéfiniment! En tout cas il multiplie à la fois ses biens et ses maux, et il s'accroît en nombre. La même chose continue, à l'échelle planétaire, avec l'explosion scientifique et technologique: les réussites agricoles, pastorales, artisanales d'antan disparaissent, au profit d'un accroissement énorme de production, d'une consommation centuplée d'énergie, de possibilités inouïes de communication, en même temps que s'accumulent les nuisances, les réglementations, les inégalités, les aliénations, les possibilités de destruction, d'embrigadement et d'exploitation. Mais il y a plusieurs milliards d'hommes!...[38]

A notre sens c'est à l'intérieur de ce vaste mouvement de l'histoire, qu'il faut placer et le relationnisme africain et le choc colonial moderniste qui le taraude de toutes parts. Le relationnisme africain, sa forme de pensée, constituaient une réalisation profondément humaine, mais à un certain stade de déploiement de l'humanité. Or celui-ci est mené par quelque chose de plus fondamental que nous appellerons une loi d'airain, que les options culturelles ou civilisatrices particulières ne sauraient briser.

Il s'agit de ceci: dans un environnement donné (éco-système) les ressources d'un groupe social, compte tenu de sa taille démographique et de ses capacités technologiques, sont limitées. Un tel groupe ne peut croître en nombre indéfiniment en utilisant les mêmes techniques (phénomène du monde plein); alors ou

37 Réflexion finale des Pygmées dans C. Turnbull (1961).
38 Méditer des ouvrages tels que L. Febvre (1922); L. Mumford (1956, 1961, 1967); A. Collot (1980); M. Sahlins (1972); G.H. Radkowski (1980); P. Baumann et H. Uhlig (1974). — Nous avons montré les incidences de cette problématique sur l'analyse du mouvement expansionniste des grandes religions universalistes, dans *Cultures et Développement* 1981, 3-25: Missiologie et sciences humaines, Evangélisation et Civilisation.

bien il essaime plus loin, s'il y a de la place, ou chasse un occupant déjà là qu'il refoule ou détruit; ou bien il veille drastiquement à limiter sa population à un optimum qui ne met pas sa survie en danger en détruisant son environnement; ou bien, sans essaimer et en augmentant sa population, il change de niveau civilisationnel, en inventant de nouvelles technologies, capables de nourrir et de tenir ensemble des populations beaucoup plus nombreuses. L'Afrique a sans doute été un monde plein avec quelques centaines de milliers de chasseurs-cueilleurs; le mode de production lignagers des villages indépendants et des petits royaumes a permis d'augmenter considérablement la population; le bond en avant démographique de l'Afrique actuelle suppose d'autres réalisations civilisationnelles; et en même temps se réalise ce qui n'était encore jamais arrivé: l'interdépendance de toutes les parties de la planète: plus d'isolat, plus d'autarcie, inévitable intercommunication qui expose aux aléas des échanges et aux ingérences des plus forts.

Comme on le voit, les libertés et responsabilités humaines jouent bien dans l'aménagement de chaque palier civilisationnel, mais à l'intérieur d'une loi d'airain à la fois biologique – écologique – sociologique – démographique. Nous replaçons donc le relationnisme africain et son genre de vie agricole ou pastoral, villageois ou despotique[39] à l'intérieur de ce grand déploiement de l'humanité.

Quant au philosophe, il peut bien essayer de comprendre la cohérence d'un genre de vie, ses options fondamentales, comment s'y réalise l'humain; il peut partager l'angoisse de ceux qui voient leur monde s'écrouler et disparaître, il peut essayer de proposer des voies pour un passage moins traumatisant vers d'autres modes d'être, mais il ne peut se substituer à la liberté de décision de tous et d'un chacun de choisir son avenir à l'intérieur de l'inéluctable.

---

39 Aussi bien n'avons-nous pas voulu parler des chasseurs-cueilleurs pygmées ou bushmen. Comparer avec C. Meillassoux (1975) qui situe la communauté domestique par rapport à la horde des collecteurs.

7 Conclusion générale

Au terme de ce livre, rappelons notre propos. Observateur extérieur à l'Afrique, nous avons tenté de la regarder à la fois avec un œil critique et une volonté de ne lui rien dicter. Cela supposait et que l'on prenne ses distances vis-à-vis des problématiques et thématiques occidentales, et vis-à-vis du sens commun populaire africain. Nous avons voulu faire œuvre rationnelle et systématique, estimant que le projet philosophique qui avait fleuri ailleurs, pouvait aussi bien s'épanouir sur le continent africain. Tout discours, même philosophique, a quelque charge idéologique, nous avons voulu le reconnaître: faire une relecture philosophique des réalités vécues africaines, actuellement, comporte le danger de préordonner l'avenir de nations indépendantes et d'influencer la conscience qu'elles ont d'elles-mêmes; en cherchant à thématiser la spécificité philosophique de l'Afrique, nous pouvions continuer à maintenir le préjugé occidental d'une humanité insolite; nous pensons avoir contribué au contraire à dégager le projet profondément et universellement humain de l'Afrique. Projet limité sans doute comme tout projet humain; projet universel, si par là on entend dire que tout homme peut comprendre l'humain quel qu'il soit, c'est-à-dire reconnaître l'humanité de l'autre; projet universel encore, en ce sens, que d'une manière ou d'une autre, tout homme et toute société humaine rencontre sur son chemin le problème de la convivence humaine, mais que de manières différentes de la résoudre! problème toujours actuel, mais qui appelle sans doute aujourd'hui des solutions neuves.

Nous nous proposions dans le présent volume, de dresser une *analytique*, c'est-à-dire une mise au point d'outils d'analyse philosophique. En nous situant à l'extérieur d'une forme de pensée issue des Grecs, et des avatars occidentaux, nous avons voulu dégager des catégories, une dynamique, une symbolique, une évaluation économique qui soient africaines. Il s'agit dans cette analytique d'un squelette, et même d'un squelette démonté. La forme de pensée Je–Avec, prétendait ramasser sous son horizon la globalité de l'expérience vitale africaine; l'analyse se proposait d'y trouver des lignes de force qui imprimeraient aux concepts africains leur configuration et signification propres: elle voulait mettre au clair une rationalité dont les éléments très simples et peu nombreux pouvaient s'agencer aisément et, de proche en proche, par des applications plus complexes, unifier et comprendre la diversité et la complexité de la vie.

Ces éléments analytiques de base voulaient surtout, dans leur abstraction nécessaire, être facilement observables, empiriques. La philosophie doit rendre compte du vécu immédiat et non édifier des châteaux entre ciel et terre. Certains pourront nous reprocher de n'avoir pas fait fond sur les cosmogonies ou mythologies africaines, sur des révélations comme celles d'Ogotemmêli sur les Dogon. Ce n'était pas possible: D'abord nous serions tombé dans le sophisme: expliquer *obscurum per obscurius*; ensuite les propos cosmogoniques et autres supposent de délicats problèmes à résoudre: que valent ces discours et leurs commentaires sous la plume d'un GRIAULE? sur quel plan, moyennant quelle herméneutique, ces paroles ont-elles un sens? Nous pensons ici que c'est le sens de la vie qui commande d'abord. Les discours mythiques supposent d'abord des hommes qui ont organisé leur vie. Il convenait donc d'analyser d'abord rationnellement ce sens de l'existence au niveau du vécu, avant de nous aventurer dans des spéculations qui ne peuvent venir qu'à l'intérieur d'un vécu.

Certains nous reprocheront sans doute de n'avoir pas fait une place à l'Invisible, au Divin, au Transcendant, dans nos catégories ou notre dynamique. Ne s'agit-il pas là d'une pièce essentielle dans le vécu africain? Nous ne nions pas ce fait, mais nous pensons encore une fois qu'une philosophie doit commencer par le vécu empirique; Dieu n'est pas une réalité empirique; l'invisible n'est significatif que par la démarche qui lui donne son sens; il fallait donc d'abord manifester le mouvement même de l'expérience vitale d'où naît la démarche qui aboutit à poser l'Invisible (Ancêtres, esprits, Dieu). Il n'y a empiriquement parlant que deux partenaires observables à la base de cette philosophie: les hommes et la Nature extérieure englobante; l'Invisible n'est pas un partenaire de même niveau. C'est l'homme, face à la nature, qui le pose. Ce qui ne veut pas dire qu'il ne pose qu'une chimère...

Le présent projet ne livre qu'une analytique. Il demande un prolongement que nous appellerons *synthétique*. Il s'agit d'appliquer l'outillage conceptuel ici inventorié à la réalité multiforme et changeante de la vie africaine concrète, du moins en ses points les plus chauds. Il s'agit de redonner au squelette chairs et parures. Nous nous proposons ainsi de comprendre l'être-homme et l'être-femme, la mort et les ancêtres, le mal et la maladie, le sorcier, l'invisible et la Transcendance, l'âme humaine et ses composantes: projet nullement exhaustif, mais qui suffit déjà au travail de plusieurs années.

Bibliographie

1960   *A la rencontre des religions africaines.* Rome. Ancora.

1971   *L'Afrique noire et l'Europe face à face.* Dialogue d'Africains et d'Européens sur la présente crise mondiale de civilisation, Frascati 1969. Paris. Présence Africaine.

1971   *L'Anthropologie, science des sociétés primitives.* Paris. Denoël.

1958   *Aspects de la culture noire.* Paris. Fayard.

1972   Colloque sur la négritude. Dakar, 12—18 avril 1971. Paris. Présence Africaine.

1962   *Colloque sur les religions.* Abidjan, avril 1961. Paris. Présence Africaine.

1969   *La culture africaine.* Le Symposium d'Alger, 21 juillet — 1er août 1969. Alger. SNED.

1968   *Dictionnaire des civilisations africaines.* Paris. F. Hazan.

1968   *Dieu, idoles et sorcellerie dans la région Kwango-Bas-Kwilu.* Bandundu (Zaïre). Ceeba.

1968   *La divination.* Etudes recueillies par A. Caquot et M. Leibovici. 2 tomes. Paris. Presses Universitaires de France.

1970   *Introduction aux sciences humaines des religions.* Symposium recueilli par H. Desroches et J. Séguy. Paris. Cujas.

1969   *Mort, funérailles, deuil et culte des ancêtres chez les populations du Kwango-Bas-Kwilu.* Bandundu (Zaïre). Ceeba.

1963   Personnalité africaine et catholicisme. Paris. Présence Africaine.

1969   *Pour une théologie africaine.* Rencontre des théologiens africains, Ibadan. Yaoundé. Clé.

1957   *Des prêtres noirs s'interrogent.* Paris. Cerf.

1962   *Regards sur l'Afrique. Diogène* (Paris) 37.

1965   *Réincarnation et vie mystique en Afrique noire.* Paris. Presses Universitaires de France.

1972   *Les religions africaines comme source de valeurs de civilisation.* Colloque de Cotonou, 12—22 août 1970. Paris. Présence Africaine.

1965   *Les religions africaines traditionnelles.* Rencontres internationales de Bouaké. Paris. Seuil.

1965   *Tradition et modernisme en Afrique noire.* Rencontres internationales de Bouaké. Paris. Seuil.

Abdel-Malek, A.

1972   La dialectique sociale. Paris. Seuil.

288 Bibliographie

Adeolu Adegbola, E.
1969   Le fondement théologique de la morale. In: Pour une théologie afri-
        caine, pp.163-186. Yaoundé. Clé.

Adler, A. et Zempléni, A.
1972   Le bâton de l'aveugle. Divination, maladie et pouvoir chez les Moun-
        dang du Tchad. Paris. Hermann.

Agblemagnon, F.N.
1958   Personne, tradition et culture en Afrique noire. In: Aspects de la cul-
        ture noire, pp.22-30. Paris. Fayard.
1969   Sociologie des sociétés orales d'Afrique noire. Paris. Mouton.

Aguessy, H.
1970   La divinité lêgba et la dynamique du panthéon vodoun au Dan-Homê.
        Cahiers des Religions Africaines (Kinshasa) 4/7: 89-96.

Alexandre, P.
1953a   Môos soalma. Contes mossi. 3 fascicules en langue môoré. [Ronéo]
1953b   Môos kuuré. Funérailles mossi. [Ronéo]
1954   Môos yelbuna. Proverbes mossi. 6 fascicules. [Ronéo]

Amon d'Aby, F.J.
1960   Croyances religieuses et coutumes juridiques des Agni de la Côte
        d'Ivoire. Paris. Larose.

Anozie, S.O.
1970   Sociologie du roman africain. Paris. Aubier.

Arnould, Ch.
1949   Les fêtes au Yatenga, cercle de Ouahigouya (Haute-Volta). Notes Afri-
        caines (Dakar) 42: 38-45.

Atangana, B.
1966   Actualité de la palabre? Etudes (Paris): 460-466.

Awolalu, J.O.
1970   The Yoruba Philosophy of Life. Présence Africaine (Paris) 73: 20-38.

Awouma, J.
1968   Le conte africain et la société traditionnelle. Présence Africaine (Paris)
        66: 137-144.

Ba, A.H.
1965   Animisme en savane africaine. In: Les religions africaines traditionnel-
        les, pp.33-56. Paris. Seuil.
1969   Kaidara, récit initiatique peul. (Classiques africains.) Paris. Julliard.
1972   Aspects de la civilisation africaine. Paris. Présence Africaine.

Ba, A.H. et Dieterlen, G.
1961   Koumen. Texte initiatique des pasteurs peul. Paris. Mouton.

Baechler, J.
1971   Les origines du capitalisme. Paris. Gallimard.

Bahoken, J.C.
1967   Clairières métaphysiques africaines. Paris. Présence Africaine.

Balandier, G.
1963   Sociologie actuelle de l'Afrique noire. Paris. Presses Universitaires de France.

1965   La vie quotidienne au royaume kongo du XVIe au XVIIIe siècle. Paris. Hachette.

1967   Anthropologie politique. Paris. Presses Universitaires de France.

1970   Sociologie des mutations. Paris. Ed. Anthropos.

Barthes, R.
1957   Mythologie. Paris. Seuil.

Bastide, R.
1962   L'homme africain à travers sa religion traditionnelle. *Présence Africaine* (Paris) 40: 32-43.

1965   La théorie de la réincarnation chez les Afro-américains. In: Réincarnation et vie mystique en Afrique noire, pp.9-29. Paris. Presses Universitaires de France.

1967   Les Amériques noires. Paris. Payot.

1968   Religions africaines et structures de civilisation. *Présence Africaine* (Paris) 66: 98-111.

1970   L'état actuel de la recherche en ethnologie religieuse. In: Introduction aux sciences humaines des religions, pp.129-144. Paris. Cujas.

Baumann, P. et Uhlig, H.
1974   Pas de place pour les hommes sauvages. Paris. Seghers.

Baxter, P.T.W.
1965   Repetition in Certain Boran Ceremonies. In: Fortes et Dieterlen, African Systems of Thought, pp.64-78. London. Oxford University Press.

Beck, P. et Huard, Général P.
1969   Tibesti, carrefour de la préhistoire saharienne. Paris. Arthaud.

Bekombo, M.
1966-67 Note sur le temps. Conceptions et attitudes chez les Dwala. *L'Ethnographie* (Paris) 60-61: 60-64.

Belmont, N.
1971   Les signes de la naissance. Paris. Plon.

Bergsma, H.M.
1970   Tiv Proverbs as a Means of Social Control. *Africa* (London) 40: 151-163.

Biebuyck, D.P. et Mateene, K.
1970   Anthologie de la littérature orale nyanga. Bruxelles. ARSOM.

Billen, M., Le Guérinel, N. et Moreigne, J.P.
1967   Les associations de jeunes à Dakar. *Psychopathologie Africaine* (Dakar).

Bimwenyi, O.
1968   Le Muntu à la lumière de ses croyances en l'au-delà. *Cahiers des Religions Africaines* (Kinshasa) 2: 73-94.

1970   Le Dieu de nos ancêtres. *Cahiers des Religions Africaines* (Kinshasa) 4: 137-151.

Binet, J.
1968   Activité économique et prestige chez les Fang du Gabon. *Tiers-Monde* (Paris) 33.

1970   Psychologie économique africaine. Paris. Payot.

Bisilliat, J., Laya, D., Pierre, E. et Pidoux, Ch.
1967   La notion de *Lakkal* dans la culture djerma-songhaï. *Psychopathologie Africaine* (Dakar): 209-240.

Boelaert, E.
1968   L'épopée nationale des Nkundo, Nsong'a Lianja. Mbandaka (Zaïre).

Boubou Hama
1968   Essai d'analyse de l'éducation africaine. Paris. Présence Africaine.

Bourgeois, R.
1956   Banyarwanda et Barundi. Religion et magie. (Académie Royale des Sciences Coloniales.) Bruxelles.

Bruaire, C.
1968   Philosophie du corps. Paris. Seuil.

Brun, J.
1961   Les conquêtes de l'homme et la séparation ontologique. Paris. Presses Universitaires de France.

Buakasa, G.
1968   Notes sur le kindoki chez les Kongo. *Cahiers des Religions Africaines* (Kinshasa) 2: 153-169.

Buber, M.
1959   La vie en dialogue. Paris. Aubier.

Bureau, R.
1962-64 Ethnosociologie religieuse des Duala et apparentés. Yaoundé. Institut de Recherches scientifiques du Cameroun.

Calame-Griaule, G.
1958 Culture et humanisme chez les Dogon. In: Aspects de la culture noire, pp.9-21. Paris. Fayard.
1965 La parole chez les Dogon. Paris. Gallimard.
1969 Le thème de l'arbre dans les contes africains. Paris. S.E.L.A.F.

Capron, J.
1962 Univers religieux et cohésion interne dans les communautés villageoises bwa traditionnelles. *Africa* (London) 32: 132-171.
1971 Association d'âge, économie, pouvoir chez les populations bwa pwesya. In: D. Paulme, Classes et associations d'âge en Afrique de l'Ouest, 24-62. Paris. Plon.

Caquot, A. et Leibovici, M.
1968 La divination. Rites et pratiques religieuses. 2 vols. Paris. Presses Universitaires de France.

Cauvin, J.
1968 Recherches sur la mentalité minyanka. Sikasso (Mali). [Ronéo]
1969 Proverbes minyanka. Sikasso (Mali). [Ronéo]
1980 L'image, la langue et la pensée. 2 vols. (Collectanea Instituti Anthropos, 23 et 24.) St. Augustin. Anthropos-Institut.

Cazeneuve, J.
1958 Les rites et la condition humaine. Paris. Presses Universitaires de France.
1961 La mentalité archaïque. Paris. Colin.
1966 Bonheur et civilisation. Paris. Gallimard.
1967 Les structures mentales archaïques et les blocages du développement. *Tiers-Monde* (Paris) 29: 57-67.
1971 Sociologie du rite. Paris. Presses Universitaires de France.

Certeau, M. de
1969 L'étranger ou l'union dans la différence. Paris. Desclée de Brouwer.

Césaire, A.
1956 Lettre à Maurice Thorez. Paris. Présence Africaine.

Chirpaz, F.
1963 Le corps. Paris. Presses Universitaires de France.

Cissé, D.
1970 Structure des Malinké de Kita. Bamako. Ed. Populaires.

Cissoko, S.M.
1969   La vocation culturelle de Tombouctou à l'unité du monde africain. In:
        La culture africaine, pp.220-223. Alger. SNED.

Collomb, H. et Ayats, H.
1962   Les migrations au Sénégal: Etude psychopathologique. *Cahiers d'Etudes Africaines* (Paris) 2: 570-597.

Collot, A.
1980   Ventres pleins, ventres creux. Esquisse d'une écologie de l'homme. Paris. Gallimard.

Coquery-Vidrovitch, C.
1964   La fête des coutumes au Dahomey, historique et essai d'interprétation.
        Annales économiques des sociétés et civilisations (Paris).

Cornevin, R.
1966-67 Histoire de l'Afrique. 2 tomes. Paris. Payot.

Crahay, F.
1965   Le ‹décollage› conceptuel. Condition d'une philosophie bantoue. *Diogène* (Paris) 52: 61-84.

Cremer, J.
1927   Les Bobo, la mentalité mystique. Edit. par H. Labouret. Paris. Geuthner.

Davidson, B.
1971   Les Africains. Paris. Seuil.

Deluz, A.
1970   Organisation sociale et tradition orale. Les Guro de Côte d'Ivoire. Paris. Mouton.

Deniel, R.
1967   De la savane à la ville. Essai sur la migration des Mossi vers Abidjan et sa région. Aix-en-Provence. CASHA.

Desroches, H.
1968   Sociologies religieuses. Paris. Presses Universitaires de France.

Desroches, H. et Séguy, J.
1970   Introduction aux sciences humaines des religions. Symposium. Paris. Cujas.

Detienne, M.
1967   Les maîtres de vérité dans la Grèce archaïque. Paris. Maspéro.

Diallo, A.Y.
1969   Poème. *Présence Africaine* (Paris) 70: 110-111.

Diarra, F.-A.
1971 Femmes africaines en devenir: Les femmes zarma du Niger. Paris. Ed. Anthropos.

Diawara, F.
1972 Le manifeste de l'homme primitif. Paris. Grasset.

Dieterlen, G.
1941 Les âmes des Dogons. Paris. Institut d'Ethnologie.
1950 Les correspondances cosmo-biologiques chez les Soudanais. *Journal de psychologie normale et pathologique* (Paris): 350-366.
1951 Essai sur la religion bambara. Paris. Presses Universitaires de France.
1965 Textes sacrés d'Afrique noire. Paris. Gallimard.

Dieterlen, G. et Cissé, Y.
1972 Les fondements de la société d'initiation du Komo. Paris. Mouton.

Diop, Ch.A.
1960 L'Afrique noire pré-coloniale. Paris. Présence Africaine.

Diop, M.
1971 Histoire des classes sociales dans l'Afrique de l'Ouest. 1: Le Mali. Paris. Maspéro.

Douglas, M.
1954 The Lele of the Kasai. In: Forde, African Worlds, pp.1-26. London. Oxford University Press.
1963 The Lele of the Kasai. London.
1971 De la souillure. Paris. Maspéro.

Doutreloux, A.
1967 L'ombre des fétiches, société et culture yombé. Louvain. Nauwelaerts.

Dufrenne, M.
1968 Pour l'homme. Paris. Seuil.

Dumont, L.
1966 Homo hierarchicus. Paris. Gallimard.
1968 Préface à l'ouvrage de E.E. Evans-Pritchard, Les Nuer. Paris.

Dupire, M.
1970 Organisation sociale des Peul. Paris. Plon.

Durand, G.
1964 L'imagination symbolique. Paris. Presses Universitaires de France.
1969 Les structures anthropologiques de l'imaginaire. Paris. Bordas.

Durkheim, E.
1960 Les formes élémentaires de la vie religieuse. Le système totémique en Australie. Paris. Presses Universitaires de France.

Eboussi Boulaga, F.
1968   Le Bantou problématique. *Présence Africaine* (Paris) 66: 4-40.

Eliade, M.
1952   Images et symboles. Paris. Gallimard.
1959   Traité d'histoire des religions. Paris. Payot.

Erica, S.
1968   A propos d'une politique culturelle africaine. *Afrique-Documents* (Dakar) 100: 305-319.

Erikson, E.H.
1971   Ontogénie de la ritualisation chez l'homme. In: Huxley, Le comportement rituel chez l'homme et l'animal, pp.139-158. Paris. Gallimard.

Erny, P.
1968a   Aspects de l'éducation morale en Afrique noire. *Afrique-Documents* (Dakar) 96: 35-43.

1968b   L'enfant dans la pensée traditionnelle de l'Afrique noire. Paris. Le Livre Africain.

1972   L'enfant et son milieu en Afrique noire. Essais sur l'éducation traditionnelle. Paris. Payot.

Euverte, G.
1959   Les climats et l'agriculture. (Que sais-je? 824.) Paris. Presses Universitaires de France.

Evans-Pritchard, E.E.
1968   Les Nuer. Paris. Gallimard.

1971   La femme dans les sociétés primitives. Paris. Presses Universitaires de France.

1972   Sorcellerie, oracles et magie chez les Azandé. Paris. Gallimard.

Ezeanya, S.N.
1969   Dieu, les esprits et le monde des esprits. In: Pour une théologie africaine, pp.47-67. Yaoundé. Clé.

Fabian, J.
1970   Philosophie bantoue. Placide Tempels et son œuvre dans une perspective historique. Bruxelles. Ed. Africaine du CRISP.

Febvre, L.
1922   La terre et l'évolution humaine. Paris. A. Michel.

Fomba, N.K.
1966   Sagesse grecque et sagesse africaine. *Genève-Afrique* 5/2.

Forde, D. (ed.)
1954 African Worlds. Studies in the Cosmological Ideas and Values of African Peoples. London. Oxford University Press.

Fortes, M.
1962 Ritual and Office in Tribal Society. In: Gluckman, Essays on the Ritual of Social Relations, pp.53-88. Manchester. University Press.
1971 Les prémisses religieuses et la technique logique des rites divinatoires. In: Huxley, Le comportement rituel chez l'homme et l'animal, pp.249-268. Paris. Gallimard.

Fortes, M. et Dieterlen, G. (eds.)
1965 African Systems of Thought. Séminaire tenu en 1960. London. Oxford University Press.

Fouda, B.J.
1967 La philosophie africaine de l'existence. Lille. [Thèse de doctorat]

Foulquié, P. et Saint-Jean, R.
1969 Dictionnaire de la langue philosophique. Paris. Presses Universitaires de France.

Fourche, T. et Morlighem, H.
1973 Une bible noire. Bruxelles. Arnold.

Froelich, J.C.
1964 Animismes. Paris. Orante.
1968 Les montagnards paléonigritiques. Paris. Berger-Levrault.

Fu-Kiau, A.
1969 Le Mukongo et le monde qui l'entourait. Cosmogonie kongo. (Recherches et Synthèses, 1.) Kinshasa. Office National de la Recherche et de Développement.

Ganay, S. de
1941 Les devises des Dogons. Paris. Institut d'Ethnologie.

George, P.
1968 L'action humaine. Paris. Presses Universitaires de France.

Gérard, A.
1964 Origines historiques et destin littéraire de la négritude. Diogène (Paris) 48: 14-37.

Girard, R.
1972 La violence et le sacré. Paris. Grasset.

Girault, L.
1959 Essai sur la religion des Dagara. Bulletin d'IFAN (Dakar) 21B: 329-356.

Gluckman, M. (ed.)
1962   Essays on the Ritual of Social Relations. Manchester. University Press.

Gollnhoffer, O. et Sillans, R.
1965   Recherches sur le mysticisme mitsogo. In: Réincarnation et vie mystique en Afrique noire, pp.143-171. Paris. Presses Universitaires de France.

Gourou, P.
1971   Leçons de géographie tropicale. Paris. Mouton.

Gravrand, H.
1961   Visage africain de l'Eglise. Paris. Orante.

1962   La dignité sérère. In: Colloque sur les religions, pp.87-90. Paris. Présence Africaine.

Greimas, A.J.
1970   Du sens. Paris. Seuil.

Griaule, M.
1938   Masques dogons. Paris. L'Institut d'Ethnologie.

1940   Remarques sur le mécanisme du sacrifice dogon. *Journal de la Société des Africanistes* (Paris) 10: 127-129.

1948a   Dieu d'eau. Entretiens avec Ogotemmêli. Paris. Ed. du Chêne.

1948b   L'arche du monde. *Journal de la Société des Africanistes* (Paris) 18: 117-126.

1949   Image du monde au Soudan. *Journal de la Société des Africanistes* (Paris) 19: 81-87.

1952   Réflexions sur les symboles soudanais. *Cahiers Internationaux de Sociologie* (Paris) 13: 8-30.

1954   Nouvelles remarques sur la harpe-luth des Dogon. *Journal de la Société des Africanistes* (Paris) 24: 119-122.

Griaule, M. et Dieterlen, G.
1950   La harpe-luth des Dogon. *Journal de la Société des Africanistes* (Paris) 20: 209-227.

Guerry, V.
1970   La vie quotidienne dans un village baoulé. Abidjan. INADES.

Guillaumin, A.
1966   Documents pour le cours de formation morale et spirituelle. Bamako.

Guillaumin, C.
1972   L'idéologie raciste. Genèse et langage actuel. Paris. Mouton.

Guiraud, P.
1968   Langage et théorie de la communication. In: Le Langage. Encyclopédie de la Pléiade, pp.145-170.

Gusdorf, G.
1948   L'expérience humaine du sacrifice. Paris. Presses Universitaires de France.

1953   Mythe et métaphysique. Paris. Flammarion.

Halbwachs, M.
1957   La mémoire collective. Paris. Presses Universitaires de France.

Harwood, A.
1970   Witchcraft, Sorcery and Social Categories among the Safwa. London. Oxford University Press.

Hazoumé, P.
1937   Le pacte du sang au Dahomey. (Travaux et Mémoires de l'Institut d'Ethnologie, 25.) Paris.

Henry, M.
1965   Philosophie et phénoménologie du corps. Paris. Presses Universitaires de France.

Herskovits, M.J.
1952   Les bases de l'anthropologie culturelle. Paris. Payot.

Hertefelt, M. d' et Coupez, A.
1964   La royauté sacrée de l'ancien Rwanda. Tervuren.

Hertefelt, M. d', Trouwborst, A.A. et Scherer, J.H.
1962   Les anciens royaumes de la zone interlacustre méridionale: Rwanda, Burundi, Buha. Tervuren.

Hervouët, J.-P.
1981   L'homme, créateur du désert. Vivant Univers n° 336: 20-23.

Heusch, L. de
1965   Possession et chamanisme. In: Les religions africaines traditionnelles, pp.139-170. Paris. Seuil.

1966   Le Rwanda et la civilisation interlacustre. Etudes d'Anthropologie historique et structurale. Bruxelles. Université Libre.

1971   Pourquoi l'épouser? et autres essais. Paris. Gallimard.

1972   Le roi ivre ou l'origine de l'Etat. Paris. Gallimard.

Holas, B.
1952   Les masques kono (Haute-Guinée française). Leur rôle dans la vie religieuse et politique. Paris. Geuthner.

Holas, B.
1961   Changements sociaux en Côte d'Ivoire. Paris. Presses Universitaires de France.

1965   Le séparatisme religieux en Afrique noire. Paris. Presses Universitaires de France.

1968a   L'imagerie rituelle en Afrique noire. *Bulletin d'IFAN* (Dakar) 30.

1968b   Le sacré dans la vie sociale. L'exemple sénoufo. *Diogène* (Paris) 61: 124-139.

1968c   L'image du monde bété. Paris. Presses Universitaires de France.

1968d   Les dieux d'Afrique noire. Paris. Geuthner.

Houis, M.
1971   Anthropologie linguistique de l'Afrique noire. Paris. Presses Universitaires de France.

Hountondji, P.J.
1970   Remarques sur la philosophie africaine contemporaine. *Diogène* (Paris) 71: 120-140.

Hulstaert, G.
1938   Le mariage des Nkundo. Bruxelles. Institut Royal Colonial Belge.

1958   Proverbes mongo. Tervuren.

1961   Les Mongo. Aperçu général. Tervuren.

1971   Contes d'ogres mongo. (Koninklijke Academie voor Overzeese Wetenschappen.) Bruxelles.

Hurault, J.
1962   La structure sociale des Bamiléké. Paris. Mouton.

Huxley, J.
1971   Le comportement rituel chez l'homme et l'animal. Paris. Gallimard.

Ilboudo, P.
1969   Religion et système politiques sous l'empire mossi. *Voix Voltaïques* (Ouagadougou) 5: 9-19.

Isnard, H.
1967   Géographie de l'Afrique tropicale et australe. (Que sais-je? 1139.) Paris. Presses Universitaires de France.

Jahn, J.
1961   Muntu. L'homme africain et la culture néo-africaine. Paris. Seuil. [Edition allemande: 1958]

Jakobson, R.
1963   Essais de linguistique générale. Paris. Ed. de Minuit.

Jankélévitch, V.
1960   Le pur et l'impur. Paris. Flammarion.

Jaulin, R.
1967   La mort sara. Paris. Plon.

Jolif, J.Y.
1967   Comprendre l'homme. Introduction à une anthropologie philosophique. Paris. Le Cerf.

Jolivet, J.
1970   La philosophie, conduite politique. Toulouse. Privat.

Junod, H.P.
1968   Essai sur les notions fondamentales de la pensée africaine bantoue. *Genève-Afrique* 7: 83-90.

Kaberry, P.M.
1952   Women of the Grassfields. A Study of the Economic Position of Women in Bamenda, British Cameroons. (Colonial Research Publication, 14.) London. Colonial Office.

Kagame, A.
1956   La philosophie bantu-rwandaise de l'Etre. (Académie Royale des Sciences Coloniales.) Bruxelles.

1969   La place de dieu et de l'homme dans la religion des Bantu. *Cahiers des Religions Africaines* (Kinshasa) 3: 5-11.

Kajiga, G.
1968   Untu, patrimoine culturel des peuples de l'Afrique sub-saharienne. Kinshasa.

Kala-Lobe, I.
1961   Grandeur et décadence de ‹Mun'a moto›, cultivateur camerounais. *Présence Africaine* (Paris) 37: 90-118.

1962   La vocation africaine du sport. *Présence Africaine* (Paris) 41: 34-57.

Kalenga, A.
1971   Mentalité bantoue et esprit de Jésus. *Spiritus* (Paris) 46: 247-257.

Kane, Ch.H.
1961   L'aventure ambiguë. Paris. Julliard.

Kenyatta, J.
1967   Au pied du mont Kénya. Paris. Maspéro.

Ki-Zerbo, J.
1962   La personnalité négro-africaine. *Présence Africaine* (Paris) 41: 137-143.

1968   L'édification des jeunes nations. *Afrique-Documents* (Dakar) 96: 3-20.

Knapen, M.Th.
1970   L'enfant Mukongo. Louvain. Nauwelaerts.

Koch, H.
1968   Magie et chasse au Cameroun. Paris. Berger-Levrault.

Kossou, B.
1971   Sé et Gbé ou la dynamique de l'existence. Paris. [Thèse de doctorat]

Kouassigan, G.A.
1966   L'homme et la terre. Paris. ORSTOM. Berger-Levrault.

Kourouma, A.
1954   Sur une formule de purification des femmes en pays somba. *Notes Africaines* (Dakar) 63: 82-83.

Laburthe-Tolra, Ph. et Bureau, R.
1971   Initiation africaine. Supplément de philosophie et de sociologie à l'usage de l'Afrique noire. Yaoundé. Clé.

Lacroix, J.
1968   Panorama de la philosophie française contemporaine. Paris. Presses Universitaires de France.

Leenhardt, M.
1947   Do Kamo. La personne et le mythe dans le monde mélanésien. Paris. Gallimard.

Leeuw, G. van der
1955   La religion dans son essence et ses manifestations. Paris. Payot.

Le Guérinel, N.
1971   Le langage du corps chez l'Africain. *Psychopathologie Africaine* (Dakar): 13-56.

Le Guérinel, N. et Delbard, B.
1966   Dynamique de groupe en milieu africain. *Psychopathologie Africaine* (Dakar): 77-105.

Leroi-Gourhan, A.
1945   Milieu et techniques. Paris. Michel.

1971   Les religions de la préhistoire. Paris. Presses Universitaires de France.

Lévinas, E.
1967   En découvrant l'existence avec Husserl et Heidegger. Paris. Vrin.

1971   Totalité et infini. La Haye. Nijhoff.

Lévi-Strauss, C.
1958   Anthropologie structurale. Paris. Plon.

1962a   Le totémisme aujourd'hui. Paris. Presses Universitaires de France.

1962b   La pensée sauvage. Paris. Plon.

Lévy-Valensi, E.A.

1967   La communication. Paris. Presses Universitaires de France.

Leynaud, E.

1963   Ligwa, un village zandé de la R.C.A. *Cahiers d'Etudes Africaines* (Paris) 3/11: 318-390.

Little, K.

1954   The Mende in Sierra Leone. In: Forde, African Worlds, pp.111-137. London. Oxford University Press.

Lufuluabo, F.M.

1962   Vers une théodicée bantoue. (Documents et Recherches.) Louvain. Eglise Vivante.

1964   La notion luba-bantoue de l'Etre. (Documents et Recherches.) Louvain. Eglise Vivante.

Mabendy, G.

1959   Sagesse bambara de Ségou. *Notes Africaines* (Dakar) 84: 113-123.

Mabona, A.

1962   Eléments de culture africaine. *Présence Africaine* (Paris) 41: 144-150.

Magobeko Kamana, J.

1972   Essai sur le statut existentiel d'une philosophie propre aux Bantu. Louvain.

Mahend-Betind, P.L.

1966   Rites et croyances relatifs à l'enfance chez les Banen du Cameroun. Paris. Présence Africaine.

Maistriaux, R.

1964   La femme et le destin de l'Afrique. Bruxelles. Editest.

Makarakiza, A.

1959   La dialectique des Barundi. Bruxelles.

Makarius, L.

1968   Les tabous du forgeron. De l'homme du fer à l'homme du sang. *Diogène* (Paris) 62: 28-53.

Maquet, J.

1962   Les civilisations noires. (Marabout-Université, 120.) Paris. Horizon de France.

1967   Africanité traditionnelle et moderne. Paris. Présence Africaine.

1970   Pouvoir et société en Afrique. Paris. Hachette.

Marcel, G.
1940   Essai de philosophie concrète. Paris. Gallimard.

Masson-Oursel, P.
1969   La philosophie en Orient. Paris. Presses Universitaires de France.

Mauss, M.
1960   Sociologie et Anthropologie. Paris. Presses Universitaires de France.

Mazrui, A.A.
1971   Africa and the Crisis of Relevance in Modern Culture. In: L'Afrique
        noire et l'Europe face à face, pp.65-76. Paris. Présence Africaine.

Mbiti, J.S.
1970   African Religions and Philosophy. New York. Anchor Books.

Mehl, R.
1967   La rencontre d'autrui, remarques sur le problème de la communication.
        Neuchâtel. Delachaux et Niestlé.

Meillassoux, C.
1975   Femmes, greniers et capitaux. Paris. Maspéro.

Meillassoux, C., Doucouré, L. et Simagha, D.
1967   Légende de la dispersion des Kusa, épopée soninké. Dakar. IFAN.

Méline, J.B.
1938   Les Su-komsé. In: Dans la bouche du Niger, 191, 194. Namur. Ed.
        Grands-Lacs.

Melone, S.
1972   La parenté et la terre dans la stratégie du développement. L'expérience
        camerounaise. Etude critique. Paris. Klincksiek.

Melone, Th.
1969   Mongo Béti: l'homme et le destin. *Présence Africaine* (Paris) 70:
        120-136.

Memel-Fotê, H.
1965   De la paix perpétuelle dans la philosophie pratique des Africains. *Pré-
        sence Africaine* (Paris) 55: 15-31.

1967   Un guérisseur de la basse Côte d'Ivoire: Josué Edjiro. *Cahiers des Etu-
        des Africaines* (Paris) 7/28: 547-605.

1970   L'idée du monde dans les cultures négro-africaines. *Présence Africaine*
        (Paris) 73: 223-247.

Mercier, P.
1966   Histoire de l'anthropologie. Paris. Presses Universitaires de France.

1968   Tradition, changement, histoire. Les ‹Somba› du Dahomey septentrio-
        nal. Paris. Ed. Anthropos.

Merleau-Ponty, M.
1953   Eloge de la philosophie. Paris. Gallimard.

Metz, J.B.
1968   L'homme. Anthropocentrique chrétienne. Paris. Mame.

Middleton, J.
1954   Les Kikouyou et les Kamba du Kénia. Paris. Payot.

Monfouga-Nicolas, J.
1972   Ambivalence et culte de possession. Paris. Ed. Anthropos.

Monteil, Ch.
1967   ‹La légende de Wagadou›. Bulletin d'IFAN (Dakar) 29B: 134-149.

Morin, E.
1973   Le paradigme perdu: la nature humaine. Paris. Seuil.

Mounin, G.
1970   Introduction à la sémiologie. Paris. Ed. de Minuit.

1971   Clefs pour la linguistique. Paris. Séghers.

Mudimbe, V.
1968   Structuralisme, événement, notion, variations et les sciences humaines
        en Afrique. Cahiers Economiques et Sociaux (Kinshasa): 3-70.

Mühlmann, W.E.
1968   Messianismes révolutionnaires du Tiers-Monde. Paris. Gallimard.

Mufuta, P. (ed.)
1969   Le chant Kasàlà des Luba. (Classiques africains.) Paris. Julliard.

Mujynya, E.
1969a   Le mal et le fondement dernier de la morale chez les Bantu interlacus-
        tres. Cahiers des Religions Africaines (Kinshasa) 3/5: 55-78.

1969b   Le mystère de la mort dans le monde bantu. Cahiers des Religions Afri-
        caines (Kinshasa) 3/5: 25-35.

Mukenge, L.
1967   Croyances religieuses et structures socio-familiales en société luba. Ca-
        hiers Economiques et Sociaux (Kinshasa): 1-94.

Mulago, V.
1965   Un visage africain du christianisme. L'union vitale bantu face à l'unité
        vitale ecclésiale. Paris. Présence Africaine.

1968   Le Dieu des Bantu. Cahiers des Religions Africaines (Kinshasa) 2/3:
        23-64.

Mumford, L.
1956   Les transformations de l'homme. Paris. Payot.

Mumford, L.
1961   La cité à travers l'histoire. Paris. Seuil.
1967   Le mythe de la machine. Paris. Fayard.

Murdock, G.P.
1959   Africa. Its peoples and their culture history. New York. McGraw-Hill.

Muzungu, B.
1968   Les rites traditionnels au Rwanda. *Cum Paraclito* (Nyundo, Rwanda): 1-34.

Mveng, E.
1963   Structures fondamentales et la prière négro-africaine. In: Personnalité africaine et catholicisme, pp.153-200. Paris. Présence Africaine.
1964   L'art d'Afrique noire. Paris. Mame.

Mviena, P.
1970   Univers culturel et religieux du peuple béti. Yaoundé. Clé.

Nazi Boni
1962   Crépuscule des temps anciens. Chronique du Bwamu. Paris. Présence Africaine.

N'Daw, A.
1966   Peut-on parler d'une pensée africaine? *Présence Africaine* (Paris) 58: 32-46.
1968   Les sociétés africaines veulent exercer leur droit à la culture. *France Eurafrique* (Paris).

Ndong Ndoutoume, T.
1970   Le Mvett. Paris. Présence Africaine.

Nédoncelle, M.
1942   La réciprocité des consciences. Paris. Aubier.
1963   Personne humaine et nature. Paris. Aubier.

Ngindu, A.
1969   Propos et problèmes concernant le culte des morts chez les Baluba du Kasai. *Cahiers des Religions Africaines* (Kinshasa) 3/5: 79-109.

Ngongo, L.
1969   Signification et portée des rites ‹libérateurs› chez les Béti du Sud-Cameroun. *Cahiers des Religions Africaines* (Kinshasa) 2/4: 261-288.

Nola, A. di
1958   La prière. Paris. Séghers.

Nothomb, D.
1965   Un humanisme africain. Bruxelles. Lumen Vitae.

Nougier, L.R.
1970   L'économie préhistorique. (Que sais-je? 1317.) Paris. Presses Universitaires de France.

Obenga, Th.
1970   Méthode et conceptions historiques de Cheikh Anta Diop. *Présence Africaine* (Paris) 74: 3-28.

Ombredane, A.
1969   L'exploration des la mentalité des noirs. Paris. Presses Universitaires de France.

Oraison, M.
1967   Etre-avec, la relation à autrui. Paris. Centurion.

Ortigues, E.
1962   Le discours et le symbole. Paris. Aubier.

Ortigues, M.C. et Ortigues, E.
1966   Œdipe africain. Paris. Plon.

Ouédraogo, J.
1950   Les funérailles en pays mossi. *Bulletin de l'IFAN* (Dakar) 12: 441-455.

Pageard, R.
1969   Le droit privé des Mossi. Tradition et évolution. (Recherches Voltaïques, 10.) Paris et Ouagadougou.

Pagès, M.
1968   La vie affective des groupes. Paris. Dunod.

Pairault, C.
1964   Boum Kabir en présence de la mort. *Journal de la Société des Africanistes* (Paris) 34: 141-167.

Paques, V.
1964   Mythes et structures dans les sociétés africaines traditionnelles. *Bulletin d'IFAN* (Dakar) 26B: 71-77.

Parin, P., Morgenthaler, F. et Parin-Matthey, G.
1967   Les blancs pensent trop. Considérations psychoanalytiques sur le moi de groupe. Paris. Payot.

Parrinder, G.
1950   La religion en Afrique occidentale. Paris. Payot.

Patokidéou, H.K.
1970   Les civilisations patriarchales des Kabrè face aux programmes modernes de développement économique et social. Lomé.

Paulme, D.
1954   Les gens du riz. Paris. Plon.

Paulme, D.
1962   Une religion syncrétique en Côte d'Ivoire. *Cahiers d'Etudes Africaines* (Paris) 3/9: 5-90.
1971   Classes et associations d'âge en Afrique de l'Ouest. Paris. Plon.

Pazzi, R.
1968   Culte de mort chez le peuple Mina (Sud-Togo). *Cahiers des Religions Africaines* (Kinshasa) 2/4: 249-260.

Piaget, J.
1968   Sagesse et illusions de la philosophie. Paris. Presses Universitaires de France.

Pohl, J.
1968   Symboles et langages. 2 vols. Paris et Bruxelles. SODI.

Prieto, L.J.
1968   La sémiologie. In: Le Langage. Encyclopédie de la Pléiade, pp.93-144. Paris.

Radcliffe-Brown, A.R.
1968   Structure et fonction dans la société primitive. Paris. Ed. de Minuit.

Radkowski, G.H. de
1980   Les jeux du plaisir. Paris. Presses Universitaires de France.

Raponda-Walker, A.
1967   Contes gabonais. Paris. Présence Africaine.

Raponda-Walker, A. et Sillans, R.
1962   Rites et croyances des peuples du Gabon. Paris. Présence Africaine.

Rasilly, B. de
1965   Bwa laada: coutumes et croyances bwa. *Bulletin d'IFAN* (Dakar) 27: 99-154.

Raulin, H.
1962   Psychologie du paysan des tropiques. *Etudes Rurales* (Paris) 7: 58-82.

Rehfisch, F.
1963   Competitive Gift Exchange among the Mambila. *Cahiers d'Etudes Africaines* (Paris) 3/9: 91-103.

Richard, M.
1970   Histoire, tradition et promotion de la femme chez les Batanga. Bandundu (Zaïre).

Ricœur, P.
1960   Finitude et culpabilité. 2 vols. Paris. Aubier.
1965   De l'interprétation. Essai sur Freud. Paris. Seuil.
1969   Le conflit des interprétations. Essais d'herméneutique. Paris. Seuil.

Rioux, J.P.
1971   La révolution industrielle 1780—1880. Paris. Seuil.

Rivière, C.
1971a   Comportements ostentatoires et style de vie des élites guinéennes. *Cultures et Développement* (Louvain) 3: 415-443.
1971b   Mutations sociales en Guinée. Paris. Rivière.

Robin, L.
1967   La pensée hellénique, des origines à Epicure. Paris. Presses Universitaires de France.

Rodegem, F.M.
1961   Sagesse kirundi. (Annales du Musée Royal du Congo Belge, 34.) Tervuren.

1971   La fête des prémices au Burundi. (Annales du Musée Royal d'Afrique Centrale, 72.) Tervuren.

1972   Un problème de terminologie: Les locutions sentencieuses. *Cahiers de l'Institut de Linguistique de Louvain* 1: 677-703.

1973   Anthologie rundi. (Classiques Africains, 12.) Paris. Colin.

1974   La fonction hyperphatique de langage. *Cultures et Développement* (Louvain) 6: 277-303.

1983   Paroles de sagesse au Burundi. Louvain. Peeters.

Rogers, C.R.
1967   Le développement de la personnalité. Paris. Dunod.

Rolland de Renéville, J.
1968   Signification de l'homme. Paris. Presses Universitaires de France.

Rouch, J.
1963   Introduction à l'étude de la communauté de Bregbo. *Journal de la Société des Africanistes* (Paris) 33: 129-202.

Roumeguère-Eberhardt, J.
1963   Pensée et société africaines. Essais sur une dialectique de complémentarité antagoniste chez les Bantu du Sud-Est. Paris. Mouton.

Ruytinx, J.
1960   La morale bantoue. Le problème de l'éducation morale au Congo. Bruxelles. Université Libre.

Sahlins, M.
1972   Age de pierre, âge d'abondance. L'économie des sociétés primitives. Paris. Gallimard.

Sanon, A.T.
1972   Tierce Eglise, ma mère, ou la conversion d'une communauté païenne
        au Christ. Paris. Beauchesne.

Senghor, L.S.
1961   Nocturnes. Paris. Seuil.
1962   De la négritude. Psychologie du Négro-africain. *Diogène* (Paris) 37:
        3-16.
1964   Liberté 1. Paris. Seuil. [Liberté 2: 1971]
1971   Problématique de la négritude. *Présence Africaine* (Paris) 78: 3-26.

Shelton, A.J.
1963   Le principe cyclique de la personnalité africaine. *Présence Africaine*
        (Paris) 45: 98-104.

Sinankwa, M.
1971   La formation familiale et l'éducation catéchétique de l'enfant murundi.
        [Mémoire Lumen Vitae]

Sinda, M.
1972   Le messianisme congolais et ses incidences politiques: kimbanguisme
        – matsouanimse – autres mouvements. Paris. Payot.

Skinner, E.P.
1960   The Mossi *pogsioure. Man* (London) 60: 20-23.
1964   The Mossi of the Upper Volta. Stanford (California).

Sohier, A.
1949   Traité élémentaire de droit coutumier du Congo Belge. Bruxelles.
        Garcier.

Somé, B.B.
1969   Conte bobo. *Voix Voltaïques* (Ouagadougou) 5: 46-54.
1970   La religion traditionnelle mossi comme source de valeurs de civilisation
        politique. *Cahiers des Religions Africaines* (Kinshasa) 4/8: 205-227.

Sow, A.I.
1966   La femme, la vache, la foi. (Classiques africains.) Paris. Juillard.

Stoetzel, J.
1963   La psychologie sociale. Paris. Flammarion.

Tauxier, L.
1917   Le noir du Yatenga. Paris. Larose.

Tempels, P.
1949   La philosophie bantoue. Paris. Présence Africaine. [Edition originale:
        1946]

Thomas, L.V.

1958　Réflexions sur quelques aspects de moralité diola. *Bulletin de l'IFAN* (Dakar) 20: 249-290.

1960　Le système cosmologique diola. *Présence Africaine* (Paris): 32-33.

1961a　Pour un programme d'études théoriques des religions et d'un humanisme africain. *Présence Africaine* (Paris) 37: 48-86.

1961b　Temps, mythe et histoire en Afrique de l'Ouest. *Présence Africaine* (Paris) 39: 12-58.

1962　Etat actuel et avenir de l'animisme. In: Colloque sur les religions, pp.59-70. Paris. Présence Africaine.

1964　Pour une systématique de l'habitat diola. *Bulletin d'IFAN* (Dakar) 26B: 78-118.

1965　Philosophie de la religion négro-africaine traditionnelle. *Afrique-Documents* (Dakar) 79: 51-73.

1966　Le socialisme africain. 2 vols. Paris. Le Livre Africain.

1968　Analyse de la personnalité diola. Essai de synthèse. *Bulletin de l'IFAN* (Dakar) 30/2: 536-585.

Thomas, L.V., Luneau, B. et Doneux, J.

1969　Les religions d'Afrique noire. Textes et traditions sacrés. Paris. Fayard-Dénoël.

Tiendrébéogo, Y.

1964a　Contes du Larhallé. Ouagadougou.

1964b　Histoire et coutumes royales des Mossi de Ouagadougou. Ouagadougou.

Towa, M.

1970　Essai sur la problématique philosophique de l'Afrique actuelle. Yaoundé. Clé.

1971　Léopold Sédar Senghor: Négritude ou servitude? Yaoundé. Clé.

Turnbull, C.

1961　The forest people. London. Picador.

1973　Un peuple de fauves. Paris. Stock.

Turner, V.W.

1962　Three Symbols of Passage in Ndembu Circumcision Ritual. In: Gluckman, Essays on the Ritual of Social Relations, pp.124-173. Manchester. University Press.

1971　Syntaxe du symbolisme d'une religion africaine. In: Huxley, Le comportement rituel chez l'homme et l'animal, pp.74-88. Paris. Gallimard.

1972　Les tambours d'affliction. Analyse des rituels chez les Ndembu de Zambie. Paris. Gallimard.

Van Sambeek
1949   Coutumes Ha. [Manuscrit]

Vansina, J.
1961   De la tradition orale. Essai de méthode historique. Tervuren.
1965   Les anciens royaumes de la savane. Kinshasa. Lovanium.

Van Wing, J.
1959   Etudes Bakongo. Paris. Desclée de Brouwer.

Verhaegen, G.
1967   Rationalité économique et agriculture traditionnelle. *Cahiers Economiques et Sociaux* 2.
1968   Le paysan africain, ‹homme traditionnel› ou ‹homme économique›? *Cahiers Economiques et Sociaux* 1.

Vernant, J.P.
1965   Mythe et pensée chez les Grecs. Etudes de psychologie historique. Paris. Maspéro.

Vetö, M.
1962   Unité et dualité de la conception du mal chez les Bantou orientaux. *Cahiers d'Etudes Africaines* (Paris) 2/8: 551-569.

Wackenheim, G.
1969   Communication et devenir interpersonnel. Paris. Epi.

Wagner, G.
1954   The Abaluyia of Kavirondo (Kenya). In: Forde, African Worlds, pp.27-54. London. Oxford University Press.

Wahl, J.
1962   Tableau de la philosophie française. Paris. Gallimard.

Wininga, A.
1969   Langue et nation. *Voix Voltaïques* (Ouagadougou) 5: 20-40.

Zaehner, R.C.
1965   Inde, Israël, Islam – religions mystiques et révélations prophétiques. Paris. Desclée de Brouwer.

Zahan, D.
1954   Notes sur les marchés mossi du Yatenga. *Africa* (London) 24: 370-377.
1960   Sociétés d'initiation bambara. Le N'domo et le Korè. Paris. Mouton.
1963   La dialectique du Verbe chez les Bambara. Paris. Mouton.
1969   La viande et la graine. Paris. Présence Africaine.
1970   Religion, spiritualité et pensée africaines. Paris. Payot.

Zempléni, A. et Rabain, J.
1965   L'enfant nit-ku-bon. *Psychopathologie Africaine* (Dakar) 1/3: 329-360.

Index des auteurs

Index des ethnies